Zum Buch:

Schon während ihres ersten Tages beim Atlanta Police Department muss Kate Murphy um ihr Leben fürchten – denn der »Shooter« terrorisiert die Stadt, ein Attentäter, dessen Opfer ausschließlich Polizeibeamte sind. Doch nicht nur dieser Serienkiller hat es auf Kate abgesehen, auch ihre neuen Kollegen sehen in ihr keine gleichwertige Partnerin, eine weibliche Polizistin ist in ihren Augen nichts wert. Auch Kates Partnerin Maggie Lawson bemerkt, wie die Stimmung unter den Kollegen zu kippen droht. Kate und sie werden bewusst aus der Ermittlung um den Serienmörder ausgeschlossen, und die Cops beginnen eine brutale Menschenjagd …

Zur Autorin:

Karin Slaughter ist eine der weltweit berühmtesten Autorinnen und Schöpferin von über 20 New-York-Times-Bestseller-Romanen. Dazu zählen *Cop Town*, der für den Edgar Allan Poe Award nominiert war, sowie die Thriller *Die gute Tochter* und *Pretty Girls*. Ihre Bücher erscheinen in 120 Ländern und haben sich über 40 Millionen Mal verkauft. Ihr internationaler Bestseller *Ein Teil von ihr* ist 2022 als Serie mit Toni Collette auf Platz 1 bei Netflix erschienen. Eine Adaption ihrer Bestseller-Serie um den Ermittler *Will Trent* ist derzeit eine erfolgreiche Fernsehserie, weitere filmische Projekte werden entwickelt. Slaughter setzt sich als Gründerin der Non-Profit-Organisation »Save the Libraries« für den Erhalt und die Förderung von Bibliotheken ein. Die Autorin stammt aus Georgia und lebt in Atlanta.

KARIN SLAUGHTER

COP TOWN

THRILLER

Aus dem amerikanischen Englisch von
Klaus Berr

HarperCollins

Die Originalausgabe erschien 2014 unter dem Titel *Cop Town*
bei Delacorte Press, an imprint of The Random House Publishing Group,
a division of Random House, Inc., New York.

Der Verlag weist ausdrücklich darauf hin, dass im Text enthaltene
externe Links vom Verlag nur bis zum Zeitpunkt der Buchveröffentlichung
eingesehen werden konnten. Auf spätere Veränderungen hat der Verlag
keinerlei Einfluss. Eine Haftung des Verlags ist daher ausgeschlossen.

1. Auflage 2024
© 2014 by Karin Slaughter
Ungekürzte Ausgabe im HarperCollins Taschenbuch
by HarperCollins in der
Verlagsgruppe HarperCollins Deutschland GmbH, Hamburg
© 2015 für die deutschsprachige Ausgabe by Blanvalet Verlag München,
in der Verlagsgruppe Randomhouse GmbH
Die Rechte an der Nutzung der deutschen Übersetzung
von Klaus Berr liegen beim Blanvalet Verlag, München,
in der Penguin Random House Verlagsgruppe GmbH.
Published by arrangement with William Morrow,
an imprint of HarperCollins Publishers, US
Gesetzt aus der Stempel Garamond
von GGP Media GmbH, Pößneck
Druck und Bindung von ScandBook
Umschlaggestaltung von Hafen Werbeagentur, Hamburg
Umschlagabbildung von Atlantist Studio / shutterstock
Printed in Lithuania
ISBN 978-3-365-00851-5
www.harpercollins.de

Für Billie, den Auslöser für alles
(Es gibt diesen einen schrecklichen Moment ...)

NOVEMBER 1974

PROLOG

Der Morgen dämmerte über der Peachtree Street. Die Sonne schnitt einen Korridor durch Downtown, blitzte vorbei an Baukränen, die nur darauf warteten, die Erde aufzureißen und Wolkenkratzer, Hotels, Kongresszentren in die Höhe zu ziehen. Frost lag wie Spinnweben über den Parks. Nebel wehte durch die Straßen. Bäume reckten sich. Das feuchte, reife Fleisch der Stadt streckte sich dem Novemberlicht entgegen.

Das einzige Geräusch waren Schritte.

Laut hallten sie von den Gebäuden wider, als Jimmy Lawson sich über das Pflaster schleppte. Er schwitzte. Sein linkes Knie knickte immer wieder ein. Sein Körper war eine schiere Symphonie des Schmerzes. Jeder Muskel war ein vibrierender Klavierdraht. Seine Zähne knirschten wie Schleifsteine. Sein Herz war eine Trommel.

Der schwarze Granitblock des Equitable Building warf einen rechteckigen Schatten, als Jimmy die Pryor Street überquerte. Wie viele Blocks war er schon gegangen? Wie viele musste er noch gehen?

Don Wesley hing ihm über der Schulter wie ein Sack Mehl. Jimmy trug ihn, wie ein Feuerwehrmann einen Verletzten trug. Die Last war schwerer, als es aussah. Jimmys Schultern brannten. Sein Rückgrat drillte sich ins Steißbein. Sein Arm zitterte, als er sich Dons Beine an die Brust drückte. Der Mann war unter Garantie bereits tot. Sein Kopf schlug Jimmy ins Kreuz, als er die Edgewood hinunterlief, schneller, als er je einen Ball über ein Spielfeld getragen hatte. Er wusste nicht, ob es Dons Blut war oder sein Schweiß, der ihm hinten über die Beine lief und sich in seinen Stiefeln sammelte.

Er würde das hier nicht überleben. So etwas konnte doch kein Mensch überleben.

Die Waffe war einfach hinter der Ecke aufgetaucht. Er hatte sie um die Kante der Waschbetonmauer gleiten sehen. Die scharfen Konturen ihres Korns hatten vorn über der Mündung aufgeragt. Eine Raven MP-25. Wechselmagazin mit sechs Schuss, Rückstoßladung, Halbautomatik. Die klassische Saturday Night Special: an jeder Getto-Ecke für fünfundzwanzig Mäuse zu haben.

So viel war das Leben seines Partners also wert. Fünfundzwanzig Dollar.

Jimmy sackte immer tiefer unter der Last zusammen. Als er an der First Atlanta Bank vorbeilief, berührte sein linkes Knie beinahe den Asphalt. Nur mehr Adrenalin und Angst bewahrten ihn vor dem Sturz. Erinnerungsfetzen zündeten in seinem Kopf ein buntes Feuerwerk: roter Hemdsärmel, aufgekrempelt über einer goldenen Uhr. Ein schwarzer Handschuh um einen weißen Perlmuttgriff. Die aufgehende Sonne hatte den dunklen Stahl der Waffe in bläuliches Licht getaucht. Es konnte nicht richtig sein, dass etwas Schwarzes einen solchen Schimmer hatte – aber die Waffe hatte beinahe geglänzt.

Jimmy wusste, wie eine Waffe funktionierte. Der Schlitten der 25er war bereits durchgezogen gewesen, die Patrone in der Kammer. Die Feder des Abzugs betätigte den Schlagbolzen. Der Bolzen schlug auf das Zündhütchen. Das Zündhütchen aktivierte den Treibsatz. Die Kugel flog aus der Kammer. Die Hülse schnellte aus dem Auswurf.

Dons Kopf war explodiert.

Es war nicht Jimmys Gedächtnis, das ihm das Bild vor Augen führte. Die Gewalt war ihm in die Hornhäute eingebrannt, war da, sobald er blinzelte. Jimmy hatte zu Don hinabgeblickt, dann die Waffe angestarrt, und dann hatte er mit ansehen müssen, wie eine Seite von Dons Gesicht sich verzerrte zu nur mehr Farbe und Struktur einer verfaulten Frucht.

Klickklick.

Die Waffe hatte eine Ladehemmung gehabt. Ansonsten würde Jimmy jetzt nicht durch die Straßen rennen. Er läge mit dem Gesicht nach unten neben Don in der Gasse, und Kondome und Zigarettenkippen und Nadeln würden ihnen auf der Haut kleben.

Gilmer Street. Courtland. Piedmont. Noch drei Blocks.

Sein Knie musste noch drei Blocks durchhalten.

Jimmy hatte noch nie einer feuernden Waffe in die Mündung gesehen. Der Blitz war eine Explosion von Sternenlicht gewesen – Millionen Stecknadelköpfe Licht, die die dunkle Gasse erhellt hatten. Zur selben Zeit hatte er das Klatschen auf seiner Haut gespürt, wie heißes Wasser, doch er hatte gewusst – er wusste –, dass es Blut und Knochen und Fleischfetzen gewesen waren, die seine Brust, seinen Hals, sein Gesicht getroffen hatten. Er hatte es auf der Zunge geschmeckt. Die Knochen hatten zwischen seinen Zähnen geknirscht.

Don Wesleys Blut. Don Wesleys Knochen. Er war davon geblendet worden.

Als Jimmy noch jünger gewesen war, hatte seine Mutter ihn oft gebeten, mit seiner Schwester ins Schwimmbad zu gehen. Sie war damals noch sehr klein gewesen. Wie ihre dünnen, blassen Beine und Arme aus ihrem winzigen Badeanzug geragt hatten, erinnerte Jimmy stets an eine kleine Gottesanbeterin. Im Wasser legte er oft die Hände aufeinander und rief ihr zu, er hätte ein Insekt gefangen. Sie war ein Mädchen, und trotzdem sah sie sich gern Insekten an. Sie kam herangeplanscht, um es sich anzusehen, und dann ließ Jimmy die Hände zusammenschnellen, sodass das Wasser ihr ins Gesicht spritzte. Sie schrie immer wie am Spieß. Manchmal weinte sie auch, aber beim nächsten Mal tat er es wieder. Das war schon okay, redete Jimmy sich ein, weil sie schließlich ja auch immer wieder darauf hereinfiel. Das Problem war nicht, dass er grausam war. Das Problem war, dass sie dumm war.

Wo sie wohl gerade war? Irgendwo in der Sicherheit eines Bettes, hoffte er. Auch sie war bei der Truppe. Seine kleine Schwester. Und dort war es alles andere als sicher. Eines Tages würde er womöglich auch sie durch die Straßen tragen. Er würde ihren schlaffen Körper auf den Armen balancieren, und seine Knie würden über den Asphalt scheuern, während ihre zerrissenen Bänder und Sehnen klirrten wie Zimbeln.

Vor sich sah Jimmy ein Leuchtschild: ein weißes Feld mit einem roten Kreuz in der Mitte.

Das Grady Hospital.

Am liebsten hätte er geweint. Sich zu Boden fallen lassen. Aber seine Last würde so auch nicht leichter werden. Don war höchstens noch schwerer geworden. Diese letzten zwanzig Meter waren die schwierigsten in Jimmys Leben.

Unter dem Schild hatte sich eine Gruppe Schwarzer versammelt. Ihre Kleidung war leuchtend purpurfarben und grün. Die engen Hosen waren unter dem Knie ausgestellt, und unter den Säumen blitzte weißes Lackleder hervor. Mächtige Koteletten. Bleistiftdünne Schnurrbärte. An den Fingern goldene Ringe. Cadillacs nur wenige Schritte entfernt. Zu dieser Zeit am frühen Morgen hielten sich die Zuhälter immer vor dem Krankenhaus auf, rauchten Zigarillos und sahen dem Sonnenaufgang entgegen, während sie darauf warteten, dass ihre Mädchen für die morgendliche Stoßzeit wieder zusammengeflickt wurden.

Keiner bot den beiden blutigen Polizisten, die sich zum Eingang schleppten, Hilfe an. Sie gafften nur. Die Zigarillos hingen in der Luft.

Jimmy fiel gegen die Flügeltüren. Irgendjemand hatte offenbar vergessen abzuschließen, und sie schwangen abrupt auf. Sein Knie kippte zur Seite. Er fiel mit dem Gesicht nach unten in den Warteraum der Notaufnahme. Der Ruck glich dem eines schlechten Tacklings. Dons Knie rammte sich ihm in die Brust. Jimmy spürte, wie ihm die Rippen gegen das Herz gedrückt wurden.

Er sah hoch. Mindestens fünfzig Augenpaare starrten zurück. Niemand sagte ein Wort. Irgendwo in den Tiefen des Behandlungsbereichs klingelte ein Telefon. Das Klingeln drang durch geschlossene Türen.

Das Grady. Mehr als zehn Jahre Bürgerrechtsbewegung hatten hier rein gar nichts verändert. Das Wartezimmer war noch immer unterteilt: die Schwarzen auf der einen Seite, die Weißen auf der anderen. Wie die Zuhälter draußen unter dem Schild starrten auch hier alle Jimmy nur an. Und Don Wesley. Die Blutlache, die sich unter ihnen ausbreitete. Jimmy lag immer noch auf Don. Eine fast schon anrüchige Szene – ein Mann auf einem anderen. Ein Polizist auf einem anderen. Doch Jimmy umfasste weiter Dons Gesicht. Nicht die Seite, die aufgerissen war – die Seite, die noch aussah, wie sein Partner ausgesehen hatte.

»Alles okay«, brachte Jimmy hervor, obwohl er genau wusste, dass gar nichts okay war. Nie wieder okay sein würde. »Alles okay.«

Don röchelte.

Bei dem Geräusch drehte sich Jimmy der Magen um. Er war sich fast sicher gewesen, dass sein Partner bereits tot war.

»Holt Hilfe!«, rief er mit letzter Kraft der Menge zu – aber es kam nur ein Flüstern. Aus seinem Mund kam lediglich eine flehende Kleinmädchenstimme. »Jemand soll Hilfe holen.« Don stöhnte. Versuchte zu sprechen. Das Fleisch seiner Wange war zerfetzt. Jimmy sah, wie sich die Zunge zwischen zertrümmerten Knochen und Zähnen bewegte.

»Alles okay.« Jimmys Stimme war jetzt ein hohes Pfeifen. Er sah wieder hoch. Keiner erwiderte seinen Blick. Nirgends waren Schwestern. Nirgends Ärzte. Niemand ging an das verdammte Telefon.

Don stöhnte wieder. Seine Zunge hing ihm aus dem Kiefer. »Ist okay«, flüsterte Jimmy. Tränen strömten ihm über die Wangen. Ihm war schlecht und schwindlig. »Wird schon wieder.«

Don atmete scharf ein, als hätte ihn irgendetwas überrascht. Er hielt die Luft ein paar Sekunden lang in der Lunge, bevor ihm schließlich ein tiefes, unheilvolles Seufzen aus dem Mund drang. Jimmy spürte, wie das Geräusch in seiner Brust vibrierte. Dons Atem war sauer – der Geruch einer Seele, die den Körper verließ. Es war weniger die Farbe, die ihm aus dem Gesicht wich – es sah vielmehr aus wie Buttermilch, die in einen Krug gegossen wurde. Seine Lippen wurden dunkel, fast erdig blau. Die Neonröhren an der Decke zeichneten weiße Streifen ins stumpfe Grün seiner Augen.

Jimmy spürte, wie Finsternis in ihm aufstieg. Sie packte ihn an der Kehle und bohrte ihre eisigen Finger in seine Brust. Er öffnete den Mund, um Luft zu schnappen, und schloss ihn wieder, aus Angst, dass Dons Seele hineinflöge.

Irgendwo klingelte immer noch das Telefon.

»Scheiße«, murmelte eine alte Frau heiser. »Jetzt kümmert sich der Doktor nie mehr um mich.«

ERSTER TAG
MONTAG

1

Maggie Lawson war oben in ihrem Zimmer, als sie in der Küche das Telefon klingeln hörte. Sie sah auf die Uhr. Dass so früh am Morgen das Telefon klingelte, konnte nichts Gutes bedeuten. Küchengeräusche drangen übers Treppenhaus hinauf: ein Klacken, als der Hörer von der Gabel genommen wurde. Das leise Murmeln ihrer Mutter. Das scharfe Klatschen der Telefonschnur auf dem Boden, als sie in der Küche hin und her ging.

Zahlreiche graue Streifen auf dem Linoleum zeugten von den unzähligen Malen, da Delia Lawson in der Küche auf und ab gegangen war, um sich schlechte Nachrichten anzuhören.

Das Gespräch dauerte nicht lange. Delia legte auf. Das laute Klacken hallte bis zu den Dachsparren hoch. Maggie kannte jedes Geräusch, das dieses alte Haus von sich gab. Sogar in ihrem Zimmer konnte sie die Bewegungen ihrer Mutter durch die Küche verfolgen: das Öffnen und Schließen der Kühlschranktür. Eine Schranktür, die zufiel. Eier, die in eine Schüssel geschlagen wurden. Das Ratschen des Bic-Feuerzeugs, wenn ihre Mutter sich eine Zigarette anzündete.

Maggie wusste, wie es gleich ablaufen würde. Delia hatte Schlechte-Nachrichten-Blackjack gespielt, solange Maggie zurückdenken konnte. Eine Weile würde sie noch an sich halten, aber dann – heute Abend, morgen, vielleicht auch erst in einer

Woche – würde sie einen Streit mit Maggie vom Zaun brechen, sobald Maggie den Mund aufmachte, um etwas zu erwidern, und würde die Karten auf den Tisch legen: Die Stromrechnung sei überfällig, ihre Schichten im Diner seien eingedampft worden, das Auto brauche ein neues Getriebe, und doch mache Maggie alles nur noch schlimmer, indem sie dauernd widersprach, und ob sie ihrer Mutter denn nicht um Himmels willen mal eine Verschnaufpause gönne.

Überreizt. Die Bank gewinnt.

Maggie klappte das quietschende Bügelbrett zusammen. Vorsichtig ging sie um die Stapel mit zusammengelegter Wäsche herum. Sie war seit fünf Uhr wach und hatte die Wäsche der gesamten Familie gebügelt. Sisyphos im Morgenmantel. Sie alle trugen Uniformen der einen oder anderen Art. Lilly trug in der Schule grün und blau karierte Röcke und gelbe Buttondown-Blusen; Jimmy und Maggie die dunkelblauen Hosen und langärmeligen Hemden des Atlanta Police Departments; Delia die Polyesterkittel aus dem Diner. Und sie alle kamen nach Hause und zogen normale Kleidung an, was bedeutete, dass Maggie nicht vier, sondern acht Garnituren waschen und bügeln musste.

Sie beklagte sich nur, wenn niemand sie hören konnte. Aus Lillys Zimmer kam ein Kratzen. Sie hatte die Tonabnehmernadel auf eine Schallplatte gesetzt. Maggie knirschte mit den Zähnen. *Tapestry.* Das Album spielte Lilly unaufhörlich.

Es war noch nicht lange her, dass Maggie Lilly beim Anziehen für die Schule geholfen hatte. Abends hatten sie gemeinsam im *Brides*-Magazin geblättert und Fotos für ihre Traumhochzeiten ausgeschnitten. Doch das war gewesen, bevor Lilly dreizehn geworden und vollends in das Lebensgefühl dieser Songs eingetaucht war.

Sie wartete darauf, dass Jimmy an die Wand hämmerte und zu Lilly hinüberbellte, sie solle diese Scheiße abstellen, aber dann fiel ihr wieder ein, dass ihr Bruder Nachtschicht gehabt hatte. Maggie warf einen Blick aus dem Fenster. Jimmys Auto stand nicht in der Einfahrt. Ungewöhnlich. Auch der Transporter des Nachbarn war nicht da. Sie fragte sich, ob auch er neuerdings Nachtschichten einlegte. Und dann tadelte sie sich dafür, weil es sie nichts anging, was der Nachbar trieb.

Eigentlich könnte sie jetzt gleich zum Frühstück hinuntergehen. Maggie zog sich die Schaumstoff-Lockenwickler aus den Haaren, während sie die Treppe hinabstieg. Genau in der Mitte blieb sie stehen. Der akustische Ruhepunkt. Kein *Tapestry* mehr und auch aus der Küche keine Geräusche. Wenn Maggie den richtigen Punkt erwischte, um stehen zu bleiben, war dort manchmal eine ganze Minute lang Stille. Tagsüber würde es keinen Moment mehr geben, an dem sie sich so völlig ungestört fühlte.

Sie atmete tief ein und dann langsam wieder aus, ehe sie die restlichen Stufen hinabstieg.

Das alte viktorianische Haus war irgendwann einmal prächtig gewesen, doch jetzt war keine Spur seiner früheren Herrlichkeit mehr zu sehen. Teile der Außenverkleidung waren einfach verschwunden. Verfaultes Holz hing von den Giebeln wie Fledermäuse. Die Fenster klirrten selbst in der sanftesten Brise. Regen schickte Sturzbäche durch den Keller. Wegen schlampiger Installationsarbeiten und schlechter Sicherungen gab es im ganzen Haus keine einzige Steckdose, die nicht einen schwarzen Schattenrand aufwies.

Obwohl es Winter war, war es schwül in der Küche. Zu jeder Jahreszeit roch es dort nach gebratenem Speck und Zigaretten. Die Quelle für beides stand gegenüber am Herd. Mit krummem Rücken befüllte Delia die Kaffeemaschine. Wenn Maggie an ihre Mutter dachte, sah sie immer diese Küche vor sich – die ausgebleichten avocadogrünen Einbauschränke, das rissige gelbe Linoleum am Boden, die schwarz verkohlten Grate auf der laminierten Tischplatte, wo ihr Vater seine Zigaretten abgelegt hatte.

Wie immer war Delia schon vor Maggie aufgestanden. Keiner wusste, was Delia in diesen frühen Morgenstunden eigentlich tat. Wahrscheinlich Gott verfluchen, weil sie schon wieder im selben Haus zu denselben Problemen aufgewacht war. Es gab ein ungeschriebenes Gesetz: Man ging nicht nach unten, ehe man hörte, dass Eier in der Schüssel verquirlt wurden. Delia bereitete immer ein großes Frühstück zu – ein Überbleibsel aus ihrer Kindheit während der Depression, als das Frühstück schlechtestenfalls die einzige Mahlzeit des Tages bleiben konnte.

»Lilly schon wach?« Delia hatte sich nicht mal umgedreht, aber sie wusste genau, dass Maggie hinter ihr stand.

»Im Moment schon.« Dann machte sie ihrer Mutter das gleiche Angebot wie jeden Morgen: »Kann ich was tun?«

»Nein.« Delia stocherte mit einer Gabel im Speck. »Die Einfahrt nebenan ist leer.«

Maggie warf einen Blick aus dem Fenster und tat so, als wüsste sie nicht bereits, dass Lee Grants Transporter nicht an seinem gewohnten Platz stand.

»Das fehlt gerade noch, dass in dem Haus zu jeder Tages- und Nachtzeit Mädchen ein und aus gehen. Wieder mal.«

Maggie lehnte sich an die Arbeitsfläche. Delia sah erschöpft aus. Nicht einmal ihre strähnigen braunen Haare konnten sich in dem Nest oben auf ihrem Kopf halten. Sie alle schoben Zusatzschichten, damit sie sich die Privatschule für Lilly leisten konnten. Keiner wollte, dass sie mit dem Bus quer durch die Stadt ins Getto fahren musste. Bis Lilly ihren Abschluss machte, hatten sie noch vier Jahre Schulgeld, Bücher und Uniformen vor sich. Maggie war sich nicht sicher, ob ihre Mutter so lange durchhalten würde.

Als Kind hatte Delia mit ansehen müssen, wie sich ihr Vater in den Kopf geschossen hatte, nachdem er den Familienbetrieb hatte schließen müssen. Ihre Mutter hatte sich auf einer gepachteten Farm in ein frühes Grab geschuftet. Sie hatte beide

Brüder durch Kinderlähmung verloren. Sie dachte wohl, sie hätte das große Los gezogen, als sie Hank Lawson heiratete: Er trug einen Anzug, hatte einen guten Job und ein schönes Auto. Doch dann war er so verstört aus Okinawa zurückgekehrt, dass er seitdem mehr Zeit in der staatlichen Heilanstalt als außerhalb verbracht hatte.

Maggie wusste nicht viel über ihren Vater. Offensichtlich hatte er zwischen den Krankenhausaufenthalten immer wieder versucht, sich ein neues Leben aufzubauen. Nach Lillys Geburt hatte er eine Schaukel im hinteren Teil des Gartens aufgestellt. Einmal hatte er in der Eisenwarenhandlung einen Eimer grauer Farbe im Sonderangebot gefunden und dann sechsunddreißig Stunden durchgearbeitet, bis jedes Zimmer im Haus die Farbe eines Flugzeugträgers hatte. An den Wochenenden hatte er so lange den Rasen gemäht, wie er für ein Sixpack Schlitz gebraucht hatte, und den Mäher dann genau dort stehen lassen, wo ihm das Bier ausgegangen war. Als es einmal geschneit und Maggie eine Halsentzündung gehabt hatte, hatte er ihr in einer Tupperware-Dose Schnee gebracht, sodass sie im Bad damit spielen konnte.

»Um Himmels willen, Maggie!« Delia schlug mit der Gabel gegen die Bratpfanne. »Kannst du dich nicht irgendwie beschäftigen?«

Maggie nahm einen Stapel Teller und Besteck von der Anrichte und trug alles ins Esszimmer. Lilly saß bereits am Tisch. Sie hatte den Kopf über ein Schulbuch gebeugt, was in Maggies Augen ein Wunder war. Das vergangene Jahr war weniger dem Erblühen einer Dreizehnjährigen zur Frau gleichgekommen als einem permanenten Vorsprechen für den *Exorzisten*.

Trotzdem wollte Maggie ihre kleine Schwester nicht einfach abschreiben. »Gut geschlafen?«

»Super.« Lilly legte zum Gruß an die Buchseite Daumen und Zeigefinger an die Stirn. Ihr Haar war zu einem lockeren Pferdeschwanz zusammengefasst. Es war kastanienbraun – irgendwo zwischen Delias Mausbraun und Maggies dunklerer Tönung.

»Super klingt gut.« Maggie stellte einen Teller neben Lillys Ellbogen und stupste sie mit dem Oberschenkel an. »Was liest du?« Sie stieß sie ein zweites Mal an. Und noch einmal. Als Lilly nicht reagierte, sang sie die ersten Zeilen von *I Feel the Earth Move* und akzentuierte jede Pause mit einem weiteren Stupser.

»Lass das …« Lilly ließ den Kopf noch tiefer sinken. Ihre Nasenspitze berührte inzwischen fast das Buch.

Maggie beugte sich über den Tisch, um auch die andere Seite einzudecken. Dabei warf sie Lilly einen Seitenblick zu. Sie hatte, seit Maggie hereingekommen war, ein und denselben Punkt auf der Seite angestarrt.

»Schau mich an.«

»Ich lese.«

»Schau mich an!«

»Ich hab eine Prüfung.«

»Du hast schon wieder mein Make-up geklaut.«

Lilly hob den Kopf. Ihre Augen waren schwarz umrandet wie die von Kleopatra.

»Schwesterlein«, sagte Maggie leise, »du bist schön. Du brauchst dieses Zeug nicht.«

Lilly verdrehte die Augen.

Maggie versuchte es noch einmal. »Du verstehst nicht, welche Signale du den Jungs gibst, wenn du dich schon in deinem Alter schminkst.«

»Du musst es ja wissen.«

Maggie stützte die Hand auf den Tisch. Sie fragte sich, wann ihre kleine Schwester angefangen hatte, so spitzzüngig zu sein.

Die Küchentür ging auf. Delia trug Platten voller Pfannkuchen, Eier, Speck und getoasteter Brötchen herein. »Du hast zwei Sekunden, um dir diesen Scheiß abzuwaschen, dann hole ich den Gürtel deines Vaters.«

Lilly stürzte aus dem Zimmer, und Delia stellte eine Platte nach der anderen auf den Tisch.

»Da siehst du, was du ihr beibringst.«

»Warum bin ich ...«

»Halt den Mund.« Delia zog ein Päckchen Zigaretten aus ihrer Schürze. »Du bist zweiundzwanzig Jahre alt, Margaret. Warum habe ich eigentlich den Eindruck, dass ich immer noch mit zwei Teenagern unter einem Dach lebe?«

»Dreiundzwanzig«, war alles, was Maggie hervorbrachte. Delia zündete sich eine Zigarette an und blies den Rauch durch die Zähne. »Dreiundzwanzig«, wiederholte sie. »In deinem Alter war ich bereits verheiratet und hatte zwei Kinder.«

Maggie verkniff es sich, ihre Mutter zu fragen, wie gut das wohl für sie gelaufen war.

Delia zupfte sich einen Tabakbrösel von der Zunge. »Dieses Emanzipationszeugs funktioniert für reiche Mädchen, aber du hast nichts anderes vorzuweisen als dein Gesicht und deine Figur. Nutz beides, bevor's verloren geht.«

Maggie presste die Lippen zusammen. Sie stellte sich eine große Kiste verloren gegangener Dinge ganz hinten in einem Lagerraum vor, angefüllt mit den Gesichtern und Figuren dreißigjähriger Frauen.

»Hörst du mir überhaupt zu?«

»Mama ...« Maggie bemühte sich um einen sachlichen Ton. »Ich mag meine Arbeit.«

»Muss schön sein zu tun, was man mag.« Delia hob die Zigarette an die Lippen, nahm einen tiefen Zug und hielt den Rauch für einen Moment in der Lunge. Schaute zur Decke empor. Schüttelte den Kopf.

Maggie ahnte, dass es früher kommen würde, als sie angenommen hatte. Ihre Mutter mischte bereits die Karten und würde gleich die Schlechte-Nachrichten-Karte ausspielen: Warum wirfst du dein Leben weg? Geh in die Schwesternschule. Such dir einen Teilzeitjob als Sekretärin. Irgendeine

Arbeit, bei der du einen Mann findest, der dich nicht für eine Hure hält.

Doch stattdessen sagte Delia: »Don Wesley wurde heute Morgen umgebracht.«

Maggies Hand schnellte an ihre Brust. Es fühlte sich an, als wäre ein Kolibri unter ihren Fingern gefangen.

»Kopfschuss. Starb zwei Sekunden, nachdem er ins Krankenhaus kam.«

»Ist Jimmy …«

»Glaubst du, ich würde jetzt hier stehen und über Don Wesley reden, wenn Jimmy was passiert wäre?«

Maggie holte tief Luft und hustete sie dann wieder aus. Das Zimmer war voll mit Rauch und Küchendämpfen. Am liebsten hätte sie das Fenster aufgerissen, aber ihr Vater hatte sie alle mit Lack versiegelt.

»Wie ist es …« Maggie fiel es schwer, die Frage auszusprechen. »Wie ist es passiert?«

»Ich bin doch nur die Mutter. Glaubst du allen Ernstes, die sagen mir irgendwas?«

»Die«, murmelte Maggie. Ihr Onkel Terry und seine Freunde. Im Vergleich zu ihnen war Delia geradezu mitteilsam. Zum Glück gab es eine Alternative. Maggie streckte sich nach der Stereoanlage, um das Radio einzuschalten.

»Nicht.« Delia hielt sie zurück. »In den Nachrichten erfahren wir nichts, was wir nicht bereits wüssten.«

»Was wissen wir denn?«

»Lass jetzt gut sein, Margaret.« Delia klopfte ein bisschen Asche von ihrer Zigarette in die hohle Hand. »Jimmy ist in Sicherheit. Alles andere ist unwichtig. Und du sei nett zu ihm, wenn er nach Hause kommt.«

»Natürlich bin ich …«

In der Einfahrt knallte eine Tür. Die Fensterscheiben klirrten. Maggie hielt die Luft an, weil das einfacher war, als zu atmen. Ein Teil von ihr hoffte, es wäre ihr Nachbar, der gerade nach Hause gekommen war. Doch dann polterten Schuhe durch den Carport und zur rückwärtigen Treppe hinauf. Die Küchentür ging auf – und nicht mehr zu.

Dass es ihr Onkel Terry war, wusste sie, bevor sie ihn sah. Er machte nie die Tür hinter sich zu. Die Küche war für ihn ein Nicht-Raum – eins der Dinge, die wichtig für Frauen waren, die Männer aber nichts angingen. Wie Monatsbinden oder Liebesromane.

Obwohl der Tag kaum angefangen hatte, stank Terry Lawson nach Alkohol. Maggie konnte es quer durchs Zimmer riechen. Schwankend stand er in der Esszimmertür. Er trug die Uniform eines Police Sergeant, aber sein Hemd war aufgeknöpft. Ein weißes Unterhemd lugte darunter hervor. Aus dem Ausschnitt quollen Haarbüschel. Er sah aus, als hätte er mit einer Flasche Jack Daniel's zwischen den Knien in seinem Auto geschlafen. Und dort war er wahrscheinlich auch gewesen, als er über Funk die Nachricht von Don Wesley erhalten hatte.

»Setz dich«, sagte Delia. »Du siehst fix und fertig aus.«

Terry rieb sich den Unterkiefer, während er seine Nichte und seine Schwägerin musterte. »Jimmy ist unterwegs. Mack und Bud kümmern sich um ihn.«

»Geht es ihm gut?«, fragte Maggie.

»Natürlich geht es ihm gut. Werd nicht gleich hysterisch.«

Plötzlich wollte Maggie nichts lieber, als hysterisch zu werden. »Du hättest mich anrufen sollen!«

»Wozu?«

Maggie war verblüfft. Es war wohl völlig egal, dass Jimmy ihr Bruder und Don Wesley sein Freund gewesen war. Und auch sie war Polizistin. Man ging ins Krankenhaus, wenn ein Kollege dort landete. Man spendete Blut. Man hoffte auf gute Nachrichten. Man tröstete Angehörige. Das alles gehörte ebenfalls zum Job. »Ich hätte dort sein …«

»Wozu?«, fragte er erneut. »Die Krankenschwestern haben uns Kaffee gebracht. Und du stehst sowieso immer nur allen im Weg.« Er nickte Delia zu. »Übrigens könnt ich eine Tasse vertragen.«

Delia zog sich in die Küche zurück, und Maggie setzte sich. Sie war immer noch ganz benommen von der Nachricht. Sie konnte den Gedanken kaum ertragen, dass der einzige Weg, an Antworten zu kommen, über Terry führte.

»Wie ist es passiert?«

»Genau, wie es immer passiert.« Terry setzte sich auf den Stuhl am Kopfende des Tisches. »Irgendein Arschloch hat ihn erschossen.«

»War es der Shooter?«

»Shooter«, grummelte er. »Schalt dein Hirn ein, bevor du redest.«

»Onkel Terry!« Lilly kam ins Zimmer gestürmt. Sie schlang ihm die Arme um den Hals und küsste ihn auf die Wange. Bei Terry benahm sie sich immer noch, als wäre sie ein kleines Mädchen.

»Jimmy geht es gut«, eröffnete Maggie ihr, »aber Don Wesley wurde heute Morgen umgebracht.«

Terry tätschelte Lilly den Arm, während er Maggie scharf ansah. »Ich und die Jungs hängen diesen Mistkerl auf. Da brauchst du dir keine Sorgen zu machen.«

»Niemand macht sich Sorgen.« Delia kam mit Terrys Kaffee zurück. Sie stellte den Becher auf den Tisch und gab ihm die Zeitung. »Cal und die anderen sind in Ordnung?«

»Natürlich sind sie das. Alle sind in Ordnung.« Terry schlug die Zeitung auf. Die *Atlanta Constitution* war offensichtlich noch vor dem Mord an Don Wesley in Druck gegangen. In der Titelgeschichte ging es um die strukturellen Veränderungen, die der neue – Schwarze – Bürgermeister im Rathaus anstrebte.

»Mit Don sind es jetzt fünf Opfer.«

»Maggie!«, fauchte Delia, die schon wieder auf dem Weg in die Küche war. »Geh deinem Onkel nicht auf die Nerven.« Doch Maggie tat, als hätte sie die Warnung nicht gehört.

»Es ist der Shooter.«

Terry schüttelte bloß den Kopf.

»Sie wurden hinterrücks überfallen. Es muss …«

»Iss dein Frühstück«, sagte er. »Wenn du mit zur Arbeit fahren willst, solltest du fertig sein, wenn ich es bin.«

Lilly hatte immer noch den Arm um Terrys Schultern gelegt. Ihre Stimme klang unfassbar jung, als sie fragte: »Sind die anderen auch in Gefahr, Onkel Terry?«

»Das hier ist immer noch eine Cop Town, meine Süße – eine Stadt der Polizisten. Noch haben die Affen aus dem Zoo hier nicht das Sagen.« Er gab ihr einen Klaps auf den Hintern. »Na, komm, iss was.«

Lilly stritt sich nie mit Terry. Sie setzte sich und stocherte in ihrem Frühstück herum.

Terry nahm die Zeitung wieder auf und blätterte um. Maggie sah nur den oberen Teil seines Kopfes, den Bürstenhaarschnitt, der seinen zurückweichenden Haaransatz betonte. Er brauchte eine Brille. Mit gerunzelter Stirn und zusammengekniffenen Augen versuchte er, die Footballergebnisse zu entziffern.

Aus der Küche drang lautes statisches Knistern. Jimmys altes Transistorradio. Die Stimme eines Nachrichtensprechers kam blechern aus dem Lautsprecher. »… Berichte über einen weiteren Beamten, der in Ausübung seiner Pflicht getötet …« Die Stimme verklang. Delia hatte das Radio leiser gedreht.

Maggie war klar, dass ihre Mutter in einer Hinsicht recht hatte: Sie brauchten die Nachrichten nicht, um zu erfahren, was sie bereits wussten. In den vergangenen drei Monaten waren mehrere Streifenpolizisten in den frühen Morgenstunden im Innenstadtbezirk von Five Points ermordet worden. Sie waren zu zweit unterwegs gewesen – niemand patrouillierte dort je allein. Die ersten beiden waren in einer Gasse gefunden worden. Man hatte sie gezwungen, sich hinzuknien, und sie dann mit je einer Kugel in den Kopf regelrecht hingerichtet.

Die anderen beiden waren hinter dem Lieferanteneingang des Portman Motel gefunden worden. Die gleiche Vorgehensweise. Der gleiche Mangel an Spuren. Keine Zeugen. Keine Patronenhülsen. Keine Fingerabdrücke. Keine Verdächtigen.

Auf dem Revier hatte man angefangen, den Mörder »Atlanta Shooter« zu nennen.

»Ich hab eine frische Kanne aufgesetzt«, sagte Delia und setzte sich ebenfalls, auch wenn sie selten lange sitzen blieb. Sie drehte sich auf ihrem Stuhl um und sah Terry an – was sie normalerweise ebenso selten tat. »Sag mir, was wirklich passiert ist, Terrance.«

Terrance. Der Name hing zwischen Zigarettenrauch und Speckdunst in der Luft.

Terry ließ sich seinen Widerwillen deutlich anmerken. Er seufzte, faltete die Zeitung methodisch zusammen und legte sie sorgsam auf den Tisch. Er richtete sie sogar an der Tischkante aus. Dann deutete er, anstatt Delias Frage zu beantworten, mit der Hand eine Pistole an und hielt sie sich seitlich ans Gesicht. Niemand sagte etwas – bis er den imaginären Abzug betätigte.

»Oh Scheiße«, flüsterte Lilly.

Sie wurde nicht einmal dafür getadelt.

»Jimmy konnte nichts tun«, hob Terry an. »Er ist mit Don über der Schulter zwanzig Blocks weit gelaufen, hat ihn ins Krankenhaus geschafft – aber da war es schon zu spät.«

Eine so lange Strecke – mit seinem kaputten Knie!, dachte Maggie. »Aber er wurde nicht …«

»Jimmy geht's gut.« Terry klang, als könnte er ihre Fragen nur mit viel Geduld ertragen. »Was er jetzt wirklich nicht braucht, ist ein Stall voll aufgescheuchter Hühner, die kreischend um ihn herumlaufen.« Damit schlug er die Zeitung wieder auf und vergrub die Nase zwischen den Seiten.

Er hatte Delias Frage nicht wirklich beantwortet. Er hatte ihnen nur das Nötigste gesagt; wahrscheinlich nur das, was auch im Radio kommen würde. Terry wusste genau, was er ihnen damit antat. Er war im Krieg bei den Marines gewesen. Seine Einheit war spezialisiert gewesen auf psychologische Kriegsführung. Er spannte sie auf die Folter, weil er es nun mal konnte.

Anstatt in die Küche zurückzukehren, zog Delia ein Päckchen Kools aus der Schürzentasche und klopfte eine Zigarette heraus. Nachdem sie sie angezündet hatte, wirkte sie ein wenig ruhiger. Rauch stieg ihr aus der Nase. Die Falten in Delias Gesicht kamen samt und sonders vom Rauchen – die Furchen wie Krepppapier um ihren Mund, das schlaffe Kinn, die tiefen Einkerbungen zwischen den Augenbrauen. Sogar die grauen Strähnen in ihrem Haar hatten die Farbe des Rauchs, der von ihren Kools aufstieg. Sie war fünfundvierzig Jahre alt. An einem guten Tag sah sie aus wie sechzig. Im Augenblick wirkte sie doppelt so alt, als stünde sie bereits mit einem Bein im Grab.

Wo Don Wesley bald liegen würde.

Maggie wusste, dass der Partner ihres Bruders Infanterist gewesen und gerade erst aus Vietnam zurückgekehrt war und seither nichts mehr hatte tun wollen, wozu er keine Waffe hätte tragen dürfen. Seine Familie stammte aus dem südlichen Alabama. Er wohnte zur Miete in einer Wohnung an der Piedmont Avenue. Er fuhr einen burgunderfarbenen Chevrolet Chevelle. Er hatte eine Freundin – ein indianisches Blumenkind, die von »dem Mann« sprach und sich nicht beklagte, wenn Don sie verprügelte, weil er im Dschungel so viel Scheiße mit angesehen hatte.

Doch nichts von alledem war jetzt noch wichtig. Denn Don war tot.

Terry knallte seinen Becher auf den Tisch. Kaffee spritzte auf das weiße Tischtuch. »Ist da auch was für mich dabei?«

Delia sprang auf, nahm einen Teller und belud ihn mit Essen, obwohl Terry am Morgen normalerweise viel zu verkatert war, um irgendetwas hinunterzubringen.

Dann stellte sie den Teller vor ihn hin. Ihre Stimme klang beinahe flehend, als sie sagte: »Terry, bitte. Sag mir einfach, was passiert ist, okay? Ich muss es wissen.«

Terry sah erst Maggie an und dann auf seinen halb leeren Becher hinab.

Sie gestattete sich ein hörbares Seufzen, ehe sie aufstand, um ihm frischen Kaffee zu holen. Kaum hatte sie das Zimmer verlassen, fing Terry an zu reden.

»Gegen Ende ihrer Schicht ging es wohl ziemlich ruhig zu. Dann wurde ihnen ein Vierundvierziger an der Whitehall in Five Points durchgegeben – das ist ein potenzieller Raubüberfall.« Provozierend sah er zu Maggie auf, als sie wieder hereinkam – als würde sie nicht bereits seit fünf Jahren hinter dem Steuer eines Streifenwagens sitzen. »Sie kommen zu der Adresse, überprüfen sie. Vorder- und Hintertür sind verschlossen. Sie geben über Funk Entwarnung. Und dann …« Er zuckte mit den Schultern. »Ein Kerl kommt um die Ecke, schießt Don in den Kopf und haut wieder ab. Den Rest kennt ihr. Jimmy hat alles getan, was er konnte. Hat halt nicht gereicht.«

»Der arme Jimmy«, murmelte Lilly.

»Was heißt da arm?«, entgegnete Terry. »Jimmy Lawson kann gut auf sich selber aufpassen. Kapiert?«

Lilly nickte bloß.

»Denkt an meine Worte.« Terry deutete mit ausgestrecktem Zeigefinger auf die Zeitung. »Das hier ist schlicht und einfach ein Rassenkrieg. Davon liest man nichts in der Zeitung oder hört es im Radio – aber wir sehen es auf den Straßen. Es ist genau, wie ich vor zehn Jahren gesagt habe: Gib ihnen ein bisschen Macht, und sie stürzen sich auf dich wie tollwütige Hunde. Die Macht wieder übernehmen – das ist jetzt unsere Pflicht.«

Maggie lehnte sich mit der Schulter an den Türstock. Sie musste sich zusammenreißen, um nicht die Augen zu verdrehen. Sie hatte dieses Gerede schon so oft gehört, dass sie es mit

Terry im Duett hätte singen können. Er verabscheute alles und jeden – die Minderheiten, die seit Kurzem angeblich das Sagen in der Stadt hatten, und die Verräter, die ihnen zu dieser Macht verholfen hatten. Wenn man sie lassen würde, dann würden Terry und seine Kumpels ein Loch bis China graben und sie alle hineinwerfen.

»Wer hat denn den Vierundvierziger gemeldet?« Maggie stutzte kurz, bis ihr klar wurde, dass die Frage aus ihrem eigenen Mund gekommen war. Aber die Frage war durchaus berechtigt. »Wer hat diesen vermeintlichen Raubüberfall gemeldet?«

Terry schlug die Zeitung wieder auf und knickte den Rücken zu einer scharfen Falte.

Delia stand auf. Sie berührte Maggie flüchtig am Arm, bevor sie in die Küche zurückging. Lilly starrte auf die Eier hinab, die auf ihrem Teller kalt geworden waren, und Maggie setzte sich auf den Stuhl, den ihre Mutter soeben geräumt hatte. Sie nahm sich Kaffee, brachte aber keinen Schluck hinunter.

Jimmy und Don waren aufgrund einer Überfallmeldung nach Five Points gefahren. Das Herz von Downtown und Knotenpunkt für das gesamte Straßensystem. Standort des ersten Wasserwerks von Atlanta und Rotlichtbezirk seit der Zeit vor dem Bürgerkrieg. Fünf Straßen stießen dort zusammen: Peachtree, Whitehall, Decatur, Marietta und Edgewood. Die Kreuzung lag in der Nähe einer staatlichen Universität und nicht weit entfernt vom Sozialamt, wo tagtäglich Frauen um den ganzen Block herum anstanden, um ihre Sozialhilfeschecks abzuholen. Viele von ihnen kamen nachts zurück in die Gegend, wenn die Lichter in den Wolkenkratzern bereits ausgeschaltet und die einzigen Männer, die sich dort noch herumtrieben, diejenigen waren, die für ein bisschen Gesellschaft willens waren zu zahlen.

Maggie konnte sich bildhaft vorstellen, wie das Polizeikorps auf den Mord an Don reagieren würde. In der ganzen Stadt würde mit äußerster Härte durchgegriffen werden. Das Gefängnis würde jede Nacht voll sein. Freier würden sich nicht mehr auf die Straße trauen – und das war schlecht fürs Geschäft. Jeder prahlte damit, dass er niemals mit den Bullen reden würde, aber kaum liefen die Geschäfte nicht mehr, kamen die Informanten gerannt.

Zumindest lief es normalerweise so ab. Seit den Shooter-Fällen sah es allerdings anders aus. Jedes Mal war die gesamte Truppe mobilisiert worden, um die Stadt dichtzumachen, doch irgendwann war die Energie wieder verpufft, die Spitzel kamen nicht mehr, und auf den Straßen liefen die Geschäfte wieder normal, während sie alle darauf warteten, dass der nächste Polizist ermordet wurde.

Das war nicht nur fatalistisch anzusehen; die Siebziger hatten sich bereits jetzt als verdammt schlechtes Jahrzehnt für Polizeibeamte erwiesen. Atlanta hatte mehr Verluste zu beklagen als fast alle anderen Städte. In den letzten zwei Jahren hatte man fünf Polizistenmörder gefasst, doch nur einer hatte je einen Gerichtssaal von innen gesehen. Die anderen hatten Unfälle gehabt, bevor ihnen der Prozess gemacht werden konnte – einer hatte sich seiner Verhaftung widersetzt und war im Koma gelandet, ein anderer war im Untersuchungsgefängnis mit einer Klinge in der Niere aufgewacht, und die beiden anderen waren mit normalen Magenbeschwerden ins Grady Hospital gekommen und hatten das Krankenhaus in Leichensäcken wieder verlassen.

Der Fünfte war aus dem Gerichtssaal als freier Mann hinausspaziert. Es gab in der Stadt keinen Polizisten, der nicht ausspuckte, wenn die Rede darauf kam. Jene Geschichte und dann auch noch die mögliche weitere Kerbe im Waffengürtel des Atlanta Shooter – und der heutige Tag würde ein sehr, sehr schlechter werden für jeden, der auf der falschen Seite des Gesetzes stand.

Terry räusperte sich. Er starrte wieder auf seinen leeren Becher hinab.

Maggie goss ihm Kaffee nach und stellte die Kanne zurück auf den Tisch. Sie richtete Messer und Gabel auf ihrem Teller gerade. Sie drehte den Griff ihres Bechers nach links, dann nach rechts.

Terry sah sie verdrossen an. »Hast du irgendwas zu sagen, Prinzessin?«

»Nein«, sagte Maggie, aber dann redete sie doch. »Was war mit ihrem Auto?« Jimmy und Don waren in einem Streifenwagen unterwegs gewesen. In der Nachtschicht ging kein Mensch zu Fuß auf Patrouille. »Warum hat Jimmy ihn getragen? Warum hat er ihn nicht ...«

»Die Reifen waren zerstochen.«

Maggie runzelte die Stirn. »Diese vier anderen Kollegen – wurden bei denen auch die Reifen zerstochen?«

»Nein.«

Sie versuchte, sich den Ablauf vor Augen zu führen. »Irgendjemand meldet also einen Überfall, sticht dann ihre Reifen auf, erschießt Don und rührt Jimmy nicht an?«

Terry schüttelte den Kopf, ohne von der Zeitung aufzusehen. »Überlass das den Detectives, Süße.«

»Aber ...« Maggie wollte nicht lockerlassen. »Der Shooter ändert seine Vorgehensweise. Oder aber es ist gar nicht der Shooter. Es ist jemand, der versucht, den Shooter zu imitieren.«

Terry schüttelte wieder den Kopf, doch diesmal wirkte es eher wie eine Warnung.

»Ich schreibe gerade einen Aufsatz über den Bürgerkrieg ...«, warf Lilly ein, doch Maggie fiel ihr ins Wort: »Waren sie zusammen, als Don erschossen wurde?«

Terry seufzte genervt. »Man lässt seinen Partner nicht allein. Das solltest selbst du wissen.«

»Jimmy war also bei Don?«

»Natürlich war er das.«

»Die meisten Kinder reden darüber mit ihren Großeltern, aber ich ...«, kam es von Lilly, und erneut schnitt Maggie ihr das Wort ab: »Aber auf Jimmy wurde nicht geschossen. Er stand direkt neben Don oder zumindest in seiner Nähe.« Das war der große Unterschied. In den anderen Fällen waren beide Männer gezwungen worden, sich hinzuknien, und waren dann hingerichtet worden, einer nach dem anderen. »Konnte Jimmy seine Waffe ziehen?«

»Herrgott noch mal!« Terry schlug mich der Faust auf den Tisch. »Hältst du jetzt endlich die Klappe, damit ich die Zeitung lesen kann?«

»Terry?«, rief Delia aus der Küche. »Der Abfluss ist schon wieder verstopft. Glaubst du, du könntest ...«

»Gleich.« Er starrte Maggie an. »Ich will wissen, was dieses toughe Mädchen hier denkt. Hast wohl gleich alles durchschaut, Columbo? Siehst du irgendwas, was die Jungs übersehen haben, die schon bei der Truppe waren, als du noch ein Kitzeln in den Eiern deines Vaters warst?«

Wenn sie jetzt Prügel bezöge, dann aus gutem Grund, dachte Maggie. »Bei den anderen Shooter-Fällen mussten beide auf die Knie. Dann wurde ihnen in den Kopf geschossen wie bei einer Hinrichtung – einem nach dem anderen. Don wurde ebenfalls erschossen. Warum nicht Jimmy?«

Terry beugte sich über den Tisch. Whiskey und Schweiß sickerten aus seinen Poren. »Was für einen Scheiß auch immer du mit deinem Bruder am Laufen hast – das hört jetzt auf der Stelle auf! Hast du mich verstanden?«

Es fühlte sich an, als würde der Boden unter ihren Füßen schwanken. »Darum geht's doch jetzt gar nicht«, sagte sie. Sie alle wussten, was dieses Darum bedeutete.

»Worum denn sonst?«, fragte Terry. »Warum diese ganzen Fragen?«

Sie wollte ihm gern sagen, dass sie all diese Fragen stellte, weil sie Polizistin war. Dass Polizisten Fälle lösten, indem sie Fragen stellten. Aber sie sagte nur: »Weil es keinen Sinn ergibt.«

»Sinn?« Er schnaubte. »Seit wann fragst du denn nach dem Sinn?«

»Da ist er!«, rief Lilly unvermittelt, und die anderen schreckten zusammen. Aber es stimmte. Maggie hörte, wie Jimmys Wagen in die Einfahrt einbog. Der Auspufftopf des Fairlane war beinahe durchgerostet. Der Auspuff hustete genauso heiser wie Delia, wenn sie morgens aufstand.

Maggie wollte schon aufspringen, aber Terry packte sie fest am Arm und zog sie wieder auf den Stuhl zurück.

Sie war klug genug, sich nicht gegen ihn zu wehren. Es blieb ihr also nur zu lauschen. Die Geräusche waren die gleichen wie bei Terrys Ankunft: Schuhe polterten durch den Carport und die Treppe hinauf. Die Hintertür stand bereits offen, also schloss er sie. Dann zögerte er ein paar Sekunden. Maggie konnte sich den Blickkontakt zwischen Mutter und Sohn nur zu gut vorstellen. Vielleicht nickte Jimmy Delia lediglich zu. Vielleicht reichte er ihr aber auch seine Mütze, damit sie sich nützlich vorkam.

Als Jimmy das Esszimmer betrat, sah Maggie auf einen Blick, dass er nicht die geringste Ahnung hatte, wo sich seine Mütze befand. Er trug keine Uniform mehr, sondern eine grüne Krankenhauskluft. Das Hemd spannte an seinen Schultern. Sein Gesicht war kalkweiß. Die Augen waren rot gerändert, die Lippen unter seinem Schnurrbart blass. Er hatte etwas Gehetztes an sich. Maggie erinnerte es an die Art, wie ihr Vater manchmal aussah, wenn es mal wieder Zeit wurde für einen Anstaltsaufenthalt.

»Haben Mack und Bud sich um dich gekümmert?«, fragte Terry.

Jimmy brachte lediglich ein Nicken zustande. Er rieb sich den Nacken; er hatte sich nicht gründlich genug gewaschen. Reste getrockneten Bluts klebten an Hals und Gesicht. In einer seiner Koteletten konnte Maggie irgendein Klümpchen erkennen.

Lilly presste sich die Hand auf die Brust, und Tränen traten ihr in die Augen.

»Nicht …«, sagte Terry, aber es war bereits zu spät. Lilly war schon zu Jimmy hinübergelaufen und schlang ihm die Arme um die Taille, vergrub ihr Gesicht in seiner Körpermitte und fing an zu schluchzen.

»Ist schon gut.« Jimmy klang heiser. Er strich ihr über den Rücken und gab ihr einen Kuss auf den Kopf. »Jetzt komm schon. Ab nach oben. Sonst kommst du zu spät zur Schule.« Lilly ließ ihn so schnell los, wie sie ihn umarmt hatte, und stürmte aus dem Zimmer. Ihre Schritte polterten über die nackte Holztreppe. Einen Augenblick lang sah Jimmy so aus, als wollte er ihr folgen, doch dann ließ er die Schultern hängen und starrte zu Boden. »Ich will nicht darüber reden.«

»Und wir wollen es nicht hören.« Delia war hinter ihn getreten. Sie hob den Arm, um Jimmy die Hand auf die Schulter zu legen, hielt aber inne, kurz bevor sie ihn berührte. Im Allgemeinen bestanden die einzigen Gesten der Zuneigung ihrer Mutter in Korrekturen des äußeren Erscheinungsbilds. Sie strich Falten in Lillys Pullover glatt. Zupfte Haare von Maggies Uniformschultern. Und jetzt klaubte sie das Klümpchen aus Jimmys Kotelette und starrte dann darauf hinab, und am Gesichtsausdruck ihrer Mutter konnte Maggie erkennen, dass es kein Straßenschmutz war. Delia ballte die Faust und steckte sie in die Schürzentasche. »Ihr alle – frühstückt, bevor es kalt wird. Wir können es uns nicht leisten, Essen wegzuwerfen.«

Jimmy humpelte um den Tisch herum und setzte sich an seinen gewohnten Platz. Wann immer er sein linkes Bein belastete, verzog er leicht das Gesicht. Maggie hätte ihm am liebsten geholfen. Sie sehnte sich danach, zu ihm zu laufen, wie Lilly es getan hatte, und die Arme um ihren Bruder zu schlingen.

Aber sie wusste, dass sie das nicht tun durfte.

»So.« Delia hatte Jimmy bereits Kaffee eingeschenkt. Jetzt befüllte sie ihm den Teller. Sie benutzte dabei nur eine Hand. Die andere steckte noch immer tief in ihrer Schürzentasche.

»Braucht jemand sonst noch was?«

»Wir haben alles.« Terry winkte sie beiseite.

»Die Eier sind kalt. Ich mache frische.« Dann kehrte sie in die Küche zurück.

Maggie starrte ihren Bruder an. Sie wusste, dass er ihren Blick nicht erwidern würde. Die schwach roten Blutflecken auf seiner Haut erinnerten sie an die Zeit, als er noch ein pickliger Teenager gewesen war. Offensichtlich hatte Jimmy geweint. Sie wusste nicht genau, wann sie ihren Bruder das letzte Mal hatte weinen sehen. Acht Jahre war das sicher schon her.

»Du hast heute Morgen *Tapestry* verpasst«, murmelte sie.

Jimmy grummelte irgendetwas in sich hinein und schob sich eine Gabel voll Eier in den Mund.

Sie versuchte es noch einmal. »Ich hab deine Uniformen in den Schrank gehängt.«

Jimmy schluckte laut. »Zu viel Stärke im Kragen.«

»Ich mach sie nach der Arbeit noch mal, okay?«

Erneut stopfte er sich Eier in den Mund.

»Leg sie mir einfach in mein Zimmer ...« Unerklärlicherweise war Maggie nervös. Sie konnte gar nicht mehr aufhören zu reden. »Ich mach sie neu, wenn ich von der Arbeit nach Hause komme.«

Terry ließ ein Zischen hören, um sie zum Schweigen zu bringen. Diesmal gehorchte Maggie – doch nicht wegen Terry, sondern wegen Jimmy. Sie hatte Angst, etwas Falsches zu sagen und es so für ihren Bruder nur noch schlimmer zu machen. Es wäre nicht das erste Mal. Sie beide verband ein Seil, das zusehends ausfranste, sobald einer einen Schritt auf den anderen zumachte.

In der Stille hörte sie Jimmy kauen. Er gab schmatzende, mechanische Geräusche von sich. Sie merkte, dass sie sein Kiefergelenk anstarrte, das beim Kauen hervortrat. Wie eine

Baumaschine schaufelte er sich Eier in den Mund, kaute und schaufelte dann noch mehr hinterher. Sein Gesicht war ausdruckslos, seine Augen beinahe glasig. Er starrte einen Punkt an der gegenüberliegenden Wand an.

Sie wusste genau, was er sah. Bräunliche Patina über grauer Farbe vom vielen Zigarettenrauch. Dies hier war das Zimmer, das Hank Lawson bei seinen seltenen Aufenthalten bei der Familie am häufigsten benutzte. Kaum kam er nach Hause, holte er den Fernseher aus Delias Zimmer und stellte ihn auf den Beistelltisch. Dann rauchte er Kette und sah fern, bis abends die Nationalhymne gespielt wurde. Manchmal, wenn Maggie nachts herunterkam, um sich ein Glas Wasser zu holen, sah sie ihn dort sitzen und die amerikanische Flagge vor schwarzem Hintergrund anstarren.

Maggie bezweifelte, dass Jimmy im Augenblick an seinen Vater dachte. Vielleicht dachte er an sein letztes Footballspiel. An sein Leben, bevor ein Linebacker Brei aus seinem Knie gemacht hatte. Maggie hatte neben allen anderen auf der Tribüne gestanden. Sie hatte sehen können, wie Jimmy gewohnt selbstsicher aufs Feld schlenderte und die Faust hob. Die Menge brüllte. Er war ihr Goldjunge – der Junge aus dem Viertel, der seinen Weg machte. Seine Zukunft war bereits vorgezeichnet. Er würde mit dem Geld eines anderen an die UGA gehen. Dort würde man ihn zum Profi machen, und wenn man ihn das nächste Mal sähe, würde Jimmy Lawson wie Broadway Joe in einem Nerz und mit einem Mädchen an jedem Finger aus einem Nachtclub treten.

Stattdessen saß er jetzt mit dem Blut eines anderen Manns auf dem Gesicht im Esszimmer seiner Mutter.

»Hier.« Delia tauschte Jimmys Teller gegen einen frischen aus und türmte Speck darauf. Dann Pfannkuchen. Sie übergoss alles mit Sirup, so wie er es gern hatte.

»Mom …« Jimmy scheuchte sie mit einem Wink mit der Gabel weg. »Es reicht.«

Delia setzte sich und zündete sich eine neue Zigarette an. Maggie versuchte, einen Bissen zu essen. Die Eier auf ihrem Teller waren kalt geworden, und das Fett um die Speckscheiben war geronnen. Maggie würgte es nichtsdestotrotz hinunter, weil sie Fragen hatte, von denen sie wusste, dass sie sie erst würde stellen können, wenn ihr Mund nicht mehr voll war.

Sie konnte sich einfach nicht vorstellen, wie die Schießerei abgelaufen war. Sobald irgendjemand – vor allem ein Schwarzer – sich Jimmy und Don genähert hätte, hätten beide ihre Revolver ziehen müssen. Fast schon aus reinem Überlebenstrieb. Don war lang genug in Vietnam gewesen, um zu wissen, dass man sich von niemandem überrumpeln lassen durfte. Und Jimmy war seit seinem achtzehnten Lebensjahr bei der Polizei.

Maggie sah ihren Bruder verstohlen über den Tisch hinweg an. Vielleicht war er in Panik geraten. Vielleicht hatte er – über und über besudelt mit Dons Blut – dagestanden und war derart von Angst beherrscht gewesen, dass er einfach nur mehr zu Boden sinken und um sein Überleben hatte beten können.

Maggie musste an das Klümpchen denken, das ihre Mutter aus Jimmys Kotelette gezupft hatte. Das Fragment aus Don Wesleys Kopf lag jetzt wahrscheinlich im Mülleimer auf den Eierschalen und der Plastikverpackung des Specks.

»Es wird Zeit.« Terry faltete die Zeitung zusammen. Dann wandte er sich an Jimmy: »Du brauchst ein bisschen Schlaf, mein Sohn. Ich ruf dich an, wenn irgendwas passiert.«

Jimmy hatte bereits den Kopf geschüttelt, noch ehe Terry den Satz beendet hatte. »Auf gar keinen Fall. Ich schlafe erst wieder, wenn wir diesen Mistkerl festgesetzt haben.«

»Den schnappen wir uns, darauf kannst du Gift nehmen.« Terry zwinkerte Maggie zu, als hieße es, er und Jimmy gegen den Rest der Welt.

Vielleicht fragte sie deshalb ihren Bruder: »Was ist wirklich passiert?«

Terry griff so fest nach Maggies Knie, dass ihr der Schmerz schier den Atem raubte. Sie schrie auf und grub ihre Nägel in seinen Handrücken. Doch er packte nur noch fester zu. »Hab ich dir nicht gesagt, du sollst deinen Bruder in Ruhe lassen?« Der Schmerz schoss ihr das Bein empor. Maggies Lippen zitterten. Sie würde ihn nicht anflehen. Sie wollte ihn nicht anflehen.

»Sie hört es sowieso auf dem Revier.« Jimmy klang eher verärgert als besorgt. »Na, komm, Terry. Lass sie los.«

Terry ließ los.

»Gott!« Keuchend rieb sich Maggie das Knie, und sie erschauderte.

»Mach jetzt bloß keine Szene.« Delia zupfte eine Staubfluse von Maggies Bademantel. »Also, was ist passiert, Jimmy?«

Er zuckte mit den Schultern. »Don ging zu Boden. Ich konnte noch dreimal feuern. Der Schütze rannte davon. Ich wollte ihm nachjagen, aber ich konnte Don doch nicht allein dort liegen lassen.« Und als Nachsatz fügte er noch hinzu: »Ich konnte ihn nicht besonders gut sehen. Ein Schwarzer. Durchschnittlich groß. Durchschnittliche Statur.«

Maggie rieb sich immer noch das Knie. Die Sehne pulsierte mit jedem Herzschlag.

»Cal Vick setzt mich mit einem Zeichner zusammen«, fuhr Jimmy mit einem Schulterzucken fort. »Weiß auch nicht, was das bringen soll. Die Gasse war dunkel. Es ging alles sehr schnell.«

»Du hattest Glück«, sagte Delia, »dass er nicht auch noch versucht hat, auf dich zu schießen.«

»Natürlich hat er das versucht«, erwiderte Jimmy schärfer als unbedingt nötig. »Aber seine Waffe hatte eine Ladehemmung. Er hat versucht, auf mich zu schießen, aber es ist nichts passiert. Lucky Lawson, was? Mal wieder Glück gehabt.« Lucky Lawson war der Name, den man ihm an der Highschool gegeben hatte. »So bin ich eben. Der reinste Glückspilz.«

Terry gefiel die Richtung offensichtlich nicht, die das Gespräch eingeschlagen hatte. »Jetzt mach dich erst mal richtig sauber«, sagte er zu Jimmy. »Wir sehen uns dann auf dem Revier.« Er stand auf – und Maggie geriet in Panik.

»Du musst mich mitnehmen ...«

»Und warum?«

Er wusste genau, warum. Maggies Auto stand seit einer Woche in der Werkstatt. »Ich darf nicht zu spät zum Morgenappell kommen.«

»Dann beeil dich gefälligst.« Terry schlug ihr mit der zusammengefalteten Zeitung auf den Mund. »Aber dieser Schlitz unter deiner Nase bleibt zu, verstanden?«

Maggie nahm die Teller vom Tisch und eilte in die Küche. Jimmys Waffengurt lag auf der Anrichte. Der Revolver steckte im Holster.

Hinter ihr im Esszimmer machte Terry ein paar anzügliche Bemerkungen über einige neue Rekrutinnen von der Akademie. Maggie stellte die Teller ins Waschbecken, ließ Wasser darüberlaufen, damit sie nicht zusammenklebten, ehe Lilly Zeit finden würde, sie abzuspülen.

Und dann schlich sie zu Jimmys Gürtel hinüber. Vorsichtig löste sie den Sicherheitsriemen, zog den Revolver aus dem Holster und kontrollierte den Zylinder. Voll geladen. Keine leeren Kammern. Maggie hielt die Mündung nach unten und schnupperte am Schlagbolzen, am oberen Rahmen und am Zylinderende des Laufs.

Nicht der geringste Hauch von verbranntem Kupfer und Schwefel, nur der übliche Geruch nach Stahl und Öl.

Maggie steckte die Waffe wieder in das Holster und drückte den Sicherheitsriemen zu. Sie griff ans Treppengeländer, um sich auf die Stufen zu schwingen. Sie hörte Terry und Jimmy über Baseball reden; sie fragten sich, wie die Braves ohne Hank Aaron zurechtkommen wollten. Die beiden Männer waren schon immer gut miteinander ausgekommen. Sie konnten über alles reden – solange nichts davon eine tiefergehende Bedeutung hatte.

Wie beispielsweise die Tatsache, dass – was auch immer heute Morgen in dieser Gasse passiert war – Jimmy Lawson seine Waffe nicht abgefeuert hatte.

2

Kate Murphy saß auf ihrem Bett im Barbizon Hotel und hörte Nachrichten. Der Kongress hatte sämtliche Mittel für den Krieg gestrichen. Nixon war endlich weg, und Präsident Ford hatte Wehrdienstverweigerern eine Amnestie angeboten. Die Anklage gegen die Ohio State National Guardsmen war fallen gelassen worden. William Calley war wieder auf freiem Fuß, nachdem er wegen seiner Beteiligung am Massaker von My Lai nicht einmal vier Jahre abgesessen hatte.

Kate hatte keine Empörung mehr übrig. Wichtig war nur noch, dass der Krieg endlich vorbei war. Die Männer waren endlich wieder daheim. Kriegsgefangene wurden freigelassen. Es würde nie wieder passieren. Keine Jungs mehr, die im Dschungel krepierten. Keine trauernden Familien zu Hause.

Sie sah zu dem gerahmten Foto auf dem Radio hinüber. Patricks Lächeln stand im krassen Gegensatz zu dem gehetzten Blick in seinen Augen. Sonnenlicht funkelte auf seinen Armeemarken. Er hatte sein Gewehr geschultert, und der Helm saß ihm keck schief auf dem Kopf. Er stand da mit nacktem Oberkörper, hatte neue Muskeln, die sie nie berührt hatte. Eine Narbe im Gesicht, die sie nie geküsst hatte. Das Foto war schwarz-weiß, aber in dem beigefügten Brief hatte er geschrieben, dass seine normalerweise bleiche Haut krebsrot sei – »irische Sonnenbräune« hatte er es genannt.

Kate hatte Patrick Murphy noch nicht kennengelernt, als sie sich die erste Einberufungslotterie im Fernsehen angesehen hatte. Sie hatte zusammen mit ihrer Familie im Wohnzimmer gesessen. Kalter Wind hatte an den Fensterscheiben gerüttelt, und Kate hatte sich ein Tuch um die Schultern gelegt. Ihre Großmutter hatte gemurmelt, dieses ganze furchtbare Verfahren erinnere sie an dieses Glücksspiel für Rentner – wie hieß es gleich wieder?

»Bingo«, antwortete Kate, die dabei eher an Shirley Jacksons Kurzgeschichte »Die Lotterie« denken musste.

Anstelle von nummerierten Kugeln gab es 366 blaue Kapseln. In jeder Kapsel steckte ein Papierstreifen. Darauf stand eine Nummer, die einem Tag des Kalenderjahrs entsprach. Die verschlossenen Kapseln wurden in einem Kasten durcheinandergemischt und dann in ein großes Glasgefäß gekippt, das so tief war, dass der Mann, der die Ziehung durchführte, die Kapseln mit den Fingerspitzen herausfischen musste. Das System war simpel: Jeder Kapsel war ein Geburtstag zwischen eins und 366 zugewiesen worden, um auch Schaltjahre mit einbeziehen zu können. Sämtliche Männer, die zwischen 1944 und 1950 geboren worden waren, galten als diensttauglich. Tag und Monat der Geburt bestimmten die Einberufungsnummer. Eine zweite Auslosung bediente sich der sechsundzwanzig Buchstaben des Alphabets, um anhand des Nachnamens die Rangfolge sämtlicher Männer mit demselben Geburtstag festzulegen.

Der 14. September war das erste Datum, das gezogen wurde. Als es laut verlesen wurde, gellte aus der Küche ein furchtbarer Schrei. Später fanden sie heraus, dass ihre Haushälterin Mary Jane einen Enkel hatte, der am 14. September geboren worden war.

Innerhalb von vierundzwanzig Stunden war jedem Jungen, den Kate kannte, eine Nummer zugewiesen worden. Kein Mensch hatte begriffen, was das bedeuten sollte – wann die Gruppen aufgerufen, wohin sie geschickt würden, in welcher

Waffengattung sie dienen und ob sie überhaupt dienen würden. Niedrigere Nummern waren offensichtlich schlecht, aber wie hoch war hoch genug, um auf der sicheren Seite zu sein? Am anderen Ende der Stadt stellten sich Patrick Murphy und seine Familie die gleichen Fragen. Ihr Fernseher war schwarz-weiß. Sie hatten keine Ahnung, dass die Kapseln blau waren, doch sie erfuhren, dass ihren Söhnen Nummern zugewiesen worden waren. Declan bekam die 98, Patrick die 142. Kate erfuhr das alles erst sehr viel später. Sie lernte Patrick im April 1971 kennen – ein gutes Jahr nach der ersten Lotterie. Sie saß in ihrem Auto vor der Lenox Square Mall und langweilte sich zu Tode, weil sie auf den Abschleppwagen warten musste. Die Autobatterie war leer; sie hatte während des Einkaufs das Licht brennen lassen. Dann kam Patrick und verpasste ihr eine Ladung, wie er es formulierte. Sie war sich der Zweideutigkeit durchaus bewusst. Er ebenfalls. Er wiederholte sie in einer Tour. Kates Verärgerung hielt ihn nicht vom Flirten ab, was sie umso mehr ärgerte, doch irgendwann fand sie es – vielleicht durch die ständige Wiederholung – doch irgendwie schmeichelhaft und schließlich beinahe berauschend, und als es dann Zeit fürs Abendessen war … Warum eigentlich nicht?

Patrick war einundzwanzig Jahre alt, genau wie sie. Er hatte einen Bruder, der bereits bei der Armee war. Sein Vater war Anwalt. Er selbst studierte Maschinenbau, weil Ingenieur einer der maßgeblichen Jobs war, von denen man immer hörte – wie Arzt oder Anwalt. Oder Sohn eines Politikers. Patrick war weder das eine noch das andere. Er war nur ein irischer Junge mit einer verhältnismäßig hohen Einberufungsnummer, der soeben das Mädchen seiner Träume kennengelernt hatte.

Sie waren gut fünfzehn Monate zusammen, als er den Einberufungsbefehl erhielt. Sein Vater hatte keine entsprechenden Beziehungen – aber Kates Vater hatte sie. Nur wollte Patrick sich von ihm nicht helfen lassen. Er hätte das nicht richtig gefunden. Er hatte natürlich recht damit, dass es nicht richtig gewesen wäre – aber inzwischen waren sie nun mal verheiratet, und Kate war wütend auf ihren dummen, sturen Ehemann. Sie weigerte sich, ihn vor seinem Abtransport zur Grundausbildung zum Flughafen zu begleiten. Als sie sich an der Haustür mit einem Kuss voneinander verabschiedeten, drückte Kate ihn so fest an sich, dass er sie bat, ihm bitte keine Rippe zu brechen.

Sie wollte ihm sämtliche Rippen brechen. Sie wollte ihm die Augen auskratzen. Sie wollte ihm mit einer Rohrzange das Knie zerschmettern, ihm einen Baseballschläger über den Schädel ziehen. Aber dann ließ sie ihn gehen, weil ihr letztendlich nichts anderes übrig blieb.

Sie war verliebt, sie war verheiratet, und sie war allein. Dann zog als Erstes der 14. September los.

Wie hoch würde das Risiko sein?

Kate half ihren Eltern gerade bei einer Abendgesellschaft, als sie die Türklingel hörte. Mary Jane war im Keller, weil jemand um mehr Wein gebeten hatte. Kate ging zur Tür. Anstelle von Partygästen standen zwei Soldaten auf der Veranda. Zuerst dachte sie, wie komisch es aussah, wenn weiße Männer weiße Baumwollhandschuhe trugen. Sie waren exakt gleich angezogen. Sie standen mit gleich geradem Rücken da. Ihre Uniformen waren aus Wolle und langärmelig, Schweißtropfen standen auf ihren glatt rasierten Wangen, rollten seitlich an ihren dicken Hälsen hinab.

Beide nahmen ihre Mützen in routiniertem Einklang ab. Sie hätte beinahe gelacht, weil die Synchronizität so perfekt war. Nur einer der beiden sprach. Er nannte sie »Ma'am«, und Kate hörte noch, wie er sagte: »… bedauern, Ihnen mitteilen zu müssen …« Dann wusste sie nur noch, dass sie auf der Couch wieder zu sich kam und sämtliche Gäste verschwunden waren. Die Soldaten hatten ihnen eine Broschüre mit dem Titel »Vergünstigungen im Todesfall« dagelassen.

»Welch Ironie«, hatte ihre Großmutter gesagt.

»Ein Widerspruch in sich«, hatte ihr Vater angemerkt.

Ihre Mutter hatte die Zigarette eines Fremden aus einem in der Nähe stehenden Aschenbecher fertig geraucht.

Kate hatte keine Ahnung, wo die Broschüre inzwischen war. Und eigentlich war es ihr auch egal. Sie brauchte keine Vergünstigungen im Todesfall. Sie brauchte einen Ehemann.

Aber da sie nun mal beides eingebüßt hatte, musste sie jetzt vor allem eins tun: sich für die Arbeit fertig machen.

Auf dem Weg ins Bad zog sie ihren Bademantel aus. Sie sah nach, ob ihr Haar sorgfältig hochgesteckt war, bevor sie die Dusche aufdrehte und hineinstieg.

Sie keuchte auf, als sie nur Kälte spürte. Die Leitungen waren definitiv in den Wechseljahren – was ein schlechter Scherz war, wenn man bedachte, dass sie in einem Wohnheim für Frauen wohnte. In einem Augenblick war das Wasser zu kalt, im nächsten zu heiß. Die Mischung änderte sich stets abhängig davon, wie viele Frauen auf demselben Stockwerk zur selben Zeit duschten. Wenn zu viele Toiletten zu dicht beieinander gespült wurden, saßen sie alle buchstäblich in der Scheiße.

Kate starrte mit leerem Blick durch den durchscheinenden Vorhang, während sie sich wusch. Es gab nicht viel zu sehen: ihr Bett und die gegenüberliegende Wand. Sie schloss erst ein Auge, dann das andere. Der grün getönte Vorhang färbte ihren Blick. Sie versuchte, sich daran zu erinnern, was ihr bei der ersten Besichtigung an diesem Zimmer so gut gefallen hatte. Die Anonymität? Die Sterilität? Die Unpersönlichkeit des Ganzen?

Es war nicht lange so geblieben. Ihre Mutter hatte sich mit ihrer Kreditkarte und ihrem guten Geschmack darauf gestürzt, und jetzt hing abstrakte Kunst an den Wänden, ein weißer Flokati bedeckte den grässlichen gelbbraunen Teppichboden im Schlafzimmer, und Kates Bettwäsche passte eher in die Auslage der Wäscheabteilung von Davison's als in ein innerstädtisches Wohnheim für alleinstehende Frauen. Ehrlich gesagt war Kate das Zimmer vor der Verschönerung lieber gewesen.

Sie drehte das Wasser aus und trocknete sich schnell ab. Der Wecker auf dem Nachttisch spielte offenbar verrückt. Er war um fast eine halbe Stunde nach vorn gesprungen, während sie unter der Dusche gestanden hatte. Sie musste aufhören, ihre Gedanken derart schweifen zu lassen. Das Gleiche war ihr heute Morgen auf dem Rückweg vom Frühstück im Diner schon mal passiert. In einem Augenblick hatte sie einen Mann auf der Straße nach der Uhrzeit gefragt, und im nächsten hatte sie auf einer Bank gesessen und in den blauen Himmel gestarrt, als hätte sie alle Zeit der Welt.

Tagträumen war ein Luxus der alten Kate gewesen. Doch jetzt lebte sie allein. Sie musste Miete zahlen. Sie musste Nahrungsmittel und Kleidung kaufen. Sie konnte nicht länger ihre Zeit vertrödeln, indem sie kitschige Taschenbücher las und den Gin ihres Vaters trank.

Vergünstigungen im Todesfall.

Kate riss die Plastikhülle der Reinigung auf und legte ihre Kleidung auf dem Bett zurecht. Draußen auf dem Gang hörte sie die ersten Mädchen zur Arbeit gehen. Sie betrachtete sie als die erste Schicht – die Büromädchen mit den präzise geschnittenen Ponys und den gewagt kurzen Röcken. Sie waren jung und hübsch und zerbrachen sich noch immer den Kopf darüber, was ihre Eltern von ihnen hielten, was sich schon daran zeigte, dass sie – so wagemutig es auch war – allein in einer Großstadt lebten, in einem Etablissement, dessen Zutritt oberhalb der Eingangshalle männlichen Gästen strikt untersagt war.

Die zweite Schicht würde in ungefähr fünfzehn Minuten aufbrechen: etwas ältere Frauen wie Kate. Mitte bis Ende zwanzig. Die Chefsekretärinnen oder Hauptkassiererinnen. Karrieremädchen. Unabhängig. Couragiert. Kate liebte es, sie im Aufzug zu beobachten. Beständig kontrollierten sie ihr Aussehen. Der Lidstrich makellos. Der Lippenstift perfekt. Die Bluse straff in den Rock gesteckt. Bevor die Liftkabine das

Erdgeschoss erreichte, hatten sie mindestens dreimal nachgesehen, ob die Strumpfhosen auch gerade saßen.

Dann gingen sie hoch erhobenen Hauptes durch die Lobby, als wären sie gänzlich sorgenfrei und entspannt. Mit ihrer schockierend guten Haltung und den spitzen BHs erinnerten sie Kate immer an Schiffe, die in den Krieg fuhren.

Sie warf einen neuerlichen Blick auf die Uhr, fluchte leise und schlüpfte in ihre Unterwäsche. Dann setzte sie sich aufs Bett und streifte sich die Strumpfhose über die Beine, stand auf, um den Bund zurechtzurücken, und setzte sich wieder, um ein paar schwarze Socken darüberzuziehen. Dann stieg sie in die steife marineblaue Hose. Und stieg und stieg ...

»Oh nein!«

Die Hose war riesig. Sie stand auf, um sich das Debakel im Spiegel anzusehen. Mit straff gezogenem Gürtel würde der Stoff über ihrer Hüfte hängen wie ein Ballon, dem die Luft ausgegangen war. Das war ihr unter Garantie mit Absicht angetan worden. Kate hatte dem Sergeant in der Ausrüstungsabteilung ihre korrekten Maße genannt. Sie war fast eins achtzig groß, also kaum ein winziges Persönchen, doch die Hosenbeine waren so lang, dass sie weit über ihre Zehen hingen. Schimpfend machte sie sich auf die Suche nach den Heftnadeln in ihrer Wäscheschublade. Sie fand sie schließlich im Medizinschränkchen.

Sie steckte die Hosenbeine hoch, bis der Rand gerade noch ihre Füße berührte. Dann wanderten ihre Gedanken zu den Schuhen. Sie waren offensichtlich für Männer gemacht, klobig und hässlich, wie ein Gefängniswärter oder ein Mathematiklehrer an der Highschool sie tragen würde. Sie waren ihr viel zu groß. Selbst mit straff gebundenen Schnürsenkeln würden ihre Füße herausrutschen.

Kurzerhand wischte Kate das Problem beiseite und beschloss, sich einem anderen zuzuwenden. Blasen wären die geringsten ihrer Sorgen, wenn die Hose nicht anständig gekürzt würde. Noch ein paar Korrekturen per Nadel, und der Saum reichte nur noch bis knapp über die Schnürsenkel.

»Gut gemacht.« Sie gestattete sich ein kurzes, erleichtertes Lächeln. Doch dann sah sie sich im Spiegel – und war zu fassungslos, um auch nur einen Ton herauszubringen.

Sie sah aus wie eine neue Zentauren-Art: eine Frau, die von der Taille abwärts ein Mann war. Ihr Anblick wäre fast komisch, wenn der Gedanke nicht gleichzeitig so anstößig gewesen wäre.

Kate wandte sich vom Spiegel ab und zog das steife marineblaue Hemd an. Ebenfalls zu groß. Der Kragen berührte ihre Ohrläppchen, während die Brusttaschen ihr fast über der Taille hingen. Die Abzeichen an den Ärmeln saßen an ihren Ellbogen. Sie hob die Arme, versuchte, die Finger durch die langen Ärmel zu schieben. Schließlich schaffte sie es, erst eine, dann die andere Hand hindurchzubekommen. Sie krempelte die Manschetten hoch, bis sie wie zwei große Donuts um ihre Handgelenke lagen.

Kate schloss die Augen. Heute Morgen keine Tränen.

Das war ein Versprechen, das sie sich selbst gegeben hatte. Keine Tränen, bis die Schicht vorüber war.

»Lach einfach«, redete sie sich ein. »Lach darüber, weil es so grotesk lustig ist.«

Sie knöpfte das Hemd zu. Ihre Hände waren ganz ruhig. Vielleicht würde es ja wirklich lustig sein. Vielleicht würde sie in einer Woche oder in einem Monat oder in einem Jahr die Geschichte ihres ersten Tags, an dem sie diese lächerliche Kluft hatte anziehen müssen, irgendjemandem erzählen und dabei von Neuem Tränen in den Augen haben – allerdings dann nicht vor Entsetzen, sondern vor Heiterkeit.

Sie fand die s-förmigen Metallhaken, an denen der Waffengürtel am Hosengürtel hing. Die Ausrüstung war zu schwer für nur einen einzigen Gürtel. Einer wurde durch die Schlaufen am Hosenbund geschoben, um dann den zweiten darüberhängen zu können. Kate schob die beiden Haken seitlich über die Hüfte. Sie versuchte, keine Stunde vorauszudenken, wenn der andauernde Druck auf ihren Körper regelrecht zur chinesischen Wasserfolter würde.

»Lächerlich«, murmelte sie. »Aber die Blasen an den Füßen werden dich schon davon ablenken.«

Sie nahm den Waffengürtel aus dickem Leder zur Hand. Wenigstens der sah aus, als würde er passen. Sie schob die Gürtelzunge durch die Schnalle, steckte den Dorn ins letzte Loch und kontrollierte, ob der Gürtel auch tatsächlich in die Metallhaken eingehängt war.

Und dann versuchte sie, nicht an Virginia Woolf zu denken, die mit einem großen Stein in der Tasche in den Fluss gewatet war, damit ihr Selbstmord auch wirklich klappte.

Stablampe in die Schlaufe. Handschellen ins Futteral. Funksender hinten an den Gürtel geklemmt. Schultermikrofon an die Schulterklappe gesteckt. Schlagstock an den Metallhaken. Das Holster an den Gürtel geschnallt. Waffe.

Waffe.

Kate wog den schweren Revolver in der Hand. Sie klappte den Zylinder heraus, und das Messing verschwamm vor ihren Augen, als die Kammern herumwirbelten. Behutsam klappte sie den Zylinder wieder zurück und steckte dann die Waffe ins Holster. Ihre Finger waren ganz ölig. Der Daumen rutschte ab, als sie den Sicherheitsriemen zudrückte.

Merkwürdigerweise fühlte die Waffe sich schwerer an als alles andere an ihrer Hüfte. An der Akademie hatte sie den Revolver nur ein paarmal abgefeuert, und jedes Mal hatte sie nur darüber nachgedacht, wie sie so schnell wie möglich vor dem grapschenden Ausbilder fliehen konnte. Kate wusste nicht mehr, ob sie die Waffe wirklich richtig gereinigt hatte. Der Griff wirkte schmieriger, als er sein sollte. Ihr Ausbilder war in dieser Hinsicht nicht sehr hilfsbereit gewesen. Er hatte wieder und immer wieder betont, dass Waffen nicht in Frauenhände gehörten.

Wenn Kate ehrlich war, dann hatte sie schon nach zwei Wochen die Einstellung des Mannes zum Rest der Frauen aus ihrer Klasse geteilt. Es hatte zwar auch ein paar ernsthafte Rekrutinnen gegeben, aber die meisten waren allem Anschein nach nur zum Vergnügen dort gewesen. Mehr als die Hälfte hatte sich für die Schreibstube gemeldet, wo sie den gleichen Lohn erhalten würden wie Beamtinnen auf Streife. Nur vier Frauen aus Kates Gruppe hatten sich für den Dienst auf der Straße beworben.

Rückblickend betrachtet, hätte Kate im Schreibmaschinenkurs wirklich besser aufpassen sollen. Oder an der Sekretärinnenschule. Oder während der Ausbildung zur Anwaltsgehilfin. Oder bei jedem anderen Kurs, den sie besucht und wieder abgebrochen hatte, bevor sie im *Atlanta Journal* einen Artikel über Polizistinnen gelesen hatte, die derzeit für die Motorradpatrouille geschult wurden.

Motorradpatrouille!

Jetzt musste Kate tatsächlich lachen. Wie naiv sie gewesen war. Wenn schon die Waffenausbilder keine Frauen unterrichten wollten, dann war die Motorradabteilung gegen Frauen auf zwei Rädern regelrecht feindlich eingestellt. Der Fahrlehrer hatte sie nicht einmal in die Garage gelassen.

Der Wecker klickte, als die Ziffern umklappten. Wieder hatte die Uhr einen zu großen Sprung gemacht. Geräusche füllten den Korridor – die Karrieremädchen auf ihrem Weg zur Arbeit. Sanfte Stimmen. Gelegentliches Lachen. Das Rascheln von Nylonstrümpfen unter engen Röcken.

Als Letztes kam die Mütze. Kate hatte früher durchaus hin und wieder Hüte getragen. An der Highschool waren sie der letzte Schrei gewesen – vorwiegend Pillbox-Hüte, wie Mrs. Kennedy sie getragen hatte. Kate hatte sogar einen mit Leopardenmuster gefunden, der perfekt zu diesem Dylan-Song gepasst hatte. Sie hatte ihn sich neckisch schief aufgesetzt, worauf ihre Mutter sie sofort zurück auf ihr Zimmer geschickt hatte. Bei dieser Mütze hätte ihre Mutter jedoch einen Herzinfarkt bekommen. Dunkelblau und – wie alles, was mit ihrer Uniform zu tun hatte – viel zu groß. Ein riesiges Schild. In der Mitte ein goldfarbenes rundes Abzeichen. *City of Atlanta Police Department.* Inmitten des Kreises ein Phönix, der aus der Asche stieg. *Resurgens.* Latein. *Der immer wieder aufsteht.*

Kate setzte die Mütze auf. Sah sich im Spiegel an. Sie konnte es tun.

Sie musste es tun.

3

Fox saß in seinem Auto und rauchte eine Zigarette. Die Fenster waren geschlossen, und der Rauch füllte den Innenraum. Er musste wieder an das Tränengas denken. Nicht zum ersten und nicht zum letzten Mal. Die Nadel schlug dabei nicht im Geringsten aus. »Augenreizstoff« hatte man es genannt – was eine ziemlich blumige Umschreibung dafür war, dass einem die Augäpfel auf Dornen gespießt wurden. Man brauchte dem Gas nur zwanzig Sekunden lang ausgesetzt zu sein, das reichte schon. Es überschwemmte die Nerven in der Hornhaut mit zu vielen Reizen. Schmerzen, Tränen, Husten, Schniefen und Blindheit folgten.

Ausbildungslager.

Fox hatte mit den anderen Männern seiner Einheit dagestanden und zugesehen, wie das erste Team dem Gas ausgesetzt worden war. Es sollte sie härter machen, sie auf den Dschungel vorbereiten, tatsächlich aber zerbrach es sie. Erwachsene Männer kreischten wie kleine Mädchen. Sie versuchten, sich die Augen auszukratzen. Sie winselten um Gnade.

Fox sah, wie sie sich wanden wie Würmer, und hielt sie für Idioten. Sie hatten alle die gleiche Einweisung bekommen. Klar, es tat weh – aber man musste es einfach nur durchstehen. Dreißig Minuten später war man wieder vollkommen in Ordnung. Dreißig Minuten waren rein gar nichts. Dreißig Minuten lang konnte man alles aushalten.

Dann kam Fox an die Reihe.

Heiße Tränen legten sich über seine Augen. Er atmete Nadeln ein. Geriet in Panik. Warf sich zu Boden. Flehte um Gnade wie all die anderen Würmer, die vor ihm drangekommen waren.

Genau daher kam die Scham. Nicht vom Weinen oder Würgen, sondern vom Flehen. Nur ein Mal zuvor in seinem Leben hatte Fox um etwas gefleht. Er war zwölf Jahre alt gewesen, und er hatte schnell gelernt, dass Betteln nichts brachte, weil keiner einem half – außer man selbst. Also hatte der zwölfjährige Fox sich geschworen, dass die Tage seines Bettelns vorüber wären, und doch hatte er sich in diesem Dreckscamp neben zwanzig anderen Rekruten wie ein hilfloser, erbärmlicher Wurm am Boden gewälzt.

Sollte Fox nicht wenigstens darauf stolz sein, dass er nicht derjenige gewesen war, der am lautesten geflennt hatte?

Ein Kerl aus seiner Einheit war nach der Gasübung gestorben. Ein zuvor nicht diagnostiziertes Asthma, hatten die Vorgesetzten ihnen erklärt, aber wer wollte denen noch trauen. Wahrscheinlich hatten sie irgendeine neue Formel an ihren eigenen Männern ausprobiert, bevor sie das ätzende Gas im Feld einsetzten. Wäre nicht das erste Mal gewesen. Würde auch nicht das letzte Mal gewesen sein. Dieser Krieg war nichts als ein einziges gigantisches Experiment gewesen. Hinter jeder sinnlosen Tragödie hatte irgendein Kerl mit einem Klemmbrett gestanden.

Fox hatte sein eigenes Klemmbrett. Er sah auf seine Notizen hinab.

05.46: Gebäude verlassen. Mit niemandem gesprochen. 06.00: Frühstück im Diner, gewohnter Tisch, gewohnte Kellnerin. Ein hart gekochtes Ei, trockener Toast, schwarzer Kaffee. Zeitung gelesen. 25 Cent Trinkgeld.

06.28: In die Gegenrichtung vom Gebäude weg, 14th runter und um den Block herum.

06.39: Geschäftsmann nach Uhrzeit gefragt.

06.51: Auf Parkbank vor Bankgebäude in den Himmel gestarrt.

06.58: Aufgestanden, zum Wohnheim zurückgegangen.

Und jetzt?

Fox öffnete das Handschuhfach. Er sah die Strumpfhose,
die letzte Nacht sein Gesicht bedeckt hatte.

Ihre Strumpfhose.

Die Mission hatte sich allmählich verändert. Fox spürte
diese Veränderung fast so, als würde er auf einem Teppich stehen, der langsam unter seinen Füßen weggezogen wurde. Das
war schon einmal passiert. Fox hatte eine bestimmte Sache
getan, doch irgendwo in seinem Hinterkopf waren seine Gedanken längst bei ganz anderen Handlungsabläufen gewesen.
Und dann hatte es nichts anderes mehr als eine Art Blitzein-
schlag gebraucht: Der Blitz traf seinen Schädel, und die Sache
aus dem Hinterkopf sprang plötzlich nach vorn.

So hatte er gleich mehrere Optionen.

Fox holte sein Fernglas heraus und richtete es auf das vertraute Fenster. Noch während er hindurchstarrte, wurden die
Vorhänge aufgezogen. Er grinste. Was für ein Glück. Manchmal verpasste er die Vorhänge. Manchmal sah er hoch, und
seine Eingeweide verflüssigten sich regelrecht, weil er keine
Ahnung hatte, wie lange die Vorhänge schon auf waren und ob
er etwas Wichtiges verpasst hatte.

Doch heute sah er, wie sie die Vorhänge öffnete.

Fox schrieb eine neue Zeit auf sein Klemmbrett: vier Minuten später, weil er genau wusste, dass es so lang dauern würde,
bis der Aufzug auf der entsprechenden Etage hielt, sie runter in
die Lobby fuhr, dann mit dem nächsten Aufzug in die Tiefgarage, der kurze Gang zum richtigen Stellplatz, und bingo –
exakt vier Minuten später sah er, wie Kate Murphy mit ihrem
Auto die Tiefgarage verließ.

Mann, war sie schön. So wie die Sonne ihr Gesicht beschien, konnte er ihr schmutziges kleines Geheimnis beinahe ausblenden.

Fox kurbelte das Fenster runter, um den Rauch hinauszulassen. Dann legte er das Klemmbrett auf den Beifahrersitz.

Und folgte ihr.

4

Terrys Wut hatte sich wie ein Tiefdruckgebiet im Auto ausgebreitet. Maggie musste daran denken, wie sie sich immer fühlte, kurz bevor ein Tornado kam. Ihre Schläfen pochten. Ihr Blut fühlte sich dickflüssiger an als sonst. Die Härchen im Nacken stellten sich auf.

Eigentlich sollte es ihnen doch möglich sein, darüber zu sprechen, was mit Don und Jimmy passiert war. Zwei Polizisten, die in ein und demselben Auto saßen – da wäre es doch normal, dass sie über die Schießerei redeten, sich überlegten, was sie am besten tun sollten, um den Mörder seiner gerechten Strafe zuzuführen. Aber Terry betrachtete Maggie nun mal nicht als Polizistin, und Maggie betrachtete ihren Onkel ganz gewiss nicht als Vertrauten, und so starrten sie beide nur grimmig zum Fenster hinaus und behielten ihre Gedanken für sich.

Außerdem war Gerechtigkeit das Letzte, woran Terry interessiert war. Er dachte vermutlich auch nicht daran, was heute Morgen passiert war. Er dachte an den Polizistenmörder, der davongekommen war.

Im vergangenen Januar war Detective Duke Abbott in die Brust geschossen worden, während er hinter dem City Motel an der Moreland Avenue in seinem Auto gesessen hatte. Sein Partner war in dem Motel gewesen und hatte getan, was man von einem Polizisten um zwei Uhr morgens in einem Motel erwarten würde, auch wenn er eigentlich immer noch im Dienst gewesen war. Duke war ein Weißer gewesen. Zeugen hatten gesehen, wie ein Schwarzer Mann den Tatort verlassen hatte. Als die Morgenzeitungen in den Verkaufskästen gelandet waren, war die Stadt bereits so angespannt gewesen wie die Feder eines Weckers, der an tausend Stangen Dynamit klemmte.

Binnen drei Tagen nach dem Mord hatte ihr Tatverdächtiger einen Namen bekommen: Edward Spivey, Drogendealer und mittelmäßig erfolgreicher Zuhälter, der in der Nachbarschaft des Motels operierte. Ein paar Zeugen identifizierten Spivey als denjenigen Mann, der den Tatort verlassen hatte. Einer behauptete, er habe genau gesehen, wie Spivey seine Waffe durch ein Kanalgitter geworfen hatte. Der andere sagte aus, Spiveys Hemd sei blutbesudelt gewesen.

Terry leitete das Ermittlerteam, das schließlich sowohl die Waffe als auch das blutige Hemd fand. Fast eine Woche lang stellten sie die Stadt auf der Suche nach Spivey förmlich auf den Kopf. Der Verdächtige schien gerissener zu sein, als sie erwartet hatten. Anstatt zu flüchten, stellte er sich am Ende und lud obendrein ein örtliches Nachrichtenteam ein, das ihn die Stufen zum Revier hinauf begleiten sollte. Er posaunte seine Unschuld in die Welt hinaus. Er behauptete, die Beweismittel seien von der Polizei dort platziert und die Zeugen bestochen worden. Er engagierte einen Anwalt aus dem Norden. Er redete mit jedem Reporter, der bei ihm im Gefängnis auftauchte. Er forderte die Stadt praktisch dazu heraus, es endlich zu wagen und ihn auf den elektrischen Stuhl zu schnallen.

Normalerweise hätte die Stadt ihm diesen Gefallen auch nur zu gern getan, aber zwischen dem Mord an Duke Abbott und Edwards Spiveys Gerichtsverhandlung hatten radikale Veränderungen stattgefunden. Der frisch gewählte Schwarze Bürgermeister hatte sein Versprechen eingelöst, größere Vielfalt in die Stadtverwaltung zu bringen. Was – je nach Blickwinkel – gut oder schlecht war. Vor den Veränderungen wäre ein Schwarzer, der beschuldigt wurde, einen weißen Polizisten erschossen zu haben, direkt in den Todestrakt gewandert. Doch dann wurden die Stimmzettel ausgezählt, und eine rein Schwarze Jury entließ Edward Spivey als freien Mann aus dem Gerichtssaal. Der hieraus entstehende Grabenbruch zwischen Polizei und Bezirksstaatsanwalt ließ den Grand Canyon aussehen wie einen Riss im Bürgersteig.

Wenn Maggie hätte raten müssen, dann hätte sie gemutmaßt, das Einzige, was Terry jetzt im Sinn hatte, sei, dafür Sorge zu tragen, dass Don Wesleys Mörder einen Gerichtssaal gar nicht erst von innen zu sehen bekäme.

Das Auto machte einen kleinen Satz, als Terry nach links auf den Parkplatz ein paar Häuser hinter dem Polizeipräsidium einbog. Der Buick segelte in seine angestammte Lücke. Maggies Bewegungen waren fast synchron mit denen ihres Onkels. Er schaltete auf Parken, sie entriegelte den Türgriff. Ein kurzer Augenblick der Entspannung, als sie ausstiegen, und dann sah Maggie sich einer Mauer aus Terry-Doppelgängern gegenüber.

Die gleichen Bürstenhaarschnitte. Die gleichen buschigen Schnurrbärte. Die gleiche Wut in den Schweinsäuglein. Terrys Freunde hießen Bud und Mack und Red und sprachen von der guten alten Zeit wie Priester vom Himmelreich. Sie hatten diverse Ex-Frauen, wütende Geliebte und erwachsene Kinder, die nicht mehr mit ihnen sprachen. Schlimmer noch, sie alle waren auf die gleiche Art Polizist wie Terry. Sie wussten immer alles besser als jeder andere. Auf jemanden von außen hörten sie nicht. Sie trugen leicht zu entsorgende Waffen in ihren Knöchelholstern. Ihre Klan-Kutten hingen zuhinterst in ihren Kleiderschränken.

Maggie konnte sich an keine Zeit in ihrem Leben erinnern, da sie nicht von Terrys Freunden umgeben gewesen wäre – doch nicht wegen Terry, sondern wegen Jimmy. Sie hatten seine Footballspiele besucht. Sie hatten im Training vorbeigeschaut, um dem Coach unaufgefordert Ratschläge zu erteilen.

Sie hatten Jimmy Geld für Dates zugesteckt. Sie hatten ihm das eine oder andere Bier spendiert, noch ehe er alt genug gewesen war für Alkohol. Als Jimmys Knie kaputtging, brachten sie ihn mit einer Polizeieskorte ins Krankenhaus.

Maggie hatte angenommen, die Heldenverehrung würde zeitgleich mit Jimmys Footballkarriere enden, doch in gewisser Weise schien es sie alle nur umso glücklicher zu machen, Jimmy bei der Truppe zu wissen, als ihn auf dem Spielfeld zu sehen. Als Jimmy sein Akademiediplom entgegennahm, waren die ersten beiden Reihen im Publikum von seiner Jubelriege besetzt. Sie alle liebten ihn wie einen Sohn. Sie förderten ihn. Sie erzählten ihm Geschichten. Sie boten ihm ihren Rat an.

Und manchmal, wenn sie hinreichend betrunken waren, ließen sie sogar Maggie zuhören.

»Hey!« Jett Elliott schlug mit der Faust aufs Autodach. Er war so alkoholisiert, dass er kaum mehr gerade stehen konnte. »Wir lassen den damit nicht durchkommen. Hast du mich verstanden?«

»Darauf kannst du Gift nehmen.« Mack McKay hatte seinen Arm um Jetts Schultern gelegt, um ihn zu stützen. »Wir kümmern uns selber darum.«

Gegrummelte Zustimmung allenthalben, während ein Flachmann die Runde machte. Maggie schulterte ihre Handtasche, doch sie konnte nirgends hingehen. Die Wand aus Terry-Doppelgängern hatte es irgendwie geschafft, ihr den Weg zu versperren und sie dabei vollkommen zu ignorieren. Les Leslie lehnte sich gegen das Auto. »Der Boss hat schon in Kalifornien angerufen. Drei Stunden Zeitunterschied, aber sie schicken jemanden vorbei, der ihn unter die Lupe nimmt.« Er sprach von Edward Spivey. Nach dem Prozess war der Mann ans andere Ende des Kontinents gezogen, aber niemand glaubte daran, dass er lange dort bleiben würde.

»Sollten selber hinfliegen«, sagte Red Flemming, »und ihn dann nicht bloß unter die Lupe nehmen ...«

Terry knallte die Autotür zu. »Glaubst du, die lassen uns mit einer Schlinge in ein Flugzeug steigen?«

»Ich hätte zwei im Kofferraum.« Jett griff nach dem Flachmann.

Mack stieß ihn weg. »Leck mich.«

»Du mich auch.«

Maggie nutzte die Rangelei und trat auf die Straße. Sie wollte nicht dabei sein, wenn sie sich so richtig in Rage redeten.

Red streckte den Arm aus, um sie aufzuhalten. »Alles in Ordnung mit Jimmy?«

Sie nickte und sah zum Ausgang des Parkplatzes hinüber. »Er ist okay.«

»Er kommt noch«, sagte Terry. »Will nicht zu Hause bleiben.«

»Da hat er auch verdammt recht.« Les reichte Terry den Flachmann. »Kümmern wir uns heute noch darum?«

»Klar.« Terry nahm einen kräftigen Schluck. »Wir legen diesen Wichser um. Hab ich recht?«

»Und wie recht du hast.« Jett nahm Terry den Flachmann aus der Hand. »Kein Prozess für dieses Arschloch. Sein letzter Gang ist der ins Grab.«

Gemurmelte Zustimmung. Maggie versuchte, sich an Red vorbeizudrücken. »Aber Jimmy müssen wir da raushalten«, sagte er leise, und doch hatte es jeder gehört, und alle nickten zustimmend.

Maggie war zugleich verärgert und eifersüchtig. Jeder Einzelne dieser Männer würde sein Leben geben, um Jimmy Lawson zu schützen.

»Musst du nicht irgendwohin?«, fragte Terry.

Maggie merkte erst Augenblicke später, dass er mit ihr gesprochen hatte. Doch diesmal verspürte sie nicht den gewohnten Impuls, das genaue Gegenteil dessen zu tun, was ihr Onkel ihr aufgetragen hatte. Froh, der Horde zu entkommen, lief sie auf die Straße zu.

Die Erleichterung währte nicht lange. Von diesen Arschlöchern würde sie niemals wegkommen. Ein schwarzer Cadillac Eldorado bog auf den Parkplatz. Das Fenster wurde heruntergekurbelt, und dahinter saß Bud Deacon mit beiden Händen am Lenkrad. Chip Bixby saß auf dem Beifahrersitz. Er sah noch schlimmer aus als die anderen. Seine Wangen waren noch eingefallener als gewöhnlich. Seine Lippen waren merkwürdig bläulich – wahrscheinlich von zu vielen Zigaretten. Von allen Freunden, die Terry um sich scharte, war Chip eigentlich der am wenigsten abstoßende. Was aber nicht viel zu bedeuten hatte.

Maggie kam ihrer Frage zuvor. »Jimmy geht's gut. Er kommt heute noch rein.«

»Das ist doch nicht richtig«, erwiderte Bud. »Du hättest ihm sagen müssen, dass er zu Hause bleiben soll.«

Sie hätte am liebsten laut gelacht. »Glaubst du wirklich, er würde auf mich hören?«

»Stopf einer diesen vorlauten Mund, bevor ich es tue. Ist es vielleicht zu viel verlangt, dass du für deinen Bruder da bist?«

Maggie biss sich auf die Lippe, damit sie nicht aussprach, was ihr gerade durch den Kopf schoss.

»Wird schwer sein für ihn.« Auch Chip klang ernst. Duke Abbott war damals sein Partner gewesen. Es war Chip gewesen, der sich in dem Motel vergnügt hatte, als Duke erschossen worden war. Er hatte unmittelbar hinter Edward Spivey gesessen, als die Jury den Freispruch verlesen hatte. Zwei Deputies hatten ihn festhalten müssen. Wenn einer der beiden sich nicht Chips Waffe geschnappt hätte, würde er jetzt wahrscheinlich im Todestrakt sitzen.

»Jimmy weiß genau, dass er nicht allein ist«, brachte Maggie hervor.

»Egal«, sagte Chip. »Wenn so was passiert, bist du für den Rest deines Lebens allein.«

Maggie wusste nicht, was sie darauf erwidern sollte. Sie

kannte Chip schon eine halbe Ewigkeit, aber es war nicht so, dass sie miteinander Zeit verbrachten und über ihre Gefühle sprachen.

Auch Chip schien das zu wissen. »Fahren wir«, sagte er zu Bud, und Maggie sah, wie das Auto langsam auf den Parkplatz rollte.

Sie setzte ihren Weg fort. Sie wollte nicht an all die Pläne denken, die Terry und seine Freunde jetzt schmieden würden. Als Polizistin war sie verpflichtet, dafür zu sorgen, dass dem Gesetz Achtung entgegengebracht wurde. Aber als Polizistin würde sie andere Polizisten eben auch nicht verpfeifen. Außerdem waren diese Männer Detectives. Sie selbst war lediglich bei der Streife. Und sie war eine Frau. Keiner würde auf sie hören, und selbst wenn sie es täten, wäre ihnen egal, was sie sagte – außer die *Atlanta Constitution* brächte einen Artikel darüber. Im Augenblick konnte Maggie also nichts tun, als sich um all das zu kümmern, was anstand.

Und im Moment hieß das: sich für die Arbeit fertig zu machen.

Während sie die Straße überquerte, wühlte sie in ihrer Handtasche. Der ziegelschwere Sender ihres Funkgeräts nahm die Hälfte der Tasche ein. Sie klemmte ihn sich hinten an den Gürtel und verkabelte ihn mit dem Schultermikro. Dann kontrollierte sie die Einstellknöpfe oben auf dem Sender. Es waren zwei – einer für die Lautstärke, der andere für den Kanal. Beide konnte sie im Schlaf bedienen.

Ein wenig Geld wanderte aus ihrer Brieftasche in die Hosentasche, zwei Stifte und ein kleines Notizbuch kamen in die linke Brusttasche, der Strafzettelblock in die rechte. Die chemische Keule landete zusammen mit einem dezenten Lippenstift in ihrer Gesäßtasche. Beides entsprach zwar nicht den Vorschriften, aber ein Mädchen musste eben für alles gewappnet sein.

Dann kontrollierte sie den restlichen Inhalt ihrer Tasche: ein Taschenbuch, Wechselgeld, ein dunkler Lippenstift, Puder,

Wimperntusche, Rouge, Kajal. Die Schminkutensilien brauchte sie nicht für die Arbeit; sie hatte sie lediglich bei sich, damit Lilly sie nicht wieder in die Finger bekam.

Ein Windstoß fuhr Maggie durchs Haar, als sie auf den Bürgersteig trat. Der scharfe Schmerz in ihrem Knie war zum Glück verschwunden. Es fühlte sich inzwischen eher so an, als wäre sie sich nunmehr bewusst, dass sie ein Knie hatte, als dass sie bei jedem Schritt gleich zusammenzubrechen drohte. Sie wusste wirklich nicht, wie Jimmy tagaus, tagein mit dieser ständigen Unbequemlichkeit zurechtkam. Aber sie wusste auch nicht, wie Jimmy mit so manch anderen Dingen zurechtkam.

Entweder hatte er hinsichtlich dessen gelogen, was während der Schießerei passiert war, oder er hatte sich tatsächlich die Zeit genommen, seine Waffe zu reinigen, ehe er das Krankenhaus wieder verlassen hatte. Angesichts der Flüchtigkeit, mit der er sich selbst sauber gemacht hatte, bezweifelte Maggie Letzteres allerdings. Viel wahrscheinlicher war, dass er den Revolver gar nicht erst abgefeuert hatte.

Wenn das aber der Fall war – wobei hatte er sonst noch gelogen? Hatte die Waffe des Shooters wirklich eine Ladehemmung gehabt? Maggie war oft genug auf dem Schießplatz gewesen, um zu wissen, was passierte, wenn eine Waffe nicht durchlud. Sie hatte gesehen, wie es anderen passiert war. Der Verlauf war immer der gleiche: Man betätigte den Abzug. Nichts passierte. Man drückte noch einmal ab, vielleicht sogar ein drittes oder viertes Mal, bevor man sich eingestand, dass die Waffe nicht länger funktionierte. Es war fast so, als würde man an sauer gewordener Milch riechen oder etwas essen, was zu scharf gewürzt war. Man tat es immer öfter als nur ein einziges Mal. Dass irgendetwas nicht stimmen mochte, kam einem beim ersten Mal noch gar nicht in den Sinn.

Maggie blieb kurz stehen und sah auf die Uhr. Während der Minutenzeiger die Zwölf erreichte, ging sie die Bewegungen des Shooters im Geiste durch.

Um die Ecke kommen. Zielen. Don Wesley erschießen. Zielen. Den Abzug drücken. Nichts. Noch einmal abdrücken. Davonrennen.

Fünf, vielleicht sechs Sekunden. Wenn man davon ausging, dass er an keiner Stelle gezögert hatte. Und davon, dass der Shooter so schnell hatte neu zielen können – obwohl Jimmy sich mit Sicherheit bewegt hatte, kaum dass Don zu Boden gegangen war.

Maggie ging weiter. Eine Sekunde war länger, als die meisten Leute ahnten. Ein Zwinkern dauerte ungefähr dreihundert Millisekunden. Ein- und Ausatmen erforderte ungefähr fünf Sekunden. Ein durchschnittlicher Schütze konnte seine Waffe in wesentlich weniger als zwei Sekunden ziehen. Und Jimmy Lawson war einer der besten Schützen in der Abteilung. In fünf oder sechs Sekunden vermochte er normalerweise problemlos einen Mann zu töten.

Als Maggie um die Ecke ging, wäre sie beinahe mit einem anderen Polizisten zusammengestoßen. Er hatte kaffeefarbene Haut und trug eine zu enge Uniform, die ihn aussehen ließ wie einen Rekruten an seinem ersten Tag. Er hob sofort die Hände – ein weiterer Hinweis darauf, dass er neu war.

»Nehmen Sie die Nächste links«, sagte sie. »Das Präsidium liegt linker Hand, auf halber Höhe.«

Er tippte sich an die Mütze. »Vielen Dank, Ma'am.«

Maggie ging weiter den Bürgersteig entlang. Der Mann überquerte die Straße und ging ihr auf der anderen Seite voraus. Sie hatte bereits ganz vergessen, dass die Akademie inzwischen eine ganze Klasse neuer Absolventen ausgespuckt hatte. Einen schlechteren Tag für den Berufseinstieg hätten sie sich kaum aussuchen können. Jetzt würden sie sich nicht nur mit den Folgen des Mordes an Don Wesley herumschlagen, sondern müssten auch noch über einen Haufen strampelnder Frischlinge steigen, die, wie die Erfahrung sie gelehrt hatte, noch vor Wochenmitte das Handtuch werfen würden. Anstatt nach links in die Central Avenue einzubiegen, ging Maggie noch zwei Blocks weiter geradeaus. Das Do Right Diner war für sein fades Essen und seinen dünnen Kaffee berühmt, doch die Lage sicherte ihm nichtsdestoweniger eine verhältnismäßig treue Kundschaft. Im Augenblick war der Laden allerdings bis auf zwei Gäste am hinteren Ende verwaist. Hierher kam niemand zum Essen – außer man hatte Dienst, und der Morgenappell fing erst in vierzig Minuten an.

»Jimmy okay?«, fragte die Kellnerin.

»Ihm geht's gut, danke.«

Maggie ging nach hinten durch. Zwei Frauen in unterschiedlichen Stadien der Entkleidung lümmelten sich auf einer halbrunden Sitzbank. Zerrissene Strümpfe, winzige Miniröcke, grelles Make-up und blonde Perücken – das waren die Vorteile, die man genießen durfte, wenn man Zivilbeamtin war. Die Frauen gehörten zur neuen Freier-Sondereinheit, die, wenn man den Gerüchten glauben mochte, nicht mehr als ein Geldbeschaffungsprojekt war, das reiche weiße Banker vor dem Gefängnis bewahrte.

Gail Patterson blinzelte Maggie durch den Rauch ihrer Zigarette an. Ihr breiter Südstaatenakzent passte perfekt zu ihrem Undercover-Aufzug. »Suchste 'n bisschen Action, Mama?«

Maggie musste lachen. Sie hoffte, ihr Gesicht wäre nicht annähernd so rot, wie es sich anfühlte. Ihr erstes Jahr bei der Truppe hatte sie mit Gail im Streifenwagen verbracht. Die ranghöhere Beamtin war barsch und störrisch und zweifellos die beste Lehrerin, die Maggie je gehabt hatte.

»Muss los.« Die andere Frau leerte mit lautem Schlucken ein Glas Orangensaft. Ihr Name war Mary Petersen. Maggie kannte sie nur vom Hörensagen. Sie war geschieden und stand auf Polizisten. Wobei man das von allen Frauen in der Truppe behauptete: dass sie nur dabei waren, weil sie auf Polizisten standen. Deshalb war Maggie sich bei Mary auch nicht sicher, ob es tatsächlich stimmte.

Ihr Kunstlederrock quietschte, als sie aus der Sitzecke rutschte. »Jimmy okay?«

»Er ist in Ordnung.«

»Gut. Sag ihm, wir sind für ihn da.« Im Vorbeigehen tätschelte sie Maggies Schulter.

Gail deutete auf den leeren Platz. »Streck mal ein bisschen die Treter aus, Kleines.«

»Danke.« Maggie zog den Sender vom Gürtel und setzte sich. Der Platz war noch warm. Sie lehnte sich gegen den weichen Schaumstoff – und prompt fielen ihr beinahe die Augen zu. Ihr Körper entspannte sich. Sie hatte unter Strom gestanden, seit sie frühmorgens die Küche betreten hatte.

Gail nahm die Perücke ab und warf sie auf den Tisch.

»Siehst so müde aus, wie ich mich fühle.«

»Schuldig im Sinne der Anklage«, gab Maggie zu. »Siehst gut aus.«

Gail lachte und blies dabei Rauch aus. »Verdammte Lügnerin.«

Maggie hatte wirklich gelogen. Gail sah aus wie eine alte Hure, was nur zum Teil an der Beschaffenheit ihrer Arbeitskleidung lag. Sie war zweiundvierzig Jahre alt. Ihre Haut war von ersten Falten durchzogen. Ihr Haar war viel zu schwarz, um als natürlich durchzugehen. Wangen und Augenlider wirkten schwer. Sie hatte eine tiefe Furche zwischen den Augenbrauen, weil sie immer alles um sich herum mit kritischem Blick betrachtete. Und Gott bewahre, wenn Gail nicht gefiel, was sie vor sich sah. Ihr aufbrausendes Temperament war gefürchtet. Sie war Polizistin geworden, als es noch keine staatlichen Beihilfen gegeben hatte, die Frauen den Weg in die Truppe ebnen sollten. Sie hatte mit allen Mitteln darum gekämpft, Zivilbeamtin zu werden. Sie gehörte zur alten Garde, zu Terrys Truppe, und wie alle anderen hatte auch sie eine Heidenangst davor, ihren Status zu verlieren.

»Wie geht's Jimmy wirklich?«

Diesmal sagte Maggie die Wahrheit. »Ich hab keine Ahnung. Er redet nicht mit mir.«

»Klingt nach Jimmy.« Sie behielt die Zigarette in einer Hand, während sie mit der Gabel in der anderen in einem Stapel Pfannkuchen herumstocherte. »Bist du eigentlich inzwischen mal mit diesem Nachbarn ausgegangen?«

Maggie war nicht in das Diner gekommen, um über verpatzte Rendezvous zu sprechen. »Was hast du über diese Schießerei gehört?«

»Ich hab gehört, der Mörder wird nicht einfach so davonspazieren wie damals Edward Spivey.«

»Und außerdem?«

Gail sah sie aufmerksam an. Sie kaute, nahm dann einen Zug von ihrer Zigarette und kaute weiter. Nach einer Weile fragte sie: »Hast du Don gekannt?«

»Nicht wirklich. Er war Jimmys Freund.«

Gail blies langsam Rauch aus. »Ich hab ihn gekannt.« Maggie wartete auf mehr.

»Er konnte richtig nett sein.« Gail blickte ins Leere. »Das sind diejenigen, vor denen man sich am meisten in Acht nehmen muss: die Arschlöcher, die nicht die ganze Zeit nur Arschlöcher sind.«

»Ein Arschloch ist immer ein Arschloch.«

»Das sagst du jetzt in deinem Alter.« Sie legte die Gabel beiseite. »Dieser Job verändert dich, Kleines, ob es dir gefällt oder nicht. Wenn man lang genug Kerlen in die Eier getreten hat, will man nicht zu einem Mann heimkommen, der sich auf den Rücken legt, sobald man es ihm sagt.« Sie blinzelte erneut. »Man will selbst diejenige sein, die sich auf den Rücken legen darf.«

Wozu Maggie zurzeit lediglich heimkommen wollte, waren ein friedliches Haus und saubere Wäsche.

»Gerade wenn sie sanft sind, fängt man an, sich selbst zu verlieren.« Plötzlich klang Gail beinahe schon wehmütig.

»Sie sind stark und schweigsam, aber dann, eines Tages – ach was, nicht mal eines Tages, vielleicht eine Sekunde oder zwei später, wenn man Glück hat –, kommt diese nette Seite zum Vorschein, und« – sie schnippte mit den Fingern – »aus ist's mit dir.«

Maggie kam sich vollkommen begriffsstutzig vor. »Du *kanntest* Don?«

»Er war nicht so übel, wenn man mit ihm allein war«, sagte sie achselzuckend.

Maggie zupfte an einem getrockneten Klumpen Sirup, der auf der Tischplatte klebte. Sie hatte immer zu Gail aufgeschaut. Gail hatte einen Ehemann, der sie liebte. In Maggies Augen war sie das Idealbild einer erfolgreichen Polizistin.

»Ach, Mädchen, jetzt sei doch nicht enttäuscht von mir.«

»Bin ich nicht«, flunkerte Maggie.

»Du weißt, dass ich Trouble über alles liebe.«

Der alte Scherz entlockte Maggie ein Lächeln. Der Spitzname ihres Mannes war Trouble – Ärger.

Gail stieß einen tiefen Seufzer aus, der von Zigarettenrauch begleitet wurde. »Du weißt, dass ich ihn kaum noch zu Gesicht bekomme, und wenn doch, dann streiten wir über Geld und darüber, welche Rechnung zuerst bezahlt werden muss und was wir mit diesem Versager von Mann meiner Schwester anstellen und wie lang wir es noch hinausschieben können, bis wir seine Mutter zu uns holen müssen.« Sie zuckte halbherzig mit den Schultern. »Manchmal ist es einfach eine Erleichterung, mit jemandem zusammen zu sein, der wirklich nur das eine will.«

»Das ist ganz und gar deine Sache. Du musst dich vor mir nicht rechtfertigen.«

»Da hast du verdammt recht.« Sie griff in ihre Handtasche und angelte einen Flachmann daraus hervor. Sämtliche Ranghöheren schienen Alkohol bei sich zu haben. Maggie sah, wie Gail einen großen Schluck nahm, dann noch einen. »Mein Gott, ich hasse es, wenn die Guten sterben. Hat in diesem verdammten Krieg gekämpft und kommt nach Hause, nur damit ein anderer Amerikaner ihm in irgend so einer Gasse das Licht auspustet.«

Maggie fragte sich, an wie vielen Frühstückstischen sie noch würde sitzen müssen, bis sie von irgendjemandem eine ehrliche Antwort bekam. »Was hast du über die Schießerei gehört?«

Gail sah zu der Kellnerin hinüber, bevor sie antwortete.

»Diese Hippie-Freundin von ihm. Wie heißt sie gleich wieder – Pocahontas? Sie hat im Krankenhaus eine totale Szene gemacht.«

Maggie hatte die Frau einmal getroffen. Sie hatte braune Haut und pechschwarze Haare, die sie zu einem langen Zopf geflochten trug. »Wie hat sie es herausgefunden?«

»Hörte es im Polizeifunk. Don hatte ein Gerät in seiner Wohnung.«

»Ich hab gar nicht gewusst, dass sie zusammenlebten.« Sie lachte. »Er auch nicht.«

Jetzt lachte auch Maggie, aber nur, damit die Situation nicht noch unangenehmer würde. Dann wiederholte sie, was Terry gesagt hatte: »Sie kriegen ihn. Wer immer es getan hat. Fünf tote Polizisten. Man kann nicht ewig untertauchen.«

»Sie kriegen irgendjemanden.«

Maggie fragte nicht nach, was genau Gail damit meinte. Es waren damals Fragen laut geworden, auf genau welche Weise Terry an die weggeworfene Waffe und an das blutige Hemd gekommen war, die Edward Spivey mit dem Mord an Duke Abbott in Verbindung gebracht hatten. Das Beschissene daran war, dass der Fall auch ohne die Beweisstücke so gut wie wasserdicht gewesen wäre. Nur leider waren die meisten Juroren aus den Gettos Atlantas gekommen. Sie hatten zu viele Polizisten gesehen, die zu viele Beweisstücke irgendwo deponiert hatten, um noch zu glauben, dies hätte der eine Fall sein können, in dem streng nach Vorschrift ermittelt worden war.

»Wie auch immer.« Gail kippte einen Schluck aus dem Flachmann in ihre Kaffeetasse. »Sämtliche Zonen sind in höchster

Alarmbereitschaft. Jeder schiebt Überstunden. Kein Mensch geht nach Hause, bevor das ausgestanden ist.«

»Jeder?« Maggie konnte sich nicht annähernd vorstellen, wie viel das kosten würde. »Nicht mal bei Duke wurde das so gemacht.«

»Duke war anders.«

»Sie waren beide Polizisten.«

»Zier dich nicht so, Kleines. Du weißt, dass es nicht das Gleiche war. Duke war zur falschen Zeit am falschen Ort. Aber hier geht's um Terry Lawsons Neffen, der in Ausübung seiner Pflicht beinah zwei Kugeln in den Kopf gekriegt hätte.«

»Zwei?«

»So heißt's zumindest auf dem Revier.« Sie tippte sich an die Schläfe. »Don hatte eine hier.« Dann wanderte ihr Finger weiter zur Wange. »Und eine hier.«

Maggie wusste, dass sie beide das Gleiche dachten. »Das sind ziemlich schwierige Schüsse.«

»Einer allein wäre schon schwer gewesen. Aber zwei – aus einer solchen Entfernung, mit einer schrottreifen Waffe –, das grenzt an Zauberei.«

»Dann ist es anders als beim Shooter«, stellte Maggie fest. »Die anderen vier haben je eine Kugel in die Stirn bekommen. Aus kürzester Distanz. Wie bei einer Hinrichtung.«

Gail sah sie argwöhnisch an. »Du glaubst, dass es der Atlanta Shooter war?«

»Du nicht?«

»Der Shooter läuft immer noch frei herum. Bei den letzten beiden haben wir richtig Gas gegeben und standen am Ende mit gar nichts da. Und bei dem Mord heute Morgen befanden sich die Jungs in irgendeiner Gasse, als Don erschossen wurde – genau wie die anderen vier Opfer.« Gail zuckte mit den Schultern. »Was weiß denn ich? Könnte alles nur ein verrückter Zufall sein.«

»Sicher.« Aber dass es so etwas wie einen Zufall nicht gab, hatte Gail ihr bereits ganz zu Anfang beigebracht.

»Was war mit den Reifen?«, fragte sie dann.

»Zerstochen«, antwortete Maggie.

Gail drehte ihr Feuerzeug um und klopfte mit der Metallspitze auf die Tischplatte. »Ich kenne da ein Mädchen in der Zentrale, die sagt, dass er sich nicht gemeldet hat ...«

»Was soll das heißen?«

»Jimmy hat keinen Dreiundsechziger durchgegeben.« Beamter am Boden – ein Standardverfahren, wenn ein Polizist verletzt wurde. »In der Zentrale wussten sie nichts davon, bis sie den Anruf aus dem Grady erhielten und ihnen mitgeteilt wurde, dass Don gestorben war.«

Maggie senkte den Blick. Der Sender ihres Funkgeräts lag neben ihrem Bein. Jeder bei der Truppe hatte ein Funkgerät bei sich. Bei Zivilbeamtinnen wie Gail steckte es in der Handtasche. Streifenpolizisten klemmten es sich hinten an den Gürtel. Die Sender waren unhandlich, dicker als Taschenbücher, höllisch schwer und steckten in einer Plastikschale mit messerscharfen Kanten. Wenn man sich hinsetzte, nahm man sie entweder ab, oder man rutschte vor bis zur Stuhlkante, damit sich der Kasten einem nicht ins Kreuz bohrte.

»Sie könnten in einem Funkloch gewesen sein.« In der ganzen Stadt gab es solche Löcher, wo die Gerätschaften nicht funktionierten. »Sie waren in Five Points, an der Whitehall. Dort schwankt der Empfang ganz ordentlich.«

Gail zog die Augenbrauen hoch. Sie arbeitete in der Gegend. Sie kannte die toten Punkte.

Was sie indes nicht wusste und was Maggie in just diesem Moment klar wurde: Jimmys Sender hatte am Morgen nicht an seinem Gürtel geklemmt. Sie sah es ganz deutlich vor Augen: Schlüssel, Schlagstock, Handschellen, Revolver.

Aber kein Sender.

»He, Kleines?« Gail klopfte mit dem Feuerzeug auf den Tisch. »Jemand zu Hause?«

Maggie warf einen Blick auf die Uhr. Erneut musste sie an ihr kleines Experiment von zuvor denken. Fünf Sekunden. Eine verdammt lange Zeit. Und es musste noch länger gedauert haben, wenn Don gleich zwei Schüsse abbekommen hatte. Jimmy hatte also womöglich sieben, acht Sekunden Zeit gehabt, um zu reagieren. Oder auch nicht, je nachdem. Gail klopfte von Neuem auf den Tisch. »Red ich hier eigentlich nur mit mir selber?«

Maggie sah auf. »Wo hast du letzte Nacht gearbeitet?«

»Nicht in Five, wenn du das wissen willst. Ich hatte frei. Das hier ist für heute.« Sie nickte auf die Fetzen hinab, die sie am Leib trug. »Ich spiele den Köder für ein paar Freier. Die Zonen eins und drei leihen uns ihre Zivilfahrzeuge, um sie zusammenzutreiben. Die wollen das ganze Geschäft lahmlegen.«

»Das sollte die Spitzel doch aus ihren Löchern locken.«

»Schon – nur wann?« Sie nahm noch einen letzten Zug, bevor sie ihre Zigarette ausdrückte. »Das bringt doch nichts und kostet nur Zeit. Und mit den Belohnungen ist es genau das Gleiche. Bei den letzten zwei Schießereien haben wir eine Million Hinweise bekommen – ein Haufen Frauen, die ihre Männer und Liebhaber verpfiffen, um sich fünftausend Mäuse zu sichern.«

Maggie war schon genug falschen Spuren nachgegangen, um zu wissen, dass Gail recht hatte. »Aber warum soll es Zeitverschwendung sein, die Straßen dichtzumachen? Bei Edward Spivey hat es doch auch funktioniert.«

»Ach, hat es das?«

Maggie zuckte mit den Schultern. Mit der gleichen Taktik hatte Terry einem Spitzel Spiveys Namen entlocken können. Also hatte es doch etwas gebracht.

»Ich will's dir erklären«, sagte Gail. »Wir suchen nach einem Mädchen von der Straße, das letzte Nacht etwas gesehen haben könnte, ja? Wir hoffen, dass sie uns vielleicht einen Namen nennt.«

Maggie nickte.

»Und so läuft dann Tag eins ab: Unsere Jungs werfen jeden Zuhälter, den sie finden können, in den Knast. Sperr die Luden ein, und ihre Mädchen vertrödeln den restlichen Tag, indem sie sich zudröhnen und schlafen.«

Maggie nickte wieder. Genau das war beim letzten Mal passiert.

»Dann kommt Tag zwei: Die Luden kommen auf Kaution frei, verprügeln die Mädchen, weil sie auf der faulen Haut gelegen haben, und die Mädchen rennen hinaus auf die Straße, um die verlorenen Einkünfte wieder reinzuholen.« Sie zündete sich eine neue Zigarette an. »Damit kommen wir zu Tag drei: Unsere Jungs kommen und sperren die Huren ein.« Sie drehte das Feuerzeug auf dem Tisch. »Das Ganze ist wie eine Drehtür: rein und raus, rein und raus – vier Tage lang, fünf, solange eben nötig, werden sie dieses Hickhack aufrechterhalten, bis schließlich irgendjemand singt und alle wieder ihrer Arbeit nachgehen können.«

»Aber genau das wollen wir doch. Wir brauchen jemanden, der redet.«

»Schon, aber hältst du es für schlau, es so anzugehen?« Sie beugte sich über den Tisch. »Wie weit bin ich gekommen – fünf, sechs Tage? Unterdessen kann Don Wesleys Mörder die Mordwaffe in einem Bottich mit Säure auflösen und aus der Stadt verduften. Oder schlimmer noch: irgendeinen gerissenen Anwalt aus dem Norden engagieren, der sich sicher sein kann, dass er ihn im Zweifel freibekommt.«

Wieder Edward Spivey. Auf alles, was sie heute taten, würde der Schatten dieses Mannes fallen.

»Wie würde es denn schneller gehen?«, fragte Maggie.

»Wir finden den Namen des Luden heraus, der seine Mädchen dort anschaffen lässt, wo der Mord passiert ist. Dann bringen wir den Luden dazu, dass er für uns ein Treffen mit den Mädchen organisiert, damit wir mit ihnen reden können. Du weißt doch, wie es ist: Diese Huren gehen nicht mal zum Scheißen, ohne dass der Lude es ihnen befiehlt. Und meistens knöpft er dabei auch noch irgendeinem Perversen Kohle ab, damit er ihnen dabei zusehen darf.«

Maggie hätte beinahe laut aufgelacht. »Ist das so einfach? Wir gehen einfach zu dem Luden hin, und er lässt uns mit den Mädchen reden?«

»Es ist einfach, wenn wir es tun. Wenn die Jungs es machen, dann setzen wir hier unsere eigene Tet-Offensive in Gang.« Sie zuckte mit den Schultern, als wäre das alles eine ausgemachte Sache. »Frauen sind besser, wenn's um Deeskalation geht. Das weißt du doch selbst.«

»Ja«, sagte Maggie, obwohl dies eine erstaunliche Aussage von einer Frau war, die einmal einem Verdächtigen den Schädel mit einer Taschenlampe eingeschlagen hatte.

»Hast du je einen Streit zwischen zwei Kerlen beendet?«

»Klar.« Das tat Maggie mindestens fünfmal pro Woche.

»Sie hören nicht deswegen auf, einander die Scheiße aus dem Leib zu prügeln, weil sie Angst vor dir haben, stimmt's?«

»Nein …« Manchmal reichte schon der Anblick ihres Streifenwagens, um einen Streit zu beenden. »Nach den ersten paar Schlägen wollen sie, dass jemand sie stoppt, bevor sie sich wirklich verletzen. Ich bin bei der Sache nur die Ausrede.«

»Ganz genau«, sagte Gail. »Warum es also in die Länge ziehen und die Jungs sich austoben lassen, wenn die Mädels einfach mit ihnen reden können wie halbwegs vernünftige Menschen?«

»Welche Mädels?«

»Wir.« Sie deutete zwischen ihnen beiden hin und her. Maggie versuchte verzweifelt, die Sache zu Ende zu denken. »Aber woher sollen wir wissen, dass sie uns nicht belügen?«

»Woher wissen wir, dass die Spitzel die Wahrheit sagen?«

Das war ein gutes Argument. »Hast du schon mit den Chefs darüber gesprochen?«

»Ja, und Mack und Les und Terry gehen alle vor mir auf die Knie und küssen mir die Füße, weil ich derart brillant bin.«

Maggie musste grinsen. »Five Points. In der Gegend arbeiten eine Million Mädchen.«

»Wir reden nicht von Five Points. Wir reden von Whitehall. Und nicht von der ganzen White, sondern nur von dem Abschnitt in der Nähe der C & S Bank, wo Don erschossen wurde. Die Huren, die dort arbeiten – das sind die älteren. Die meisten spritzen Koks und Heroin. In denen ist nicht mehr viel Leben. Und deshalb spielt die Zeit auch so eine große Rolle.«

Maggie wusste nur zu gut, dass »älter« in diesem Zusammenhang in etwa ihr eigenes Alter bedeutete. »Okay, also brauchen wir den Namen des Luden, dem die Ecke gehört. Hast du irgendwelche Quellen, die vielleicht reden?«

»Aber sicher doch. Nur hab ich im Augenblick auf der Straße böses Blut – bin vielleicht mit ein paar Huren, die mir im Weg waren, ein wenig zu hart umgesprungen …« Gail klopfte ihre Zigarette im Aschenbecher ab. »Du kennst mich, Kleines. Es gibt keine Brücke, die ich nicht abbrennen würde. Ich weiß, wer auf den Informationen sitzt. Könnt ganz einfach sein, dass ich Hilfe brauche, um an sie ranzukommen.«

Maggie spürte, wie ihre Zehen anfingen zu kribbeln. Jetzt hatte sie einen sehr schmalen Grat betreten. »Ich bin kein Detective.«

»Na und?« Gail sah sie herausfordernd an. Auf diese Art ließ Maggie sich immer einfangen. Sie war regelrecht süchtig nach Gails Anerkennung. »Hör zu, trau dir einfach mal was zu. Ich krieg den Namen von meiner Quelle. Und dann? Mit mir wird der Lude nicht reden. Du weißt doch, wie diese Mistkerle sind. Sie wollen mit einem hübschen jungen Ding quatschen, bei dem die Titten noch an der richtigen Stelle sitzen.«

Maggie wurde ganz flau in der Magengrube. Gail hatte offensichtlich bereits eingehend über alles nachgedacht.

»Glaubst du wirklich, ich kann einfach so in die Höhle eines Luden marschieren, und er redet mit mir?«

»Hör zu, Süße. Vergiss einfach, was ich zu dir gesagt hab, als wir noch auf Streife waren. Wenn ich bei meiner Arbeit als Zivile was gelernt hab, dann, dass es manchmal ganz okay ist, auszunutzen, dass man eine Frau ist.«

Maggie war sich da nicht so sicher.

»Und danach musst du ja nichts anderes mehr tun, als dich zurückzulehnen und zuzuschauen.«

Maggie wusste, was sie meinte. Gib Terry den Namen und lass die Jungs das Problem beheben.

Gail drückte ihre Zigarette in den Stapel Pfannkuchen.

»Hör zu, das ist eine Ja-Nein-Frage. Wenn du Ja sagst, triff mich um zwei im Colonnade Restaurant. Sagst du Nein, kommt der Kerl, der Don ermordet und beinahe auch deinen Bruder umgelegt hat, wieder damit durch.« Gail zuckte mit den Schultern. »Deine Entscheidung.«

5

Auf der Treppe zum Polizeipräsidium hatte sich eine große Menge Polizisten versammelt. Das gedrungene, hässliche Gebäude war mit weißem Marmor aus dem Tate-Steinbruch in North Georgia verkleidet, aus dem auch die Rohlinge für Grabsteine stammten. Passenderweise redeten fast alle Männer über den Tod. Selbst aus einiger Entfernung hörte Maggie immer wieder Don Wesleys Namen. Die meisten hatten ihn wahrscheinlich nicht einmal persönlich gekannt. Die Ziffern auf ihren Kragen verrieten ihr, dass sie aus den unterschiedlichen Revieren stammten, obwohl sie alle die gleiche finstere Entschlossenheit an den Tag zu legen schienen. Es war bereits das dritte Mal, dass ein Mörder die Polizei mitten ins Herz getroffen hatte. Die Panik, die die beiden letzten Verbrecherjagden ausgezeichnet hatte, schien jetzt in einen regelrechten Blutrausch umzuschlagen.

Nichts brachte Polizisten schneller zusammen als ein gemeinsamer Feind. Und Atlanta hatte viele Polizisten. Die Stadt war in sieben Polizeizonen unterteilt, darunter der Flughafen und Perry Homes, ein so gefährliches Getto, dass es eine eigene Polizeitruppe erforderte. Jede Zone hatte ihr eigenes Revier. Das Innenstadtrevier – Zone 1 – nutzte das Erdgeschoss des Präsidiums für den Morgenappell. Aus praktischen Gesichtspunkten war die Örtlichkeit ideal, aber es war nie gut, der

Chefetage so nahe zu sein. Terry und seine Freunde beschwerten sich immer wieder darüber, dass sie auf der Herrentoilette ständig dem Commissioner zu begegnen drohten. Maggie ahnte, dass sie selbst nicht wussten, was sie mehr an ihm verabscheuten: dass er neu – oder dass er Schwarz war.

Nach Monaten der offen zur Schau getragenen Feindseligkeit hatte Maynard Jackson, der neue Bürgermeister, es geschafft, den alten Polizeichef aus dem Amt zu drängen. Commissioner Reginald Eaves hatte das Amt etwa zur Zeit des Prozesses gegen Edward Spivey übernommen, was eine ohnehin schon üble Situation nur noch schlimmer gemacht hatte. Doch Eaves schien das egal gewesen zu sein. Er hatte es sich zur Aufgabe gemacht, die weiße Machtstruktur zu durchbrechen, die das Atlanta Police Departement von Beginn an beherrscht hatte.

Und urplötzlich hatte Terry Lawson ein Problem mit Vetternwirtschaft gehabt.

Maggie konnte den Zorn ihres Onkels zwar verstehen, aber sie teilte ihn nicht. Jenes System der guten alten Freunde war großartig, solange man zum Kreis der Auserwählten gehörte. Als Terrys Jungs zur Truppe gekommen waren, hatten sich Schwarze Polizisten nicht einmal in den Dienststellen aufhalten dürfen. Sie hatten sich im YMCA an der Butler Street herumdrücken müssen, bis sie zu einem Einsatz dazugerufen wurden. Uniform durften sie nur tragen, wenn sie im Dienst waren. Die meisten hatten nicht mal Einsatzfahrzeuge. Sie durften nur Schwarze verhaften und konnten Weiße weder befragen noch deren Aussagen aufnehmen.

Natürlich hatte sich das alles inzwischen verändert, aber Veränderungen waren Männern wie Terry nun mal nur willkommen, wenn sie zu ihrem Vorteil waren.

Ein gründlicher Kehraus war das Erste gewesen, was Commissioner Eaves vorgenommen hatte. Im Verlauf von sechs Monaten waren sechs Assistant Chiefs und über hundert weitere Führungskräfte degradiert worden. Eaves hatte sich die Männer, die sie ersetzen sollten, persönlich und mit großer Sorgfalt ausgesucht. Viele der neuen Chefs wollten ihre eigenen Leute, doch weil die alte Struktur komplett weiß und die neue komplett schwarz war, hatten die Leute so ihre Probleme damit.

Prozesse folgten, von denen bis jetzt noch keiner abgeschlossen war.

Als Nächstes führte Eaves ein neues Prüfverfahren zur Formalisierung von Beförderungen ein. Davor war es immer nur darum gegangen, wen man kannte, doch Eaves wollte jedwede Beförderung davon abhängig machen, was man *wusste*. Grundsätzlich eine gute Idee – doch als kein einziger Schwarzer Beamter den Test bestand, setzte Eaves eine Prüfungskommission ein, die mündliche Tests durchführte. Den mündlichen Test bestand wiederum kein einziger weißer Beamter.

Erneut folgten Prozesse. Niemand wusste, wie sie enden würden.

Abgesehen von seiner Hautfarbe betraf die größte Kritik an Eaves, von der Maggie gehört hatte, die Farbe seines Blutes: Es war nicht blau. Der Bürgermeister hatte ihn während des Jurastudiums kennengelernt. Eaves war nie ein waschechter Polizist gewesen, er hatte nie auf der Straße gearbeitet. Außerhalb des Präsidiums sah man den Commissioner nie – höchstens ab und zu in den Nachrichten oder wenn er in seinem Cadillac in den Commerce Club zum Mittagessen fuhr. Vorwiegend kommunizierte er in Bulletins, die beim Morgenappell verlesen wurden. Was einen weiteren Grund darstellte, den Chef zu verabscheuen: Eaves war fixiert auf Papier. Er führte neue Vorschriften zur äußeren Erscheinung ein und dazu, wie man mit der Bevölkerung zu sprechen habe, wann Gewalt anzuwenden sei, und vor allem, wie man die von der Regierung geforderten Formulare auszufüllen habe, damit weiterhin Beihilfen flossen.

Dies war vor allem für die Beamtinnen wichtig. Sie trugen nur deshalb Uniform, weil die Bundesregierung der Stadt Beihilfen in Aussicht gestellt hatte, wenn sie eingestellt würden. Den Frauen wurde nicht direkt aufgetragen, dass sie in Bezug auf ihre Pflichten lügen sollten, aber die Beihilfen diktierten nun mal gewisse Richtlinien, denen das Atlanta Police Department nicht wirklich folgen wollte – vor allem, was gemischte Streifenbesatzungen anging.

Keine weiße Frau würde je mit einem Schwarzen Mann fahren. Die weißen Männer wären nur zu gern mit Schwarzen Frauen gefahren, aber Letztere waren nicht so dumm, zu einem Weißen ins Auto zu steigen. Und dass ein Schwarzer Mann mit einem weißen fuhr, war völlig ausgeschlossen. Vielleicht war dies auch ein Grund, warum Atlanta den Statistiken zufolge eine der gewalttätigsten, kriminellsten Städte Amerikas war. Soweit Maggie es beurteilen konnte, waren Schwarze und weiße Beamte sich nur insofern einig, als sie unisono der Ansicht waren, dass Frauen nicht in Uniform gehörten.

Insofern war das Leben unter dem neuen Chef dem alten durchaus ähnlich.

Maggie stieg die einundzwanzig Stufen zum Präsidium hoch. Die Messingtüren waren grün angelaufen. Die schmalen Glasscheiben waren von Rauch und Schweiß ölig. Sie atmete noch ein letztes Mal tief frische Luft ein, bevor sie das Gebäude betrat. Wie auf dem Vorplatz wimmelte es auch drinnen von Männern. Doch dort gab es keine Witzeleien, kein flapsiges Gerede. Das Gewicht des Mordes an Don Wesley lastete so schwer über dem Eingangsbereich wie der Zigarettenrauch, der die Luft vernebelte.

Trotz der Trauer verhielten sich alle, wie man es von ihnen kannte. Keiner machte Maggie Platz, als sie sich durch den überfüllten Bereitschaftssaal schob. Eine Schulter rammte sie, eine Hand strich ihr über den Hintern. Mit ausdruckloser Miene und stur nach vorn gerichtetem Blick durchquerte sie den Raum.

»He, Püppchen!« Chuck Hammond war ziemlich klein für einen Mann. Er reichte Maggie gerade bis zum Busen, was ihm jedoch nur recht zu sein schien. »Jimmy okay?«

Maggie ging weiter. »Er kommt gleich. Kannst ihn ja selber fragen.«

»Hör mal, wenn du reden willst ...«

Rick Anderson kam ihr zu Hilfe. »Maggie, hast du mal eine Minute?«

»Klar.« Maggie spürte immer noch Chucks Hand auf ihrem Arm, ging aber weiter und folgte Rick, der ihnen beiden den Weg durch die Menge bahnte. Alle mochten Rick. Er war lustig und gutmütig und lachte über jeden Witz.

Jetzt warf er einen Blick über die Schulter, um zu sehen, ob sie ihm noch folgte. »Du stehst das durch?«

»Klar«, sagte sie. »Jimmy geht's gut.«

»Ich hab nicht nach Jimmy gefragt.«

Auf einmal hätte Maggie am liebsten losgeheult. Sie konnte sich nicht daran erinnern, wann zuletzt irgendjemand sie gefragt hatte, wie ihr selbst zumute sei. »Mir geht's gut. Danke.«

»Ma'am?« Er nickte ihr zu und deutete dann auf die Tür mit der Aufschrift »Damen«. Sie beide ignorierten die primitive Skizze eines ejakulierenden Penis, die unter das Schild geschmiert worden war.

»Danke.«

Maggie schob die Tür nur einen schmalen Spaltbreit auf, für den Fall, dass drinnen jemand nur dürftig bekleidet war – und das war auch gut so, denn Charlaine Compton stand in der Tat gerade ohne Hose da und tupfte Klarlack auf eine Laufmasche in ihrer Strumpfhose. Sie sah zu Maggie auf.

»Die hab ich eben erst gekauft ...«

»Ich hab noch eine in Reserve.« Maggie musste sich seitlich drehen, um an Charlaine vorbeizukommen. Der Umkleideraum hatte nachträglich eingerichtet werden müssen; zuvor war der längliche, schmale Raum dazu benutzt worden, um

Putzmittel aufzubewahren. Es gab hier weder Toiletten noch Waschbecken. Wenn sie auf die Toilette gehen wollten, mussten die Damen die öffentliche im ersten Stock benutzen.

Maggie fingerte an ihrem Zahlenschloss herum. »Chuck hat mich abgefangen.«

»Hat er dich angefasst?«

Maggie schüttelte sich. »Rick Anderson hat mich gerade noch gerettet.«

»Rick ist einer von den Netten.« Charlaine warf ihr einen verstohlenen Blick zu. »Ist Jimmy okay?«

»Er ist verrückt. Er will sich diesen Kerl schnappen.« Sie reichte Charlaine ihre Reservestrumpfhose. »Don war ein guter Polizist. Er hätte was Besseres verdient.«

»Da hast du in jeder Hinsicht recht.« Charlaine rollte die Strumpfhose auf, um sie sich überzustreifen. »Du hättest meine Mutter heute Morgen hören sollen: ›Warum machst du diesen Job, der dich das Leben kosten könnte? Was stimmt nicht mit dir?‹«

Maggie kannte diese Phrasen nur zu gut. »Vielleicht lassen sie uns ein paar Spuren bearbeiten.«

»Und Gracia Patricia kommt und schrubbt mein Klo.«

Maggie musste wieder an Gails Vorschlag denken, den Fall gemeinsam zu bearbeiten. Es wäre für sie eine verdammte Herausforderung. Gail wusste genau, welche Knöpfe sie bei Maggie drücken musste. So schrecklich es auch klang – aber der Gedanke, bei der Aufklärung des Mordes an Don Wesley mitzuwirken, war durchaus aufregend. Doch dann war da auch noch eine andere Komponente … nämlich dass Maggie den Namen an Terry würde weitergeben müssen. Und damit würde sie Terry nicht nur einen Namen verraten. Sie würde das Schicksal des Verdächtigen besiegeln.

Andererseits könnte sie die Information genauso gut auch an Rick Anderson und seinen Partner Jake Coffee weitergeben. Die beiden waren von einem anderen Schlag als Terry. Sie hielten sich tatsächlich an das Gesetz. Doch dann hätte sie es mit einem weiteren Problem zu tun: Wenn Terry herausfände, dass Maggie hinter seinem Rücken agierte, würde sie zu einer Polizistin werden, die niemand mehr achtete. Terry verlor zwar allmählich seinen Einfluss in der Truppe, aber dieser Einfluss reichte immer noch aus, um Maggie hinter einen Schreibtisch zu verbannen oder – schlimmer noch – sie in die Nachtschicht im Gefängnis abzuschieben, bis sie erstochen würde oder von selbst kündigte.

»Morgen, Ladies!« Wanda Clack zwängte sich durch die halb geöffnete Tür. Sie hatte ein schiefes Grinsen im Gesicht, das jedoch abrupt verflog, sowie sie die Tür hinter sich zugeschoben hatte. »Schon wieder eine Schwanzzeichnung?«, fragte sie. »Ernsthaft – haben diese Kerle keine Mütter?«

»Wie war dein Date am Wochenende?«, fragte Charlaine.

»Als ich ihm gesagt hab, dass ich bei der Polizei bin, hat er mich mit der Rechnung sitzen lassen.« Wanda verdrehte die Augen. »Vielleicht sollte ich beim Nächsten einfach behaupten, dass ich Stewardess wäre.«

»Dann wird er denken, du bist 'ne leichte Nummer.«

»Genau das will ich ja. Ich hatte seit zwei Monaten keinen Mann mehr.«

Die Tür schlug weit auf.

»He!« Charlaine hielt sich die Hose vor den Bauch.

»Mein Gott, Lady!« Wanda stieß die Tür zu, während von draußen Pfiffe und Johlen zu hören waren. »Was sollte das denn?«

Sie alle starrten die Blondine an, die in die Kammer gestolpert war. Sie sah panisch aus. Ihre Brust bebte. Zumindest hatte Maggie den Eindruck, dass die Brust der Blondine bebte. Ihre Uniform war so groß, dass es sich genauso gut um einen indischen Sari hätte handeln können. Neue Rekruten erkannte man immer an ihren Uniformen. Die Uniform bekam man erst nach Abschluss der Akademie, weil die meisten bis dahin schon lange aufgegeben hatten. Die Jungs aus der Kleiderkammer gaben den Frauen immer viel zu große Uniformen; die Schwarzen Männer hingegen bekamen solche, die obszön klein waren.

»Hör mal, Blondie.« Charlaine knöpfte ihre Hose zu. »Du machst diese Tür nie ganz auf, niemals.«

»Oh …« Die Blondine berührte mit zitternden Fingern ihren Hals. Sie war eindeutig den Tränen nahe. Maggie war erstaunt, dass sie den Spießrutenlauf draußen vor der Tür überhaupt überstanden hatte. Sie sah aus, als könnte die nächstbeste leichte Brise sie zur Hintertür hinauswehen.

Dann fragte Charlaine Maggie, anstatt die Frau selbst zu fragen: »Wer ist das?«

Maggie zuckte mit den Schultern. »Schätze, eine der neuen Rekrutinnen.«

»Scheiße, ich hab ganz vergessen, dass die ja heute anfangen.« Charlaine setzte sich, um ihren Waffengürtel zu bestücken.

»Offensichtlich kann sie nicht nähen.«

Sie lachten. Das neue Mädchen starrte sie an wie ein Tier im Käfig.

Maggie wandte sich ihrem Spind zu und kontrollierte noch einmal all die Dinge, von denen sie bereits wusste, dass sie in ihrer Handtasche steckten. An ihrem ersten Tag in Uniform hatte sie die gleichen Sticheleien über sich ergehen lassen müssen. Es war eine Art Aufnahmeritual. Wenn man es im Umkleideraum der Frauen nicht schaffte, dann schaffte man es auf der Straße ganz gewiss nicht. Immerhin waren die Stiche, die man hier abbekam, rein verbal. In ihrem ersten Monat war Maggie außerhalb des Präsidiums häufiger angespuckt worden, als sie hätte zählen können. Von der Frau eines Mannes, den sie wegen häuslicher Gewalt hatte verhaften wollen, war sie sogar ins Gesicht geschlagen worden.

»Wo kommst du her?«, fragte Wanda.

Das neue Mädchen wusste offensichtlich nicht recht, ob die Frage an sie gerichtet war.

»Ja, du«, sagte Wanda. »Wo kommst du her?«

»Atlanta.« Ihr Akzent klang nach Geld. Daher war es auch nicht überraschend, als sie leise hinzufügte: »Buckhead.«

Wanda pfiff durch die Zähne. Es gab nicht viele Polizisten, die aus dem reichsten Viertel der Stadt kamen. »'ne ganz Feine, was?«

Charlaine gab Maggie einen Klaps auf den Schenkel, damit sie sich zu ihr umdrehte. Sie streckte die Hand aus, und Maggie half ihr, sich von der Bank hochzustemmen. »Ihr habt noch fünf Minuten«, rief sie über die Schulter, »bevor die Schwarzen Mädchen kommen.« Dann füllte das Palaver der Männer den Raum, als die Tür erneut einen Spaltbreit aufging und Charlaine hinausschlüpfte.

Wanda verschränkte die Arme. »Und, Prinzessin, was willste hier?«

»Nur …« Die Frau rieb sich nervös die Hände. »Arbeiten.«

»Arbeiten.« Wandas Zunge glich einem Dolch. Sie starrte die Frau durchdringend an, ging offensichtlich all die Gründe durch, warum sie sie zu hassen gedacht. Hochgewachsen, rotblondes Haar und ein Gesicht wie ein Mannequin. Große blaue Augen. Hohe Wangenknochen. Kirschrote Lippen, selbst ohne Lippenstift. Sie war ein paar Jahre älter als sie alle, und doch hatte sie etwas Frischeres, Jüngeres, Feminineres an sich.

»Bist du hier, um Jungs kennenzulernen?«, fragte Wanda. »Ich sag dir gleich, dass keiner von denen es wert ist.«

Die Frau antwortete nicht, aber in ihrem Blick konnte man eine ganze Geschichte ablesen: Sie überlegte sich, welche Möglichkeiten sie jetzt hatte. Und die verlockendste von allen schien zu sein, die Tür wieder aufzureißen und schreiend davonzurennen.

»Geh nur.« Wanda nickte zur Tür. »Du wärst nicht die Erste, die noch vor dem Morgenappell hinschmeißt.«

»Ich schmeiße nicht hin.« Die Blondine schien eher mit sich selbst zu sprechen. »Und ich bin auch nicht hier, um Männer kennenzulernen. Ich bin hier, um zu arbeiten. Ich schmeiße nicht hin.«

»Das werden wir ja sehen, Prinzessin«, grummelte Wanda.

»Ja, das werdet ihr.« Ihre Stimme klang jetzt kräftiger. Maggie hatte beinahe Mitleid ihr.

»Wie heißt du?«

»Kai…« Doch dann schien sie es sich anders zu überlegen. »Kate Murphy.«

»Kate Murphy?«, echote Wanda. »Der Irische Frühling ist ausgebrochen! Ist zwar ein Männerduft, aber ich mag ihn trotzdem.«

Maggie konnte sich ein Grinsen nicht verkneifen. Wanda klang genau wie die Stimme aus dem Werbespot.

»Ich bin keine …« Kate verlagerte ihr Gewicht und hätte dabei fast das Gleichgewicht verloren. Ihre Schuhe waren viel zu groß. Die Heftnadeln am Hosensaum lösten sich jetzt schon. Sie ertrank regelrecht in dem Meer aus marineblauem Wollstoff. Trotzdem sagte sie: »Ich brauche diesen Job.« Maggie sah Kate Murphy nachdenklich an. Sie hatte offensichtlich Angst, und die Verzweiflung in ihrer Stimme war nicht zu leugnen. Aber sie verdiente auch Anerkennung, weil sie nicht klein beigegeben hatte, vor allem, nachdem Wanda die toughe Polizistin hatte heraushängen lassen, was mitunter sogar Maggie furchteinflößend fand.

Auch Wanda schien es bemerkt zu haben. Sie mäßigte ihren Ton – aber nur ein bisschen. »Die Socken, die sie dir gegeben haben, solltest du besser nicht tragen. Bei Franklin Simon gibt's welche aus Wolle, mit denen behältst du die Schuhe an den Füßen. Und besorg dir 'ne Heftmaschine. Diese Stecknadeln halten nicht, vor allem, wenn du jemandem nachrennen musst, und glaub mir, du wirst jemandem nachrennen und auch abwehren müssen – und bei deiner Figur wird's wahrscheinlich einer dieser Affen von der anderen Seite der Tür sein.«

Kate warf einen Blick über die Schulter.

»Augen zu mir!« Wanda war noch nicht fertig. »In der Carver Street gibt's einen Schneider, der solche Änderungen macht, ohne einen zu begrapschen. Er ist günstig.« Sie zwinkerte ihr zu.

Kate wirkte schlagartig noch verängstigter als zuvor.

Wanda klopfte Kate auf die Schulter und ging zur Tür. »Wenn du am Freitag noch hier bist, spendier ich dir einen Drink.«

Die Tür ging einen Spaltbreit auf, und Maggie blickte in eine Menge Männergesichter, die sich alle in der Hoffnung umgedreht hatten, dass es hinter der Tür etwas Interessantes zu sehen geben würde.

»Wir sollten uns beeilen, bevor die Schwarzen Mädchen kommen«, sagte sie mit einem Blick auf die Uhr.

Kate drehte sich zu dem Vorhang um, der die Umkleidekammer teilte. »Gibt's hier noch Rassentrennung?« Sie war entsetzt.

»Sie ziehen sich dort hinten um. Sie dürfen nicht in Uniform zur Arbeit kommen.«

»Warum denn nicht?«

Maggie kniff die Augen zusammen. Sie wusste nicht, ob dieser Rehblick nur Masche war oder echt. »Hast du in Buckhead je mit einer Schwarzen Person gesprochen, die nicht durch die Hintertür ins Haus kommen musste?«

»Na ja, ich …«

»In den Vierteln, wo sie leben, sind Polizisten nicht gerade willkommen, selbst wenn sie die gleiche Hautfarbe haben.«

Kate sah wieder zur Tür. »Und warum hängt da nicht auch ein Vorhang?«

Jetzt war Maggie sich sicher, dass sie ein Spielchen mit ihr spielte. »Sie haben mal einen aufgehängt.« Maggie hatte das Gefühl, die Neue warnen zu müssen. »Im Ernst, wenn sie dich dort hinten erwischen, treten sie dir in den Arsch. Und das meine ich ernst. Die sind verdammt fies. Nicht mal Wanda legt sich mit ihnen an.«

»Oh – okay.«

»Die Toiletten sind oben«, fuhr Maggie fort. »Da geht's ziemlich zu – nur zwei Kabinen. Sprüh dir die Haare nicht vor dem Spiegel ein, außer du willst ein Messer in den Rücken kriegen. Ach, übrigens, ich bin Maggie.«

Kate sagte nichts. Sie stand nur da und umklammerte den Riemen ihrer Handtasche, als wollte sie ihn erwürgen. Oder sich in absehbarer Zeit selbst damit erdrosseln.

»Hast du ein Zahlenschloss?« Kate schüttelte den Kopf.

Maggie hielt ihren Spind auf. »Leg deine Tasche da hinein und besorg dir nach der Arbeit ein eigenes Schloss. An der Central Avenue gibt es in der Nähe der Universität ein Sportgeschäft. Geh in Uniform hin, und sie geben dir ein Schloss umsonst. Ach ja, und trag deine Uniform, wann immer du kannst. Dann kriegst du auch den einen oder anderen Kaffee, Essen und Lebensmittel spendiert.«

Kate legte ihre Tasche auf die von Maggie. »Ist das denn legal?«

»Alles ist legal, wenn du damit durchkommst.« Maggie knallte die Spindtür zu. »Willkommen im Atlanta Police Department.«

6

Kate saß am letzten Tisch ganz hinten im Bereitschaftssaal, ein-
geklemmt zwischen der Frau, die sie jetzt schon hasste, und der
Frau, die einen nur marginal weniger hassenswerten Eindruck
auf sie gemacht hatte. Maggie Lawson.

Sie war in etwa so groß wie Kate und hatte dunkle Haare,
die sie oben am Kopf zu einem Knoten zusammengesteckt
hatte, braune Augen und ein hübsches Gesicht, das ohne Uniform noch hübscher ausgesehen hätte. Natürlich hätte man
Letzteres auch über sie selbst sagen können, daher sollte sie
womöglich ein bisschen nachsichtiger sein. Maggie war ihr gegenüber auf neidvolle Art hilfsbereit gewesen. Trotzdem fragte
sich Kate, ob ihr Geldbeutel leer sein würde, wenn sie ihre
Handtasche wiederbekam.

Dann waren da noch Clack und Compton. Beide klein, die
eine füllig um die Taille, die andere dürr wie eine Bohnen-
stange. Sie hatten beide kurzes, gebleichtes Haar und waren
stark geschminkt, als wollten sie auf diese Weise beweisen,
dass sie immer noch Frauen waren. Sie hatten sich nicht einmal dazu herabgelassen, sich vorzustellen. Kate hatte ihre
Namen lediglich von den silberfarbenen Schildchen ablesen
können, die an ihren Uniformblusen steckten.

Sie musste zurückdenken bis zu ihrer Zeit an der Junior
High, um sich an eine Situation zu erinnern, in der sie sich von

einer Gruppe Frauen auch nur annähernd so verachtet vorgekommen war. Kate war verhältnismäßig frühreif gewesen. Sie hatte vor allen anderen Kurven entwickelt. Ihre Periode hatte sie als Erste von all ihren Freundinnen bekommen. Doch von da an hatte sie keine Freundinnen mehr gehabt – und die Jungs hatten sie die ganze Zeit nur noch angestarrt. Was ziemlich genau das war, was in diesem Augenblick ebenfalls passierte. Obwohl sie das Polizeiäquivalent eines Rupfensacks trug, fand jeder Mann im Raum irgendeine Ausrede, um sich nach ihr umzudrehen und sie anzustarren. Niemals in der Geschichte der Zivilisation waren so vielen Männern gleichzeitig so viele Stifte aus den Händen gefallen.

Sie ignorierte sie alle, obwohl sie hoffte, einen von ihnen zum Partner zu bekommen. Je größer und dümmer, umso besser. Kate wusste, wie sie mit Männern umzugehen hatte. Kopfzerbrechen bereiteten ihr vielmehr die Frauen. Dieser Job würde kein Honigschlecken werden. Heute am frühen Morgen war ein Polizeibeamter getötet worden. Wenn Kate Lawson, Clack oder Compton als Partnerin bekäme, wäre es von der ersten Sekunde an klar, dass sie auf sich allein gestellt bleiben würde. Und die vulgäre Frau, die so breitbeinig dagestanden hatte und wie ein Pferd ging, das gerade den Stall verließ, würde recht behalten – Kate würde es nicht durch die erste Woche schaffen.

Sie faltete die Hände, damit sie aufhörte, sie in einem fort zu kneten. Kurz flammte in ihr die vertraute Panik auf, als sie ihren Ehering nicht spürte. Vor zwei Monaten war Patricks zweiter Todestag gewesen. Er war jetzt schon länger tot, als Kate ihn je gekannt hatte.

Sie fragte sich, was Patrick über ihre augenblickliche Situation gesagt hätte. Es gab vermutlich zwei Antworten auf diese Frage. Der Patrick, den sie geheiratet hatte, war anders gewesen als der Patrick, der ihr Briefe aus dem Dschungel geschrieben hatte. Nach sechs Wochen im Einsatz hatte er angefangen zu klingen wie eine veränderte, düstere Version des Jungen, mit dem sie einst vor den Altar getreten war. Er war fixiert gewesen auf die Neulinge, die wöchentlich herangeschafft worden waren, um diejenigen zu ersetzen, die in Leichensäcken wieder nach Hause transportiert wurden. Er nannte sie SFs, und Kate brauchte einige Zeit, um das Kürzel zu entziffern, weil sie sich einfach nicht vorstellen konnte, dass ihr Mann in einem Brief an seine Gattin das Wort »Scheiße« schreiben würde.

Scheißfrischlinge.

Kate konnte Patricks Hass auf die SFs nicht nachvollziehen. Er ließ kein gutes Haar an ihnen. Ihre schiere Existenz trieb ihn zur Weißglut. Sie kamen daher mit ihren strahlenden Gesichtern und ihrer Zielstrebigkeit und steckten Fotos ihrer Mädchen innen in die Helme. Niemand wollte je ihre Namen wissen. Warum sich die Mühe machen, wenn die meisten von ihnen ohnehin keine Woche überleben würden? Aber genauso war es auch bei Kate. Dies war also der Grund, warum sie sich ihr gar nicht erst vorgestellt hatten – ihr, dem Scheißfrischling.

Sie rückte ihre Mütze auf dem Tisch gerade und beobachtete heimlich ihre Kolleginnen, die breitbeinig und mit den Ellbogen auf dem Tisch ganz vorne auf der Stuhlkante saßen. Mit ihren übereinandergeschlagenen Beinen und den im Schoß gefalteten Händen kam Kate sich vor wie eine prüde Lehrerin.

Sie war eine von acht Frauen in Uniform. Ein paar weitere weiße Frauen standen an der Wand neben dem Umkleideraum. Sie rauchten und trugen enge Miniröcke und winzige Oberteile, die der Fantasie rein gar nichts übrig ließen. Anfangs dachte Kate, sie wären vielleicht verhaftet worden oder würden noch auf ihre Verhaftung warten oder womöglich sogar Ausschau nach potenziellen Kunden halten, doch dann kam ihr in den Sinn, dass es sich eventuell um Undercover-

Beamtinnen handeln könnte, denn so schlimm dieser Laden auch sein mochte, bezweifelte sie doch, dass man es hier zuließ, dass Prostituierte sich herumtrieben und dem Morgenappell lauschten.

Außerdem, nahm sie an, hatten Prostituierte unter Garantie Besseres zu tun.

Sie wandte ihre Aufmerksamkeit der anderen Seite des Saals zu. Acht Schwarze Streifenbeamtinnen saßen auf der gegenüberliegenden Seite des Mittelgangs – die Schwarzen Mädchen, über die sich alle so viele Gedanken machten. Die Besorgnis schien nicht ganz unbegründet zu sein. Die Frauen hatten etwas Furchteinflößendes, so wie sie mit gestrafften Schultern und finsteren Mienen stur nach vorn blickten. Als Gruppe hoben sie sich deutlich von den anderen ab. Das erklärte auch den Vorhang – sie schotteten sich von der Welt ab, ehe das jemand anderes zu ihren Ungunsten tun konnte. In der vorderen Hälfte des Saals saßen die Männer gleichermaßen nach Hautfarbe getrennt. Von ihnen gab es deutlich mehr – wahrscheinlich insgesamt fünfzig. Uniformierte saßen mit Detectives zusammen, deren Straßenanzüge vor zehn Jahren noch halbwegs modisch gewesen waren. Fast alle hatten lange Koteletten und zottige Schnurrbärte. Sie trugen auch drinnen ihre Mützen und hielten ihre Zigaretten zwischen Daumen und Zeigefinger. Der Geruch, der von ihnen ausging, war überwältigend. Schweiß, Tabak und viel zu viel Old Spice. Kate versuchte, nicht daran zu denken, wie es gewesen war, sich zwischen ihnen hindurchzuzwängen. Sie war begrapscht worden; ihre Brüste, ihr Hintern, sogar ihr Nacken war von irgendwelchen Fremden angefasst worden. Nie zuvor in ihrem Leben war sie so grob behandelt worden. Es war fast, als hätte sie sich, indem sie die Uniform angelegt hatte, von einem braven Mädchen irgendwie in ein schlechtes verwandelt. Es war, als hätten sie alle ihr sagen wollen: Wenn du unser Revier betreten willst, spielst du ab sofort nach unseren Regeln.

Einer der Männer ein paar Tische weiter entfernt versuchte, Kates Aufmerksamkeit zu erregen. Sie sah zu Boden und presste die Hände umso fester zusammen, zwang sich, langsam auszuatmen und nicht wegen des Zigarettenrauchs zu husten, der die Luft sättigte. Keine Tagträume mehr von Patrick. Kein Schlendern mehr durch alte Erinnerungsgassen.

Sie musste das hier tun.

Ein leises Murmeln ging durch den Saal. Ein fetter weißer Mann mit Knollennase trat ans Rednerpult. Captain Cal Vick. Er hatte Kate an diesem Morgen ein paar Fragen gestellt und ihr dann den Rat erteilt, sich die Brüste platt zu wickeln, damit niemand einen Herzinfarkt bekäme.

Vick klopfte mit den Knöcheln aufs Pult. »Okay, Ruhe jetzt. Alle! Ruhe!« Der Lärm verklang wie Musik aus einer Jukebox. »Wir wollen heute mit einem Gebet für Don Wesley anfangen. Möge er in Frieden ruhen.« Alle senkten die Köpfe. Kate richtete den Blick zu Boden.

Don Wesley. Sie war bereits auf dem Weg zur Arbeit gewesen, als sie im Radio davon gehört hatte. Der fünfte Polizeibeamte, der binnen weniger Monate ermordet worden war. Dem Reporter zufolge hatte der Atlanta Shooter erneut zugeschlagen. Eine Belohnung von fünftausend Dollar war ausgesetzt worden. Wer immer in der Bevölkerung Informationen besaß, die der Polizei nützlich sein konnten, wurde gebeten, sich zu melden.

Kate hatte prompt angefangen zu schwitzen, während sie sich durch den innerstädtischen Verkehr vorgearbeitet hatte.

Am liebsten hätte sie an der nächstbesten Telefonzelle angehalten und daheim angerufen, um ihrer Familie Bescheid zu geben, dass sie okay sei. Doch dann war ihr bewusst geworden, wie töricht das gewesen wäre. Sie hatten gewiss die gleichen Nachrichten gehört wie Kate und wussten, dass bei ihr alles in Ordnung war. Der Reporter hatte den Namen des Opfers genannt und erwähnt, dass er unverheiratet gewesen sei und mit Auszeichnung in Vietnam gedient habe.

Dennoch hatte Kate gegen das Bedürfnis ankämpfen müssen, ihre Mutter anzurufen. Erst als sie sich überlegt hatte, wie das Gespräch wohl ablaufen würde, entschloss sie sich weiterzufahren. Wenn sie ihre Familie anriefe, dann nur aus einem Grund: nämlich um ihnen zu sagen, dass sie es sich anders überlegt hätte. Dass sie es nicht tun könnte. Dass sie wieder nach Hause zurückziehen wollte. Dann wären sie enttäuscht von ihr. Sie würden es zwar nicht laut aussprechen, und natürlich wären sie bis zu einem bestimmten Grad auch erleichtert, aber sie wären eben auch enttäuscht – was in gewisser Weise schlimmer wäre als ein: »Ich hab's dir ja gleich gesagt.«

Folglich hatte Kate nicht an der nächsten Telefonzelle angehalten, sondern war stattdessen auf den gekennzeichneten Parkplatz ein paar Häuser hinter dem Polizeipräsidium gefahren. Sie war ausgestiegen. Sie war die drei Blocks die Straße hinaufgegangen. Und dann hatte sie sich bei Cal Vick gemeldet, damit dieser sich lautstark darüber Gedanken machen konnte, ob ihre Brüste nicht womöglich zu groß waren, um sie ungefährdet auf der Straße arbeiten zu lassen.

»Amen«, kam es von vorn, und jeder stimmte mit ein. »Zuerst machen wir den Morgenappell, und dann wird Sergeant Lawson den Rest mit euch durchgehen.«

Kate sah verstohlen zu Maggie hinüber. Auch sie trug keinen Ring am Finger. Sergeant Lawson war offenbar irgendein männlicher Verwandter.

»Bevor ich aber anfange«, fuhr Vick fort, »will ich euch noch mal einschärfen, dass jeder Einzelne von euch gefälligst mit offenen Augen auf die Straße geht. Niemand geht heute allein raus, niemand rennt los und spielt den Helden. Wir schnappen uns diesen Mistkerl gemeinsam. Habt ihr mich verstanden?«

Keine der Frauen antwortete, aber die Männer riefen alle wie aus einem Mund: »Ja, Sir.«

»Eine Wiederholung dieser Geschichte von vor sechs Monaten wird es nicht geben. Ist das allen klar?«

»Ja, Sir.«

Kate sah sich um. Alle außer ihr schienen zu wissen, was vor sechs Monaten passiert war.

Dann begann Vick mit dem Morgenappell. »Anderson?«

Als Antwort erhielt er ein schroffes »Hier«, dann kam der nächste Name an die Reihe, dann der übernächste.

Kate rutschte auf ihrem Stuhl hin und her, versuchte, sich so zu setzen, dass sich die Taschenlampe nicht in ihre Seite bohrte. Sie bewegte sich noch einmal, und der Griff des Schlagstocks grub sich ihr in den Oberschenkel. Als sie sich zum dritten Mal umsetzte, drehten sich gleich mehrere Leute nach ihr um und starrten sie an. Ihr neuer Ledergürtel hatte geknarzt und jede ihrer Bewegungen verraten.

Sie warf Maggie einen Blick zu, dann Clack und Compton. Sie alle hatten die Knie gespreizt, damit sich das Gewicht der Gürtel gleichmäßiger verteilte. Behutsam stellte sie beide Füße nebeneinander. Dann schob sie sie langsam auseinander. Ihr Gesicht glühte vor Verlegenheit. Seit sie auf ihrem eigenen Hintern sitzen konnte, war sie es gewöhnt, die Knie zusammenzudrücken oder die Beine übereinanderzuschlagen. Vielleicht gab es tatsächlich noch eine andere Art zu sitzen. Vielleicht hatten diese Frauen ja irgendwas an sich, was sie selbst nicht hatte.

Doch darüber durfte sie jetzt nicht nachdenken. Wenn sie sich eingestünde, dass sie anders war, dann müsste sie sich überdies eingestehen, dass sie für diese Arbeit nicht geschaffen war. Dabei war sie im Grunde für rein gar nichts geschaffen. Sie hatte nicht die Geduld, um in einem Klassenzimmer voller Kinder auszuharren. Sie hatte nicht die Ausbildung, um als Krankenschwester zu arbeiten. Ihr Vater hatte ihr hintereinander drei verschiedene Sekretärinnenstellen besorgt, doch Kate hatte es nicht geschafft, auch nur eine davon zu behalten. Ihre Tippgeschwindigkeit war einfach lachhaft. Bei Diktaten war sie eine Katastrophe. Sie konnte Kaffee holen und hübsch aussehen, ja, aber es gab eine Menge junger Mädchen, die bereit waren, dies für deutlich weniger Geld zu tun, als ein erwachsener Mensch nun mal zum Leben brauchte.

Bei der Polizei bezogen Frauen inzwischen das gleiche Gehalt wie Männer. Zulagen wurden gewährt, und sogar eine Altersversorgung war garantiert. Sie mussten jeden ausbilden. Und vor allem mussten sie jeden zumindest theoretisch die gleiche Arbeit ausüben lassen. Kate hatte sich an der Akademie mächtig ins Zeug gelegt. Sie hatte konzentrierter studiert, als sie es am College je getan hatte. Sie hatte härter daran gearbeitet, den Leuten direkt in die Augen zu schauen. Ihre Stimme zu erheben. Sich zu behaupten. Sie hatte daran gearbeitet, sich nicht sofort zu entschuldigen, wenn jemand mit ihr zusammenstieß, sich nicht zu rechtfertigen, wenn in einem Restaurant mit einer Bestellung etwas nicht stimmte, oder um Verzeihung zu bitten, ehe sie schüchtern anmerkte, dass man in der Reinigung ihre Lieblingsbluse ruiniert hatte.

»Aufwachen!« Maggie stieß Kate am Ellbogen an. Mittlerweile hatten alle ihre Spiralnotizbücher gezückt. Kates Notizbuch steckte immer noch in ihrer Handtasche, die wiederum in Maggies Spind lag.

»Terry, willst du übernehmen?«, sagte Vick.

Interessiert musterte Kate den Mann, der nun hinters Pult trat. Weiß – wie alle anderen, die etwas zu sagen hatten. Er hatte einen Stiernacken und starrte mit zusammengekniffenen Augen in den Saal. Sergeant Terry Lawson, nahm sie an. Er faltete ein Blatt Papier auf und las stockend vor: »Der Verdächtige ist ein Schwarzer. Afro, lange Koteletten und Schnurrbart. Zwischen zwanzig und fünfundzwanzig Jahre alt. Keine auffälligen Tätowierungen oder Muttermale.« Er sah auf, um sich versichern, dass jeder seinen Ausführungen folgte. »Eins sechzig bis eins achtzig groß. Angezogen wie ein Hippie. Jeans und rotes Hemd. Er trug Handschuhe. Schwarze Handschuhe. Die Waffe war eine Saturday Night Special.« Wieder hielt Terry inne, während die anderen sich die Details notierten. Sogar die Schwarzen machten sich Notizen.

Mit einem Mal zogen sie alle an einem Strang.

»Chipper, dein Part.«

Chip Bixby. Kate kannte ihn noch von der Akademie. Er und ein Mann namens Bud Deacon waren für ihre Schießausbildung verantwortlich gewesen. Beide Männer hatten fast identische rote Krawatten getragen, angeblich nur, um den Frauen leichter verständlich zu machen, dass die einzige Vorschrift beim Gebrauch einer Waffe lautete, nicht auf die Männer mit den roten Krawatten zu schießen.

»Meine Herren.« Chip wartete, bis es wieder still geworden war. »Der Shooter hat eine Waffe, die dieser hier sehr ähnlich sein dürfte.« Er hielt eine Handfeuerwaffe in die Höhe, die absolut nichts mit der Waffe zu tun hatte, die Kate erhalten hatte. »Das ist eine Raven MP-25 aus den Billigschmieden rund um Los Angeles. Kaliber .25 mit Rückstoßladung. Sechs Patronen im Magazin und eine in der Kammer. Ein Scheißding, diese Waffe – hat andauernd eine Ladehemmung. Amerikanischer Hersteller –, also was bitte ist seine Entschuldigung?«

»Keine Entschuldigung«, rief eine angetrunkene Stimme. Jett Elliott. Auch ihn kannte Kate noch vom Schießstand. Er saß in der ersten Reihe und kippte immer wieder zur Seite. Der Mann hinter ihm drückte ihm eine Hand in den Rücken, damit er nicht umfiel.

»Okay.« Terry ergriff wieder das Wort. »Don Wesley wurde mit so einem Typ Raven erschossen. Chips Waffe hat einen Griff mit Holzmaserung. Die Waffe, mit der auf Don geschossen wurde, hatte einen Griff aus Perlmuttimitat. Jeder, der mit diesem Waffentyp nicht vertraut sein sollte, kommt anschließend hier hoch und sieht sie sich an. Ich will bis Dienstschluss heute Abend die Tatwaffe in meinen Händen halten. Klingt das nach einem Plan?«

Im Saal wurde genickt.

»Da ihr euch sicher alle fragt, werd ich es einfach für euch machen und direkt anhand von Jimmys Aussage darlegen, was letzte Nacht passiert ist. Und danach will ich kein Getratsche mehr. Kein Wort zu den Reportern.«

Erneut meldete sich Jett zu Wort. »Und kein Wort zu Reggie.«

Ein Murmeln der Zustimmung ging durch den Saal. Reginald Eaves, vermutete Kate. An der Akademie hatte sie gehört, wie viel getuschelt wurde, wenn irgendjemand »Reggie was steckte«. Das bedeutete, dem Commissioner von Regelverstößen zu berichten.

»Jett hat recht«, fuhr Terry fort. »Alles, was ich euch jetzt sage, bleibt in diesem Raum. Keiner steckt irgendjemandem irgendwas.«

»Verdammt richtig«, kam es von dem Mann, der hinter dem Betrunkenen saß. In ihren Klamotten und mit ihren Haarschnitten sahen sie einander verblüffend ähnlich. Kate fragte sich schon, ob sie womöglich Zwillinge waren, dachte sich dann aber, dass sie wohl einfach nur aus derselben Proletarierstanze stammten, die auch Cal Vick und Terry Lawson ausgespuckt hatte.

»Gut, Ruhe jetzt«, rief Terry. Er senkte den Kopf und widmete sich wieder dem Bericht. »Gestern Nacht gegen drei Uhr morgens erhielten Officer Don Wesley und Officer Jimmy Lawson eine Meldung über einen möglichen Einbruch bei der C & S Bank, Nähe Whitehall, Five Points. Sie fuhren hin, um nachzusehen. Officer Wesley kontrollierte zu Fuß den Hintereingang, während Officer Lawson sich ebenfalls zu Fuß vorn herum umschaute.«

Kate spürte, wie verkrampft Maggie auf einmal neben ihr saß. Noch ein Lawson! In diesem Laden wimmelte es ja geradezu von ihnen.

Terry faltete das Blatt Papier zusammen. Dann stützte er den Ellbogen aufs Pult wie ein alter Mann, der einen Schwank aus seinem Leben zu erzählen gedachte. »Jimmy hatte die

Überprüfung der Vorderseite abgeschlossen und der Zentrale gerade falschen Alarm gemeldet. Er war vielleicht noch drei, vier, fünf Meter von Don entfernt, als plötzlich wie aus dem Nichts dieser Schwarze Bruder um die Ecke kommt. Der Typ feuert ab. Zweimal. Don bekommt beide Kugeln in den Kopf. Jimmy geht in Deckung. Er gibt drei Schüsse ab, der Bruder rennt davon. Und Jimmy bleibt bei seinem Partner.« Er hielt inne. »Die Sicherheit des Partners hat immer oberste Priorität. Richtig?«

»Richtig«, hallte ein strammes männliches Echo durch den Saal.

Maggie legte den Stift weg.

»Wir werden heute die Stadt stilllegen, meine Herren«, fuhr Terry fort. »Keiner macht mehr irgendwelche Geschäfte, bis wir einen Namen haben.«

Im Saal wurde gejohlt.

Terry klopfte mit der Faust auf das Pult. »Wir werden ganz sicher einigen von ihnen auch gleich was auf die Rübe geben. Wir kriegen dieses Arschloch.« Aus dem Klopfen wurde ein Trommelwirbel. Einige Männer taten es ihm gleich und klopften auf ihre Tische. »Hab ich recht?«

Jetzt explodierte es förmlich um sie herum – die Männer hämmerten auf die Tische, stampften auf den Boden, forderten Blut. Kate fragte sich, ob es im Umkleideraum eines Football-vereins auch nur annähernd so heftig zuging.

»Okay. Okay.« Vick nahm wieder Terrys Platz hinter dem Pult ein. Er versuchte, seine Zuhörer mit einer Geste zur Ruhe zu rufen, und senkte dann die Stimme. »Jimmy setzt sich mit einem Phantombildzeichner zusammen, damit wir was für die Presse und das Fernsehen haben.« Dann hob er wieder die Stimme, um das empörte Brummen zu übertönen.

»Sucht an euren üblichen Stellen nach der Raven – kontrolliert, ob sie irgendjemand verhökert oder weggeworfen haben könnte.«

Plötzlich blickte er über die Menge hinweg. Alle drehten sich um und starrten den jungen Mann an der Rückwand des Saals an. Er sah gut aus, hatte eine athletische Figur und lange Koteletten, die sein kantiges Kinn einrahmten.

»Haben wir noch irgendwas vergessen, Jimmy?«

Jimmy schüttelte den Kopf. Sein Blick wanderte durch den Saal, blieb zuerst bei Kate, dann bei Maggie hängen. Oder besser gesagt, an Maggies Hinterkopf. Sie war die Einzige im ganzen Saal, die sich nicht umgedreht hatte, um ihn anzusehen.

Sie spürte Kates Blick auf sich ruhen und nickte kaum merklich in Jimmys Richtung. »Bruder.« Dann nickte sie in die Richtung des Mannes am Pult. »Onkel.«

»Was passiert ist, tut mir leid«, murmelte Kate. Maggie starrte nur stur weiter geradeaus.

»Okay.« Terry hob zwei kopierte Blätter in die Höhe. »Das hier sind eure Anweisungen. Sie werden an der Infotafel ausgehängt.« Er schob die Papiere zusammen. »Was wir heute dort draußen vorhaben, ist eine ernste Sache, meine Herren. Keine Tussi fährt mit irgendeinem Kerl. Bis auf dich. Du da. Das neue Mädchen.«

Kate schlug das Herz bis zum Hals. Er hatte auf sie gezeigt, und jetzt starrte jeder sie an.

»Du fährst mit Jimmy.«

Ein Pfeifen und Lachen brandete auf. Kate spürte, wie sie brandrot wurde.

»Das reicht«, sagte Terry. »An die Arbeit. Und denkt daran: keine Heldentaten.«

Kate wandte sich Hilfe suchend an Maggie. »Was soll ich …«

Doch Maggie stand einfach nur auf und ging davon. Clack und Compton waren immer noch da, aber Kate hatte nicht den Eindruck, dass sie geblieben waren, um ihr zu helfen.

»Jimmyboy«, sagte Clack lediglich. »Du Glückspilz.«

»Ich hab nicht …«, stammelte Kate.

»Tu dir selber einen Gefallen, Süße. Leg ein Handtuch drunter, wenn du dich von ihm auf der Rückbank seines Streifenwagens ficken lässt.«

7

Als Kate Jimmy Lawson über den Parkplatz folgte, kam sie sich vor wie die Karikatur einer Polizistin. Sie schlurfte mit den Sohlen über den Asphalt, damit sie nicht aus ihren viel zu großen Schuhen rutschte. Der Schlagstock hämmerte gegen ihr Bein. Die Haken an ihrem Gürtel stachen ihr in die Flanken. Immer wieder musste sie ihre Mütze nach hinten schieben, damit sie überhaupt etwas sehen konnte. Sie kam sich vor, als würde jede ihrer Bewegungen einer genauen Prüfung unterzogen, obwohl die Menge um sie herum inzwischen eher in Aufbruchstimmung war und nur mehr wenig Interesse daran zeigte, welche Missgeschicke dem Scheißfrischling bevorstanden.

Auch wenn er schnell ging, war Jimmys Humpeln deutlich zu erkennen. Sie fragte sich, ob er wohl in Vietnam verletzt worden war. Sie bezweifelte, dass er ihr seine Lebensgeschichte erzählen würde. Er hatte bislang nicht ein einziges Wort zu ihr gesagt, sondern einfach nur zur Tür genickt und sich dann umgehend in Bewegung gesetzt. Kate hatte zwar gehofft, einen männlichen Kollegen zugewiesen zu bekommen, aber womöglich hätte sie ihre Hoffnung präziser formulieren sollen. Jimmy schien der einzige Kerl in der ganzen Truppe zu sein, der mit ihr nichts zu schaffen haben wollte. Er blieb stehen, um kurz mit einer Gruppe Männern zu sprechen, darunter Jett Elliott und sein Sitznachbar sowie Captain Cal Vick, Chip Bixby, Bud

Deacon, Terry Lawson und ein paar andere, die man beinahe für Komparsen in einem Film von Sam Peckinpah hätte halten können. Sie erwiesen Jimmy große Ehrerbietung, was merkwürdig war, da sie allesamt mindestens zwanzig Jahre älter waren als er. Vielleicht war es aber auch nur deshalb so, weil Jimmys Partner gerade erst erschossen worden war. Oder weil sie betrunken waren, aber nüchtern wirken wollten.

Kate wusste nicht, was sie von diesen Trinkgewohnheiten halten sollte, aber letztlich war es ihr auch herzlich egal. Stattdessen musste sie an all die Dinge denken, die sie in ihrer Handtasche vergessen hatte. Und dann fragte sie sich, wie sie ihre Handtasche am Ende der Schicht überhaupt wiederbekommen sollte. Maggie hatte ihr die Kombination des Schlosses natürlich nicht verraten.

»Gehen wir.« Jimmy wirbelte seinen Schlüsselring um den Finger. Die Schlüssel klirrten, als er sie wieder auffing. Das Geräusch korrespondierte mit seinem Humpeln, während er auf einen der hinteren Streifenwagen auf dem Parkplatz zusteuerte. Der weiße Plymouth blitzte in der frühen Morgensonne. Das rot-blaue Abzeichen des Atlanta Police Department war fast zu Rosa und Babyblau ausgeblichen.

Jimmy öffnete den Kofferraum und schnallte eine Schrotflinte über den Reservereifen. »Kontrollier du das Auto«, wandte er sich an Kate.

An der Akademie hatte sie die grundlegenden Arbeitsabläufe im Streifendienst kennengelernt. Sie wusste, wie man einen Rücksitz auseinandernahm, Reifen wechselte und Kühlwasser nachfüllte. Sie hatte sogar Tanken gelernt, und das war von all den Dingen, die Kate dort gelernt hatte, das Einzige gewesen, was ihrem Vater einen ernsthaften Schock versetzt hatte.

Wie geheißen, inspizierte sie den Innenraum des Autos, suchte nach Waffen oder persönlichen Habseligkeiten, die darin zurückgelassen worden waren. Es war unerlässlich, sicherzustellen, dass auf dem Rücksitz nichts mehr lag, was ein Verhafteter dort aufstöbern und als Waffe benutzen könnte. Ein Messer, selbst eine angespitzte Plastikgabel ließ sich mit Leichtigkeit durch die rautenförmigen Öffnungen im Trenngitter rammen.

Jimmy streifte sich lederne Rallye-Handschuhe über, während er ihr bei der Kontrolle zusah. »Brauchst du den ganzen Tag dafür?«

Kate drückte den Rücksitz mit dem Knie in die Ausgangsstellung zurück. »Fertig.«

Er zog seinen Funksender vom Gürtel und rutschte hinters Steuer. Aufgrund seiner Knieverletzung hatte er das Bein nachgezogen. Als er die Tür zuschlug, sah er Kate herausfordernd an – eine Warnung, die Verletzung nur ja nicht anzusprechen.

Auch Kate schnallte ihren Sender ab. Sie legte ihn sich auf den Schoß, im Gegensatz zu Jimmy, der sich den Ziegel zwischen die Beine gesteckt hatte.

»Das mit deinem Partner tut mir leid.«

»Warum? Hast ihn doch gar nicht gekannt.« Er drehte den Schlüssel im Zündschloss um. »Schreib dir das besser auf, weil ich es nicht wiederholen werde.« Er schaltete in den Rückwärtsgang, blieb aber auf der Bremse stehen. »Wo ist dein Notizbuch?«

»In meiner ...« Sie beschränkte sich aufs Wesentliche. »Im Umkleideraum.«

Jimmy schaltete wieder auf Parken. »Dann geh und hol es.« Kate spürte sofort, wie sie erneut errötete. »Es liegt im Spind einer Kollegin.«

»Gottverdammte Scheiße.«

Kate zuckte bei der Verwünschung heftig zusammen. Sie wusste selbst nicht, warum. Sie hörte einen solchen Kraftausdruck schließlich nicht zum ersten Mal.

Zum Glück schien Jimmy ihre Reaktion nicht bemerkt zu haben. Er beugte sich lediglich schräg nach vorn und klappte das Handschuhfach auf. Instinktiv schob Kate sich von ihm weg. Mit einem bösen Blick warf er ihr einen Reserveblock auf den Schoß. »Die erste Regel lautet: Vergiss nie dein verdammtes Notizbuch.«

Sie schlug den Block auf einer leeren Seite auf. Zu schreiben hatte sie nichts.

»Oh Mann …« Jimmy zog einen Stift aus seiner Brusttasche und warf ihn in ihre Richtung.

Kate gelang es nicht, den Stift aufzufangen. Natürlich nicht. Sie beugte sich vor, um ihn aufzuheben, und im selben Augenblick stieß Jimmy mit dem Streifenwagen zurück. Der Schirm ihrer Mütze knallte gegen das Armaturenbrett, und ein scharfer Schmerz durchzuckte ihre Stirn. Kate fürchtete fast, ohnmächtig zu werden. Ihre Sicht verschwamm für einen Augenblick, und ihr Magen krampfte sich zusammen.

Jimmy fuhr auf die Straße. »Schreib's auf«, sagte er. »Nie das Notizbuch vergessen.«

Kate setzte sich wieder auf und schob die Mütze zurück. Sie sah immer noch Sternchen, aber sie klickte die Mine aus dem Kuli und fing an zu schreiben. *Nie das Notizbuch vergessen.* Sie kam sich dabei vor wie der letzte Vollidiot. Trotzdem sah sie zu ihm hinüber. Vielleicht hatte er ja noch mehr Vorschriften für sie.

»Regel Nummer zwei: Du tippst sämtliche Berichte. Ich bin nicht hier, um Papierkram zu erledigen. Und das ist auch der Grund, warum du dir jede gottverdammte Kleinigkeit, die passiert, aufschreibst. Notier dir die Zeit, das Wetter, wie Leute aussehen, wie sie klingen – weißer Pöbel, Hinterwäldler? Von der Southside oder aus dem Westen?« Er hielt inne und wartete, bis Kate es sich aufgeschrieben hatte. Zumindest dachte sie, dass er das täte. Ihr fiel auf, dass er den Blick dabei nicht ein einziges Mal über ihre Brust hinaus hob.

»Regel Nummer drei: Ich bin der Boss in diesem Wagen. Ich sage, wohin wir fahren, wann wir anhalten, wo wir anhalten. Wenn du alle zehn Minuten pinkeln musst, nimmst du dir einen Becher mit. Ich will davon nichts hören. Kapiert?«

Kate hielt den Kopf gesenkt. Wenn sie einfach nur stur weiterschriebe, dachte sie, wären die Worte selbst nicht länger wichtig.

»Regel drei, Artikel eins: Ich fahre, und zwar ohne Ausnahme. Und ich will keinen Ton darüber hören.«

Das musste Kate sich nicht aufschreiben.

»Vier: Bitten, verlangen, zwingen. Du *bittest* jemanden, etwas zu tun. Wenn er es nicht tut, *verlangst* du es von ihm. Tut er es dann immer noch nicht, *zwingst* du ihn, es zu tun.«

Ihre Hand verkrampfte sich. Sie kam kaum mehr mit.

»Nummer fünf: Vergiss Regel Nummer vier. Sie ist unwichtig. Du redest sowieso mit niemandem. Du siehst niemanden an. Du bleibst im Wagen, wenn ich aussteige, und du sitzt immer noch drin, wenn ich wieder einsteige.«

Kate hob den Kopf. Das entsprach dem genauen Gegenteil dessen, was man ihr in der Ausbildung beigebracht hatte. Man wich seinem Partner nicht von der Seite. Beim Morgenappell hatte das sogar Jimmys Onkel gesagt.

Jimmy schien ihre Gedanken lesen zu können. »Ist mir egal, was sie dir beigebracht haben. Für Männer und Frauen gelten unterschiedliche Regeln. Wenn du mit mir draußen bist, bin ich für dich verantwortlich. Ich kann nicht auf mich selber und gleichzeitig auch noch auf dich aufpassen.«

Sie starrte auf ihren Stift, der fast ein Loch in das weiße Notizpapier gebohrt hatte. »Dass ich auf mich selber aufpassen kann, kommt dir wohl nicht in den Sinn?«, fragte sie leise.

Er lachte, aber nicht, weil er es lustig gefunden hätte.

»Sieh dir dieses Dreckloch an.« Er deutete aus dem Fenster. »Glaubst du, du kannst dich hier außerhalb des Wagens behaupten?«

Unwillkürlich riss Kate die Augen auf. Sie war so ins Schreiben vertieft gewesen, dass sie die Veränderung in ihrer

Umgebung überhaupt nicht wahrgenommen hatte. Sie durchquerten inzwischen irgendeine Sozialsiedlung. Junge Schwarze standen in Grüppchen an Straßenecken. Spärlich bekleidete Mädchen schlenderten über die Bürgersteige. Sie zwang sich dazu, nicht vor Angst zu zittern. Sie waren die einzigen Weißen weit und breit.

»Capitol Homes«, verkündete Jimmy, als wäre es nicht offensichtlich. »Dreh dich mal um.«

Kate drehte sich um. Die goldene Kuppel des Kapitols überschattete den Komplex.

»Schon komisch, dass kein einziges der Fenster in diese Richtung hier weist. Sie gehen alle rüber in Richtung Stadtzentrum, wo das große Geld ist. Sie sehen all den Dreck und den Müll nicht, den die Stadt hinter sich ausscheißt.«

Kate betrachtete nachdenklich die Umgebung. Eine beträchtliche Anzahl zweistöckiger Backsteinbauten verteilte sich auf dem Gelände. Nirgends Bäume und auf dem nackten Boden nichts als der typisch rote Lehm von Georgia. Kinder, die eigentlich in der Schule sein müssten, spielten im Freien, wirbelten mit ihren nackten Füßen Staub auf. Es war eher kühl, und trotzdem standen überall Fenster offen. Sie sah alte Männer auf Vordertreppchen sitzen. Frauen lehnten sich aus Fenstern und schrien nach ihren Kindern. Überall Abfall. Graffiti. Kondome und Spritzen sammelten sich um die Gullys an den Bordsteinkanten.

Und dann dieser Geruch. Der Gestank war schier unbeschreiblich.

Jimmy drosselte die Geschwindigkeit, bis sie nur mehr im Schritttempo unterwegs waren. »Riechst du das?«

Kate versuchte, nicht zu würgen. Die Luft brannte in ihren Augen und in ihrer Nase, drang ihr in sämtliche Poren. Schweiß, Urin, verdorbenes Essen. Kate war sich nicht sicher, woraus dieser Geruch sich sonst noch zusammensetzte – aber sie würde ihn ihr Leben lang nicht mehr vergessen.

»Kurbel dein Fenster runter.«

Widerwillig legte Kate die Hand an den Griff. Sie schwitzte so sehr, dass sie ihn kaum drehen konnte.

Prompt beugte sich Jimmy über sie und kurbelte das Fenster für sie hinunter. »Romeo, schieb deinen Arsch rüber!«

Ein Schwarzer kam auf sie zugeschlendert. Die Finger steckten im Bund seiner gelben Schlaghose, darüber trug er ein leuchtend grünes Hemd, das so weit offen stand, dass Kate die Haare sehen konnte, die von seinem Nabel heraufrankten. Und sie sah sie aus allernächster Nähe – weil er plötzlich so dicht neben ihr am Wagen stand, dass Kates Schulter ihn beinahe berührte.

»Lass die Scheiße, Romeo«, blaffte Jimmy ihn an.

Der Mann beugte sich vor und steckte den Kopf durchs offene Fenster. Kate presste den Rücken so fest gegen die Lehne, dass die Handschellen an ihrem Gürtel ihre Wirbel auseinanderdrückten.

»Was willst du, Weißmehl?«, fragte Romeo.

»Hast du das von Don gehört?«

»Was soll ich denn gehört haben?«

»Komm mir nicht blöd«, blaffte Jimmy ihn an. »Sag mir, was du weißt.«

»Ich weiß nur, dass ihr heut alle eure Knüppel schwingen wollt.«

»Willste der Erste sein?«

Romeo zwinkerte Kate zu. Wie Jimmy schien auch er unfähig zu sein, seinen Blick auf eine Stelle oberhalb ihrer Brust zu richten. »Scheiße, Mann, du weißt genau, dass ich nichts weiß. Ich bin nur ein Geschäftsmann, der eben seinen Geschäften nachgeht.«

»Du kriegst aber mit, was hier geht.« Jimmy klang schon ein bisschen versöhnlicher.

Romeo nickte. »Möglich.«

»Du bringst mir 'nen Namen, und ich drück ein paarmal ein Auge für dich zu.«

»Da muss schon mehr drin sein. Die Jungs reißen mir meinen Schwarzen Arsch auf, wenn sie herausfinden, dass ich euch Pennern helfe.«

Jimmys Miene versteinerte schlagartig. »Was willst du?«

»Ich überleg mir was.«

»Du bringst mir einen Namen, und dann solltest du schnell überlegen. Ich kann offene Rechnungen nämlich nicht leiden.«

»Schon kapiert, Bruder.« Romeo hatte den Blick nicht von Kate abgewandt. Sie hielt den Atem an. Ein widerlicher Geruch ging von ihm aus – irgendwas eklig Süßliches, wie verbranntes Karamell. Er bleckte eine Reihe Goldzähne. »Bist du ein heißes kleines Ding …«

Und zu Kates Entsetzen sagte Jimmy: »Ja, ist sie wirklich, nicht wahr?«

»Blonde Haare. Strahlend weiße Haut. Und diese schönen vollen Lippen! Von denen hätt ich gern was. Schon mal 'ne Schokostange gelutscht, Baby?«

Jimmy kicherte. »Ich wette, nicht.«

»Ich will dir mal was zeigen, Baby.« Romeos Gesicht kam näher. Kate rutschte so weit weg, dass sie fast schon auf Jimmys Schoß saß. »Mach doch mal die Lippen für mich auf, Kleines.« Romeos Schulter bewegte sich, und schlagartig wurde ihr klar, dass er sich gerade im Schritt berührte. »Na, komm schon, mach diesen süßen Mund für mich auf …«

Kate zwang sich, nicht nach unten zu sehen. Nicht zu atmen. Nicht zu schreien.

»Kennst du diesen Geruch nach verbranntem Karamell?«, fragte Jimmy, als säße Kate in einem Klassenzimmer und fühlte sich gerade nicht, als wäre sie kurz davor, vergewaltigt zu werden. »Das ist Heroin. Sie kochen es in einem Löffel mit dem Feuerzeug auf.«

Romeos Zunge schnellte vor. »Oh Mann, du bist echt die weißeste Schlampe, die ich je gesehen hab …«

»Dann ziehen sie die Flüssigkeit auf eine Spritze und jagen sie sich in irgendeine Ader. Stimmt doch, Romeo, oder nicht?«

Doch Romeo ließ sich nicht ablenken. Seine Hand tat jenseits der Fensteröffnung Dinge, von denen Kate lieber gar nichts wissen wollte. »Bleib nur noch ein paar Minuten hier, und ich ...«

Doch urplötzlich stieg Jimmy aufs Gas. Romeo schnellte zurück, und Kate wurde in den Sitz gedrückt. Sie versuchte, sich aufzusetzen, sich wieder zurechtzufinden, während Jimmy vor Lachen bereits Tränen in den Augen hatte.

»Du blöde Kuh«, japste er. »Meine Fresse, du hättest dein Gesicht sehen sollen!«

Irgendwie schaffte sie es, sich wieder richtig aufzusetzen.

Sie ballte die Fäuste im Schoß und presste die Lippen so fest zusammen, dass sie es bis in den Hinterkopf spürte. Dann zischte sie: »Arschloch.«

»Arschloch?« Jimmy lachte immer noch. »Du zuckst zusammen wie eine Nonne, wenn ich ›Gottverdammte Scheiße‹ sage, und schimpfst *mich* ein Arschloch?«

»Arschloch.« Kate spie das Wort förmlich aus. Sie zitterte am ganzen Leib. Ihre Fäuste wollten sich nicht öffnen. In ihr wütete ein Vulkan.

»*Ich* bin das Arschloch?« Jimmy schlitterte um eine enge Kurve. Dann stieg er heftig auf die Bremse. Kate stemmte beide Hände gegen das Armaturenbrett, um nicht wieder dagegenzuknallen. »Lass dir eins sagen, Schwester. Was da gerade eben passiert ist – das ist der Grund, warum du nicht hierhergehörst.«

Sie starrte ihn an. Jetzt lachte er nicht mehr.

»Warum hast du diesen Zuhälter so mit dir reden lassen? Wozu sind die denn da?« Jimmy griff nach ihrer Stablampe, ihrem Schlagstock, ihrer Waffe. »Sind die bloß zur Schau, Süße, oder was? Gefällt es dir vielleicht, wie sie an deinen Hüften baumeln?«

»Hör auf.« Kate versuchte, ihn zurückzuschieben. Doch er bewegte sich keinen Millimeter. Nichts würde ihn bewegen können. Sie bekam Panik. »Bitte …«

»Scheiße«, murmelte Jimmy und setzte sich wieder gerade hin. »Besser, es kommt von mir, als dass dir irgendein Lude den Arsch aufreißt.« Er starrte Kate mit offensichtlichem Abscheu an. »Jetzt mach schon und flenn. Lass es raus, damit ich dich wieder aufs Revier bringen kann.«

Kate hätte sich lieber selbst die Augen ausgekratzt, als zu weinen. »Was zum Teufel willst du von mir?«

»Was ich will?« Jimmy beugte sich erneut zu ihr rüber und schob sie gegen die Tür. »Ich will, dass du aus meinem Wagen steigst und diese verdammte Uniform ausziehst und dir einen Ehemann suchst und Kinder bekommst und Kuchen backst und das Haus hütest wie eine gottverdammte normale Frau!«

Ihre Fingernägel gruben sich in ihre Handflächen. Das Atmen fiel ihr schwer. »Lass mich …«

Doch Jimmy rückte noch näher. »Soll ich vielleicht zu Romeo zurückfahren? Er würde dir liebend gern die Möse aufschlitzen wie einen Fisch. Und dann würd er dich mit H vollpumpen und dich auf die Straße schicken, bis du einem verdammten Hund einen bläst, nur um eine neue Nadel in den Arm zu kriegen.« Kate versuchte verzweifelt, sich von ihm abzuwenden, doch Jimmy packte ihr Gesicht. »Ich hab den Kopf meines Partners explodieren sehen. Ich hatte sein Hirn in meinen Augen und auf meinen Zähnen. Ich hab seinen Tod *geschmeckt*. Glaubst du, du kommst mit so etwas zurecht? Glaubst du, du kannst jeden Tag mit hier rauskommen, wenn du erst mal weißt, wie der Tod schmeckt?«

Ihre Kehle war rau, als wäre sie mit Sand gefüllt. Er war jetzt fast über ihr. Sie spürte seine Spucke im Gesicht. Seine Finger gruben sich in ihre Wangen.

»Kannst du das?«

Irgendwo tief in ihrem Innern fand sie den Mut zu fragen: »Kannst du es denn?«

Abrupt zog Jimmy seine Hand weg. »Du hast ja keine verdammte Ahnung, wovon du sprichst.«

Kate berührte vorsichtig ihr Gesicht. Noch immer spürte sie dort Jimmys Finger, die sich in ihr Fleisch gebohrt hatten. »Was sollte das?«, flüsterte sie. »Was ist da passiert?« Die Frage war nicht an Jimmy gerichtet. Sie hatte sie sich selbst gestellt. »Wer gibt dir das Recht, so mit mir zu reden – mich so zu behandeln –, nur weil du mich hier nicht haben willst?«

Jimmy schüttelte den Kopf, als wäre sie der dümmste Mensch der Welt.

Dann stieß Kate die Tür auf und stieg aus.

»Was soll das?«

Kate setzte sich in Bewegung. Der Geruch war nicht halb so schlimm wie befürchtet. Damit würde sie zurechtkommen. Die Kuppel des Kapitols würde sie wieder zum Präsidium führen. Der Reserveschlüssel ihres Autos klemmte in einem Kästchen mit Haftmagneten über einem der Hinterreifen. Sie würde in ihr Wohnheim zurückfahren und dann zu ihren Eltern. Nichts, was ihre Familie sagen könnte, wäre schlimmer als das, was sie soeben erlebt hatte.

Jimmy stieg ebenfalls aus. »Was zum Teufel soll das?«

Kate nahm die Mütze ab und öffnete den Kragenknopf. Es war zwar nur knapp vier Grad warm, aber sie loderte innerlich. Sie atmete durch den Mund, zog keuchend die schmutzige Luft in die Lunge. Jimmy hatte recht. Diese furchtbaren Frauen im Umkleideraum hatten recht. Ihre Mutter hatte recht.

Sie war für diese Arbeit nicht gemacht.

»He!« Jimmy packte sie am Arm. Sie schüttelte ihn ab, doch er griff wieder nach ihr und wirbelte sie zu sich herum.

»Jetzt bleib mal kurz stehen.«

Sie rammte ihm die Faust in die Brust. Darauf war er nicht gefasst gewesen. Er stolperte und landete auf seinem kaputten

Bein. Kate wusste genau, was sie jetzt tun musste. Es kam ganz einfach aus ihr heraus und schien so selbstverständlich zu sein wie Atmen. Sie riss ihn mit dem Fuß von den Beinen. Für den Bruchteil einer Sekunde schaute Jimmy verdutzt drein, dann knallte er so fest auf den Rücken, dass ihm die Luft wegblieb. Staub wirbelte auf.

»Du Arschloch.« Kate hätte ihm am liebsten den Schädel eingeschlagen. »Ich *hatte* ein Haus. Ich *hatte* einen Ehemann. Ich *hatte* ein Leben vor diesem hier, du gottverdammtes Tier!«

Er versuchte, sich hochzustemmen, doch sie drückte ihn wieder nach unten.

»Was zum Teufel soll ...«

»Schnauze!« Kate bückte sich, um ihm ins Gesicht zu starren, wie er es bei ihr getan hatte. »Wenn mein Mann noch leben würde, würde er dich jetzt umbringen. Ist das klar? Er würde dir die Hände um den Hals legen und dein elendes Leben aus dir herauspressen.«

Jimmy starrte sie nur an, die Augen vor Überraschung weit aufgerissen. Darauf fiel ihm nichts mehr ein. Er fand keine Worte mehr, mit denen er sie treffen konnte, und deshalb zuckte er nur mit den Schultern, als wollte er zu ihr sagen: Was soll's.

Das ließ ihre Wut verpuffen. Brachte sie wieder zu Sinnen. Da erst sah Kate, dass sie inzwischen ein Publikum hatten. Männer, Frauen und Kinder. So etwas hatte wahrscheinlich keiner von ihnen je zuvor zu Gesicht bekommen. Zumindest hatte keiner von ihnen je selbst so was getan. Auch Kate hatte noch nie im Leben jemanden geschlagen. Sogar an der Akademie hatte man sie lediglich auf wattierte Puppen einprügeln lassen.

Was soll's.

Jimmy hatte recht. Patrick konnte sie nicht mehr retten. Niemand konnte sie mehr retten. War es nicht Sinn und Zweck dieses idiotischen Experiments zu beweisen, dass nur sie allein sich retten konnte?

Warum war sie stumm geblieben, als Romeo sich zu ihr ins Auto gebeugt hatte? Warum hatte sie Jimmy nicht gesagt, er solle aufhören? Warum hatte sie ihn nicht *gebeten, verlangt* und dann *gezwungen,* dass sie beide aufhörten? Kate hatte tatsächlich ein ganzes Arsenal zur Verfügung gehabt – ihr Rücken hatte von dem Augenblick an geschmerzt, als sie ihren Gürtel bestückt hatte: die schwere Stablampe mit den vier D-Zell-Batterien. Der metallene Schlagstock mit abgerundeter Spitze. Der Revolver mit fünf Patronen im Zylinder. Das alles hätte sie benutzen können, um den Männern Einhalt zu gebieten, doch Kate hatte einfach nur dagesessen wie ein hilfloser Trottel.

Jimmy setzte sich auf und wischte sich den roten Staub von der Hose. »Was ist mit deinem Mann passiert?«

Sie sah auf ihn hinab. Er massierte sich den Schenkel, um einen Krampf zu lösen.

»Geht dich nichts an.«

»Eine große Klappe hast du ja, Lady.«

»Schnauze!«

»Wohin gehst du?«

»Zurück an die Arbeit.«

»Das ist alles?« Er lachte wieder, doch diesmal vor Überraschung. »Nach all dem hier gehst du einfach wieder an die Arbeit?«

Sie drehte sich zu ihm um. Er saß noch immer auf der Erde und rieb sich das Knie.

»Ja.«

Dann streckte er die Hand aus. »Hilf mir auf.«

»Hilf dir selber, Arschloch.«

Als Kate zum Auto zurückging, traten die Schaulustigen zurück und machten ihr Platz.

8

Fox spürte das Kitzeln in seiner Kehle, das von zu vielen Zigaretten kam. Er trank einen Schluck Bourbon aus der Halbliterflasche, die er in seinem Handschuhfach aufbewahrte. Nur um sich die Kehle anzufeuchten, wie sein Vater immer gesagt hatte.

Dass er in letzter Zeit so oft an seinen Vater denken musste, ging ihm selbst mächtig auf die Nerven. Aber im Grunde ging es hier gar nicht um seinen Vater. Es ging um seine Mutter. Die beiden gehörten einfach untrennbar zusammen – wie das Yin und Yang seines Lebens. Schwarz und weiß. Dunkel und hell. Sie war eine freundliche Frau gewesen. Immer nachsichtig. Stets um einen Ausgleich bemüht. Dass diese Eigenschaften sie zum Opfer gemacht hatten, war für Fox immer noch nicht akzeptabel – nicht einmal so viele Jahre nach ihrem Tod.

Sie fehlte ihm noch immer. Als er im Jugendgefängnis herangewachsen war, als er in der Armee festgesteckt, als er im Dschungel gekämpft hatte, wenn er atmete oder durch die Straßen ging. Sie fehlte ihm an jedem Tag seines Lebens.

Vielleicht war das auch der Grund, warum Fox zu viel trank. Zu viel rauchte. Zu oft auf der Lauer lag und Kate Murphy beobachtete.

Er hatte noch nie eine Frau getötet. Natürlich hatte er schon ein paar verprügelt, wenn sie über die Stränge geschlagen hatten. Aber er hatte noch nie eine getötet. Fox wusste selbst nicht, was ihn zögern ließ. Die Beweise sprachen eindeutig gegen sie. Fox hatte Seite um Seite auf seinem Klemmbrett. Sie war eine Lügnerin. Eine Hexe. Und sie gehörte schlicht und ergreifend nicht hierher.

Warum erschoss er sie dann nicht einfach?

Eine Sache so lang hinauszuzögern, war eigentlich nicht seine Art. Schnell und schmerzlos, so hatte er es immer gemacht. Er war ein Scharfrichter, kein Mörder.

Normalerweise lief es so ab: Irgendwann tauchte die Zielperson in seinem Blickfeld auf. Fox studierte sie. Spürte ihr nach. Führte detailliert Buch über all die Gründe, warum die Zielperson eliminiert werden musste. Oder eben nicht. Hin und wieder beschloss er nach einigen Wochen der Beobachtung, dass eine Zielperson doch nicht eliminiert werden musste. Es gab diverse rettende Eigenschaften – mildernde Umstände sozusagen. Manchmal ergaben die Informationen aber auch ein eindeutiges Ja. In solchen Fällen handelte Fox für gewöhnlich schnell. Er studierte sein Klemmbrett, wählte den richtigen Ort und die richtige Zeit. Schoss der Zielperson in den Kopf. Ohne Wenn und Aber. Wie bei einem tollwütigen Tier. Man musste sie töten, ehe sie zu einer Gefahr für andere wurden.

Bei Kate Murphy hatte er keine mildernden Umstände feststellen können. Sie war das personifizierte tollwütige Tier. Sie war der Krebs, der herausgeschnitten werden musste. Irgendwo tief in ihrer Seele wusste sie das wahrscheinlich sogar selbst. Das war bei den meisten so. Wenn Fox irgendwann so weit war, sich der Sache anzunehmen, hatten sie in der Regel bereits akzeptiert, was kommen würde.

Warum handelte Fox dann nicht?

Es hatte keinen Zweck, seine Überwachung fortzusetzen. Er wusste längst, wann Kate bei ihrer Familie, wann sie allein, wann sie am verwundbarsten war. Er sollte sie hinrichten wie die anderen und sich dann neuen Zielen zuwenden.

Aber Fox konnte es nicht.

Er konnte nur zu viel trinken und zu viel rauchen und zu viel herumfahren und sich zu viele Notizen auf seinem Klemmbrett machen.

Unersättlichkeit, hätte Fox senior es genannt – und zwar in einem Ton, der klargemacht hätte, dass Fox ein Stück Scheiße war, das im Profil seiner Sohlen klebte. Fox hoffte zumindest, dass es Unersättlichkeit gewesen wäre, denn die Alternativen hätten Senior noch mehr verärgert. Gier. Trägheit. Zorn. Neid. Stolz. Begehren.

Begehren.

Scheiße, ja, er begehrte Kate Murphy. Jeder Mann, der ihr begegnete, begehrte sie. Noch ein Grund, warum sie nicht auf die Gehaltsliste der Stadt gehörte. Auf die Straße. Ins Lebensmittelgeschäft. Wo immer ein argloser Mann von gutem Charakter ihr über den Weg laufen konnte.

Leider war begehrt zu werden keine rettende Eigenschaft. Es machte die Frau höchstens noch rettungsloser. Wie konnte Fox sie guten Gewissens in dieser Welt leben lassen, wo sie stündlich mehr Unheil anrichten konnte? Nur daran zu denken zeugte bereits von einem beispiellosen Mangel an Disziplin.

Und so war Fox' Vater wieder in seine Gedanken geschlichen.

Senior war ein Mann gewesen, der großen Wert auf Disziplin gelegt hatte. Zumindest hatte er das immer behauptet. Jede Lektion, die er Fox erteilt hatte, hatte etwas mit Selbstkontrolle zu tun gehabt – damit, dass man das Richtige tat. Er hatte nie darüber gesprochen, wie schwer es war, jemand anderen davon abzuhalten, das Falsche zu tun.

Lektion eins: Tu, was ich dir sage, und nicht, was ich tue.

Senior war bei der Navy gewesen. Länger als vier Jahre hatte er es dort allerdings nicht ausgehalten. Dann war er aufs College gegangen. Noch mal vier Jahre in den Sand gesetzt. Er hatte geheiratet, einen Sohn gezeugt und das Glück gehabt, einen Job in einer Fabrik zu bekommen, der ihm den direkten Weg zum Rest seines elenden Lebens geebnet hatte. Senior hatte darauf bestanden, dass er alles getan hatte, was ein Mann tun musste. War es denn seine Schuld, dass das nicht länger gut genug war? Mit Senior selbst war alles in Ordnung. Verdammt noch mal, ja. Es war das System. Es waren die Maschinen. Es waren die zudringlichen Schlampen. Die verlogenen Juden. Die schmierigen Italiener. Es war die Welt, in der das Unterste nach oben gekehrt worden war, sodass inzwischen keiner mehr seinen rechten Platz kannte. Der Job in der Fabrik war weit unter Seniors Würde. Das machte er Fox auch unmissverständlich klar. Er machte es auch Fox' Mutter klar, wenn sie unter ihm lag. Er war besser als die Welt, in der er lebte. Als alle anderen. Die Wände waren dünn. Nachts hörte Fox sie: wie Senior seine Enttäuschung an ihr ausließ. Wie sie um Gnade flehte.

Auch Fox flehte um Gnade.

Nicht für sich selbst. Für seine Mutter. Aber auch für Senior – denn warum war es nur so, dass all die Lektionen, die Senior ihn zu lehren versuchte, sich in demselben Augenblick in Wohlgefallen auflösten, da die Schlafzimmertür hinter ihm zuging?

Lektion zwei: Schlag nie ein Mädchen.

Fox war zwölf Jahre alt gewesen, noch ein Kind, als ihm zum ersten Mal bewusst wurde, was nebenan vor sich ging. Er hatte sich machtlos gefühlt. Die Fäuste geballt. Die Muskeln angespannt. Er hatte darüber nachgedacht, aus dem Bett zu springen und seine Mutter zu retten. Wie Superman. Wie Spiderman. Wie jeder Mann, der zu irgendetwas taugte.

Lektion drei: Es ist die Aufgabe eines Mannes, das schwächere Geschlecht zu beschützen.

Im selben Jahr brachte ihn sein Alter zum Zahnarzt. All dieses Geld – und trotzdem waren die Zähne in Fox' Mund buchstäblich verrottet. Das Gebäude war das höchste, das Fox je gesehen hatte. Sechs Stockwerke aus Beton und Glas. Vom Boden bis zur Decke reichende Fenster funkelten in der Sonne wie Diamanten.

Fox hatte noch nie zuvor einen Aufzug betreten. Er stand neben Senior an der Rückwand der Kabine. Eine Frau stieg ein. Sie hatte sich hübsch zurechtgemacht – nicht hübsch auf die natürliche Art. Sie roch nach zu viel Karamell. Sie trug einen pelzigen weißen Mantel. Fox erinnerte sich noch daran, wie seine Nase kitzelte, wenn er nur daran dachte, das Gesicht in so was zu vergraben – in den Mantel, nicht in die Frau. Okay, vielleicht auch in die Frau. Aber damals war Fox noch in einem Alter gewesen, da solche Gedanken ihn nervös gemacht hatten.

Eine Glocke läutete, und die Aufzugtüren gingen auf. Fox wollte schon hinausgehen, aber Senior packte ihn am Kragen. Fox krächzte wie ein Frosch. Senior lächelte die Dame im weißen Mantel an. Irgendwie hatte Fox das Gefühl, dass in seinem Lächeln noch mehr lag. Kein Flirten, weil sein Vater sich seiner Kragenweite durchaus bewusst war. Eher ein: »Bitte entschuldigen Sie die Ahnungslosigkeit meines Sohnes«, weil Fox noch so viel zu lernen hatte.

Lektion vier: Lass Damen stets den Vortritt.

Irgendwann begann Fox, sich alles aufzuschreiben. Keine Lektionen mehr, sondern die Fakten. Zuallererst Datum und Uhrzeit. Dann die Anzahl der Schläge in der Nacht. Die Anzahl der Entschuldigungen während des Tages. Die Art, wie seine Mutter ihre Schreie zu unterdrücken suchte. Die Art, wie sein Vater sie dazu zwang, sie rauszulassen. Die Art, wie Fox das Gesicht an ihren Bauch presste, wenn sie ihn in den Arm nahm, und wie er dann das Waschmittel in ihrem Kleid roch und manchmal auch Zwiebeln, wenn sie gerade dabei gewesen war zu kochen.

Fox nahm noch einen Schluck aus der Flasche. Die vertraute Wut kratzte in seiner Brust, wollte hinausgelassen werden.

Seine Mutter war genau einen Monat vor seinem dreizehnten Geburtstag gestorben.

Vor ihrem Tod hatte es durchaus Zeiten gegeben, in denen sie glücklich gewesen war. Fox hatte von diesen Augenblicken keine konkreten Bilder mehr vor Augen; seine Erinnerungen waren eher fotografisch. Seine Lider waren wie ein Diaprojektor. Er blinzelte, und dann sah er Bilder von ihr: wie sie tat, was ihr Freude bereitete. Plätzchen backte. Fox den Teig vom Löffel lecken ließ, wenn sie Kuchenteig angerührt hatte. Wie sie Seniors Hemden bügelte.

Sie hatte allen Ernstes gelächelt, wenn sie Seniors Sachen gebügelt hatte.

Und sie hatte ihm die Stirn geboten. Fox wusste nicht, woher sie die Kraft genommen hatte. Wie jedem Schläger hatte man Senior nur den Wind aus den Segeln nehmen müssen. Er hob die Hand, um sie zu bestrafen, und sie warf ihm diesen vernichtenden Blick zu, der ihn sofort die Hand sinken ließ. Da waren die gewalttätigen Tage vorüber gewesen. Wieder einmal hatte die Welt das Unterste nach oben gekehrt. Fox' Mutter hatte ihren angestammten Platz verlassen. Oder vielleicht hatte sie sich nur wieder an ihn erinnert. Vielleicht war die Welt da für sie endlich wieder in Ordnung gewesen. Das Leben hatte sie am Kragen zurückgerissen, wie Senior in jenem Aufzug Fox gepackt und zurückgerissen hatte.

Bitte entschuldigen Sie die Ahnungslosigkeit meiner Frau. Sie muss noch viel lernen.

Warum dachte Fox gerade jetzt daran? Warum saß er in seinem Auto und trank und musste daran denken, wie seine Mutter endlich die Fähigkeit, sich zu wehren, wiedergefunden hatte?

Wegen Kate Murphy.

Kate war in letzter Zeit die Antwort auf eine Menge Fragen gewesen. Er hatte sie zu oft beobachtet. Er hatte zu viel nachgedacht. Hatte seinen Verstand zu viele Alternativen erwägen lassen.

Wie seine Mutter war auch Kate eine Kämpferin. Sie hatte Jimmy Lawson inmitten der verdammten Sozialbauten zu Boden geschlagen. Fox hatte aufgelacht, als es passiert war. Er hatte von Anfang an gewusst, dass Kate anders war.

Er hatte nur nicht erwartet, dass es ihm gefallen würde.

9

Maggie fuhr an der Mellow-Mushroom-Pizzabude an der Spring Street vorbei. Ihr Magen knurrte, aber sie hatte auf einen Blick gesehen, dass dort drinnen Polizisten beim Essen saßen, und beschloss, woandershin zu fahren. Sie konnte das Mittagessen genauso gut ausfallen lassen und sich in einem Diner einfach nur einen Kaffee holen. Oder sie könnte für den Rest des Tages hirnlose Anrufe entgegennehmen, während die Jungs durch die Stadt jagten und anderer Leute Schädel einschlugen.

Den ganzen Vormittag hatte das Funkgerät geglüht vor brandheißen Tipps, die sich jedoch schon bald als Nieten erwiesen hatten. Sogar die Schwarzen Beamten machten mit, schickten Einheiten mit dringenden Meldungen quer durch die Stadt, nur um herausfinden, dass der Kerl, der eigentlich hatte reden wollen, auf einmal nicht mehr bereit war zu reden oder bei seinem ersten Anruf schlichtweg gelogen hatte.

Letzteres war nicht annähernd so problematisch, wie man hätte vermuten können. Für Maggie war das Enttäuschendste am Polizistenberuf, dass die Leute einen dauernd anlogen; nicht nur die bösen Jungs, sondern selbst anständige Bürger, die eigentlich kooperativ sein sollten. Sie gaben falsche Namen an, falsche Berufe. Sie logen in Bezug auf ihre Arbeitsstätte, das Auto, das sie fuhren, ihren Wohnort. Dass sie dies alles ohne jeden Grund taten, war ebenso frustrierend wie besorgniserregend. Es waren genau diese Augenzeugen, derentwegen täglich Männer im Gefängnis landeten.

Augenzeugen wie Jimmy.

Der Bericht, den Terry beim Appell an diesem Morgen verlesen hatte, war nichts als ein Haufen Unsinn gewesen. Maggie hatte sich fast die Zunge abbeißen müssen, um nur ja nichts zu sagen. Fünf Meter entfernt? Sollte das heißen, dass Officer Jimmy Lawson nur ein paar Schritte entfernt gewesen war, als jemand Officer Don Wesley in den Kopf geschossen hatte?

Maggie hatte das getrocknete Blut an ihrem Bruder gesehen. Wenn er auch nur drei Meter entfernt gewesen wäre, hätte er diese Spritzer lediglich abgekommen können, wenn Don mit einer Panzerfaust erschossen worden wäre. Entweder hatte Jimmy gelogen, um sein Gesicht zu wahren, oder einfach um des Lügens willen. Und er würde damit durchkommen, weil niemand in der Truppe – vor allem Terry nicht – hören wollte, dass ihr Goldjunge Scheiße gebaut hatte.

Goldjunge.

Die Sportreporter hatten Jimmy Lawson »Atlantas Goldjungen« genannt. Er war damals noch an die Junior High gegangen, aber freitagabends waren die Footballspiele nun mal die beste Unterhaltung in der Stadt gewesen. Am Anfang der Saison brachte das *Atlanta Journal* immer eine Beilage, in der die vielversprechendsten Spieler des Bundesstaats vorgestellt wurden. Jimmys Foto war auf der Titelseite gewesen. Maggie hatte den Artikel noch irgendwo. Vielleicht in dem Album, das sie seit seinem ersten Spiel über ihn geführt hatte.

Plötzlich hörte sie eine Sirene aufheulen. Sie winkte, weil sie hinter der Windschutzscheibe Rick Anderson und Jake Coffee erkannte, die in der Gegenrichtung an ihr vorbeifuhren. Sie hatte sie heute schon zweimal gesehen, was nicht weiter überraschend war, weil ihre Reviere sich überschnitten. Was ihre Anwesenheit jedoch bemerkenswert machte, war die Tatsache, dass sich heute im Großen und Ganzen niemand an sein Revier hielt. Sie hielten sich kaum an ihre Zonen. Entgegen Vicks Warnung in Bezug auf Heldentaten hatten sie die Jagdsaison für eröffnet erklärt. Nach der zehnten Anforderung eines Gefängniswagens hatte Maggie aufgehört zu zählen. In ganz Atlanta gab es wahrscheinlich keinen männlichen Schwarzen, dem man bis zum Abend nicht die Fingerabdrücke abgenommen hätte. Wenn der Bürgermeister klug war, verschanzte er sich in seinem Büro.

»Hallo«, murmelte Maggie vor sich hin, trat auf die Bremse, und der Wagen wurde langsamer.

Ein verdächtig aussehender Mann ging die Straße hinunter. Jung, weiß, glatt rasiert. Nichts davon passte auch nur annähernd zu diesem Viertel.

Der Mann trug einen langen Mantel, der für jemand Größeren gemacht zu sein schien. Der Saum endete knapp über seinen Schuhen, sodass dürre Knöchel ohne Socken darunter hervorblitzten. Die Hände hatte er tief in die Taschen gesteckt. Er ließ die Schultern hängen. Maggie konnte es nicht recht benennen, aber irgendetwas an der Art, wie er sich bewegte, sah nicht richtig aus. Sie bremste erneut und fuhr hinter ihm her, als könnte sie sich in ihrem anderthalb Tonnen schweren Polizeiwagen an ihn heranschleichen.

Der Mann drehte sich nicht um. Er rannte nicht. Er beschleunigte nicht einmal seinen Gang. Die Hände blieben zu Fäusten geballt in den Taschen steckten, aber das mochte auch wegen des Windes sein. Oder weil er irgendetwas in der Hand hielt? Eine Waffe? Nicht dieser Junge. Vielleicht eine Tüte Gras oder eine Portion Meth oder Coke.

Maggie ließ kurz die Sirene aufheulen. Er erschrak nicht, was sie irritierte, weil das bedeutete, dass er sich ihrer Anwesenheit sehr wohl bewusst gewesen war. Aber wenn er es gewusst hatte, dann hätte er sich umdrehen müssen.

Auf jeden Fall hätte er nicht einfach so weitergehen dürfen. Sie stieg kurz aufs Gas und hielt ein paar Meter vor ihm an. Als Maggie aus dem Auto stieg, sah der Kerl verärgert drein, als hätte er jedes Recht, in einem Mantel, den er wahrscheinlich einem Obdachlosen geklaut hatte, durch die Straßen zu spazieren.

Maggie stellte sich ihm in den Weg. Als er näher kam, musste sie ihre anfängliche Einschätzung revidieren. Er war alles andere als glatt rasiert. Und sah auch nicht harmlos aus. Sie öffnete den Sicherheitsriemen ihres Holsters und legte die Hand an den Revolver. »Haben Sie mich gesehen? Haben Sie die Sirene gehört?«

»Ich hab angenommen, Sie wollten ...«

»Seien Sie still und hören Sie mir zu.«

Damit hatte sie seine Aufmerksamkeit. Er biss die Zähne zusammen und warf ihr einen feindseligen Blick zu.

»Ich will, dass Sie nur mit Ihren Fingerspitzen Ihre Taschenfutter nach außen ziehen. Ganz langsam.«

Doch er bewegte sich zu schnell. Sie zog ihren Revolver, spannte den Hahn.

Er lächelte schief. »Wirklich, Officer, das ist ein Missverständnis ...«

Allein der Klang seiner Stimme ließ sämtliche Alarmglocken bei ihr schrillen. Auch wenn er unrasiert war, klang er, als sei er ein reicher weißer Yankee.

»Ja. Sie missverstehen, wer hier das Sagen hat. Die Taschen. Und zwar langsam.«

Mit den Fingerspitzen kehrte er seine Taschen nach außen. Ein benutztes Papiertaschentuch fiel zu Boden. Ein Penny. Tabakkrümel. Seine Hände waren leer. Er war vermutlich ein bisschen jünger als Maggie. Seine Haare waren präzise über dem Kragen abgeschnitten, die Koteletten kurz. Der Flaum auf seinem Kinn ließ sein rundes Gesicht noch jünger wirken.

»Haben Sie einen Ausweis bei sich?«

Er schüttelte den Kopf und senkte den Blick, doch in seiner Geste lag rein gar nichts Demütiges.

»Wie heißen Sie?«

»Harry Angstrom.«

»Glauben Sie, ich hätte John Updike nicht gelesen?« Er wollte etwas erwidern, aber sie schnitt ihm das Wort ab, bevor er sie erneut anlügen konnte. »Wissen Sie was? Ich nenne Sie London Fog, okay?« Londoner Nebel. Wie die Firma, die Mäntel herstellte.

Er hob kurz den Blick, sah dann aber gleich wieder zu Boden. Sie dachte kurz, er würde auf seine Schuhe schauen. Tatsächlich aber hatte er den Blick auf ihre Waffe gerichtet.

»Warum knöpfen Sie Ihren Mantel nicht für mich auf, London Fog?«

»Ich werd nicht …«

»Knöpfen Sie Ihren Mantel auf.«

»Lady, Sie wollen mich nicht so …«

»Knöpfen Sie *sofort* Ihren Mantel auf«, sagte sie mit der härtesten Polizistinnenstimme, die sie zustande brachte.

Er ließ sich Zeit, fing ganz oben an. Der Mantel war schäbig, eindeutig nicht die Art, die für gewöhnlich Teil seiner Garderobe war. Als er den dritten Knopf geöffnet hatte, sah sie den Ansatz seines haarlosen weißen Bauchs.

»Stopp!« Sie hatte eindeutig genug gesehen. »Wo ist Ihre Kleidung?«

Er antwortete nicht, starrte nur weiter ihre Waffe an.

Sie steckte den Revolver zurück ins Holster. Die Hand blieb auf dem Griff liegen. »Sie sind Student an der Georgia Tech.« Er sah überrascht auf, aber man musste kein Perry Mason sein, um zu bemerken, dass die Universität gleich auf der anderen Seite der Interstate lag. »Sie sind hier, um ein bisschen Spaß zu haben. Sie haben jemanden getroffen. Sie haben zu viel getrunken, vielleicht zu viel geraucht …«

Sein Gesicht blieb ausdruckslos.

»Wollte sie vielleicht noch mal über den Preis verhandeln? Hat sie Sie ausgeraubt?« Wieder antwortete er nicht. »Sie hat Ihnen die Klamotten abgenommen, damit es Ihnen zu peinlich ist, zur Polizei zu gehen.« Maggie streckte die Hand aus wie ein Zauberer. »Und jetzt ist es doch passiert.«

Er sah wieder zu Boden. Sie sah seine Zunge zwischen den Zähnen hervorschnellen.

»Sie hatten Glück, dass sie Ihnen kein Messer in den Bauch gerammt hat. Oder noch Schlimmeres – falls ihr Zuhälter aufgetaucht wäre.«

Er starrte weiter zu Boden.

»Sehen Sie mich an.« Sie wartete, bis er den Kopf hob.

»Sie leben auf einer Insel namens Georgia Tech, die umgeben ist von einem Meer aus Gettos. Hat man Ihnen das bei der Einführungsveranstaltung nicht gesagt? Sehen Sie nicht, wo das Gras aufhört zu wachsen und der Staub anfängt?«

Die Art, wie er sie ansah, veränderte sich leicht. Maggie spürte ein merkwürdiges Kribbeln im Kreuz. Offensichtlich hatte sie einen Nerv getroffen, was diesen Jungen in einem neuen Licht erscheinen ließ, und trotzdem wollte sie es ihm nicht so einfach durchgehen lassen.

Er starrte sie an, als wollte er sie erwürgen.

Sie starrte zurück, als wollte sie ihn erschießen.

Die Pattsituation war beendet, als eine weitere Sirene ertönte. Maggie winkte den Streifenwagen weiter. Sie nahm an, es handelte sich um Rick und Jake, die nachsehen wollten, ob sie Verstärkung brauchte.

Doch sie hatte sich getäuscht.

Kaum dass sich die Reifen nicht mehr drehten, sprang Jimmy aus dem Auto. »Brauchst du Hilfe?«

»Alles im Griff.« Jimmy lief auf sie zu.

Mit bewusst leiser Stimme sagte sie zu London Fog: »Ich weiß, wie Sie aussehen. Ich weiß, wo Sie studieren. Ich weiß, wo Sie wohnen. Glauben Sie nicht, dass Sie hier mit irgendwas davonkommen.«

Er öffnete schon den Mund, um zu widersprechen, doch erneut schnitt sie ihm das Wort ab.

»Wenn ich Sie noch ein einziges Mal hier draußen erwische, schleppe ich Sie genau so, wie Sie jetzt sind, ins Gefängnis. Haben Sie mich verstanden?«

»Ja.«

Jimmy versetzte dem Kerl einen Hieb auf den Oberarm.

»›Ja, Ma'am‹, du Arschloch!«

»Ja, Ma'am.« Er grinste sie beide schief an. »Einen schönen Tag noch, Officers.«

Die Stimme des Jungen war eiskalt. Jimmy versetzte ihm einen weiteren kräftigen Schubser. »Verschwinde von hier, Blödmann.«

Der Junge widersprach mit keiner Silbe, sondern setzte sich einfach stumm in Bewegung. Maggie spürte, wie ihr zuvor schon mulmiges Gefühl schlimmer wurde. London Fog rannte nicht davon. Er nahm seinen vorherigen gemächlichen Schritt wieder auf. Er sah sich nicht ein einziges Mal zu ihnen um.

Das Schlimmste, was man vor Polizisten tun konnte, war, ihnen zu zeigen, dass man keine Angst vor ihnen hatte.

»Was hast du dir dabei gedacht, dieses Arschloch laufen zu lassen?«, fuhr Jimmy sie an.

»Du warst doch derjenige, der …«

»Deine Waffe steckt mit gespanntem Hahn im Holster. Es ist dein Bauch, der dir gerade sagt, du solltest den Kerl besser einkassieren. Warum machst du es dann nicht?«

Maggie sicherte ihren Revolver und legte den Sicherungsriemen wieder darüber. »Wofür soll ich ihn denn verhaften? Dafür, dass er unter seinem Mantel nackt ist?« Sie sah zu Jimmys Streifenwagen hinüber. Auf dem Beifahrersitz saß das neue Mädchen. »Hat sie immer noch nicht geschmissen?«

Er tat die Frage mit einem Achselzucken ab und sah Maggie unverwandt an. »Sie ist nicht so schlecht.«

»Nein«, antwortete sie, weil sie genau wusste, wie Jimmys Hirn funktionierte. »Ich werde sie nicht übernehmen.«

»Ich muss ein paar Spuren nachgehen.«

»Das kannst du tun und sie dabei im Auto sitzen lassen, wie du es mit Sicherheit schon den ganzen Vormittag lang getan hast.«

»Nein, kann ich nicht.«

»Du hast Cal und Terry heute Morgen gehört. Keiner fährt heute allein.«

»Du bist auch allein.«

»Weil ich unwichtig bin.« Sie wies ihn lediglich auf das Offensichtliche hin. »Jimmy, du bist letzte Nacht nur knapp mit dem Leben davongekommen.«

»Mir geht's gut.« Unwillkürlich drückte er sich die flache Hand an den Oberschenkel.

»Du humpelst schlimmer als seit Jahren.« Sie sah auf seine Hand hinab. Er schien zu versuchen, einen dunklen Fleck knapp unter seiner Tasche zu verstecken. »Ist deine Hose feucht?« Sie bückte sich. »Ist das Blut?«

Jimmy stieß sie von sich weg. »Verdammt, Maggie, tu einmal im Leben, was ich dir sage.« Er winkte Kate zu sich.

»Ich habe Nein gesagt.«

»Hab gar nicht gewusst, dass du dieses Wort in deinem Wortschatz hast.«

Maggie biss die Zähne aufeinander. Es war bereits das dritte Mal an diesem Tag, dass ihr so etwas ins Gesicht gesagt wurde. »Halt die Klappe.«

»Oder was?«

Kate war nur noch ein paar Schritte entfernt. Sie sah keinen der beiden an. »Ich warte im Auto …«

»In *ihrem* Auto«, befahl Jimmy.

Maggie wartete, bis Kate die Beifahrertür hinter sich zugezogen hatte. Dann fauchte sie ihren Bruder an: »Du bist ein verdammtes Arschloch, weißt du das?«

»Hab ich schon mal irgendwo gehört.« Jimmy rieb sich das Kinn und fuhr dabei leicht mit den Fingerspitzen über die Koteletten. Maggie musste wieder an jenes Fragment denken – an den Überrest Don Wesleys –, das ihre Mutter heute Morgen dort herausgeklaubt hatte.

»Was ist mit deinem Sender passiert?«

»Ist da, wo er hingehört.« Jimmy wies auf seinen Rücken.

Der Sender war so neu, dass er noch glänzte.

»Ich meine den Sender von gestern Nacht.« Jimmys Augen blitzten erschrocken auf.

»Als Don erschossen wurde, hast du es nicht gemeldet.« Er zuckte mit der linken Schulter.

»Dein Bericht war erstunken und erlogen. Du warst keine paar Meter weit weg. Du warst direkt neben ihm, als er getroffen wurde. Zentimeter, nicht Meter.«

Jegliche Farbe wich aus Jimmys Gesicht.

Maggie machte einen Schritt auf ihn zu. »Du warst mit seinem Blut bespritzt. Ich hab's gesehen, Jimmy.«

»Mach's nicht gleich so dramatisch.«

»Es war überall auf dir …«

»Und?«

»Du bist in Deckung gegangen, aber du hast nicht zurückgeschossen.« Hier hätte Maggie aufhören sollen, aber sie machte weiter. »Ich hab heute Morgen deine Waffe kontrolliert. Du hast nicht geschossen.«

»Spionierst du mir jetzt nach?«

»So wie du den Ablauf geschildert hast, kann es nicht gewesen sein. Du wolltest nicht zugeben, dass du nicht reagieren konntest. Weil dich das zu einem Feigling gemacht hätte, der einen Polizistenmörder hat davonkommen lassen.«

Sie erwartete schon, dass Jimmy einen Wutausbruch bekommen würde. Doch nichts passierte. Anstatt sie anzuschreien, ihr ins Gesicht zu schlagen oder sie zu Boden zu stoßen, nickte er nur.

Oder nickte beinahe.

Er bewegte den Kopf nur ein klein wenig – ein kaum erkennbares Eingeständnis, dass sie recht hatte.

Maggie war sprachlos. Zu wissen, dass Jimmy einen Fehler gemacht hatte, und zu sehen, dass er ihn eingestand, waren zwei Paar Schuhe. Sie wusste nicht, was sie sagen sollte. Jimmy warf einen Blick zur Interstate hinüber. »Es ändert nichts daran, dass er tot ist.« Seine Stimme klang, als wäre sie ein paar Oktaven höher als sonst. »Egal, was passiert ist, was ich getan oder nicht getan habe: Er ist tot, und der Kerl, der ihn ermordet hat, läuft immer noch frei herum.«

Sie starrte ihren Bruder an. Dieses eine Mal erwiderte er ihren Blick.

Und jetzt war es Maggie, die wegsehen musste.

»Du musst auf deinen Bauch hören«, murmelte er.

»Ich hab es nicht nötig …« Zu spät erkannte sie, dass er ihr einen Rat hatte geben wollen und sie nicht kritisierte. Aber sie war immer noch ebenso sehr Lawson wie er. »Ich hab's nicht nötig, dass du mir sagst, was ich zu tun habe.«

»Ich weiß, Kleines.« Jimmy fasste ihr ans Kinn und humpelte dann zu seinem Auto zurück.

10

Maggie fühlte sich wie betäubt. Sie hatte sich nicht mehr im Griff. Den ganzen Vormittag lang hatte sie sich über Jimmy den Kopf zerbrochen. Er war ein Lügner. Er war ein schlechter Polizist, ein schlechter Partner. Er hatte unter Beschuss Schiss bekommen und Don sterben lassen. In Gedanken war sie alle möglichen schrecklichen Vorwürfe durchgegangen.

Doch jetzt, da Jimmy es praktisch zugegeben hatte, wusste sie nicht mehr, wohin mit ihrer Wut. Das Schlimmste war, dass Maggie ihn verletzt hatte. Wobei sie das ursprünglich gar nicht vorgehabt hatte, denn zwischen Maggie und Jimmy bestand die unausgesprochene Übereinkunft, dass sie einander nur oberflächliche Wunden zufügten. Ein Tod durch tausend Schnitte – das war immer schon das Lawson'sche Familienmotto gewesen. Aber was sie Jimmy auf der Straße angetan hatte, hatte diesen Code verletzt. Sie war zu weit gegangen, hatte zu tief geschnitten.

Und Kate Murphy hatte die ganze Sache mitbekommen. Maggie hatte keine Ahnung, was sie über den Wortwechsel dachte. Seit sie wieder ins Auto gestiegen war, hatte die Neue keinen Ton mehr gesagt. Sie hatte einfach nur dagesessen und in ihrem Notizbuch geblättert, als wollte sie für eine Prüfung lernen. Wenn sie heute Abend aufs Revier zurückkehrten, würde sie wahrscheinlich allen erzählen, dass Maggie ihren

Bruder auf offener Straße heruntergeputzt hatte. Dieses eine Mal war Jimmy der Stille gewesen. Polizistenregel Nummer eins: Wenn dich jemand anschreit, bleib leise und vernünftig.

Er hatte ihr den Wind aus den Segeln genommen, indem er sich so ruhig verhalten hatte.

Vor einer Ampel bleib Maggie stehen. Die Reinigung war hier gleich um die Ecke. Sie sah auf die Uhr. Es war schon fast Mittag. Vor ihrem Zusammenstoß mit Jimmy war sie in einem Hühnchenrestaurant zur Toilette gegangen; trotzdem fragte sie Kate: »Musst du pinkeln?«

»Ja ...«

So schnell, wie sie geantwortet hatte, musste sie wohl schon eine ganze Weile auf die Toilette. »Aber Jimmy wollte nicht anhalten, damit du gehen kannst?«

»Ich hab nicht gewagt zu fragen.«

Bei ihrer vornehm knappen Sprechweise stellten sich Maggie unwillkürlich die Nackenhaare auf. Sie warf der Frau einen kurzen Blick zu. Alles an ihr schien sie auf die Palme zu bringen. Jede einzelne Haarsträhne saß, wo sie sitzen sollte. Die Körperhaltung war einfach nur perfekt. Sie hatte die Beine artig nebeneinandergestellt. Sie hielt ihren Sender im Schoß wie eine diamantbesetzte Handtasche.

»Meinst du, du kannst noch bis Schichtende einhalten? Es sind nur noch fünfeinhalb Stunden.«

»Absolut.«

»Toughes Mädchen.« Doch kaum waren ihr die Worte aus dem Mund geschlüpft, hätte Maggie ihn sich am liebsten mit Seife ausgespült. Sie hatte genau wie ihr Onkel Terry geklungen. Wenn es irgendetwas gab, was sie bei diesem Job fürchtete, dann war es nicht die Härte oder dass er jedwede Chance auf Dates zunichtemachte – es war die Ahnung, dass sie eines Tages in den Spiegel schauen und Onkel Terry daraus zurückstarren würde.

»Tut mir leid.«

»Was?«

Maggie wusste nicht, was sie sagen sollte. Das Wichtigste an einem stillen Vorwurf war die Stille.

Maggie bog auf den Parkplatz der Reinigung ein. »Der Laden gehört einem Italiener. Er hat die sauberste Toilette weit und breit – wahrscheinlich die einzige saubere Toilette in einem Umkreis von zwanzig Blocks. Die nächste ist in einem Laden namens Ollie's. Gehört einem alten Polacken. Es ist eine Bar, also geh dort nicht nach fünf hin, wenn du allein bist. In der anderen Richtung ist ein Hühnchenrestaurant. Nicht die allerbeste Adresse, aber okay, wenn's dringend ist. Ich zeig dir den Laden, wenn wir wieder auf der Straße sind.«

»Danke.« Kate sprang aus dem Auto und rannte los. Maggie sah ihr nach, wie sie im Laufschritt auf das Gebäude zustürzte. Nach drei Stunden auf der Straße war das neue Mädchen noch schwerer zu durchschauen. Drei Stunden mit Jimmy. Maggie fragte sich, wie lange es wohl dauern würde, bis die beiden miteinander gingen. Kate war eine attraktive Frau. Jimmy war ein gut aussehender Mann. Man musste nicht Barbara Cartland sein, um sich die Geschichte zurechtzulegen.

Maggie schaltete das Mikrofon ihres Funkgeräts ein. Sie meldete eine Dienstunterbrechung und gab ihren Standort durch. Noch lange, nachdem sie aus der Zentrale die Erlaubnis bekommen hatte, saß Maggie im Auto und dachte darüber nach, was Gail heute Morgen gesagt hatte. Jimmy hatte die Schießerei nicht gemeldet. In der Zentrale hatte man erst durch einen Arzt aus dem Grady Hospital davon erfahren. Selbst wenn Jimmy in Panik erstarrt gewesen wäre, hätte er sich irgendwann wieder daraus lösen und dann erkennen müssen, was er zu tun hatte. Stattdessen hatte er Don Wesley den ganzen Weg zum Krankenhaus getragen. Warum hatte er sich nicht die zwei Sekunden Zeit genommen, um sich zu melden? Irgendjemand hätte ihm doch entgegenfahren können. Selbst bei einem Sturkopf wie Jimmy ergab es einfach keinen Sinn, dass er nicht sofort Hilfe angefordert hatte.

Außer er hatte sein Funkgerät verloren.

Maggie stieß die Fahrertür auf. Ihre Gedanken bewegten sich schon wieder im Kreis. Und die noch wichtigere Frage – ob sie Gail in dem Restaurant treffen sollte oder nicht – stand auch immer noch im Raum.

Sie betrachtete ihre Umgebung, während sie auf das Gebäude zuging. Ihr Blick wanderte in einem fort hin und her wie der Beleuchtungswagen eines Kopiergeräts. Sie kontrollierte die gesamte Fassade der Reinigung. Die vom Boden bis zur Decke reichenden Fenster dienten nicht nur Werbezwecken – sie dienten auch der Sicherheit. Mindestens zweimal am Tag fuhr sie mit ihrem Streifenwagen hier vorbei und konnte dabei alles sehen, was dort drinnen passierte, ohne eigens anhalten zu müssen.

Die Klingel über der Tür ertönte, und warme, feuchte Luft schlug ihr entgegen.

»Officer Lawson.« Unter seinem buschigen Schnurrbart lächelte Mr. Salmeri sie breit an. »Ich nehme an, die Dame gehört zu Ihnen?«

»Ja.« Maggie sah sich um. Kate war bereits nach hinten verschwunden. Wahrscheinlich hatte sie längst eine Harnvergiftung. Sie würde noch zwei Minuten warten müssen. Auch mit viel Übung dauerte es etwa so lange, die Ausrüstung, den ersten und den zweiten Gürtel, die Hose, die Strumpfhose und, falls man sich nicht bereits eingenässt hatte, den Slip abzustreifen.

»Ihr Verlust tut mir sehr leid«, sagte Mr. Salmeri unvermittelt. »Officer Wesley war ein verlässlicher Mann.«

»Don war Kunde bei Ihnen?«

»Unser Polizistenrabatt ist einfach unschlagbar.«

»Sie sind wirklich sehr großzügig.« Maggie wusste, dass Salmeri die Uniformen der halben Truppe reinigte. Und sie wusste auch, dass dabei selten Geld über den Ladentisch ging.

»Ich hab noch ein paar von Officer Wesleys Sachen …« Er drückte einen Knopf am Kleiderkreisel und setzte ihn in Bewegung. »Er war erst letzte Woche hier.«

»Sie müssen nicht …«

»Da sind sie ja schon.« Der Kreisel stoppte. Salmeri hob einen Armvoll Sachen herunter. Jedes Teil steckte in einer Plastikhülle. Dons Uniform, ein paar Hosen mit weitem Schlag, ein leuchtend blaues Button-down-Hemd, dessen spitzer Kragen fast die bestickten Brusttaschen berührte.

»Das ist aber auffällig …« Kate kam von hinten herbeigeschlendert. Sie kämpfte immer noch mit ihrem Gürtel und versuchte, ihn wieder zu befestigen.

Maggie musste unwillkürlich lachen. »Jimmys Garderobe ist schwarz oder marineblau – außer im Sommer. Da ist sie grau oder marineblau.« Sie sah zu Salmeri hinüber. »Sind Sie sich sicher, dass das Dons Sachen sind?«

Salmeri legte das Bündel flach auf den Tisch. Dann zog er die Hülle mit dem auffälligen Hemd hervor und las das Papieretikett ab, das innen an den Kragen geheftet war: »Wesley.« Er hielt es ihr hin. »Er war wirklich modebewusst. Brachte viele interessante Sachen vorbei.«

Maggie betrachtete die anderen Kleidungsstücke, die an dem Kreisel hingen. Dons Sachen waren die einzig auffälligen. »Mr. Salmeri, ich will Sie nicht in Verlegenheit bringen, aber Sie sehen hier drinnen doch viele Leute. Nicht nur Polizisten und Geschäftsleute.«

Er nickte. »Das stimmt.«

»Sehen Sie vielleicht auch welche, die ihren Lebensunterhalt auf nicht ganz traditionelle Art und Weise verdienen?«

Er lächelte. »Ich bin Italiener, Herzchen. Sie können mit mir ruhig offen über Zuhälter reden.«

Maggie erwiderte sein Lächeln. »Ich will nur, dass Sie wissen: Wenn Sie mal irgendetwas hören sollten, können Sie es mir ruhig sagen. Ich gebe es dann nach oben weiter. Niemand muss erfahren, woher ich es weiß. Ich muss Ihren Namen nicht nennen. Es gibt hier und da sogar Belohnungen, insofern …«

Salmeri lächelte noch immer. Er legte seine Hände über ihre.

»Wissen Sie, Herzchen, ich sehe Ihren Wagen zwei-, dreimal täglich durchs Fenster. Sie kommen mit einem Lächeln auf Ihrem hübschen Gesicht hier rein, und Ihr Lächeln erleuchtet den ganzen Laden. Und ich frage mich immer: ›Warum lässt die Lady nicht ihre Sachen bei mir reinigen?‹« Er ließ sie nicht zu Wort kommen. »Ich glaube, weil sie es nicht für richtig hält.« Maggie wollte sich lieber nicht festlegen. »Ich mache zu Hause die ganze Wäsche selbst. Ich weiß, dass so was nicht immer einfach ist. Und es fällt einem noch schwerer, wenn man weiß, dass Sie es umsonst machen würden.«

Er lachte, sagte dann aber: »Es kann nie schaden, eine Polizeibeamtin zur Freundin zu haben.«

»Sie müssen mich nicht bestechen, Mr. Salmeri. Ich mache einfach nur meinen Job.« Maggie spürte, dass Kate sie inzwischen aufmerksam beobachtete. »Wir sollten wieder an die Arbeit gehen. Denken Sie darüber nach, was ich gesagt habe.«

»Einen Augenblick noch …« Salmeri zog eine Zigarrenkiste unter dem Tisch hervor und nahm den Deckel ab. Darin lag eine Unmenge kleiner Plastiktütchen, wie Dealer sie für Drogen benutzten. Offenbar verwendete Salmeri sie für die Gegenstände, die er in den Taschen seiner Kunden fand.

»Hier.« Er reichte Maggie einen transparenten Beutel mit der Beschriftung »Wesley«. Darin steckten zwei Vierteldollar, ein Zehncentstück und ein schwarzes Streichholzbriefchen. Vier Streichhölzer waren noch übrig.

»Dabbler's«, las Maggie auf der Lasche des Briefchens. Unter dem Schriftzug war ein Häkchen zu sehen, das vage an das Nike-Logo erinnerte. Keine Telefonnummer. Keine Adresse. »Haben Sie je von diesem Laden gehört?« Sie sah zu Salmeri auf.

»Tut mir leid. Nie was gehört und auch sonst bei niemandem ein Streichholzbriefchen von dort gesehen.«

»Hätten Sie vielleicht ein Branchenbuch, das ich mir kurz leihen dürfte?«

Er zog ein dickes Telefonbuch aus dem Regal hinter der Ladentheke. »Kam erst letzten Monat.«

Maggie blätterte bis D. Sie fuhr die Zeilen mit dem Finger entlang. Für Dabbler's gab es keinen Eintrag. Sie würde sich umhören müssen, ob irgendjemand diesen Laden kannte. In der Stadt machten ständig neue Geschäfte auf, und an deren Adresse kam man lediglich durch eine offizielle Anfrage bei der Telefongesellschaft oder indem man jemanden traf, der den Laden zufällig kannte.

»Tut mir leid.« Salmeri sah sie mitfühlend ein. »Vielleicht ist es ein neuer Laden?«

»Vielleicht.« Maggie klappte das Telefonbuch wieder zu.

»Vielen Dank.«

»Ich sperre die Ohren für Sie auf«, bot er an. »Sie haben recht. Bei mir reden die Leute über Sachen. Vielleicht kann ich mich ja mal diskret umhören.«

»Sehr diskret«, erwiderte sie. »Bringen Sie sich nicht in Schwierigkeiten.«

Er bückte sich zur Ladentheke hinab. Maggie wusste, dass er dahinter eine Schrotflinte versteckt hatte. »Hab ich schon mal erwähnt, dass ich Italiener bin?«

Sie nahm das Streichholzbriefchen und ließ die Münzen liegen. »Ich winke, wenn ich das nächste Mal vorbeifahre.«

Er nickte förmlich.

Als sie zur Tür hinausgingen, starrte Maggie erneut auf das Streichholzbriefchen hinab. Nirgends Spuren auf dem Karton – wo sich jemand womöglich eine Telefonnummer oder einen Namen notiert hatte. Sie könnte Jimmy nach der Bar fragen, aber dann würde er wissen wollen, aus welchem Grund sie ihn ausgerechnet danach fragte. Wenn sie sich über offizielle Kanäle an die Telefongesellschaft wandte, würde das bei Terry Alarm auslösen. Andererseits kannte sie eine Person, die bei Southern Bell arbeitete. Ob sie diese Person jedoch um Hilfe bitten konnte, war eine andere Frage.

»Hast du nicht gesagt, es wäre alles umsonst?« Kate kämpfte immer noch mit ihrem Gürtel, als sie Maggie zum Auto folgte. Das Ganze glich einem Puzzle, bei dem sie vergessen hatte, wie man es zusammensetzte.

»Es *kann* umsonst sein. Liegt an dir, ob du es annimmst oder nicht.« Maggie ließ den Schlüsselring um den Mittelfinger wirbeln, warf ihn in die Luft und fing die Schlüssel wieder auf. Sie machte das ganze drei Mal, bevor sie sagte: »Die Haken sind verkehrt herum.«

Mit einem Ächzen drehte Kate sie um. »Danke.«

»Wenn du auf die Toilette gehst, leg Kel und Stock ins Waschbecken – aber nie deine Waffe. Heb den Gürtel von den Metallhaken. Steck die Haken in die Tasche – immer in dieselbe. Zieh den Stecker deines Schultermikrofons aus dem Sender. Klemm dir den Stecker zwischen die Zähne, damit er nicht in die Schüssel fällt. Mach deinen Gürtel auf, nimm ihn dann mit in die Kabine und häng ihn an den Haken an der Tür. Wenn's keinen Haken gibt, leg ihn auf den Spülkasten der Toilette.«

Kate fragte nur: »Kel?«

»Kel-Lite – deine Stablampe. Und den Schlagstock.« Maggie klopfte auf ihre Lampe und ihren Schlagstock. »Hast du kontrolliert, ob deine Waffe gesichert ist, bevor du den Gürtel abgenommen hast?«

»Gesichert?«

»Wiederhol nicht immer alles, was ich sage.« Maggie zog den Revolver aus Kates Holster. Der Hahn lag flach auf dem Schlagbolzen. Sie hielt ihn ihr hin. »Du weißt, wie so was funktioniert, oder?« Sie zog den Hahn mit dem Daumen zurück. »Du musst ihn spannen, bevor du die Waffe abfeuerst.«

»Natürlich.« Kate klang, als hätte sie das alles irgendwann schon mal gehört, aber als würde es ihr eben erst wieder einfallen. »In der Ausbildung ...«

»Hat man dir auch gesagt, dass du nicht auf die Jungs mit den roten Krawatten schießen darfst.« Der Witz war älter als

Maggie. Den hatten schon Chip und Duke gerissen. Sie vermutete, dass jetzt, da Duke nicht mehr da war, Bud Deacon die Führung übernommen hatte. »Merk dir eins: ZSZ. Ziehen. Spannen. Zielen.«

Kate hatte ein merkwürdiges Grinsen im Gesicht, das Maggie nicht deuten konnte.

»Das ist nicht lustig – wenn der andere es schafft, zuerst auf dich zu schießen.« Maggie zeigte ihr, wie es ging, zog den Revolver, spannte den Hahn und richtete die Waffe nach vorn.

»Eigentlich sollte es SZSZ heißen, aber kein Mensch legt den Sicherheitsriemen vor.«

»Du schon.«

»Weil ich nicht will, dass mir die Waffe rausfällt, wenn ich jemanden verfolgen muss.« Sie deutete auf Kates Holster.

»Probier es, aber richte die Waffe auf den Boden und nicht auf mich.«

Kates Lippen bewegten sich, sie sagte sich jeden Schritt lautlos vor. Ihre Bewegungen waren langsam und ruckartig, fast wie die des Roboters aus *Lost in Space*.

Maggie versuchte, sich ihre Verärgerung nicht anmerken zu lassen. »Wenn du heute Abend zu Hause bist, nimm alle Patronen raus. Du weißt, wie das geht, oder?«

Kate nickte.

»Kontrolliere, ob der Zylinder wirklich leer ist, und dann übst du das Ziehen der Waffe. Spann den Hahn mit dem Daumen, während du die Waffe ziehst. Deshalb muss der Zylinder unbedingt leer sein – für den Fall, dass sie losgeht. Kugeln durchdringen Wände und Türen. Sie steigen in die Luft und fallen wieder runter. Und das ist jetzt das Wichtigste: Leg den Finger nie auf den Abzug. Leg ihn seitlich an den Abzugsbügel. Den Abzug darfst du nur berühren, wenn du wirklich schießen willst.«

»Das hat uns der Ausbilder auch gezeigt.«

»Dann bist du der Konkurrenz ja weit voraus.«

Kate lachte – tief aus dem Bauch heraus. Sie wollte die Waffe schon wieder einstecken, erinnerte sich dann aber daran, dass sie sie erst wieder sichern musste. »Sonst noch einen Rat?«

Maggie hatte jede Menge Ratschläge parat, aber sie war sich nicht sicher, ob sie ihre Zeit auf Kate Murphy verschwenden sollte. Wanda hatte es heute Morgen schließlich prophezeit.

Der Irische Frühling würde die erste Woche nicht durchstehen.

11

Fox saß mit einem Southern Comfort und einem halb leeren Schälchen mit Erdnüssen an der Bar. Er starrte in den Rauchglasspiegel hinter den Schnapsflaschen. Fox war kein eitler Mann. Er musterte den Raum hinter sich. Der Laden war beinahe leer. Es war eine schäbige Bar wie alle schäbigen Bars: dunkler Innenraum, schwarzes Kunstleder in den Sitznischen, dunkle Fliesen auf dem Boden, schwarze Wände, die das schwache Leuchten der Neonreklametafeln aufsaugten.

Doch die Einrichtung war unwichtig. Die Stammgäste waren nur wegen einer Sache hier.

Ein Mann im Anzug saß an einem kleinen Tisch in der Ecke. Er hatte den traurigen Blick einer mittleren Führungskraft und saß vor einem unberührten Glas Jack Daniel's. Ein paar Tische weiter saß ein Obdachloser. Er starrte feierlich die Wand an. Vor ihm standen eine Flasche Fusel und ein ölig aussehendes Glas. Sein Arm bewegte sich nur in zwei Richtungen: nach oben und nach unten. Glas zum Mund. Glas auf den Tisch. Glas zum Mund. Glas auf den Tisch. Nur wenn das Glas leer war, wich er davon ab, aber das Nachgießen war Aufgabe des anderen Arms.

Genau wie bei Senior. Und auch Senior hätte seinen Hut aufbehalten – seine Art anzudeuten, dass er nur auf einen schnellen Drink hier war, auch wenn alle anderen im Laden genau wussten, dass er stundenlang sitzen bleiben würde.

Die Tür ging auf. Sonnenlicht drang durch den Spalt. Fox kniff die Augen zusammen, sah aber nicht weg.

Noch ein Kerl im Anzug. Es ging auf Mittag zu. Der Laden würde bald voll sein.

Der neue Anzug setzte sich ein paar Hocker von Fox entfernt an die Bar. Er hob kurz das Kinn zu einem vagen Nicken.

Fox erwiderte die Geste nicht.

Stattdessen schob er dem Barmann sein Glas zu. Der Kerl war gut in seinem Job. Er hatte sofort begriffen, dass Fox kein Schwätzer war. Er schenkte ihm einen neuen Drink ein, legte eine neue Serviette auf und füllte das Schälchen mit den Erdnüssen, ohne auch nur ein einziges Wort über das Wetter oder Sport oder irgendeinen anderen Unsinn zu verlieren, worüber die Jungs sonst so ausdauernd reden konnten.

Wenn er diesen Job machen müsste, dachte Fox – in so einer Bar obendrein –, würde er sich irgendwann eine Kugel durch den Kopf jagen.

Die Pistole hatte er unter seiner Jacke. Eine Raven MP-25. Sechs Schuss, Halbautomatik, Perlmuttgriff. Eine klassische Saturday Night Special. Heute Morgen hatte er sie eine Stunde lang gereinigt, um ganz sicherzugehen, dass sie beim nächsten Mal nicht wieder eine Ladehemmung haben würde. Wahrscheinlich hätte er die Waffe wegwerfen sollen, aber er war immer schon sentimental gewesen. Sogar im Krieg hatte er seine Talismane dabeigehabt. Glückssocken. Glücksunterhemd. Glückswaffe.

Damals hatte er auch seinen Spitznamen bekommen. Im Krieg. Fox – wie ein tollwütiger Fuchs, nicht wie in *foxy*, sexy, wie ein anderer Soldat genannt worden war. Die Frauen waren bei dessen Anblick reihum in Ohnmacht gefallen, bis ihm das Gesicht weggeätzt worden war. Danach waren sie aus einem anderen Grund in Ohnmacht gefallen.

Wieder ging die Tür auf. Fox blinzelte das Sonnenlicht weg. Noch ein Kerl im Anzug. Er setzte sich neben den anderen an die Bar und nickte Fox ebenfalls zu.

Fox schüttelte eine Zigarette aus der Schachtel. Dann suchte er seine Taschen nach einem Feuerzeug ab.

Unaufgefordert legte der Barmann ein Streichholzbriefchen neben Fox' Glas und sprach dann den zweiten Anzug an. »Was ist nur mit diesem Wetter los?«

Der zweite Anzug antwortete, aber Fox war das Wetter egal. Er ballte die Faust um das Streichholzbriefchen. Allein der Anblick dieser Anzüge, die langen Koteletten und die ausgestellten Hosen brachten sein Blut in Wallung. Fox hatte sein Leben lang versucht, sich von seinem Vater abzugrenzen; jetzt aber kam ihm plötzlich der Gedanke, dass Senior diese Wichser der neuen Ära, die ihr Geld mit dem Mund und nicht mit den Händen verdienten, ganz genauso gehasst hätte wie er.

Vor noch nicht allzu langer Zeit war die Stadt voll gewesen von Männern, die Sachen bauten. Fabriken waren Tag und Nacht in Betrieb gewesen. Züge ratterten die Gleise entlang. Sattelschlepper brausten in alle Windrichtungen. Inzwischen kam all das Geld, das durch Atlanta floss, über irgendeinen Draht. Fremde verstopften die Bürgersteige vor den glänzenden neuen Bürogebäuden. Winzige, billige Autos verstopften die Straßen. Manchmal sah Fox zu den Wolkenkratzern auf, zu den neuen Hotels, und fragte sich, was zum Teufel dort drinnen eigentlich vor sich ging. Wie konnten diese Kerle in ihren Zweihundert-Dollar-Anzügen so viel Geld verdienen, einfach nur indem sie den ganzen Tag hinter einem Schreibtisch saßen?

Und wie kam es, dass Männer wie Fox sich vor ihnen verantworten mussten?

Die Welt hatte das Unterste nach oben gekehrt. Keiner schien mehr seinen Platz zu kennen.

Doch Fox kannte seinen Platz. Er hatte eine Mission, und das war das einzig Wichtige. Seine Aufgabe war es, die Welt wieder in Ordnung zu bringen. Wenn er es nicht täte, würde es mehr als nur Kollateralschäden geben. Als Fox sich das letzte Mal eine Pause gegönnt hatte, hatte er anschließend am Grab seiner Mutter stehen und dabei zusehen müssen, wie der billige Fichtensarg in der Erde versenkt wurde.

Nie wieder.

Aufgabe Nummer eins: Jimmy Lawson töten.

Zwei in den Kopf, wie bei dem anderen. Und dann würde Fox sich dem nächsten Ziel zuwenden.

Aber welchem?

Fox blickte auf das Streichholzbriefchen hinab. Das geschwungene Logo erinnerte ihn an die Kurve, die Kates Hals beschrieb, wenn sie sich über ihr Notizbuch beugte.

Er durfte jetzt nicht über Kate nachdenken. Dann tat er es doch.

Kate, wie sie im Streifenwagen saß. Kate, die sich Notizen machte. Kate, die sich über Funk meldete.

Kate in seinem Bett.

Da war es wieder – wie ein Foto. Kate, lang gestreckt auf weißen Satinlaken. Ihr Haar zerzaust. Arme und Beine gespreizt. Fox konnte kaum erkennen, wo ihre cremig weiße Haut endete und das Laken anfing. Er fragte sich, wie sie wohl roch. Wie sie schmeckte. Sich anfühlte.

Wer sollte je davon erfahren? Sie würde sowieso sterben. Und was war so schlimm daran, sich ein wenig mit ihr zu vergnügen, ehe es sie nicht mehr gab? Fox wusste, dass Kate es wollen würde. Ein sexbesessenes Mädchen wie sie war im Bett wahrscheinlich alle möglichen Schweinereien gewöhnt. Womöglich würde Fox sie an einen stillen Ort bringen müssen, damit niemand die Obszönitäten hörte, die aus ihrem Mund kämen.

Nur gut, dass in Fox' Keller bereits ein schalldichter Raum existierte.

Noch ein Zeichen dafür, dass der Plan Gestalt annahm. Noch am vergangenen Wochenende hatte Fox nicht die geringste Ahnung gehabt, warum er diesen Raum überhaupt schalldicht isolierte. Aber er hatte der Stimme vertraut, die in seinem Hinterkopf geflüstert hatte, und sich diverse Optionen überlegt. Noch während er die Isolierschichten verlegt hatte, hatte er gespürt, wie der Plan sich allmählich durch die Verästelungen seines Gehirns gearbeitet hatte. Natürlich hatte ein Teil von ihm da längst gewusst, dass er Kate Murphy umbringen würde, aber ein anderer hatte geunkt, dass es keinen ersichtlichen Grund gebe, warum er nicht erst noch ein bisschen Spaß haben sollte.

Es stimmte, er hatte noch nie eine Frau getötet. Vielleicht gab es irgendeine andere Art, es zu tun. Vielleicht gab es eine Option, die beiden das bescherte, was sie verdienten. So was wie den Scharfrichter bestechen, damit er mit seinem Beil einen besonders sauberen Schlag setzte.

Lektion fünf: Ein Mann ist auf jede Eventualität vorbereitet.

Wieder fiel Sonnenlicht durch die offene Tür. Noch zwei Anzüge betraten die Bar. Sie setzten sich auf die beiden freien Hocker zwischen Fox und den anderen Anzügen. Auch sie redeten übers Wetter. Zum zweiten Mal in nur zwei Minuten war man sich einig, dass es tagtäglich kälter wurde. Dann wandte sich die Unterhaltung dem Spiel gegen Alabama an diesem Wochenende zu.

Fox hörte nicht hin, obwohl ihn das Spiel sogar interessiert hätte. Als Soldat lernte man, sich zu konzentrieren.

Am liebsten hätte er sein Klemmbrett durchgesehen und den letzten Monat seiner Erkundungen noch einmal durchlebt. Aber mit so etwas konnte man sich nicht in eine Bar setzen. Die Leute würden ihn anstarren. Sogar in einem solchen Laden. Aber Fox hatte es ohnehin nicht nötig. Die Details von heute waren ihm noch frisch im Gedächtnis.

Capitol Homes. Techwood Homes. Bankhead Homes. Carver Street. Piedmont Avenue. Jimmy hatte Kate in fast jedes Drecksloch Atlantas gefahren.

Doch diese Bar war ein Drecksloch, das Kate nie zu Gesicht bekommen würde. Fox war jetzt in Jimmys Kopf. Er wusste, wie ein Mann wie er sich verhielt. Jimmy hatte sich Kate vor fast einer Stunde vom Hals geschafft. Und er hatte das aus einem ganz bestimmten Grund getan. Er musste seine Wunden lecken. Oder sie sich von jemand anderem lecken lassen.

In gewisser Weise war Fox froh darüber. Er wollte, dass Kate nicht in Jimmys Nähe war, wenn seine Zeit gekommen war. Diese Seite von Fox brauchte sie nicht zu sehen.

Oder vielmehr erst, wenn sie bereit war, sie zu sehen.

12

Maggie starrte zum Fenster hinaus, während sie mit ihrem Streifenwagen über die Ponce de Leon fuhr. Die Stadt hatte sich halbwegs beruhigt: Die Mädchen waren nicht mehr auf den Straßen unterwegs, die Zuhälter vertrödelten ihre Zeit wahrscheinlich in irgendeiner Zelle oder mussten sich hinter dem Gefängnis die Scheiße aus dem Leib prügeln lassen. Vermutlich war London Fog das Interessanteste, was ihr heute passieren würde. Ansonsten hatten sie bis jetzt lediglich einen unachtsamen Fußgänger ermahnt und einen Streit über ein Sandwich geschlichtet.

Neben ihr rutschte Kate auf ihrem Sitz hin und her. Sie bewegte sich steif, versuchte, eine bequemere Position zu finden. Maggie hätte ihr sagen können, dass es nichts bringen würde. Es gab keine Erleichterung. Sie würde lernen müssen, mit dem Schmerz zu leben.

Und obwohl sie es besser wusste, gab Maggie ihr einen Rat: »Heute Abend wirst du blaue Flecken haben. Es wird aussehen, als hätte dich irgendein Kerl verprügelt. Hüfte, Beine, Rücken. Jammere nicht, solange irgendjemand dich hören kann.«

»Natürlich nicht.«

Maggie kniff die Augen zusammen. »Ich will dir nur helfen.«

»Gottchen, wie sehr ich das zu schätzen weiß.«

Maggie ignorierte den hochnäsigen Buckhead-Tonfall. Was hatte sie eigentlich erwartet – dass Kate Murphy vor ihr auf die Knie sank und sich bedankte? Sie versuchte, sich daran zu erinnern, wie ihr eigener erster Tag gewesen war, den sie mit Gail Patterson verbracht hatte. Maggie hatte vorab schon genug gewusst, um ihre Uniform im Vorhinein umgeändert zu haben, aber wie bei Kate war die Mütze zu weit und ihre Schuhe so groß gewesen, dass sie sie hätte untervermieten können. Wann immer Maggie mal nicht gelangweilt gewesen war, dann hatte sie Angst gehabt, und dank Gails scharfer Zunge hatte sie sogar dann ein klein wenig Angst gehabt, wenn sie sich gelangweilt hatte.

»Hast du noch irgendwelche Fragen?«

Kate dachte einen Augenblick nach. »Was ist vor sechs Monaten passiert?«

Maggie wusste genau, worauf sie anspielte, fragte aber trotzdem nach: »Was meinst du?«

»Beim Morgenappell hat Captain Vick erwähnt, es dürfe sich nicht wiederholen, was vor sechs Monaten passiert ist.«

»Der Prozess gegen Edward Spivey.«

»Ach, der Mann, der am Ende doch nicht des Mordes an diesem Polizisten schuldig war?«

Maggie biss sich auf die Zunge. Sie ging Kates Frage noch einmal durch und versuchte, den Unterton zu analysieren. Niemand, den sie kannte, hatte Edward Spivey je einen Unschuldigen genannt. Was immer die Jury auch gesagt hatte: Sie alle wussten, dass er schuldig war.

»Er wäre doch fast auf den elektrischen Stuhl gekommen? Was wohl aus ihm geworden ist?«

»Er lebt inzwischen in Kalifornien.« Maggie zwang sich, das Lenkrad nicht ganz so fest zu umklammern. »Sonst noch was? Noch andere Fragen?«

Kate war klug genug, das Thema zu wechseln. Sie zog ihr Spiralnotizbuch heraus. »Wo gebe ich meine Notizen ab?«

»Du tippst sie ab und reichst sie innerhalb von achtundvierzig Stunden nach Ende deiner Schicht bei der Sekretärin des Dienstleiters ein – besser früher, wenn was Großes passiert ist.« Maggie hatte sich noch gar nicht nach Kates Vormittag mit Jimmy erkundigt. »Ist denn was Großes passiert?«

Kate blätterte ein paar Seiten um. »Wir waren in Capitol Homes. Wir waren in Techwood Homes. Wir waren in Bankhead Homes. Auf der Carver Street haben wir mit einem Herren unter Drogeneinfluss gesprochen. Und wir haben eine Frau in einer Wohnung an der Piedmont Avenue aufgesucht.«

»Dort wohnt Don … wohnte.«

»Oh. Na ja, sie wollte wissen, ob Jimmy die Schlüssel zu dem Chevelle hätte, der vor der Tür parkte.«

»Na klasse.« Maggie bog links in den Monroe Drive ein.

»Habt ihr von irgendjemandem was rausbekommen?«

»Ich bin im Auto geblieben. Aber Jimmy sah zumindest nicht so aus, als hätte er irgendwo Glück gehabt.« Sie klappte das Notizbuch zu. »Ich bin an der Highschool beim Tippen durchgefallen.«

»Die wenigsten von uns wären hier, wenn wir bestanden hätten.«

Einen Moment lang herrschte Schweigen. Sie hatten die Funkgeräte leise gestellt, sodass nur gelegentlich ein statisches Rauschen das Pfeifen des Winds durchbrach, der durch die offenen Fenster wehte.

»Durchschlagpapier bekommst du von der Materialstelle«, sagte Maggie dann. »Im Obergeschoss stehen zwei Schreibmaschinen, die wir für unsere Berichte benutzen dürfen, aber da gibt's immer eine Schlange, und die Schwarzen Mädchen sind zuerst dran.«

»Warum?«

»Frag die Schwarzen Mädchen.« Maggie legte den Ellbogen ins offene Fenster. Sie wusste nicht genau, warum sie sich mit dieser Frau immer noch unterhielt, obwohl nichts, was sie sagte, in einer Woche noch irgendeine Bedeutung haben würde. »Einfacher ist es, in die Bibliothek zu gehen. Dort kann man für zehn Cent pro Stunde eine Schreibmaschine mieten. In der Innenstadtfiliale ist es kühler. Wohnst du immer noch in Buckhead?«

Kate zögerte kurz. »Im Barbizon Hotel an der Peachtree.« Fast war Maggie ein bisschen neidisch. Der Irische Frühling war also eine waschechte Mary Tyler Moore. »Nicht mehr bei deiner Familie?« Sie schüttelte den Kopf.

»Und was sagt deine Mutter dazu, dass du Polizistin werden willst?«

»Sie macht sich Sorgen.«

Das offensichtliche Understatement entlockte Maggie ein Lachen. »Sie wird's dir nie verzeihen. Wart gar nicht erst darauf, dass es passiert.«

Kate drehte den Kopf zur Seite. Sie durchquerten inzwischen eins der Hippieviertel der Stadt. Die Häuser waren in allen Farben des Regenbogens gestrichen.

»Und was ist mit deinem Vater?«

»Er ist Gärtner …«

Endlich fiel bei Maggie der Groschen. Kate war zwar offenbar in Buckhead aufgewachsen, aber sie brauchte einen Job, genau wie der Rest von ihnen auch. »Arbeitet er auf einem dieser großen Anwesen?«

»Ja. Wir hatten dort eine Wohnung über der Garage …«

»Wie in *Sabrina.*« Maggie liebte diesen Film. »Und was hast du früher gemacht?«

»Als Sekretärin gearbeitet. Ich hab's gehasst.«

»Wie kamst du darauf, dich für diesen Job zu bewerben?«

»Dummheit?« Kate stellte ihr die Gegenfrage: »Was ist mit dir? Warum hast du dich gemeldet?«

»Um meine Familie zu ärgern.« Dann beschloss sie, auch die Motive der anderen Mädchen darzulegen. »Charlaine kam, weil ihr Mann ein Säufer ist und sie drei Kinder durchfüttern muss.«

Vor einer Ampel ging Maggie vom Gas. »Wanda kam, weil sie in der Zeitung einen Artikel über Motorradpolizistinnen gelesen hatte.«

»Wanda Clack?«, hakte Kate nach, als müsste sie die Namen erst wieder zuordnen. »Diesen Artikel hab ich auch gesehen.«

»Es gab jede Menge Artikel«, entgegnete Maggie. »Wanda wollte Harley fahren, und man hat ihr gesagt: ›Klar, Lady. Unterschreiben Sie einfach auf dieser gepunkteten Linie.‹«

»Ich hatte den Eindruck, dass die Fahrlehrer keine Frauen ausbilden …«

»Und dieser Eindruck ist korrekt«, fiel Maggie ihr ins Wort. »Inzwischen schlägt sie sich daher genauso mit Hühnerknochen rum wie wir anderen auch. Eine Maschine sieht sie nur, wenn irgendein Arschloch auf eine aufspringt, um vor ihr davonzufahren.«

»Hühnerknochen? Was soll das heißen?«

»Sinnlose Anrufe, derentwegen man irgendwohin fahren muss, und dann findet man dort nur zwei Idioten vor, die sich über irgendeinen Mist streiten.«

»Ein Sandwich beispielsweise«, bemerkte Kate. Wenigstens hatte sie aufgepasst.

An der Ansley Mall fuhren sie rechts auf die Piedmont Road. Maggie winkte einigen Polizisten zu, die in ihren Streifenwagen saßen und ein spätes Mittagessen zu sich nahmen. Auf ihrer Rückbank waren mindestens fünf erwachsene Männer eingepfercht. Große Kerle. Sie mussten sich seitlich drehen, um überhaupt hineinzupassen.

»Wohin fahren wir?«, fragte Kate.

»Zum Colonnade Restaurant.« Gail hatte zu Maggie gesagt, sie solle sich dort mit ihr treffen, falls sie Interesse daran hatte, eine bestimmte Spur zu verfolgen, und im Augenblick war Maggie an allem interessiert, was ihr das Gefühl gab, Polizistin zu sein und nicht Kindermädchen.

»Das Colonnade?«, wiederholte Kate. »Ist das nicht der Laden, in den Mütter an Thanksgiving mit ihren homosexuellen Söhnen gehen?«

Maggie hatte keine Ahnung, wovon sie redete. »Ich glaube nicht, dass die dort Schwule reinlassen. Viele Polizisten gehen dort essen.«

Wieder hatte Kate dieses merkwürdige Lächeln im Gesicht.

»Wir gehen nicht essen. Ich muss mich dort mit jemandem treffen.«

»Mit einer Freundin?«

»Einer ZB. Zivilbeamtin. Sie wollte den Namen eines Zuhälters in Erfahrung bringen, mit dem wir reden können.« Maggie beschleunigte, um eins dieser merkwürdigen ausländischen Autos zu überholen. »Die Gegend, wo Don getötet wurde – Five Points –, ist ein Hurenviertel. Vielleicht hat eine von ihnen ja irgendwas gesehen. Und falls ja, brauchen wir die Erlaubnis ihres Luden, um mit ihr reden zu können. Ansonsten sieht sie uns nicht mal mit dem Hintern an.«

»Wir müssen also erst mit dem Zuhälter reden, bevor wir uns mit der Prostituierten unterhalten dürfen, die für ihn arbeitet?« Kate nickte langsam. »Sollten wir nicht eigentlich nach der Waffe suchen, mit der geschossen wurde? Die Raven MP-25?«

»Danach suchen die Jungs.« Maggie erwähnte lieber nicht, in welche Schwierigkeiten sie geraten würden, wenn sie den Männern über den Weg liefen, die mit diesem Aspekt des Falls betraut waren.

»ZB – ist das so was wie ein Detective?«

Maggie hatte allmählich keine Lust mehr auf all die Fragen. »Nur Männer sind Detectives.«

Anscheinend hatte Kate ihren Tonfall endlich richtig gedeutet. Sie sah zum Fenster hinaus und schwieg.

Inzwischen waren sie in einer anderen Umgebung unterwegs. Die Hippieläden hatten Hurenhäusern Platz gemacht. Die Piedmont war gesäumt von Massagesalons, Kifferbuden und Geschäften für Sexspielzeug. Maggie war nicht wohl bei dem Gedanken, Kate zu Gail mitzunehmen. Nicht dass Kate sich aufführte, als wäre sie besser als alle anderen. Aber sie klang nun mal leider so. Und verdammt, sie sah auch danach aus. Ihre Fingernägel waren nicht abgekaut. Ihr üppiges Haar glänzte. Wahrscheinlich hatte sie ihren protzigen Akzent nur, weil sie mit all diesen Buckhead-Kindern zur Schule gegangen war. Trotzdem würde Gail neben Kate Murphy klingen, als versuchte sie, sich Morast aus der Kehle zu röcheln.

Andererseits mochten Maggies Befürchtungen auch völlig unangebracht sein. Gail konnte jede Situation mit einem Lachen entschärfen, nur durfte man dabei nicht vergessen, dass der Donner nie weit weg war.

»Hör mal, spiel bei Gail bloß nicht die Neunmalkluge. Stell ihr keine blöden Fragen. Stell ihr gar keine Fragen. Sie kann sehr aufbrausend sein.«

»Wie die Schwarzen Mädchen?«

»Genau das meine ich.«

»Was …«

Maggie warf ihr einen finsteren Blick zu.

»Oh, okay.« Kate atmete verlegen aus. »Gail ist die ZB, die wir gleich treffen.«

»ZBs arbeiten bei der Sitte. Sie verkleiden sich als Prostituierte.« Maggie bog in die Cheshire Bridge Road ein. Die Massagesalons wichen Striptease-Clubs und Pfandhäusern mit Peepshow-Kabinen. »Gail fängt die Anzugträger aus Buckhead ab, die hierherkommen, um mal was Fremdartiges zu erleben.«

»Klingt aufregend.«

»Besser als Hühnerknochen.«

»Zweifelsohne.«

Maggie bremste und steuerte den Parkplatz des Colonnade an. Auf der rückwärtigen Seite stand das dazugehörige Hotel. Dort wurden Zimmer halbstundenweise vermietet. Als Maggie

Gail entdeckte – neben dem Empfangsgebäude, eine Zigarette in der Hand und die blonde Perücke schief auf dem Kopf –, blendete sie kurz auf.

Gail nahm einen letzten Zug und stieß sich dann von der Wand ab. Auf schmalen, hohen Absätzen stöckelte sie auf sie zu. Ihr Lidstrich war verschmiert, der Lippenstift größtenteils abgenagt. Maggie wollte, dass sie hübscher, raffinierter aussähe, doch jetzt gerade erweckte Gail eher den Eindruck, als hätte das Leben sie Stück für Stück niedergeprügelt.

Gail lehnte sich in Maggies offenes Fenster. Der Geruch von Whiskey und Zigaretten breitete sich im Auto aus. »Mein Gott, Mama!« Sie sah zu Kate hinüber. »Wie hast du's durch den Morgenappell geschafft, ohne dass die Jungs dich bei lebendigem Leib aufgefressen haben?«

Kate starrte die andere Frau nur an. Maggie konnte fast sehen, wie sie sich Gails Worte noch einmal vorsagte und versuchte, Sinn in ihr South-Georgia-Nuscheln zu legen.

Schließlich sagte sie: »Gottchen, ich schätze, ich hatte ausnahmsweise Glück.«

Zum Glück nahm Gail den Sarkasmus nicht zur Kenntnis.

»Scheiße. Wenn ich so ein Gesicht hätt, wär ich mit Keith Richards verheiratet und würd jedes Jahr ein Blag werfen.« Sie zwinkerte Maggie zu und sagte dann zu Kate: »Nimm deine Mütze ab, Herzchen. Will sehen, ob das Blond echt ist.«

Kate straffte die Schultern.

»Wie du willst, Püppchen. Hab ja nich' gesagt, du solls' die Hosen runterlassen.« Dann wandte sie sich wieder an Maggie. »Hab da 'ne Tussi, die meint, sie hätte vielleicht Informationen, wenn wir ihr mit ihren Schulden für ein bisschen Stoff weiterhelfen.« Sie nickte in Richtung Hotel.

»Hat gerade 'nen Kunden. Dürfte noch fünf Minuten oder so dauern.«

»Na klasse.« Maggie versuchte zu reden und gleichzeitig den Atem anzuhalten. Gail war nicht nur beschwipst. Sie war richtiggehend betrunken. Sie lallte. Offensichtlich musste sie sich am Auto abstützen, damit sie nicht umkippte.

Doch keine noch so große Menge Schnaps konnte Gails Wahrnehmung trüben. »Was is?«

Maggie schüttelte den Kopf. »Hast du irgendeine Ahnung, wohin dieses Mädchen uns führen könnte?« Bei Nutten war es immer besser, die mögliche Antwort schon vorher zu kennen, bevor man die Frage stellte.

»Mir fällt da so einiges ein, aber ich wette auf diesen Neuen, den sie Sir She nennen.«

Kate lachte bellend.

Sowohl Maggie und Gail sahen sie überrascht an.

»Tut mir leid«, sagte Kate, »aber das ist echt lustig. *Circe?*«

Maggie musste sich ein Grinsen verbeißen. Offensichtlich hatte Kate den Namen mächtig missverstanden. Und – schlimmer noch – Gail war zu betrunken oder zu dumm, um den Unterschied zu hören.

Maggie beschloss, Kate ein wenig in ihre Schranken zu weisen. »Eins solltest du wissen, Murphy. Schwarze Zuhälter benutzen Namen aus der griechischen Mythologie. Weiße benutzen römische Götter.«

Kate wieherte jetzt fast. »Meinst du das ernst?«

»Verdammt noch mal, ja, klar meint sie das ernst.« Gail schnippte mit den Fingern. »Warum schreibst du's dir nich' auf, Mädchen?«

Kate zückte ihr Notizbuch und schüttelte den Kopf.

»Mein Gott«, murmelte Gail, »dieses Mädchen hat ja gar nichts gelernt. Warst du an der Akademie überhaupt im Unterricht?« Sie öffnete die Tür, damit Maggie aussteigen konnte. Sie machte sich nicht die Mühe, ihre Stimme zu senken.

»Aber von was redet die überhaupt?«

Maggie hätte nicht antworten können, ohne laut loszuprusten. »War ich je so grün?«, brachte sie stattdessen hervor.

»Du bist schon mit der Marke auf die Welt gekommen. Vergiss das ja nich'.« Gail legte Maggie die Hand auf den Arm, um sich an ihr abzustützen. »Hör mal, diese Nutte, mit der wir gleich reden, die ist nich' wahnsinnig verlässlich.«

»Ist je irgendeine verlässlich?«

Gail grunzte. Ihre Lunge klang feucht. »Das Problem is: Sie hat einen ziemlichen Hass auf mich. Kann's ihr nich' mal übel nehmen. Hatte sie in letzter Zeit ziemlich heftig an den Eiern.«

Maggie fragte sich kurz, ob sie das im übertragenen Sinn oder wörtlich meinte. »Warum?«

»Weil sie nich' so dumm sein sollte, den ganzen Tag nur rumzusitzen, Schwänze zu lutschen und sich Speed zu drücken.«

»Speed?« Das gefiel Maggie nicht. Speed-Junkies waren unberechenbar. »Hat sie heute schon was genommen?«

»Wir kriegen sie schon ruhiggestellt.« Gail wühlte in ihrer Handtasche, suchte wahrscheinlich nach einer Zigarette.

»Will damit nur sagen, es könnt vielleicht ein bisschen Nachbohren nötig sein.«

Maggie wusste genau, wie Gail nachbohrte. Normalerweise schloss das einen Schlagstock mit ein.

»Scheiße, ich hab keine Kippen mehr …« Gail blickte von ihrer Tasche hoch. »Du solltest wirklich anfangen zu rauchen.«

»Bei dir sieht's aus, als wär's was Glamouröses.«

»Wenn ich dich nich' so sehr gernhätt, würd ich dir dafür jetz' eine verpassen.« Gail packte Maggie am Arm. Sie hatte fast ihr Gleichgewicht verloren. »Du weißt, auch wenn wir aus dieser Schlampe irgendeinen verlässlichen Namen rausbekommen, müssen wir erst die Schwarzen Mädels fragen, ob wir in Coon Town arbeiten dürfen.«

Maggie wollte lieber nicht darüber nachdenken, wie schnell diese ganze Sache zu ihrer geworden war. »Ich kümmer mich darum.«

»Braves Mädchen. Wir nehmen mein Auto. Mit deinem Streifenwagen solltest du grundsätzlich nicht durch CT fahren.«

Da hatte sie recht. In CT – oder auch Colored Town, Stadt der Schwarzen, wie das Viertel genannt wurde – wurden weiße Beamte nicht gerade mit offenen Armen empfangen. Sogar die Schwarzen wurden nervös, wenn sie nach Einbruch der Dunkelheit dorthin gerufen wurden.

»Wenn Püppchen dann noch da is, wär das 'ne super Lektion für sie.«

Auch darüber, welche Art von Lektion Gail im Sinn hatte, wollte Maggie lieber nicht nachdenken. »Hast du je von einer Bar namens Dabbler's gehört?«

Gail wich ein Stück zurück. »Woher zum Teufel weißt du von Dabbler's?«

»Ich bin Polizistin. Ich weiß alles.«

Gail schüttelte den Kopf. Das war für gewöhnlich ihr Spruch gewesen.

»Weißt du, wo sie liegt?«

»Verdammt, nein, ich weiß nich', wo sie liegt. Und du, versuch gar nicht erst, es herauszufinden, hast du mich verstanden?« Sie nickte in Kates Richtung. »Vor allem nich' mit Püppchen dort drüben. Die ziehen ihr die Haut vom Leib.«

»Hat Don die Bar jemals erwähnt?«

»Natürlich nich'. Verdammt, was ist denn los mit dir?« Sie schien regelrecht empört über den Gedanken zu sein. »Das dauert mir jetz' zu lang. Ich hol mir ein paar Fluppen aus dem Restaurant, dann klopf ich bei ihr an.« Maggie wollte ihr schon folgen, doch Gail wies sie zurück. »Halt lieber die Augen offen.«

Maggie lehnte sich ans Auto und sah Gail nach. Vielleicht hatte Don das Streichholzbriefchen ja irgendeinem Verdächtigen abgenommen. Gails Reaktion legte das nahe. Es war alles andere als ungewöhnlich, dass Polizisten derlei Dinge an sich nahmen. Maggie hatte noch keinen einzigen Mordtatort gesehen, an dem nicht irgendein Detective die Brieftasche des Opfers nach Bargeld abgesucht hätte.

Ihr größeres Problem war indes Gails Alkoholkonsum. Sie hatte immer ein bisschen was intus – aber heute lag die Sache anders. Sie war bei der Arbeit noch nie nachlässig gewesen. Vielleicht war an ihrer Beziehung zu Don mehr dran gewesen, als sie behauptet hatte.

Kates Tür schwang auf und knallte wieder zu. Sie hielt noch immer ihr Notizbuch in der Hand. »Sie ist wirklich reizend.«

Maggie sagte nichts.

»Vielleicht darf ich sie mal auf einen Drink einladen.« Maggie ignorierte auch das. Sie beobachtete Gail, die gerade im Eingangsbereich des Restaurants mit der Faust gegen den Zigarettenautomaten hämmerte.

»Kann ich dich mal was Ernsthaftes fragen?«, fragte Kate.

»Schätze, du kannst.«

Kate steckte die Spitze locker weg. »Du hast den Namen doch schon – Circe. Warum musst du dafür noch diese Prostituierte belästigen?«

Maggie biss sich auf die Unterlippe. Sie konnte sich nicht erinnern, wann sie das letzte Mal eine Prostituierte *belästigt* hatte. »Weil sie alle lügen wie gedruckt. Man stellt so vielen Leuten wie möglich die gleiche Frage, und wenn dir alle die gleiche Antwort geben – oder zumindest die meisten –, dann bist du wahrscheinlich so nah an der Wahrheit, wie es nur geht. Und da ich gerade in der Stimmung bin, dich an meiner Weisheit teilhaben zu lassen, rate ich dir: Geh lieber sanft mit Gail um.«

»Weil sie so aufbrausend ist?«

»Weil sie nicht diejenige ist, nach der es aussieht.« Maggie drehte sich um, weil sie wissen wollte, ob Kate auch wirklich zuhörte. »Das Zeug, das sie dir an der Akademie beibringen, was du aus Büchern lernst – hier draußen ist das alles unwichtig. Polizist zu sein lernt man nur, indem man anderen Polizisten zusieht. Alles, was ich über die Straße weiß, weiß ich von Gail.«

»Zum Beispiel?« Kate hob Block und Stift.

Zuerst wusste Maggie nicht, was sie sagen sollte. Doch dann schoss ihr eine Sache durch den Kopf. »Es gibt natürlich Ausnahmen, aber meistens ist es folgendermaßen: Weiße bringen eher Weiße um. Schwarze töten Schwarze. Schwarze Männer vergewaltigen Schwarze Frauen. Weiße Männer vergewaltigen weiße Frauen.«

»Und deshalb ...«

»Deshalb brauchst du keine Angst zu haben, durch üble Gegenden zu fahren. Wahrscheinlich bist du in deinem eigenen Viertel eher in Gefahr.«

»Das ist ja tröstlich.«

»Gott, ja, nicht wahr?« Auch Maggie konnte sarkastisch sein. »Dir könnte wirklich Schlimmeres passieren, als dass du dich mal auf Gail Patterson verlassen musst.«

»Ich bin mir sicher, du hast recht.«

Maggie gab es auf. Sie hatte Wichtigeres zu tun, als Kate Murphy von ihrem hohen Ross zu holen.

Gail hatte das Restaurant inzwischen verlassen und lief über den Parkplatz auf den Hoteleingang zu. Sie klopfte sich mit der Zigarettenschachtel auf den Handballen. Sie torkelte. Maggie fragte sich, ob sie sich im Restaurant einen weiteren Drink genehmigt hatte.

»Was ist mit dem Shooter?«, fragte Kate.

»Was?«

»Der Mann, der gestern Nacht Don Wesley umgebracht hat«, verbesserte sich Kate. »Dein Bruder hat doch gesagt, er sei Schwarz gewesen, oder? Und ich nehme an, Don Wesley war weiß.«

Maggie ging um den Kühler ihres Wagens herum. Gail hatte mittlerweile das Hotel erreicht. »Wie gesagt, es gibt natürlich Ausnahmen.«

Kate war offensichtlich nicht zufrieden mit der Antwort. Dennoch klappte sie ihr Notizbuch zu und stellte sich neben Maggie. Sie lehnten beide an der Motorhaube. Kate brauchte ein paar Sekunden, um eine bequeme Position zu finden. Ihre Mütze rutschte ihr immer wieder über den Nasenrücken, und sie schaffte es nicht, Schlagstock und Kel-Lite gleichzeitig aus dem Weg zu schaffen.

Maggie behielt die Umgebung im Blick, damit Gail auch ja nicht aus dem Hinterhalt überfallen würde. Das Hotel bestand aus vier zweistöckigen Einzelgebäuden mit je vier Zimmern pro Etage. Den Parkplatz teilte es sich mit dem Restaurant. Die Gebäude waren so heruntergekommen, wie man es hätte erwarten können. Einige Fenster waren schlicht kaputt. Andere waren mit Plastikfolie überklebt. Von der Verkleidung blätterte die Farbe ab. Der Zustand war dem des Lawson-Hauses deprimierend ähnlich.

Als sie am ersten Haus vorüberging, zündete Gail sich eine Zigarette an. Beim zweiten blieb sie vor der zweiten Außentür im Erdgeschoss stehen. Sie war fast fünfzig Meter weit entfernt, doch Maggie hatte freie Sicht. Gail hob die Faust. Die Tür öffnete sich, noch ehe sie angeklopft hatte. Ein überrascht wirkender Mann im Anzug stand vor ihr. Beide schwiegen einen Augenblick, dann eilte der Mann auf den Parkplatz hinaus.

»Jimmy hat mir gesagt, wenn irgendjemand vor mir davonläuft, dann jage ich ihm nach«, sagte Kate beiläufig.

»Der läuft nicht vor uns davon. Der geht jetzt heim zu seiner Frau.« Maggie hatte den Blick nicht von Gail abgewandt, die wiederum dem Mann nachstarrte. Sie wirkte verärgert, und dann zuckte sie erschrocken zusammen, als ein schriller Schrei die Luft zerriss.

Maggie hatte ihren Revolver in der Hand, noch ehe sie wusste, was vor sich ging. Ihr Hirn fügte das Bild zusammen, noch während sie anfing zu rennen. In dem Zimmer schrie jemand wie eine Furie. Dann kam die Nutte in Sicht. Sie hatte den Mund weit aufgerissen. Sie war von der Taille aufwärts nackt und völlig zugedröhnt. Von ihrem Oberarm baumelte noch die Aderpresse. Immer noch schreiend rammte sie Gail zu Boden und begann, mit den Fäusten auf sie einzudreschen.

»Aufhören!«, schrie Maggie und rannte auf die beiden Frauen zu, doch die Hure hörte nicht auf. Gails Gesicht war bereits blutüberströmt. Sie wehrte sich kaum.

Maggie sprang über ein Schlagloch hinweg. Noch dreißig Meter. »Aufhören, verdammt!«

Die Hure hob den Kopf. Ihre kleinen Brüste sahen aus wie ein zweites Augenpaar. Sie schaute verblüfft drein, als sie erkannte, dass Maggie die Waffe auf sie gerichtet hatte. Maggie hingegen war verblüfft, weil Kate Murphy neben ihr herlief. Sie hatte die Ellbogen durchgedrückt und hielt die Waffe ausgestreckt vor sich.

»Ausschwärmen!«, rief Maggie und deutete nach rechts.

»Sie darf nicht entkommen!«

Doch natürlich rannte die Nutte sofort los. Sie schien einen Augenblick nachzudenken und entschied sich dann für Maggies rechte Seite, weil sie sich im Bruchteil einer Sekunde ausgerechnet zu haben schien, dass Kate sie nicht würde einfangen können. Kate hatte bereits einen Schuh verloren. Die provisorischen Hosenumschläge lösten sich. Ein Ärmel hatte sich so weit abgerollt, dass er hinter ihr herflatterte wie ein Wimpel.

Trotzdem jagte sie der Nutte nach, die barbusig, wie sie aus der Tür getreten war, auf eine Gasse zwischen Hotel und Restaurant zusteuerte.

Gail stand jetzt wieder und setzte ihnen nach. »Das is 'ne Sackgasse«, nuschelte sie. Blut lief ihr übers Gesicht, aber sie lief so schnell, dass Maggie kaum mithalten konnte. »Ich bring die verdammte Schlampe um!«

Sie stürmten um die Ecke und in die Gasse hinein. Die Nutte hatte wieder angefangen zu schreien. Kate war immer noch hinter ihr her. Sie hatten beide ihre eigene Art von Tunnelblick. Kate war die Mütze auf den Nasenrücken gerutscht. Weiter als einen guten Meter konnte sie nicht sehen. Keine der beiden hatte bemerkt, dass am Ende der Gasse eine Mauer aus Betonziegeln stand.

»Stopp!«, schrie Maggie. »Murphy, halt!«

»Scheiße«, zischte Gail. »Weiß sie denn nicht, dass man beim Laufen die Arme anwinkeln muss?«

»Da ist eine Wand!«, schrie Maggie. »Kate! Da ist eine ...«

Zu spät. Kate und die Hure hatten die Wand inzwischen direkt vor Augen, aber zu viel Schwung, und krachten nebeneinander gegen die Mauer. Ein paar beinahe komische Sekunden lang versuchte Kate, sich auf den Füßen zu halten, doch dann fiel sie auf den Rücken.

Gail griff nach ihrer Handtasche, doch anstatt eine Waffe oder Handschellen zu zücken, schnappte sie sich ihren Funksender. Maggie hatte keine Ahnung, was sie vorhatte – bis es passierte.

»Blöde Schlampe!« Gail rammte der Hure den Plastikziegel ins Gesicht. Blut spritzte an die Mauer, und die Hure sackte zu Boden. »Glaubst du wirklich, du kannst mich verprügeln?« Gail trat der Frau in den Bauch. »Und vor einer Polizistin davonlaufen?« Sie trat noch einmal zu. »Gottverdammte Hure!«

Kate lag immer noch am Boden. Sie hatte zu viel Angst, um sich zu bewegen, und hob die Hände, als erwartete sie, als Nächste dran zu sein.

Aber Gail sah sie überhaupt nicht. Sie trat wieder und wieder nach der Hure. »Bist du bescheuert?« Und wieder trat sie zu. »So was Saublödes!«

»Gail«, rief Maggie. Manchmal funktionierte es.

»Scheiße ...« Gail wischte sich über den Mund. Kinn und Hals waren blutverschmiert. Ihre Nase war schief. In ihren Augen loderte ein wilder Blick. Das kam vom Adrenalin. Der Wut. Dem Schmerz. Das alles peitschte sie regelrecht auf.

»Hab ich meine Zähne noch?« Sie brachte ein blutiges Grinsen zustande.

Maggie wusste nicht, was sie sagen sollte. Sie sah nur Rot.

»Ja.«

»Na, Gott sei Dank.« Dann wandte sie sich an Kate und zog sie an beiden Armen hoch. »Gut gemacht, du Schaf. Hast jemanden gegen eine Klinkerwand gejagt.« Sie blickte die Wand empor. »Betonziegel? Was soll's, is doch egal.«

Kate atmete zu schwer, um antworten zu können.

»Alles okay?« Gail fegte ein wenig Staub von Kates Uniform. »Bist du okay, Schaf?«

Kates Körper verkrampfte sich, als Gail sie berührte.

»Schau sie dir an«, wandte Gail sich an Maggie. »Man könnt meinen, sie wär eine Meile gerannt und hätt nicht nur eine zugedröhnte Hure in eine Sackgasse verfolgt.« Erneut hustete sie. »Ein kleiner Rat von mir, Herzchen. Beim Laufen die Arme anwinkeln. Kapiert?«

Kate nickte stumm.

»Kapiert?«, wiederholte Gail. »Du siehst aus wie ein verdammtes Schaf, wenn du rennst.«

»Kapiert.« Kate presste sich die Hand an die Brust. Sie sah verängstigt aus.

»Und du …« Gail stieß die Hure mit der Schuhspitze an. Maggie konnte nicht glauben, dass Gail es geschafft hatte, auf derart hohen Absätzen zu rennen. Ihre Füße waren blutig, wo die Riemen ihr ins Fleisch geschnitten hatten. Sie selbst schien es jedoch nicht im Geringsten zu bemerken, nicht einmal, als sie der Hure den Fuß auf die Schulter setzte.

»Los, komm, du Schlampe. Bring mich nicht dazu, dich noch einmal zu schlagen.«

»Lass …«, hob Maggie an, doch Gail gebot ihr mit erhobener Hand Einhalt.

»Wie ist der Name, Süße? Wie lautet der Name, den du für mich hast?«

Die Hure wandte sich ab und rollte sich am Fuß der Wand zusammen. Mit den Händen bedeckte sie ihre nackten Brüste.

Sie bot einen erbärmlichen Anblick. Ihr gebleichtes Haar war strähnig und schmutzig. Ihre Haut hatte die Farbe von Mehl. Um die Taille war sie spindeldürr. Die Rippen standen vor wie Zaunlatten.

»Den Namen«, wiederholte Gail. Sie sah dieselben Dinge wie Maggie, aber sie stachelten ihre Wut eher an, als sie abzuschwächen. »Wie ist der Name, Süße? Gib mir den Namen.«

»Violet.«

»Deinen Namen kenne ich, du Esel! Weißt du noch, dass wir mal darüber geredet haben? Ich will wissen, zu welchem Luden die Mädchen an der Whitehall gehören. Ich muss ihm ein paar Fragen stellen.«

Violet schüttelte den Kopf. Sie wollte nicht hochsehen.

»Soll ich dir vielleicht in die Nieren treten?« Gail drückte dem Mädchen die Schuhspitze in den Rücken. »Willst du in den nächsten zwei Wochen Blut pinkeln?«

Das Mädchen antwortete nicht, und Gail holte mit dem Fuß aus.

»Nicht!«, kreischte Kate. Sie hatte die Hände ausgestreckt, die Innenseiten nach vorne. Panik flammte in ihren Augen.

»Warte kurz, okay?«

»Worauf denn?«, fragte Gail.

Kate antwortete nicht.

»Weißt du überhaupt, was wir hier machen?« Gail ging einen Schritt auf sie zu, dann noch einen, bis Kate mit dem Rücken an der Mauer stand. »Don Wesley ist tot, Lady. Irgendwer hat ihn umgebracht, ihn niedergeschossen wie einen verdammten Straßenköter, und dann wollte er sich *ihren* Bruder vornehmen.« Sie zeigte mit dem Daumen auf Maggie. »Diese Hure, um die du dir solche Sorgen machst, deckt einen Polizistenmörder. Einen Polizistenmörder, der jetzt in diesem Augenblick den Nächsten von uns umbringen könnte.« Sie schlug Kate seitlich an den Kopf. »Kannst du nach deinen gottverdammten drei Minuten bei der Truppe schon so weit denken?«

Gail wollte sie noch einmal schlagen, aber Maggie riss sie am Arm zurück.

Mehr war nicht nötig. Wie alle Schlägertypen brauchte Gail nur jemanden, der ihr Paroli bot.

Sie wandte sich von Kate ab. Schwarze Wimperntuschetränen liefen ihr über das Gesicht. Ihre Kiefermuskeln waren so angespannt, dass Maggie unwillkürlich an Jimmy denken musste, wie er am Morgen gefrühstückt hatte.

»Schon gut, Darling«, murmelte Gail, »ich bin okay.« Maggie ließ ihren Arm los.

Gail marschierte die Breite der Gasse ab, einmal, zweimal. Offensichtlich lief in ihrem Kopf eine Unterhaltung ab. Immer wieder nickte sie. Und wenn sie nicht nickte, schüttelte sie den Kopf.

Dann blieb sie stehen, wandte sich abrupt zu Maggie um und stützte sich auf deren Schulter ab. Sie zog erst einen Stöckelschuh aus, dann den anderen. Dann drehte sie sich um. Sprang in die Luft und landete mit beiden Füßen auf dem Bein der Nutte.

Das Krachen splitternder Knochen dröhnte durch die Gasse.

»Scheiße!« Violet umklammerte ihr Bein mit beiden Händen. Sie lag auf der Seite und schaukelte mit dem Oberkörper vor und zurück. »Oh Mann! Oh Gott! Oh Scheiße!«

Maggie war wie betäubt. Sie konnte nicht einmal das Herz in ihrem Brustkorb spüren. Kate sackte an der Mauer nach unten. Ihr Gesicht war aschfahl.

Gail kniete sich hin. Sie rieb der Nutte über den Rücken, als wäre nicht sie diejenige, die ihr soeben unsägliche Schmerzen zugefügt hatte. Ihre Stimme klang fast mütterlich. »Sag mir einfach den Namen, Herzchen. Sag mir den Namen, und dann gehen wir.«

Violet zitterte vor Schmerz. »Was für einen Namen?«

»Spiel nich' mit mir, Vi.«

»Ich hab keine ...«

Gail drückte die Hand auf das gebrochene Bein der Nutte. Drückte wirklich zu.

Violet heulte auf wie ein sterbendes Tier. Gail ließ nicht von ihr ab, im Gegenteil, sie drückte nur noch fester. Maggie sah die Dellen im Fleisch. Sie stellte sich vor, wie die Knochensplitter sich übereinanderschoben wie Gabeln in der Besteckschublade. Und dann öffnete sie den Mund gerade weit genug, um einmal tief einzuatmen; sonst hätte sie sich übergeben.

Die Nutte schrie ununterbrochen weiter.

Maggie atmete noch einmal. Und noch einmal. Sie versuchte, an irgendeinen Song aus dem Radio zu denken. *Tapestry.* Lillys dünne Stimme, die von Smackwater Jack sang und davon, dass sie sich als natürliche Frau fühlte. Irgendetwas, was sie von diesem Gebrüll ablenkte.

Langsam verringerte Gail den Druck. Sie war geduldig. Sie wartete, bis das Schreien sich halbwegs gelegt hatte. Dann strich sie der Nutte wieder über den Rücken. Ihre Stimme klang sanft. »Hörst du mir jetzt zu?« Ihre Hand wanderte wieder zu der Bruchstelle und hielt nur Zentimeter über der Haut inne. »Hörst du mir zu?«

»Ja!«, gellte Violet. »Ja.«

Gail legte dem Mädchen die Hand auf die Hüfte. »Da sind doch am Five ein paar Huren, die frühmorgens arbeiten, nicht wahr? Ein paar ältere Mädchen. An der Whitehall.«

Sie zögerte, aber nur eine Sekunde lang. »Ja.«

»Zu wem gehören die?« Die Nutte sagte nichts.

»Glaubst du, ich will dir wehtun?«

»Er bringt mich um! Er bringt mich um, verdammt noch mal!«

»Süße, im Augenblick solltest du dir eher meinetwegen Sorgen machen als wegen irgendeinem anderen.« Gail ließ die Hand wieder am Bein des Mädchens entlangwandern und über der Bruchstelle innehalten. Violets Haut machte ihrem Namen alle Ehre. Blaue Flecken bedeckten ihren Körper. Von den Freiern. Von der Nadel. Weil sie sich aus Langeweile oder Selbsthass ritzte.

Gail legte die Hand flach auf das Bein. »Noch einmal?«

»She«, flüsterte sie.

»Wie war das?«

»Sir She.«

Kate riss den Kopf herum.

»Wo hat dieser Sir She seine Basis?«, fragte Gail.

»Huff Road«, flüsterte die Nutte. »West Side.«

»Braves Mädchen.« Gail stand auf und wischte sich die Hände an ihrer Bluse ab. »Soll ich irgendjemanden für dich anrufen?«

»Nein.«

»Wie du willst.« Gail machte kehrt. Sie war immer noch barfuß. Ihre Sohlen hinterließen blutige Abdrücke am Boden, bis der rote Lehmboden die Blutungen stillte. Sie griff in die Handtasche und klopfte eine Zigarette aus ihrer Schachtel.

Maggie hatte Mühe, sich zu vergegenwärtigen, wie man seine Beine in Bewegung setzte.

Sie ging ganz langsam los, ohne Gail einholen zu wollen. Kate folgte ihr. Von ihrem gelösten Hosenumschlag war bei jedem Schritt ein Wischen zu hören.

»Was war denn das?«, flüsterte Kate. Ihre Aussprache war fast noch verwaschener als die von Gail. *Was warn das?*

»Lass einfach gut sein.«

»Sie hat dieses Mädchen misshandelt. Sie …«

»Lass gut sein!« Maggie schob das Mikro auf der Schulter gerade und brachte ihren Waffengürtel wieder in die richtige Position. Sie versuchte, nicht an das Blut zu denken, das in alle Richtungen gespritzt war, als Gail dem Mädchen ihren Sender ins Gesicht gerammt hatte. Den Schmerzensschrei. Die schwärzlich rote Blase auf dem Arm der Nutte, wo vermutlich eine Nadel abgebrochen war und eine Infektion verursacht hatte.

Kate erreichte den Streifenwagen als Erste. Anstatt einzusteigen, warf sie nur die Mütze auf die Motorhaube und legte die Handflächen aufs Blech. Dann beugte sie sich vor und ließ den Kopf hängen.

»Wenn du kotzen musst«, sagte Maggie, »geh ins Restaurant.«

»Ich werde nicht kotzen«, erwiderte Kate, doch dann erbebte sie unter einem heftigen Würgereiz. Es kam nicht viel. Ein einzelner Gallestrahl spritzte aus ihrem Rachen. Maggie sah, wie er über die Motorhaube und den Kühlgrill lief und auf den Asphalt tropfte.

»Geh ins Restaurant.«

»Ich werde nicht ...« Kate würgte noch einmal. Anscheinend hatte sie zum Frühstück nicht viel gegessen. Ihr Magen arbeitete wie der einer Katze, die bloß ein Knäuel Haare hervorwürgte.

Maggie ging zu Kates Schuh hinüber, der etwa drei Meter vom Streifenwagen entfernt liegen geblieben war. Sie bückte sich, um ihn aufzuheben – und warf dabei einen Blick zum Restaurant hinüber. Gail stand am Münzfernsprecher und telefonierte. Der Speisesaal war leer.

Kate würgte noch ein letztes Mal. Dann sah sie zum Himmel auf und atmete einmal tief durch. Schließlich wischte sie sich mit dem Handrücken über den Mund. »Wie spät ist es?«

Maggie verkniff es sich, ihr vorzuhalten, dass Polizisten stets eine Armbanduhr tragen mussten. »Kurz nach zwei.«

Kate lachte so schrill, dass Maggies Trommelfelle schmerzten. »Ich bin erst seit sechs Stunden dabei?« Kate lachte immer noch. »Wie konnten das nur sechs Stunden sein?«

»Sieh's positiv.« Maggie stellte Kates Schuh neben ihre Mütze. »Jetzt hast du nur noch zweieinhalb vor dir.«

Kate legte sich die Hand auf den Bauch, aber sie würgte nicht mehr. Sie drehte sich um und setzte sich auf die Motorhaube. In der Luft hing der schwache Geruch von Erbrochenem. Über ihre Stirn, genau dort, wo der Saum ihrer Mütze sitzen sollte, verlief eine rote Strieme. Eine ähnliche lief ihr quer über den Nasenrücken – wahrscheinlich von ihrem Zusammenstoß mit der Mauer.

»Dir ist hoffentlich klar, dass du das da von meinem Auto wischen wirst, oder?«, bemerkte Maggie.

»Es wäre unhöflich, es nicht zu tun.«

»Das war das Speed«, erklärte Maggie. »Bei der Hure, meine ich. Anscheinend hatte sie sich gerade was gedrückt, als Gail anklopfte. Danach sind sie völlig aufgedreht, und so kommen sie dann wieder runter.«

»Na spitze.« Kate unterdrückte ein Gähnen. »Ich könnt auf der Stelle einschlafen. Ich meine es ernst. Ich kann kaum noch die Augen offen halten.«

»Das ist das Adrenalin.« Maggie kam sich vor wie eine Oberlehrerin. »Beim ersten Mal ist es noch klasse. Man atmet schneller. Rennt schneller. Und dann wird man leicht benommen. Man bekommt einen Tunnelblick. Man vergisst, sich umzusehen und zu kontrollieren, was um einen herum passiert.«

»Meine Mütze …« Kate machte sich nicht die Mühe, den Satz zu beenden. Sie griff nach ihrem Schuh. Sie musste den Schnürsenkel gar nicht erst öffnen, um hineinzuschlüpfen.

Maggie warf erneut einen Blick zum Restaurant hinüber. Gail telefonierte jetzt nicht mehr, sondern saß an der Bar.

»Vergiss die Ausrüstung.«

»Was?«

»Deinen Gürtel.« Er war der Grund gewesen, warum Kate mit ausgestreckten Armen unterwegs gewesen war. »Du kannst sowieso nichts dagegen machen, dass dir das alles ständig gegen's Bein schlägt. Lass es einfach passieren.«

Kate stützte den Kopf in die Hände. »Natürlich. Klingt einleuchtend.«

»Es ist nicht immer so schlimm.«

»Oh, gut. Ich hatte mir schon Sorgen gemacht.«

»Gail stand Don sehr nahe.« Maggie ging nicht auf die Details ein. Man verriet einem Polizisten nichts, von dem man nicht wollte, dass es jeder andere Polizist auf der Welt ebenfalls erfuhr. »Sie hat ihn wirklich respektiert. Das haben wir alle.«

Kate stützte weiter den Kopf in die Hände. »Wie kann mir gleichzeitig so heiß und so kalt sein?«

»Schock.«

»Schock? Ja. Natürlich.« Endlich sah sie auf. Die Blässe wich langsam aus ihrem Gesicht. Ihre Lippen waren nicht mehr ganz so blau.

»Willst du einen Drink?«

»Gehen auch zwanzig?«, fragte Kate zurück.

Maggie dachte kurz darüber nach, ob sie ins Restaurant gehen oder zu einem der Schnapsläden fahren sollten, als sie auf einmal das Jaulen einer sich nähernden Sirene vernahm. Dann sah sie das leuchtende Weiß eines Streifenwagens der Atlanta Police die Straße hinaufrasen.

»Wo wollen die denn hin?«, murmelte Maggie.

Ein langer, tiefer Ton und dann ein Tuten, das ähnlich wie der Wählton eines Telefons klang.

»Das ist das Notfallsignal«, flüsterte Kate, doch Maggie hatte ihren Sender bereits auf den Notfallkanal eingestellt. Zuerst war lediglich statisches Rauschen zu hören. Dann plötzlich schrie ein Mann um Hilfe.

Maggie blieb fast das Herz stehen. Sie kannte die Stimme des Mannes.

»Wer war das?«, fragte Kate.

Maggie drehte die Lautstärke hoch. Ein statisches Brummen zerlegte die Stimme des Mannes zu unverständlichen Fragmenten. Sie hatten keinen anständigen Empfang; feiner ließ sich der Kanal nicht einstellen.

»Zehn …« Rauschen. »Zwölf und …« Wieder Rauschen, dann ein undeutliches: »Lawson. Wiederhole …« Rauschen.

»Ich glaube, er hat Lawson gesagt«, murmelte Kate. Maggie lief auf die Straße zu. Hektisch drehte sie am Wählknopf des Senders, versuchte, einen besseren Empfang zu bekommen. Ein zweiter Streifenwagen raste vorüber. Sie lief auf die Straße und versuchte, ihn anzuhalten.

»Scheißescheißescheiße«, fluchte sie und hielt den Sender so hoch wie nur möglich. Sie drehte sich, suchte nach der idealen Position.

Und dann fand sie sie.

»Zentrale?« Terrys Stimme bebte vor Panik. »Zentrale? Alle Fahrzeuge? Wiederhole, alle Fahrzeuge! Auf Jimmy wurde geschossen.«

13

Maggie rannte durch die Notaufnahme des Grady Hospital. Überall standen Leute im Weg. Es waren mindestens zweihundert Polizisten da, und sie alle schienen nichts Besseres zu tun zu haben, als Maggie von ihrem Bruder fernzuhalten. Sie hasste sich dafür, dass sie jetzt ausgerechnet ihren Onkel Terry bei sich haben wollte. Er hätte diese ganzen Arschlöcher mit einer einzigen Handbewegung beiseitegefegt.

»Maggie?« Rick Anderson fasste sie am Arm. »Es geht ihm gut.«

»Wo …«

»Dort entlang.« Rick nahm sie an der Hand und zog sie durch die Menge. Seine Hand war feucht. Es war genau wie heute Morgen: Die Leute machten ihm Platz. Sie nickten ihm zu. Maggie starrten sie bloß an. Rick warf immer wieder einen Blick über die Schulter, um zu sehen, ob es ihr gut ging. Maggie war klar, dass er nur nett sein wollte. Nichtsdestoweniger ärgerte sie sich über seine übertriebene Fürsorglichkeit.

Endlich erreichten sie den hinteren Korridor. Rick stieß die Tür auf. Nach einem Chemieunfall war dieser Flügel eigentlich gesperrt worden. Fast sämtliche Lichter waren gelöscht. Ein gelbes Absperrband spannte sich kreuz und quer über die verschlossene Tür zu dem Raum, in dem der Unfall einst geschehen war.

Rick führte sie den Gang entlang. »Sie haben ihn hierhergebracht, weil es hier ruhiger ist.«

»Was ist denn passiert?«

»Er hat eine Kugel in den Arm bekommen. Durchschuss, keine große Sache. Der Arzt sagt, er kommt wieder ganz in Ordnung.«

Maggie ließ Ricks Hand los und schlang sich die Arme um den Leib, als wäre ihr kalt. »Wo ist es passiert?«

»Ashby Street, drüben in CT.«

Sie kannte die Gegend. Die Straße war nur zwei Blocks von der Adresse entfernt, die Violet ihnen genannt hatte. Sir Shes Revier. »War er allein? Dort darf man doch nicht allein fahren …«

»Jimmy ist ein großer Junge«, erwiderte Rick. »Er wollte nur mit einem Informanten reden. Dann ist wohl irgendeine alte Frau durchgedreht – dachte wohl, Jimmy wollte ihren Sohn verhaften. Da hat sie auf ihn geschossen.«

Vor dem Schwesternzimmer blieben sie stehen. Hinter der Theke saßen zwei Frauen mit weißen Hauben. Eine von ihnen sah auf und sagte mit einem Blick auf ihre Uniform: »Er liegt im letzten Zimmer rechts.«

»Danke.« Dann wandte Maggie sich an Rick. »Ich schaff das auch allein.«

Er schien sie nur ungern allein lassen zu wollen, aber zum Glück war Rick nicht so unhöflich zu bleiben, wo man ihn nicht brauchen konnte. Er ging ein paar Schritte den Gang hinter dem Schwesternzimmer entlang und zog dann eine Tür auf, die in den Hauptbereich der Notaufnahme zurückführte.

Maggie wandte sich dem dunklen Korridor zu. Plötzlich hatte sie es alles andere als eilig, zu ihrem Bruder zu kommen. Sie starrte den Lichtkegel an, der aus seinem Zimmer auf den Gang hinausfiel. Chemische Gerüche waberten durch die Luft. Sie ignorierte die Schilder, die vor biologischen Risiken warnten, und die schmutzigen Eimer. Die Sohlen ihrer Schuhe klatschten langsam über den klebrigen Boden.

Ohne ersichtlichen Grund erinnerte sich Maggie plötzlich wieder an ihren ersten Besuch bei ihrem Vater in der Psychiatrie. Damals war sie zehn oder elf gewesen und hatte eine Heidenangst gehabt. Ihre Beine hatten gezittert, und ihr Herz hatte so zäh geschlagen, als würde jeden Moment ihr Blut eintrocknen. Hank war in der Geschlossenen gewesen. Wo Leute schrien, so laut sie nur konnten. Maggie kam sich vor, als würde sie auf einem Jahrmarkt durch ein Gruselkabinett laufen. Jede Tür, an der sie vorbeikam, stand offen, und in jedem Zimmer entdeckte sie neuerliches Grauen: einen weinenden Mann, der ans Bett gefesselt war. Einen anderen, der in einem kotbeschmierten Rollstuhl saß. Einen dritten, der inmitten seines Zimmers stand, den Bademantel weit offen und einen tränenfeuchten, degenerierten Blick im erregten Gesicht. Die ganze Zeit über hatte sie Angst, dass es irgendeine Verwechslung geben und man sie auf der falschen Seite der Zellentür einsperren könnte.

Sie legte die Hand an die Wand. Sie musste sich kurz abstützen. Für diese Erinnerungen hatte sie jetzt keine Zeit. Sie war nicht in der Psychiatrie, man würde sie nicht einsperren. Jimmy ging es gut. Er war angeschossen worden, aber von einer verängstigten alten Frau, nicht von einem kaltblütigen Killer.

Maggie bemühte sich um einen neutralen Gesichtsausdruck, als sie durch die Tür in Jimmys Zimmer trat. Sie sah ihn auf dem Bett sitzen. Er hatte sein Hemd abgelegt und womöglich auch den Rest seiner Sachen, denn er zog hastig die Decke über sich, als er seine Schwester im Türrahmen stehen sah.

»Jimmy«, war alles, was sie hervorbrachte. Am linken Oberarm hatte er einen großen Verband. Rick hatte von einem Durchschuss gesprochen. Das bedeutete, dass kein Knochen beschädigt und auch keine Operation nötig war. Und trotzdem fühlte Maggie sich irgendwie, als würde ihr Herz durch ein Sieb gepresst.

»Mein Gott ...« Jimmy zuckte zusammen, als er sich umdrehte. Mit dem unverletzten Arm drückte er sich die Decke fest über die Taille. »Hast du Mom angerufen?«

Maggie schüttelte den Kopf. Bis zu diesem Augenblick hatte sie überhaupt nicht an die anderen gedacht.

»Ich sag Onkel Terry, dass er sie anrufen soll.«

»Was ist passiert?« Maggie wollte eine Bestätigung. In letzter Zeit hatte es schon zu viele Lügen gegeben. »Sag mir die Wahrheit.«

Er starrte sie mit einem unergründlichen Ausdruck im Gesicht an. Jimmy war kein tiefes Wasser. Er war stark, und an guten Tagen war er schweigsam. Trotzdem konnte Maggie stets erkennen, was ihm durch den Kopf ging. Ob er wütend oder verärgert oder ganz normal war – Jimmy sorgte dafür, dass alle es mitbekamen.

Doch in diesem Augenblick hatte sie keine Ahnung, wie ihr Bruder sich fühlte.

»Was ist passiert?«, wiederholte sie.

Schließlich ließ Jimmy sich erweichen. »Ich hab da einen Spitzel, der drüben an der Ashby Waffen verhökert. Ich dachte mir, dieser Kerl, der Don umgebracht hat, würde seine Waffe doch nicht wegwerfen – Geld ist immerhin Geld, oder nicht? Wenn wir also Glück haben, finden wir die Waffe, und vielleicht sind noch Fingerabdrücke drauf. Und wenn welche drauf sind ...« Er zuckte mit den Schultern, und sofort verzerrte sich sein Gesicht vor Schmerz, als die Muskeln in seinem Arm sich zusammenzogen. »Oh Mann, tut das weh.«

»Was ist passiert?«

»Stellst du mir diese Frage jetzt immer und immer wieder?«

Dabei war die Antwort doch offensichtlich, dachte sie.

Abwesend kratzte er sich am Kinn. »Vielleicht bin ich bei diesem Spitzel ein bisschen aggressiv geworden. Seine Mutter – sie ist alt und noch dazu offenbar blind wie ein Maulwurf. Ich wusste, dass sie im Nebenzimmer saß. Ich wusste allerdings nicht, dass sie eine Haubitze im Hüftgürtel hatte.«

»Sie hat eine .375er gezogen und dir damit nur einen Kratzer verpasst?«

»Eine .44er«, erwiderte er. »Und wer hat behauptet, dass ich nur einen Kratzer hätte? Die hat mir fast den Arm weggerissen.«

Maggie wusste nicht, warum es sie so sehr überraschte, dass Rick sie angelogen hatte. »Du hättest Verstärkung anfordern müssen.«

Jimmy kratzte sich am Kopf. Dann seitlich am Gesicht. Die Schmerzmedikamente verursachten bei ihm einen Juckreiz. Was immer man ihm gegeben hatte, zeigte jetzt offensichtlich Wirkung. Sein Gesicht wirkte schläfrig. Er konnte die Lider kaum mehr offen halten.

»Ich gehe jetzt Mom anrufen. Terry sagt ihr ja doch nicht die Wahrheit.«

»Geh nicht ...«

Maggie wartete. Und wartete. »Was ist los, Jimmy? Ich muss Mom anrufen.«

Jimmy nahm sich einen Moment, um sich zu sammeln. Er kratzte sich abwesend am Hals, dann wieder am Kopf. Sie wollte schon gehen, doch dann hielt er sie mit einer Frage zurück.

»Weißt du noch, als du noch klein warst und Mom wollte, dass ich mit dir ins Schwimmbad gehe?«

Die Erinnerung traf sie wie ein Schlag. Sie war immer gern mit Jimmy ins Schwimmbad gegangen. Lilly war damals noch nicht auf der Welt und Maggie die kleine Schwester gewesen. Unter seinem wachsamen Blick war sie regelrecht aufgeblüht.

»Du mochtest damals Käfer so gern, weiß du noch?«

Sie nickte. Insekten hatten Jimmy fasziniert, also hatte auch Maggie sie toll gefunden.

»Erinnerst du dich noch daran, wie ich dir immer gesagt habe, ich hätte ein Insekt gefangen, aber wenn du dann zu mir rüberkamst, um es dir anzusehen, hab ich dir Wasser ins Gesicht gespritzt?«

Unwillkürlich musste sie lachen. »Ja. Ich war damals wohl ein bisschen zurückgeblieben. Hat sich kaum geändert, was?« Jimmy war offensichtlich nicht nach Lachen zumute. »Ich hätte dir nicht solche Angst einjagen dürfen. Es tut mir leid.« Maggie starrte ihn an. Hatte man ihm zu viele Pillen gegeben? Das war doch nicht ihr Bruder. »Geht's dir gut, Jimmy?«

»Ich hätte dich beschützen müssen, Maggie.«

Sie zuckte mit den Schultern. »War doch nur Wasser.«

»Damals nicht.«

Sie musste nicht erst fragen, was er jetzt meinte. Maggie blickte auf die Laken auf dem Bett hinab. Sie waren zerdrückt. Sie strich sie glatt und steckte sie an den Seiten fest.

»Sieben Jahre«, sagte er.

»Acht«, erwiderte sie. »Es war vor acht Jahren.«

»Es war nicht deine Schuld.«

Maggie zog das Laken fester und stopfte den Saum unter die dünne Matratze. »Ich gehe jetzt besser wieder an die Arbeit.«

»Maggie …«

Doch sie war bereits an der Tür. »Ruh dich aus, Jimmy. Du bist nicht du selbst.«

14

Kate sah, wie Maggie Lawson das Zimmer ihres Bruders verließ. Doch anstatt zum Ausgang zu gehen, überquerte sie den Gang und steuerte die Damentoilette an. Kate war überrascht. Sie war beinahe schon davon ausgegangen, dass Maggie sich einen Urinbeutel ans Bein geschnallt hatte, um ihren Wagen nicht verlassen zu müssen. Wäre Kate schnell genug gewesen, hätte sie ihr geraten, lieber noch ein wenig durchzuhalten. Die Toilette war so dreckig wie an einer Tankstelle. Vielleicht brauchte sie aber auch nur ein paar Minuten für sich. Kate kannte Jimmy erst seit ein paar Stunden, und doch war sie fast so erschrocken gewesen wie Maggie, als die Meldung gekommen war. Allerdings hatte Kate andere Gründe gehabt. Das Ganze hatte sie an Patrick erinnert. Immerhin waren die beiden ungefähr im selben Alter. Hatten beide das gleiche unerschütterliche Pflichtgefühl. Und bis ihr irgendjemand das Gegenteil bewies, würde sie für alle Zeiten überzeugt davon bleiben, dass beide genau deswegen ihr Leben lassen mussten.

Sie starrte auf ihr Handgelenk, bis ihr wieder einfiel, dass sie ihre Armbanduhr irgendwo zwischen dem Streifenwagen und dem Hotel hinter dem Colonnade verloren hatte, und legte sich die Hand auf den Rücken. Ihre Muskeln hatten sich mittlerweile förmlich zu einem Betonblock versteift. Kurz versuchte sie, ihre Verletzungen aufzuzählen, gab aber wieder auf.

·Es waren einfach zu viele. Sie hatte heute Morgen mit ihrer Vermutung richtiggelegen, dass ihr die Haken in die Seiten stechen würden – doch die Blasen an ihren Füßen vermochten sie von diesem Schmerz abzulenken. Und die Quetschungen an der Hüfte. Die Beule auf der Stirn. Natürlich verblasste dies alles vor dem beständigen Gefühl, als würden sich Messer in ihr Rückgrat bohren. Inzwischen verstand sie, warum alle anderen immer so breitbeinig dastanden. An dem Waffengürtel hätten genauso gut Hanteln hängen können. Wenn Kate nicht ebenfalls die Beine spreizte, würde sie schlichtweg umfallen oder früher oder später zusammenklappen.

Doch nur, wenn vorher nicht der Geruch sie niederstreckte. Der Gestank, der die Notaufnahme des Grady Hospital beherrschte, erinnerte sie an die Sozialsiedlungen, die sie am Vormittag besucht hatte. Kate verstand einfach nicht, wie Menschen so leben konnten. Aber vielleicht gewöhnte man sich ja tatsächlich an alles, wenn man keine andere Wahl hatte. Wie die meisten Bewohner Atlantas dachte Kate ans Grady immer mit Dankbarkeit – sie war ebenso froh, dass das Krankenhaus für die Armen da war, wie überzeugt davon, dass sie sich hier nie würde behandeln lassen müssen.

Die staatlich finanzierte Einrichtung würde von mehr zahlenden Patienten natürlich profitieren. In den rissigen Fliesen am Boden steckte der Dreck von fast einem Jahrhundert. Die Deckenverkleidung war fleckig dunkelbraun und fehlte an manchen Stellen vollständig. Einige Türen waren mit Absperrbändern verklebt. In den Ecken stapelten sich kaputte Gerätschaften. Die Beleuchtung war beklagenswert. Die flackernden Neonröhren verursachten einem regelrecht Kopfschmerzen.

Oder vielleicht tat ihr der Kopf auch nur deshalb weh, weil sie gegen eine Betonziegelmauer gerannt war.

»Kaitlin?«

Instinktiv drehte sie sich um, ohne auch nur darüber nachzudenken, wie unwahrscheinlich es war, dass sie hier im Grady

Hospital jemanden aus ihrem alten Leben treffen würde. Der Arzt, der ihren Namen gerufen hatte, war ein großer Mann mit pechschwarzen, bis zum Kragen reichenden Haaren, stechend grünen Augen und den zartesten Augenbrauen, die sie an einem Erwachsenen je gesehen hatte.

»Dass ich dich hier wiedertreffe, Second Base!«

Seine Stimme war tief und sonor und klang in keiner Weise vertraut. Doch dann las sie den Namen auf seinem weißen Laborkittel. »Tip?«

Für einen kurzen Augenblick hatte Kate sich über den Spitznamen gewundert, den der Arzt ihr gegeben hatte, doch dann war ihr wieder eingefallen, dass in ihrer Schulzeit »*second base*« ein weitverbreiteter Euphemismus für harmloses Fummeln und Knutschen gewesen war. Allerdings war Philip Van Zandt beim letzten Mal, als er sie um nur eine Andeutung von Sex angefleht hatte, gut dreißig Zentimeter kleiner und bar jeder Gesichtsbehaarung gewesen. Mittlerweile sah er fast aus wie Burt Reynolds.

Und Kate sah aus, als wäre sie frisch aus der Gosse gekrochen.

Sie hatte sich im Toilettenspiegel betrachtet. Ihre Frisur war das reinste Chaos. Ihre Haut fleckig. Sie hatte sich von einer Krankenschwester eine Schere leihen müssen, um die überstehenden Enden der Hosenbeine abzuschneiden. Und Gott allein wusste, wie ihr Atem roch.

Philip hatte dies alles offensichtlich bemerkt, und doch sagte er: »Du siehst fantastisch aus.«

Kate lachte so laut auf, dass sie im nächsten Moment erschrocken die Hand vor den Mund schlug.

»Ich meine es ernst«, sagte er. »Diese Uniform ... diese Beule auf der Stirn ... die Kotze in deinen Haaren ...«

Jetzt lachte sie wirklich.

»Darf ich?« Philip zupfte ihr einen Zweig vom Ärmel. Dann ein Betonbröckchen. »Ich hab schon gehört, dass du Polizistin geworden bist. Ich konnte es kaum glauben.«

»Solltest du auch nicht.« Kate versuchte, sich die Haare glatt zu streichen. »Ich bin mir nämlich alles andere als sicher, ob ich lange durchhalten werde.«

»Ich hab dich noch nie bei irgendetwas aufgeben gesehen.«

»In zehn Jahren kann sich einiges verändern.«

»Neun«, sagte er, und dann wurde seine Miene ernst. Er sah sie nachdenklich an. Offensichtlich gefiel ihm, was er vor sich sah.

»Was ist?«, fragte Kate verunsichert.

Doch er schüttelte bloß den Kopf. »Wie kommt es nur, dass du inzwischen noch schöner bist als früher?«

Eine plötzliche Lachsalve vom anderen Ende des Gangs ersparte Kate die Antwort. Sie zuckte zusammen, aber die Polizisten standen zu weit weg, um gehört zu haben, was Philip gesagt hatte. Zumindest hoffte sie es. Ein paar Gesichter aus der Gruppe kamen ihr vage bekannt vor.

Philip schien ihre Verlegenheit zu spüren. »Gehen wir irgendwohin, wo's ruhiger ist.« Er fasste sie sanft am Ellbogen und führte sie hinter das Schwesternzimmer.

Kate war sich nicht sicher, welcher Art die Gefühle waren, die in diesem Moment in ihr aufwallten. Ein halber Tag als Polizistin – und schon hatte sie vergessen, wie es sich anfühlte, von einem Mann wie eine Frau behandelt zu werden. Und Philip Van Zandt war inzwischen ganz eindeutig ein Mann. Er hatte rein gar nichts mehr von dem zaghaften Fünfzehnjährigen an sich, der bei einer Runde Flaschendrehen in Janice Saddlers Partyraum glaubte, das große Los gezogen zu haben. Er war groß und kräftig, selbstbewusst und sachlich. Am liebsten wäre sie ihm um den Hals gefallen.

Wobei Kate bei einem verheirateten Mann nie so dreist sein würde.

Sie wusste über Philips Leben seit seinem Weggang aus Atlanta genauso gut Bescheid, wie sie den ganzen Klatsch über einfach jeden aus dem gesellschaftlichen Umfeld ihrer Eltern kannte. Obwohl Kate sich nie darum bemüht hatte, hatte sie bei Abendessen und Cocktailpartys dies und das aufgeschnappt. Mit sechzehn hatte man Philip auf ein Internat geschickt. Das College hatte er mit Auszeichnung abgeschlossen. Dann hatte er irgendwo im Norden Medizin studiert. Seine Assistenzzeit hatte er als Orthopäde absolviert, und erst vor sechs Monaten war er wieder nach Atlanta zurückgekehrt und wohnte derzeit im Gästehaus seiner Eltern. Er war verheiratet. Seine Frau lebte zurzeit in Israel, um dort ihren Master zu machen. Sie hofften beide, bald eine Familie gründen zu können. Irgendwann würde Philip in die Praxis seines Vaters einsteigen.

Dennoch verlangte die Höflichkeit, dass Kate die sozialen Gepflogenheiten abspulte.

»Seit wann bist du wieder da?«

»Seit sechs Monaten.« Vor der Tür eines Lagerraums blieb er stehen. »Wie geht's deinen Eltern?«

»Sehr gut. Bist du verheiratet?«

»Mit Marta, ja. Sie verbringt gerade ein Jahr im Ausland, um an ihrem Master zu arbeiten.«

»Kinder?«

Er lächelte, weil auch er gewisse Abendessen und Dinnerpartys mitgemacht hatte. »Ich hab das von deinem Ehemann gehört …«

Sofort hatte Kate einen Kloß in der Kehle. Sie hatte geflirtet. Patrick war tot, und Kate flirtete immer noch.

»Er hatte großes Glück, dich zu haben, wenn es auch nur für eine kurze Zeit war.« Seine Hand lag noch immer an ihrem Ellbogen. Kate zog ihn sanft weg.

»Ich sollte wahrscheinlich …«, sagte sie im selben Augenblick, als Philip anhob: »Bist du hier wegen …«

Sie hielten beide inne. Kate hatte sich von Jimmy den ganzen Vormittag lang den Mund verbieten lassen. Trotzdem bedeutete sie Philip, er solle fortfahren.

»Ich wollte fragen, ob du wegen des Polizisten hier bist, der angeschossen wurde? James Lawson?«

»Jimmy«, erwiderte sie. »Ich hab heute Vormittag noch mit ihm gearbeitet.«

Philip zog die Augenbrauen hoch. »Und wie war es?« Aus einem unerklärlichen Grund wollte Kate eher unverbindlich bleiben, wenn es um den Lawson-Clan ging. »Nicht übel. Ich muss noch viel lernen.«

Philip sah skeptisch drein, die Wahrheit aber war, dass Jimmy tatsächlich beinahe erträglich gewesen war, sowie Kate sich gegen ihn zur Wehr gesetzt hatte.

»Na ja.« Ein schelmisches Lächeln hatte sich auf Philips Gesicht geschlichen. »Ich schätze, er ist nicht so wahnsinnig anders als gewisse andere Leute, die du kennst.«

Kate schüttelte den Kopf. Sie verstand nicht, was er damit sagen wollte.

»Deine Mutter hat immer noch diese Kunstgalerie, nicht wahr?«

Irgendwie hatte sie das Gefühl, dass er in einem ihr nicht verständlichen Geheimcode zu ihr sprach. »Deine Andeutungen sind zu subtil für mich.«

Philip zog sie ein Stück weiter in den Vorratsraum hinein und senkte die Stimme. »Ich bin seit achtzehn Stunden hier.« Er ließ sie nicht zu Wort kommen. »Ich habe Jimmy Lawson behandelt, nachdem er heute Morgen seinen Partner hergebracht hatte.«

An seinem verschwörerischen Tonfall merkte Kate, dass noch mehr dahintersteckte. »Und?«

Doch plötzlich schien Philip den Mut zu verlieren. Eine Andeutung des unsicheren Jungen, den sie vor vielen Jahren gekannt hatte, huschte über sein Gesicht. »Nichts … nur dass ich ihn behandelt habe.«

»Das ist doch noch nicht alles.« Kate gab ihm einen spielerischen Klaps auf die Schulter. »Na, komm schon, Tip, raus mit der Sprache.«

Er schüttelte den Kopf. »Vergiss es einfach.«

»Nur eine kleine Andeutung …« Sie senkte die Stimme zu einem gehauchten Flüstern und ahmte den flehenden Ton nach, den Philip einst benutzt hatte, als sie in Janice Saddlers Bad allein gewesen waren. »Nur ein kleines bisschen? Bitte?« Philip schnaubte gutmütig. »Ich weiß nicht, Second Base … Ich will dich ja nicht traumatisieren.«

Doch inzwischen war Kate sich verhältnismäßig sicher, dass sie nicht noch stärker traumatisiert werden konnte.

»Heute Vormittag hat ein Zuhälter direkt neben mir masturbiert, und heute Nachmittag hab ich eine nackte Prostituierte durch eine Gasse gejagt. Noch Fragen?«

»War sie wirklich ganz nackt?« Sie warf ihm nur einen Blick zu.

»Na gut.« Philip stellte sich gerade hin. Jetzt war er wieder ganz Arzt. »Bist du dir sicher?«

Sie nickte.

»Wesley war nicht mehr zu retten, als wir ihn auf den Tisch bekamen.« Philip hielt inne. Seine anfängliche Leichtigkeit war auf einmal wie weggefegt. »Aber er war ein Polizist, und er war jung. Wir haben ihn eine halbe Stunde lang bearbeitet, bevor wir aufgeben mussten. Das gesamte Personal war da. Lawson lag im Bett daneben. Er war verwundet, aber er wollte sich von uns nicht behandeln lassen. Er wollte, dass wir uns zuerst um Wesley kümmerten. Und als Wesley dann für tot erklärt wurde …« Philip machte eine kurze Pause. »Lawson war so durch den Wind, dass wir ihn sedieren mussten.«

Kate biss sich auf die Unterlippe. Jimmy war sehr verschlossen, und es war nur schwer vorstellbar, dass er sich hatte gehen lassen.

»Ich bin Orthopäde«, fuhr Philip fort. »Also war Lawson mein Fall.«

Kate musste daran denken, wie stark Jimmy gehumpelt war. »Was war mit ihm los?«

»Fangen wir mal mit Wesleys Kopfwunde an. Der Mörder muss gut drei Meter entfernt von ihm gestanden haben. Die Kugeln drangen hier ziemlich dicht nebeneinander ein.« Philip hielt sich den Finger knapp übers Ohr. »Die Flugbahn verlief dann so.« Er beschrieb eine Linie quer über sein Gesicht bis zur anderen Wange. »Sie wies nach unten, was bedeutet, dass die Mündung der Waffe nach unten gerichtet gewesen sein muss, was wiederum heißt, dass ...«

»Der Schütze größer war.«

»Richtig«, pflichtete Philip ihr bei.

Kate spürte eine überraschende Leichtigkeit in der Brust. Sie hatte sich den ganzen Tag andauernd geirrt, sodass es jetzt eine Wohltat war, endlich einmal recht zu haben.

»Wesley war in etwa so groß wie ich. Eine Erklärung könnte also sein, dass der Schütze noch größer war.«

Philip war mindestens eins achtundachtzig. »Das wäre aber verdammt groß ... Hast du das der Polizei gegenüber erwähnt? Davon war beim Morgenappell gar nicht die Rede.«

»Sie haben kein allzu großes Vertrauen in die Medizin«, gab Philip zurück. »Worum's mir aber eigentlich geht, ist Folgendes: Entweder war der Schütze über zwei Meter groß, oder aber es gilt die zweite, plausiblere Hypothese.«

Kate fiel beim besten Willen keine weitere Erklärung ein.

»Und die wäre?«

»Wesley war am Boden – auf den Knien oder allen vieren –, als auf ihn geschossen wurde.«

Unwillkürlich drehte sich ihr bei diesem Gedanken der Magen um, und sie musste an den *Paten* denken. Doch dann riss sie sich wieder zusammen. »So hat es Jimmy aber nicht geschildert.« Sie hatte sich beim Appell keine Notizen gemacht, aber an die wichtigen Details konnte sie sich immer noch gut erinnern. »Jimmy stand erst vor dem Gebäude und ging dann nach hinten, wo Don seinen Kontrollgang machte. Jimmy hat mit keinem Wort erwähnt, dass Don auf allen vieren gekauert hätte.«

Angeblich kam der Schütze ganz plötzlich um die Ecke und feuerte. Er war ungefähr drei Meter entfernt – das hast du aber ja schon gesagt. Jimmy ging in Deckung und schoss dreimal zurück. Die Waffe des Täters hatte eine Ladehemmung, deshalb rannte er letztlich davon. Dann trug Jimmy Don den ganzen Weg hierher ins Krankenhaus.«

»So hat Lawson es dargestellt?«

»Soweit ich mich erinnern kann …«

Philip bedeutete Kate mit einem Nicken, den Raum zu verlassen. »Komm mit.«

Er schob sie vor sich her durch eine Tür hinter dem Schwesternzimmer. Jimmy war von den anderen Patienten abgesondert worden. Kate hatte diese Seite bereits als heruntergekommen betrachtet, aber der Zentralbereich der Notaufnahme war ein regelrechter Schweinestall. Obdachlose lagen kreuz und quer auf dem Boden. Mülleimer quollen über. Auf Rollliegen lagen Schwarze, die so aschfahl im Gesicht waren, dass sie fast wie Weiße aussahen.

Philip merkte ihr die Bestürzung deutlich an. »Du glaubst nicht, wie viele Assistenzärzte sich hier bewerben. Messerstechereien. Schießereien. Selbstmordversuche. Mordanschläge. Es ist die größte Schau auf Erden.«

Kate hielt den Mund. Wahrscheinlich war dies wieder einer seiner merkwürdigen Witze, die sie nicht verstand.

»Da sind wir.« Philip blieb vor einem Lichtkasten stehen, blätterte in einer Akte auf dem Tisch darunter und zog eine Röntgenaufnahme daraus hervor. »Das hier wollte ich dir zeigen«, sagte er und befestigte die Aufnahme auf dem Lichtkasten. Weiß auf schwarzem Untergrund stand in der Ecke »James Henry Lawson«, darunter sein Geburtsdatum und dann: »Linker Femur«. Der Knochen auf dem Bild sah aus wie irgendein Element aus einem Chirurgen-Brettspiel.

»Siehst du das hier?«, fragte Philip.

Kate folgte seinem Finger, der auf ein paar schwarze Flecken im Knochen deutete. Es waren Dutzende – einige nur kleine Punkte, andere so groß wie Zehn-Cent-Münzen.

»Die meisten davon waren nur oberflächlich, aber ein paar gehen tiefer. Ich hab ihm Antibiotika gegeben, falls es zu einer Entzündung kommt. Ich konnte nicht alle Fragmente entfernen.«

»Fragmente wovon?«

»Vorwiegend Knochen. Hier und da auch Zähne. Haare.«

Kate hatte immer noch nicht den blassesten Schimmer, was sie da vor sich sah. »Haare auf seinem Bein?«

»Nicht seine eigenen Haare.« Philip senkte wieder die Stimme. »Die von Wesley. Ein paar Schädelsplitter sind immer noch in Jimmys Bauch und Brust eingebettet.«

Kate starrte das Röntgenbild an und versuchte, die Informationen zu verarbeiten. Sie verstand immer noch nicht, wie Don Wesleys Knochensplitter in Jimmys Bein und Oberkörper hatten landen können. »Ich bin mir immer noch nicht ...«

»Wesleys Kopf lag über Lawsons Schoß, als die Waffe abgefeuert wurde.«

»Hat er neben ihm gekniet?«

Philips verblüffter Gesichtsausdruck entsprach jetzt beinahe dem ihren. »Hast du *Deep Throat* gesehen?«

»Natürlich nicht.« Jetzt hatte er es geschafft, sie zu schockieren. »Bist du wahnsinnig?«

Er verzog eigenartig den Mund. »Aber du weißt, worum es in dem Film geht?«

Kate hatte Schwierigkeiten, seinem Blick standzuhalten. Ihre Wangen brannten, was allein schon eine gute Antwort auf seine Frage war, wie sie vermutete.

»Das ist der Grund, warum sich sein Kopf über Jimmys Schoß befand.«

»Aber das ist doch ein Film! Echte Menschen tun so was nicht.« Auch sie senkte jetzt die Stimme. »Vor allem nicht zwei Männer.«

»Ach, Herzchen …« Philip musste sich sichtlich zusammenreißen, um nicht loszulachen. »Was glaubst du denn, was Männer tun?«

Kate hatte nie darüber nachgedacht, doch jetzt blieb ihr kaum etwas anderes übrig. »Wirklich?«

»Wirklich.« Philip schaltete den Lichtkasten wieder aus.

»Wie gesagt, nicht viel anders als die ganzen Kerle, die du in der Galerie deiner Mutter kennengelernt hast.«

Kate brachte diese beiden Dinge einfach nicht in Einklang. Die schwulen Männer aus der Galerie waren extravagant und witzig und charmant. Zu behaupten, Jimmy sei ungehobelt, wäre wohl noch großzügig formuliert gewesen. »Das ergibt doch gar keinen Sinn. Jimmy hat den ganzen Vormittag meine Brüste angestarrt.«

»Er ist schwul. Und nicht tot.«

Kate nahm das Kompliment kommentarlos hin, vorwiegend, weil ihr keine passende Erwiderung einfiel.

»Nur gut, dass Wesley gerade nichts im Mund hatte, als es passierte.«

»Philip!«, tadelte sie ihn. Wie konnte er nur Witze darüber machen? »Das könnte das Ende von Jimmys Karriere bedeuten.«

»Es könnte das Ende seines Lebens bedeuten.« Und das war keine Übertreibung. Sie wussten beide, was Homosexuellen zustoßen konnte. »Aber mach dir keine Sorgen, von mir wird kein Mensch etwas erfahren.«

»Von mir auch nicht.« Kate ahnte, dass ihr ohnehin niemand glauben würde. Sie konnte es ja selbst kaum glauben.

»Murphy!« Plötzlich stand Maggie am Ende des Korridors und wedelte mit der Hand, als wollte sie die Entwicklung eines Polaroids beschleunigen. »Komm, gehen wir!«

Kate sah zu Philip auf. »Tut mir leid, ich muss …«

»Geh nur wieder an die Arbeit.« Er lächelte sie an. Seine Zähne waren perfekt. »Ich freue mich sehr für dich, Kaitlin. Dieser Job passt gut zu dir.«

Wieder wusste Kate nicht, wie sie reagieren sollte. Selbst ein »Auf Wiedersehen« hätte nach der soeben geführten Unterhaltung überflüssig gewirkt. Sie konnte nur mehr wortlos gehen, doch sie spürte, wie Philips Blick ihr folgte. Sie war noch immer so verwundert, dass sie sich darüber nicht einmal freuen konnte.

»Wer war das denn?«, fragte Maggie.

Kate hatte Mühe, so schnell umzuschalten. Wusste Maggie über ihren Bruder Bescheid? Die Art, wie sie Jimmy zuvor angeschrien hatte, deutete nicht auf eine allzu innige Beziehung hin. Und auch Maggie selbst kam ihr nicht sonderlich aufgeschlossen vor. Bei ihr landete jeder im Handumdrehen in irgendeiner Schublade. Die farbigen Mädchen. Der italienische Reinigungsbesitzer. Der polnische Barbetreiber. Der Irische Frühling.

»Wir kennen uns noch von der Junior High«, antwortete sie.

»Sieht gut aus.« Und dann fragte Maggie: »Ist er Jude?« Kate tat so, als wüsste sie es nicht. »Womöglich. Auf jeden Fall verheiratet.«

»Schade«, sagte Maggie, wobei Kate sich nicht sicher war, welcher Aspekt wohl eher ein Problem für sie darstellte. Aber offen gesagt war sie auch zu müde, um sich darüber Gedanken zu machen. Willenlos folgte sie Maggie zum Ausgang. Im Wartesaal drängten sich immer noch so viele Menschen, dass einige von ihnen auf dem Boden Platz genommen hatten. Kaum glaubte Kate, sich an einen Geruch gewöhnt zu haben, stieg ihr auch schon ein neuer in die Nase. Spärlich bekleidete Säuglinge. Volle Windeln. Verzweifelte Gesichter, die sie anstarrten. Sie selbst blickte stur geradeaus, und kurz schoss ihr durch den Kopf, dass sie genauso gut über die Marsoberfläche hätte marschieren können.

Aus heiterem Himmel fielen ihr Patricks Briefe aus der ersten Woche seiner Grundausbildung wieder ein. Ihn hatte weniger das militärische Umfeld durcheinandergebracht als vielmehr die Sitten und Gebräuche einiger seiner Kameraden. Schwarze, Hispanos, Native Americans – sogar ein paar Asiaten waren dabei gewesen. Patrick war in einer Nachbarschaft aufgewachsen, die nur aus seinen eigenen Leuten bestanden hatte – genau wie Kate. Er war in weiße Restaurants gegangen. In die weiße Kirche. Er hatte zu einem weißen Gott gebetet. Er hatte niemanden gekannt, der nicht Kennedy gewählt oder Nixon nicht für ein Schwein gehalten hätte. Seine neuen Kameraden waren ihm so fremd gewesen wie die Vietnamesen.

Kate fragte sich, was Patrick wohl von ihren Antwortbriefen gehalten hatte. Sie hatte versucht, sie mit Anekdoten aus der Familie oder von Einkaufsbummeln und dem Klatsch zu spicken, den sie bei dem einen oder anderen Drink im Coach and Six aufgeschnappt hatte. Sie hatte nie die brennende Einsamkeit und Angst erwähnt, die jeden einzelnen Augenblick seiner Abwesenheit beherrscht hatten. Kate fragte sich, ob sie wohl inzwischen den Mut hätte, ihm die Wahrheit zu sagen – ob sie Patrick einen ehrlichen Brief über ihren schrecklichen Tag schreiben könnte. Über die Sozialsiedlungen. Wie barsch die Leute mit ihr geredet hatten. Ihren bestürzenden Mangel an Selbstvertrauen. Und dass ihre erste Reaktion, als Gail Patterson Violet den Funksender ins Gesicht gerammt hatte, nicht Abscheu gewesen war, sondern Blutgier.

Auch sie hatte Violet schlagen wollen.

Sie hatte sie verprügeln wollen. Sie treten. Sie hatte sie abstrafen wollen für die Hölle, in die sie Kate gestürzt hatte. Für das Entsetzen, das Kate gepackt hatte, als sie gesehen hatte, wie Maggie die Waffe zog. Für den scharfen, stechenden Schmerz der Gegenstände an ihrem Gürtel, die auf ihr Fleisch einprügelten. Für die Panik, weil sie nicht unter dem Rand ihrer Mütze hatte hervorsehen können. Für den grellen Schock, als sie nicht nur gegen eine Mauer, sondern obendrein gegen eine dreckige, dürre Nutte gekracht war, der die Hinterlassenschaften des letzten Freiers noch an den Beinen hinabgelaufen waren.

Der Impuls, ihr Leid zuzufügen, war so schnell wieder verflogen, wie er gekommen war. Doch die Erinnerung daran war geblieben.

»Alles okay mit dir?«, fragte Maggie.

»Mir geht's blendend«, sagte Kate und grinste schief, weil der Job aus ihr ein Tier gemacht hatte, das keine Schwäche zeigen durfte. »Wurde Jimmy bei der Schießerei verletzt?«

Maggie sah sie merkwürdig an.

»Na ja, er hinkt …«

»Eine alte Footballverletzung. Hat sich an der Highschool das Knie demoliert.« Sie stieß die Tür auf. »Schätze, das meldet sich jetzt wieder verstärkt, weil er Don hat tragen müssen.« Dann versicherte sie Kate: »In ein oder zwei Tagen ist er wieder auf der Höhe.«

Die frische Luft brannte Kate in den Augen. Sie hob den Kopf. Die Straßenlaternen waren bereits angegangen, und die Sonne sank schwer wie ein Stein.

»Wo steht denn dein Auto?«

»Was?«

»Dein Auto«, wiederholte Maggie. »Wo steht es?«

Kate musste einen Augenblick konzentriert nachdenken.

»Auf dem Parkplatz an der Central.«

»Ich setze dich dort ab und bringe dann den Streifenwagen in den Fuhrpark.«

»Bitte?«

Maggie blieb stehen. »Ich bringe dich zu deinem Auto. Die Schicht ist zu Ende. Zeit, nach Hause zu gehen.«

Kate starrte sie ungläubig an. Und dann brach sie in Tränen aus.

15

Kate saß auf der Couch. Neben ihr auf dem Tisch stand ein Martini. Sie trug ein Hemdblusenkleid mit Wiener Naht und die Perlenkette, die ihre Mutter ihr zur Hochzeit geschenkt hatte. Sie war frisch geduscht und hatte ihr Haar gewaschen. Es umspielte sanft ihre Schultern. Die Beleuchtung war gedämpft. Ihre Füße steckten in einer Schüssel mit einer warmen Epsom-Salzlösung. Sie hielt sich einen Eisbeutel an die Stirn. Hinten in ihrer Unterwäsche steckte ein Heizkissen. Das Kabel baumelte zwischen ihren Beinen wie ein Schwanz. Sechs Aspirin und eine Valium arbeiteten sich langsam durch ihr System. Immer wenn Kate das Gefühl beschlich, dass sie vielleicht überleben würde, dachte sie prompt wieder daran, wie ihr Leben jetzt aussah. Ob es der Mühe wirklich wert war.

Sie würde dort morgen nicht wieder hingehen. Sie brachte es einfach nicht über sich.

Aber warum hatte sie dann Mary Jane all ihre Uniformen zum Umarbeiten gegeben? Warum hatte sie dann zwei Stunden lang auf der Schreibmaschine herumgehackt, um den Tagesbericht zu schreiben?

Die Tatsache, dass sie die Hausangestellte ihrer Mutter gebeten hatte, ihre Sachen zu waschen und umzunähen, war exakt einer der Gründe, warum Kate diesen Job wirklich nicht ausüben sollte. Sie war nicht Sabrina, die mit ihrem Vater über der

Garage eines reichen Mannes wohnte. Sie war im Haupthaus aufgewachsen. Kates Vater war ein angesehener Psychiater. Ihre Mutter besaß eine renommierte Kunstgalerie. Ihre Großmutter war in den Niederlanden Chemieprofessorin gewesen.

Kate war ebenso behütet aufgewachsen, wie Patrick es gewesen war. Sie kannte lediglich Leute wie sie selbst. Sie ging in ihre Restaurants. Besuchte ihre Clubs. Hatte die Polizei überhaupt einen Club? Kate wusste es nicht, und ehrlich gesagt war es ihr auch gleichgültig. Sie gehörte nicht zu diesen Leuten – mit ihren derben Sprüchen und der beständigen Kritik. Dass Kate sie als »diese Leute« betrachtete, war Beweis genug.

Aber zu wem gehörte sie dann? Die meisten ihrer Freundinnen waren verheiratet und zogen inzwischen Kinder groß. Das Leben dieser Freundinnen war interessant – aber eben auch nur für andere verheiratete Frauen mit Kindern. Die einzigen zwei alleinstehenden Mädchen, mit denen Kate seit dem College in Kontakt geblieben war, lebten inzwischen in New York, was für ihre Mütter einem Skandal gleichkam. Philip Van Zandt hatte an der Columbia studiert. Kate fragte sich, ob ihre Freundinnen sich während des Studiums mit ihm getroffen hatten. Zumindest irgendeine Art von Kontakt hatte es sicher gegeben. So etwas tat man einfach, wenn jemand aus dem eigenen Milieu neu in die Stadt kam: Man organisierte eine Cocktailparty und lud den frisch Zugezogenen auf ein paar Drinks ein und hieß ihn willkommen. Und bei einem so attraktiven Mann wie Dr. Van Zandt tat man mit Sicherheit noch andere Dinge, die eine Mutter als noch größeren Skandal betrachten würde.

Kate ließ den Kopf auf die Rückenlehne sinken und schob sich den Eisbeutel über die Augen. Sie musste wieder an Philips charmantes Grinsen und die starken, breiten Schultern denken. Er hatte so verdammt selbstbewusst gewirkt. Kate konnte sich nicht erinnern, wann ein Mann sie zuletzt so angesehen hatte wie Philip. Verdammt, sie konnte sich nicht einmal mehr erinnern, wann ein Mann sie zum letzten Mal geliebt hatte. Sie versuchte, nicht an die Nacht vor Patricks Abreise zu denken. Sie war den ganzen Weg von Atlanta zu seinem Stützpunkt gefahren und hatte sich in einem Hotel außerhalb der Basis mit ihm getroffen. Kate war verzweifelt und wütend gewesen – und Patrick betrunken. Die ganze elende Prozedur war fahrig und fies gewesen, und danach hatten sie einander nicht mehr in die Augen sehen können.

Seit seinem Tod hatte Kate die beeindruckende Anzahl von zwei Dates gehabt. Eins hatte mit einem Händedruck geendet, das andere mit einem züchtigen Kuss, und dann hatte sich unter den Junggesellen in Kates Umfeld herumgesprochen, dass sie das Abendessen und die Drinks nicht wert war, und keiner hatte sie mehr ausführen wollen.

Philip Van Zandt würde sich nicht mit einem Händedruck abspeisen lassen, dessen war sie sich sicher. Allein bei dem Gedanken daran zitterten ihr die Knie.

»Darling?« Die Deckenbeleuchtung ging an.

»Oma?« Kate musste die Augen zusammenkneifen, um etwas zu erkennen. Sie bekam ein schlechtes Gewissen, als könnte die Großmutter ihre lüsternen Gedanken lesen. Wobei Oma sie nicht mal missbilligen würde. Sie war Niederländerin; es gab nicht viel, was sie aus der Fassung brachte.

»Stimmt etwas nicht? Ich dachte, du wolltest mit Mom und Dad ausgehen?«

»Und wie der Zufall es wollte, bekamen wir alle im selben Moment Kopfschmerzen.«

Anmutig betrat Oma das Zimmer. Ihr grau meliertes Haar war im Nacken zu einem lockeren Knoten zusammengefasst. Ihr dezentes Make-up brachte das Blau ihrer Augen zum Leuchten. Sie trug ein Kleid, das Kate fast in ihrem eigenen Kleiderschrank finden könnte, doch sah der Schnitt an einer Fünfundsechzigjährigen besser aus als an Kate.

Oma ließ sich auf den Sessel plumpsen. »Bekomme ich gleich Geschichten von deinem ersten Tag erzählt?«

»Ich weiß nicht, ob du sie mir abnehmen würdest ...«

»Probier's aus.«

Kate nahm den Eisbeutel von der Stirn. Oma kommentierte die verfärbte Beule nicht. Stattdessen trank sie den Rest von Kates Martini.

»Kaitlin, bist du das?«

Kate brachte es kaum fertig, beim Klang der Stimme ihrer Mutter nicht zusammenzuzucken. Eigentlich hatte sie längst weg sein wollen, wenn sie vom Abendessen zurückkamen.

Liesbeth runzelte die Stirn. »Die Knie zusammen, meine Liebe! Dir kann ja jeder unter den Rock gucken.«

Kate dachte nicht daran, ihr zu gehorchen.

»Ich denke ja«, warf Oma ein, »eine junge Frau sollte die Beine so oft wie möglich spreizen.«

Liesbeth ignorierte diese Spitze. Sie setzte sich neben Kate auf die Couch. Genau wie Oma hatte sie sich für den Abend zurechtgemacht: hellblauer Rock und eine dazu passende, zarte Bluse mit weich fließenden Ärmeln, die sich über ihren schmalen Handgelenken bauschten.

Neben ihrer Mutter kam Kate sich immer ganz klein und unbedeutend vor. Kaum vorstellbar, dass Oma bei Liesbeth ein ähnliches Gefühl auszulösen vermochte. Sie waren wie russische Püppchen – nur eben keine fetten Matrjoschkas, sondern eher feinere blonde Nachbildungen, die die niederländische Linie mütterlicherseits weitertrugen.

Liesbeth schlug züchtig die Beine übereinander, um mit gutem Beispiel voranzugehen. Sie nahm sich eine Zigarette aus dem Kästchen auf dem Beistelltisch. »Warum brennt das Licht im Keller?«

»Mary Jane näht meine Uniformen um.«

»Sie hat doch heute Abend frei?«

»Ich hab ihr Geld gegeben.«

»Dann ist es ja in Ordnung.« Liesbeths holländischer Akzent kam aus unerfindlichen Gründen deutlicher zum Vorschein,

198

wenn sie sarkastisch war. »Ich kann mir nicht vorstellen, dass eine dreiundsiebzigjährige Frau zu einer vernünftigen Zeit im Bett sein will.«

»Du hast recht. Es tut mir leid.« Kate schüttelte den Kopf, als die Mutter ihr eine Zigarette anbot. Nach Patricks Tod hatte sie sich die Kehle wund geraucht. Inzwischen wurde ihr allein bei dem Gedanken an den Geschmack übel. »Ich werde mich bei ihr entschuldigen.«

»Und sie trotzdem bezahlen.« Liesbeth zündete sich ihre Zigarette an und sah Kate durch den Rauchschleier nachdenklich an. »Du hast geweint.«

Sie hatte es nicht als Frage formuliert, deshalb antwortete Kate ihr auch nicht.

»Und diese Beule an deinen Kopf? Die Blasen an den Füßen? Wozu das Heizkissen gut ist, mag ich mir gar nicht ausmalen ...«

Kate wusste nicht, wo sie anfangen sollte. Die Sozialsiedlungen. Die Prostituierte. *Deep Throat* – ein Film, den, wie sie argwöhnte, ihre wesentlich weltoffenere Großmutter vermutlich gesehen hatte. Sie musste daran denken, wie Jimmy sie am Vormittag herumkommandiert und wie Maggie später erwähnt hatte, die Uniform könne einem alles umsonst verschaffen, sich dann aber selbst geweigert hatte, einen Vorteil daraus zu ziehen. Und dann war da auch noch Gail Patterson gewesen. Ganz zu schweigen von der verprügelten Prostituierten. Natürlich wusste Kate, wie man die Arme beim Laufen halten musste. Sie hatte sie lediglich ausgestreckt, um weiteren blauen Flecken von der Ausrüstung an ihrem Gürtel vorzubeugen.

»Hast du je Schafe rennen sehen?«, fragte sie ihre Großmutter, die laut auflachte.

»Ob ich je Schafe rennen gesehen habe?« Auch ihr Akzent klang jetzt stärker, was aber wahrscheinlich an den Martinis lag. »Ich kannte mal ein flämisches Mädchen, das Schafe hütete.«

Kate lächelte. Omas Witze fingen oft mit einem flämischen Mädchen an. Sie zeigte gegenüber der niederländischsprachigen Region Belgiens die typische Amsterdamer Arroganz.

»Du mit deinen flämischen Mädchen!« Liesbeth legte die Zigarette im Aschenbecher ab und trat an die Bar. »Wir haben heute Nachmittag das *Journal* gesehen. Kanntest du diesen ermordeten Polizisten?«

»Nein.«

»Dem Himmel sei Dank.« Mit der Zange warf sie Eiswürfel in den Martini-Shaker. »Ich hoffe, diesmal nehmen sie die richtige Person fest. In der Zeitung wurde Edward Spivey erwähnt. Diese Anschuldigungen haben sein Leben zerstört. Er musste bis ans andere Ende des Landes ziehen.«

»Die Gerechtigkeit siegt immer.« Oma wandte sich an Kate. »Stimmt's nicht, meine Liebe?«

Kate nickte, obwohl sie sich da nicht so sicher war. Sie hatte schließlich mitbekommen, dass niemand in Uniform Edward Spivey für unschuldig gehalten hatte, wohingegen die Leute, die Kate außerhalb der Polizei kannte, samt und sonders davon ausgingen, dass die Polizei damals versucht hatte, ihm um jeden Preis das Verbrechen anzuhängen. »Wo ist Daddy?«

»In seinem Gewächshaus.« Liesbeth goss reichlich Wodka in den Shaker. »Er macht sich Sorgen um seine Orchideen. Irgendwas stimmt mit der Heizung nicht.«

Kate hatte Maggie Lawson nicht direkt angelogen. Ihr Vater war wirklich ein leidenschaftlicher Gärtner.

»Wie sind denn die Leute bei der Arbeit?«, fragte Oma. »Hast du schon neue Freunde gefunden?«

Kate hätte laut aufgelacht, wenn sie die Energie dazu aufgebracht hätte. »Sie sind fantastisch. Die Frauenbewegung würde erblassen vor Neid.«

Oma runzelte die Stirn. »Tut mir leid, Liebes. Waren sie so gemein?«

Schlagartig kam Kate sich wieder vor wie damals an der Junior High, als sie sich bei ihrer Großmutter über die grausamen Mädchen im Schulbus ausgeweint hatte. Allerdings waren Maggie und Gail und die anderen nicht unbedingt grausam gewesen – zumindest nicht Kate gegenüber.

»Sie sind alle wahnsinnig tough. Sie tragen eine gepanzerte Rüstung mit sich herum.«

»Ich könnte mir vorstellen, dass das auch nötig ist«, gab Liesbeth zurück.

»Nein, das meint sie nicht.« Oma verschränkte die Hände im Schoß. »Manchmal können Frauen mit ein wenig Macht noch viel brutaler sein als Männer. Vor allem zu anderen Frauen. Sie müssen sich selbst von der Schwäche ihres Geschlechts distanzieren. Ist es nicht so?«

Kate sah ihre Mutter an. Im Allgemeinen widersprach sie allem, was Oma sagte, doch diesmal hatte Liesbeth offenbar keine Meinung. Sie hielt den Shaker in beiden Händen und mixte Martinis. Eis klirrte auf Edelstahl. Ihr Ärmel war hochgerutscht. Kate konnte die Tätowierung auf der Außenseite ihres linken Unterarms sehen: den Buchstaben A, gefolgt von fünf Ziffern.

»Hast du vor, das Eis zu bestrafen?«, neckte Oma sie, und Liesbeth hörte sofort auf zu schütteln, stellte zwei Gläser auf den Beistelltisch und goss die Drinks ein. »Kaitlin, hast du die Oliven aufgegessen?«

»Natürlich hat sie das getan. Sie liebt Oliven.« Oma hielt ihr auch Kates leeres Glas zum Nachschenken hin. »Ich habe Margot Kleinman erzählt, dass meine Enkelin jetzt bei der Polizei ist. Sie hat dreingeschaut, als hätte ich ihr erzählt, du wärst Astronautin geworden.« Sie prostete Kate zu. »Es ist wunderbar, dass du einen Weg gefunden hast, Menschen zu helfen, Darling.«

Widerwillig hob Kate ihr Glas. Sie sah erst ihre Großmutter an, dann ihre Mutter und trank das Glas in einem Zug halb leer.

»Wunderbar«, sagte Oma. Sie meinte den Martini. »Es ist wirklich wichtig«, wandte sie sich wieder an Kate, »dass dein

Leben einen Sinn hat. Selbst an Tagen, an denen es dich unglücklich macht, brauchst du ein Ziel.«

Liesbeth setzte sich wieder auf die Couch. Sie strich Kate eine Haarsträhne hinters Ohr und legte ihr dann die Hand auf die Schulter. »Schön, dass du die Perlen trägst.«

Kate starrte die Zigarette an, die im Aschenbecher vor sich hin schwelte. Sie war vermutlich sechs oder sieben gewesen, als sie die Tätowierung ihrer Mutter bemerkt hatte. »Was ist das?«, hatte Kate gefragt.

»Nichts, *schatje*. Halt still.«

»Darling?«, riss Oma sie aus ihren Gedanken. »Bist du müde? Sollen wir dich allein lassen?«

»Nein.« Kate strich ihrer Mutter über die Hand. »Bitte nicht.«

»Erzählst du uns von deinem Tag?«, fragte Oma erwartungsvoll. »Oder war er so furchtbar?«

Kate lächelte ihrer Großmutter zu. Omas Kleid hatte lange Ärmel und bedeckte die Tätowierung, die sie auf der Innenseite des linken Arms trug. Der gleiche Buchstabe, eine andere Nummer. Wie Liesbeth war auch sie nach Auschwitz geschickt worden, doch als die Nazis erfahren hatten, dass Oma Professorin war, schickten sie sie weiter nach Mauthausen in die sogenannte »Knochenmühle«, wo sich Intellektuelle zu Tode schufteten.

»Du bist mit deinen Gedanken ganz woanders«, stellte Liesbeth fest. »Ist irgendwas Schlimmes passiert?«

Kate drückte die Hand ihrer Mutter. »Nein, nichts«, flunkerte sie. Und dann dachte sie sich: Wenn sie schon log, dann konnte sie es auch von ganzem Herzen tun. »Die Arbeit war wirklich nicht schlimm. Meine Füße sind nicht schwerer, als hätte ich die ganze Nacht durchgetanzt. Und das da« – sie tippte sich an die Stirn – »kommt davon, dass ich offensichtlich vergessen habe, wie man unter einem Mützenschirm hervorschaut.«

Oma lehnte sich zurück und lächelte. »Schätze, das Schlimmste ist, dass man vor zehn aufstehen muss. Das kann ich mir gar nicht vorstellen.«

»*Moeder*, du bist doch immer vor mir auf!« Liesbeth wirkte sogar noch erleichterter als Oma. Sie nahm einen letzten Zug von ihrer Zigarette und drückte sie dann aus. »Das weiß ich genau, weil immer schon der halbe Kaffee weg ist.«

»Es ist nun mal ein guter Kaffee. Wie soll ich mich da beherrschen?«

Kate war sich nicht sicher, ob es das Valium oder das Heizkissen war, aber endlich spürte sie, wie ihre Muskeln sich entkrampften. Im Zimmer herrschte jetzt eine Leichtigkeit, die sie zuvor nicht hatte spüren können. Sie versuchte, das Thema zu wechseln. »Das Ärgerlichste ist, dass mir nie bewusst war, wie schlau ich auf Gebieten bin, die in der echten Welt dort draußen absolut bedeutungslos sind.«

Weder ihre Mutter noch ihre Großmutter hatte gegen diese Beobachtung etwas einzuwenden.

»Ich bin es einfach nicht gewöhnt, mich so dumm zu fühlen.« Und genau das war, wie Kate jetzt erst begriff, der Fels, den sie den ganzen Tag den Berg hatte hinaufwälzen müssen. Die Leute hatten mit ihr geredet, als wäre sie eine Idiotin, weil sie in vielerlei Hinsicht tatsächlich eine Idiotin war. »Ich weiß wirklich nicht, wie ich mit Fremden umgehen soll. Ich weiß mich nicht zu behaupten. Anscheinend weiß ich nicht mal, wie man rennt. Man musste mir sogar erklären, wie ich am besten zur Toilette gehe.«

Beide schauten verwirrt drein.

Kate wusste nicht, wie sie es lustig klingen lassen sollte, deshalb beschloss sie, nicht näher darauf einzugehen. »Es gibt da einfach eine Unmenge praktischer Dinge, mit denen ich bisher nie konfrontiert war. Ich hab mich noch nie so fehl am Platz gefühlt.« Kate nahm einen Schluck von ihrem Martini. Sie sah die Blicke nicht, die ihre Mutter und Großmutter wechselten.

»Ihr könntet zumindest so tun, als würde euch diese Enthüllung überraschen.«

»Du wirst es schon noch lernen«, tröstete Oma sie. »Diese Arbeit – es ist gut, Menschen zu helfen, nicht wahr? Ihnen etwas zurückzugeben?«

Kate nickte, obwohl ihr rein gar nichts einfiel, was sie heute getan hatte, das zum Wohlergehen von irgendjemandem beigetragen hätte – am wenigsten zu ihrem eigenen. »Du hast recht. Natürlich hast du recht.«

»Ich erinnere mich noch gut an den Police Captain, der mit uns sprach, als der Anschlag auf die Synagoge passierte.« Oma stellte ihr Glas weg. »Wir machten uns natürlich alle große Sorgen. Wir hatten hier noch nie mit einem Polizeibeamten gesprochen – außer vielleicht, um nach dem Weg zu fragen. Er war sehr ernsthaft. Und überraschenderweise einer von uns. Wann war das gleich wieder? Sechsundfünfzig?«

»Achtundfünfzig.« Kate war acht Jahre alt gewesen, als die Synagoge an der Peachtree Street fast komplett zerstört worden war. Sie wohnten in so großer Nähe, dass sie die Explosion gehört hatten.

»Diese Trottel dachten doch allen Ernstes, wir wären an einem Sonntag dort«, ergriff Liesbeth das Wort. »Aber vielleicht waren sie am Ende gar nicht so blöd. Sie kamen immerhin letztlich davon.«

Oma war niemand, der sich lange mit Negativem aufhielt.

»Mir geht's aber darum, dass die Polizei damals überaus hilfsbereit war. Die Beamten sorgten dafür, dass wir uns wieder sicher fühlten.« Sie lächelte so offen, dass es Kate schier das Herz zerriss. »Und jetzt sorgst du dafür, dass die Menschen sich sicher fühlen, Kaitlin. Was ist das doch für ein Geschenk, das du der Welt machst.«

Kate ahnte, dass es an der Cheshire Bridge Road eine Prostituierte gab, die hier mit Sicherheit widersprechen würde, aber ihrer Großmutter zuliebe lächelte sie.

»Das macht es hoffentlich ein bisschen leichter für dich«, sagte Liesbeth.

Nach Patrick, meinte sie wohl. Kate wusste genau, dass alles, was sie heute getan hatte, allemal besser gewesen war, als den lieben langen Tag im Bett liegen zu bleiben und etwas zu beweinen, was sich ohnehin nicht mehr ändern ließ. Und hier direkt vor ihr saßen zwei Paradebeispiele von Frauen, die die Kraft gehabt hatten, nach einer unaussprechlichen Tragödie weiterzumachen.

Doch auch über diese Tragödie wurde kaum je wirklich gesprochen. Weder ihre Mutter noch ihre Großmutter hatten je erzählt, was ihnen während des Kriegs widerfahren war. Sie sorgten dafür, dass sie sich nicht ständig mit den erlittenen Verlusten aufhielten. Kate kannte zwar die reinen Fakten, aber keine Details. Oma hatte Mutter und Vater, einen Bruder, ihren Mann und einen Sohn verloren. Ihre Tochter Liesbeth war noch nicht einmal ein Teenager gewesen, als sie ins Lager gekommen waren. Beide waren lange davon ausgegangen, dass die jeweils andere nicht überlebt hatte – bis es dem Roten Kreuz nach der Befreiung gelungen war, sie wieder zusammenzuführen.

Und hier saßen sie nun und versuchten, Kate zu trösten, als hätten ihr schmerzender Körper und ihr angeknackstes Ego irgendeine tiefere Bedeutung.

»Ja«, sagte Kate zu ihrer Mutter. »Du hast gewiss recht. Es ist gut, etwas zu tun zu haben.«

»Etwas *Sinnvolles*.« Oma hob ihr Glas zu einem Toast. »Ich bin sehr stolz auf dich, Darling. Was du tust, ist zwar unkonventionell, aber du sollst wissen, dass deine Familie jederzeit stolz auf dich ist. Du machst uns sehr glücklich.«

»Das stimmt«, pflichtete Liesbeth ihr bei. »Auch wenn wir genauso stolz gewesen wären, hättest du diese letzte Stellung als Sekretärin behalten.«

»*Hoe kom je erbij*«, murmelte Oma. »Sie war eine furchtbare Sekretärin.«

»So schlecht war sie nun auch wieder nicht.«

»Ze is te slim voor dat soort werk.«

»Moeder!«

Die beiden Frauen waren unwillkürlich in ihre Muttersprache zurückgefallen, und Kate klinkte sich aus. Sie verstand nur die Hälfte dessen, was die beiden sagten. Wie für die meisten Amerikaner klang Niederländisch für sie eher wie eine Halskrankheit als wie eine echte Sprache.

Kate beugte sich vor, um sich die Füße trocken zu tupfen – und spürte einen schmerzhaften Stich im Rücken. Ihr wurde regelrecht schwarz vor Augen. Mit einem Mal war sie so müde, dass sie sich kaum mehr aufrecht halten konnte. Der Uhr auf dem Kaminsims zufolge war es schon fast elf Uhr. Allein der Gedanke, jetzt noch ins Wohnheim zu fahren, war fast zu viel für sie. Kate würde bleiben und in ihrem alten Zimmer übernachten. Morgen früh hätte Mary Jane dann ihre Uniformen fertig. Sie würde das Make-up ihrer Mutter benutzen. Oder, wenn sie Glück hätte, würde Maggie ihren Spind aufschließen und Kate ihre Handtasche zurückerhalten.

Ihre Handtasche. Nur dank einer göttlichen Intervention hatte Kate am Abend mit ihrem eigenen Auto heimfahren können. Vor Jahren hatte Patrick ein magnetisches Schlüsselkästchen unter dem Kotflügel angebracht. Ohne dieses Kästchen würde sie jetzt immer noch auf dem Parkplatz an der Central Avenue festsitzen. Kate musste sich dringend ein Zahlenschloss für ihren eigenen Spind besorgen. Sie würde es natürlich bezahlen, weil es ihr falsch vorkäme, es nicht zu tun. Wahrscheinlich gab es geeignete Schlösser sogar im Sportgeschäft des Tennisclubs. Sie würde sich eins von ihrem Vater leihen, bis sie die Zeit fände, dort vorbeizufahren.

Fast erschrocken wurde Kate bewusst, dass sie allen Ernstes wieder zur Arbeit gehen wollte. Sie würde nicht nach dem ersten Tag aufgeben. Aber wie in aller Welt war das passiert? Auf jeden Fall nicht durch eine bewusste Entscheidung ihrerseits.

Ihre Großmutter war nie eine Hinschmeißerin gewesen. Und auch die Mutter hatte nie aufgegeben. Ihrer beider Blut floss in Kates Adern. Verglichen mit all dem, was die beiden überlebt hatten, glich das Atlanta Police Department dem reinsten Spaziergang.

Sie konnte es schaffen. Sie *musste* es schaffen.

Wie auf ein Stichwort betrat Mary Jane mit Kates ordentlich zusammengelegten Uniformen das Zimmer. »Aus dieser hier hab ich den Fleck herausgebracht, aber man sieht leider, wo ich den Riss im Ärmel nähen musste.«

»Es tut mir so leid, dass ich ...« Doch Kate beendete den Satz nicht. Denn hinter Mary Jane stand plötzlich Philip Van Zandt. Er trug einen anthrazitfarbenen Anzug von Hickey Freeman und ein hellrotes Hemd. Unter dem offen stehenden Kragen war seine behaarte Brust zu sehen. Seine Hose war eng geschnitten und unter den Knien nur leicht ausgestellt.

»Noch einmal guten Abend. Mrs. Herschel, Mrs. De Vries.« Er sprach Omas Namen aus, als würde er soeben mit dem Fahrrad über die Herengracht fahren – die reinste Aufschneiderei. »Ich fürchte, ich habe Mary Jane erschreckt, als ich an die Kellertür klopfte.«

Kate wusste genau, warum er an die Kellertür geklopft hatte. All ihre Freunde wussten, dass sie damals mit vierzehn in den Keller gezogen war, weil ihre Eltern sich das allabendliche Gekicher mit ihren Freundinnen nicht länger hatten mit anhören wollen. Außerdem stand ihr Auto in der Einfahrt, und fast jedes Licht im Haus brannte.

»Schon gut.« Mary Jane war kein Freund von Spannungen. »Ich geh dann mal.«

»Tut mir aufrichtig leid, dass ich dich so lange vom Schlafen abgehalten habe!«, rief Kate ihr nach, aber Mary Jane winkte nur ab. Als sie die alte Frau zur Hintertreppe schlurfen sah, hatte Kate ein vollends schlechtes Gewissen.

Philip hatte sich leicht verbeugt, als sich die Hausangestellte an ihm vorbeigedrückt hatte. »Meine Damen, bitte entschuldigen Sie, dass ich so spät und obendrein unangekündigt komme, aber meine Mutter war heute Abend noch im Club, und es sieht ganz so aus, als hätte sie versehentlich Ihren Lippenstift mitgenommen.«

Er hielt ein Lippenstiftröhrchen in die Höhe – eins von der Sorte, die man in jedem Eckladen kaufen konnte. Die Frauen wussten das. Auch Philip wusste es, und doch tat er so, als würde er einen vollendeten Akt der Ritterlichkeit verüben.

Oma ließ sich wie immer gern auf solche Spielchen ein.

»Oh, ja, der gehört mir. Danke, Philip. Das ist wirklich sehr aufmerksam.«

Liesbeth nahm es nicht ganz so locker. »Ich habe ganz vergessen, Ihre Mutter zu fragen, wie es Ihrer Frau geht. Studiert sie nicht in Israel?« Sie wandte sich an Kate. »Philip ist inzwischen verheiratet.«

»Ich weiß«, gab Kate zurück. Und sie wusste außerdem, dass das Kabel des Heizkissens sie wie ein Gummiband zurück auf die Couch ziehen würde, wenn sie jetzt versuchte aufzustehen.

»Israel«, wiederholte Oma sehnsüchtig. »Philip, haben Sie schon Dr. Herschels Briefmarken von den Hapoel-Spielen gesehen?«

Sein Lächeln deutete an, dass allein schon der Gedanke ihm große Freude bereitete. »Nein, dieses Vergnügen hatte ich noch nicht.«

»Wenn Sie so freundlich wären?« Oma streckte die Hand aus, und Philip half ihr beim Aufstehen. Während er Kate den Rücken zuwandte, zog sie behände das Heizkissen unter dem Kleid hervor. Das Geräusch war furchtbar – als würde ein ganzer Fensterrahmen durch eine Gürtelschlaufe gezogen.

Philip wandte sich wieder zu ihr um. Er warf einen Blick auf das Heizkissen auf der Couch und sah dann Kate an.

Kate blickte zu Boden.

»Ich suche die Briefmarken raus«, verkündete Oma. »Liesbeth, hol doch noch ein wenig frisches Eis aus der Küche.«

Dieses eine Mal schlug Kate sich auf die Seite ihrer Mutter. »Es ist schon sehr spät, Oma. Philip muss sicher morgen früh arbeiten.«

Er breitete die Arme aus. »Ich hab den ganzen Tag frei.«

»Wirklich?«, fragte sie. Und was wollte er hier? Ein harmloser Flirt war eine Sache – aber das hier ging entschieden zu weit. »Vielleicht solltest du die Zeit besser nutzen und deiner Frau einen Brief schreiben.«

»Ich habe heute schon zwei geschrieben. Und ich hab ihr erzählt, dass ich dich getroffen habe.«

»Ihr habt euch getroffen?« Liesbeths Stimme klang argwöhnisch hoch. »Wann denn das?«

»Im Krankenhaus«, antwortete Kate, und weil sie ihrer Mutter nicht verraten wollte, dass noch ein Polizeibeamter angeschossen worden war, fuhr sie fort: »Philip hatte ein paar wichtige Informationen zu einem Fall für mich.«

Er zwinkerte Kate zu. »Ihre Tochter ist eine tolle Ermittlerin.«

»Ja. Sie hat ein gutes Kombinationsvermögen.« Liesbeth hielt eine frische Zigarette zwischen den Fingern.

Philip beugte sich vor und gab ihr Feuer. »Ich nehme einen Gin Tonic, Kaitlin. Mit viel Eis.«

»*Lieverd?*«, rief Oma aus der Diele. »Kannst du mir bitte im Arbeitszimmer helfen?«

Liesbeth drückte ihre Zigarette im Aschenbecher aus.

»Dein Vater sieht noch nach dir, bevor er zu Bett geht.«

»Danke«, sagte Kate, obwohl sie beide wussten, dass ihr Vater wahrscheinlich längst schlief. »Philip wird nicht lange bleiben.«

»Da bin ich mir sicher.«

»Gute Nacht, Mrs. Herschel.« Philip verbeugte sich, als sie ging, wie er es zuvor auch schon bei Mary Jane getan hatte. »Eine wunderbare Frau.«

»Du solltest sie nicht verärgern.«

»Bei ihrer Tochter scheint diese Taktik ganz gut für mich zu funktionieren.«

»Nicht wirklich.« Kate nahm den Eisbehälter, wandte sich zur Küche und schob sich durch die Pendeltür. Einen Augenblick lang lehnte sie sich an die Arbeitsfläche. Ihre Hände zitterten – aber nicht wegen Philip. Sie war erschöpft. Es war schon spät. Und er war verheiratet.

»Ich sollte mir diese Beule mal ansehen.« Plötzlich stand Philip nur mehr einen Meter entfernt von ihr. Die Küchentür hinter ihm schlug leise hin und her. Derlei Überraschungsauftritte genoss er offenbar sichtlich. »Wie ist das überhaupt passiert?«

Zur Abwechslung entschied Kate sich für die Wahrheit.

»Ich bin in vollem Lauf gegen eine Mauer gerannt.«

Er verzog nicht einmal die Mundwinkel. »Hast du dabei das Bewusstsein verloren?«

»Nein.«

»Hast du Sternchen gesehen?«

Kate verschränkte die Arme vor der Brust. »Was soll das?«

»Ich bin Arzt. Das hier ist eine Untersuchung. Hast du Sternchen gesehen?«

Sie gab nach. »Ja.«

»War dir schwindlig?« Sie nickte.

»Übel?«

Sie nickte noch einmal.

»Musstest du erbrechen?«

»Ein bisschen.«

»Setz dich auf die Anrichte!«

»Philip, ich …«

»Du könntest eine Gehirnerschütterung haben.« Er legte ihr die Hände um die Taille und hob sie hoch. »Dein Rücken fühlt sich an, als würde er in Flammen stehen.«

Das Heizkissen. »Dort lodert nur mein ganzer Ärger.« Philip

lachte leise. Er nahm die Hände nicht von ihrer Taille. »Hast du was eingenommen?«

»Aspirin und Valium.«

»Nimmst du sonst noch Medikamente?«

»Nein.«

»Die Pille?«

Sie hätte sich ohrfeigen können, weil sie errötete. »Ja. Aber nicht wegen ...«

Er hielt ihr einen Finger vors Gesicht. »Folge meinem Finger mit dem Blick.«

Sie sah, wie sein Finger sich hin- und herbewegte. Dann drückte er ihr die Lider mit den Daumen hoch.

»Sieh nach oben.« Sie tat es. »Und jetzt nach unten.« Wieder folgte sie seiner Anweisung. »Und jetzt sag mir, ob es irgendwo wehtut.« Er taste Hals und Gesicht mit sanften Fingern ab. »Mach den Mund auf.« Sie öffnete den Mund.

»Jetzt die Beine.«

»Warum ...«

»Damit ich mit meiner Hand an deinem Schenkel hochfahren kann.«

Sie keuchte leise – vorwiegend weil sie seiner Anordnung blindlings gefolgt war und er getan hatte, was er hatte tun wollen.

Und anstatt die Knie wieder zusammenzupressen und seine Hand wegzuschlagen, saß Kate vollkommen still da.

»Du bist ein verheirateter Mann im Haus meines Vaters und hast die Hand zwischen meinen Schenkeln.«

»Nur bis zur Hälfte.« Er streichelte die Innenseite ihrer Schenkel sanft mit den Fingerspitzen. Seine Berührung glich der eines Schmetterlings auf bloßer Haut.

Kate fing an zu schwitzen. »Philip, hör auf ...«

Er hörte auf, sie zu streicheln, zog aber seine Hand nicht weg. Seine Handfläche ruhte an der Innenseite ihres Schenkels. Und sie war heiß. Er starrte auf ihren Mund hinab.

»Schmeckst du immer noch nach Erdbeeren?«

Sie hatte zusehends Schwierigkeiten, ihre Stimme zu finden. »Das war der Lippenstift …«

»Es war köstlich.« Er fing wieder an, ihren Schenkel zu streicheln. »Du bist so wunderschön, Kaitlin, weißt du das eigentlich? Du bist perfekt.«

»Philip …«, brachte sie gerade noch heraus. Seine Berührung war unglaublich zärtlich. Sie spürte, wie ihr ein Schauer durch den Körper lief.

»Du warst das erste Mädchen, das ich geküsst habe – und das nicht meine Cousine war.«

Kate drückte ihn an der Schulter zurück. »Warum musst du immer über alles Witze machen?«

»Weil es lustig ist. Ich bin ein verheirateter Mann im Haus deines Vaters und hab die Hand unter deinem Kleid.«

Wenn es nicht das Haus von Kates Vater und Kates Kleid gewesen wären, hätte sie die Komik des Ganzen vielleicht anerkennen können. »Ich habe dich gebeten aufzuhören …«

»Willst du das wirklich?«

Kate wusste nicht mehr, was sie wollte. »Was ist mit deiner Frau?«

»Meine Frau ist zum Kindermachen da. Du bist zum Ficken.«

Das kam mehr als unerwartet. »Es ist furchtbar, so etwas zu sagen.«

»Vertrau mir, das eine macht viel mehr Spaß als das andere.«

»Warum sollte ich dir trauen?«

»Du sollst mir gar nicht trauen.« Philip schob seine Hand weiter an ihrem Schenkel hinauf. Seine Finger fanden ihr Ziel – und Kate stockte abermals der Atem. Sie spürte ihn durch die dünne Baumwolle ihrer Unterwäsche. Er wusste genau, was er tat. Unter seiner Berührung schmolz sie regelrecht dahin. Es gab nichts mehr – außer der Bestimmtheit, mit der er sich bewegte.

»Ist das gut?« Er betrachtete ihr Gesicht, während er die Finger auf und ab bewegte. »Spürst du das?«

Kate nickte. O Gott, ja, sie spürte es.

Sie packte seine Schultern. Seine Muskeln bebten unter ihren Händen. Sie wollte ihn küssen. Er ließ es nicht zu. Sie zog ihn an sich. Er kam kein bisschen näher. Er starrte sie einfach nur an und sah zu, wie sie auf seine Berührungen reagierte.

»He, dein Ärger ist da unten ja noch heißer.«

»Sei still«, hauchte Kate. Sie zitterte. Ihn zu fühlen drohte sie zu überwältigen.

Philip küsste sie auf den Hals. Kate wollte von seinem Mund verschlungen werden. Seine Lippen waren so weich. Sein Gesicht war so rau. Sie griff nach seinem Gürtel, aber er hielt sie zurück. Sie versuchte, aus ihrer Unterwäsche zu schlüpfen. Aber auch dabei hielt er sie zurück.

»Philip …«

»Psch!« Der Klang seiner tiefen Stimme pulsierte in ihrem Körper. Sie war so dicht dran. »Tust du mir einen Gefallen, Kaitlin?«

Sie nickte nur, weil ihr Atem zu schwer ging.

»Klopf an meine Tür«, flüsterte er. »Wirst du an meine Tür klopfen?«

Sie schüttelte den Kopf. Er machte sie schier verrückt.

»Wie in dem Song. Klopf dreimal. Okay?«

»Wieso?«

»Damit ich dich ficken kann.«

Seine Hand bewegte sich minimal vorwärts. Kates Nerven zündeten. Jetzt stand sie vollends auf der Kippe. Sein Mund war noch immer an ihrem Ohr. Seine Zunge. Seine Zähne. Jede Empfindung hallte zwischen ihren Beinen nach. Sie wusste überhaupt nicht mehr, was er da tat. Sie begehrte nur noch.

»Nur, wenn du bereit bist«, flüsterte er. »Aber bald, ja?«

Kate konnte nicht einmal mehr antworten. Sie war fast so weit. Ihr Körper bebte vor Erwartung.

Er verringerte den Druck, ohne jedoch seine Hand wegzu-ziehen. »Ja?«

»Ja«, flüsterte – flehte sie. »Ja.«

Langsam zog Philip seine Hand weg. Seine feuchten Finger strichen über ihre Haut. Er küsste zart ihre Stirn.

Kate öffnete die Augen. »Aber …«

»Psch!« Er fuhr mit dem Daumen über ihre Lippen. Sie konnte sich selbst riechen.

Er klopfte dreimal auf die Anrichte, dann drehte er sich um – und ging.

16

Fox saß vor dem Fernseher. Er war betrunken, und er war sauer. Zu sauer, um Kate zu beobachten, was nur bedeutete, dass er sich selbst bestrafte.

Und er hatte die Strafe verdient. Er hatte versagt.

Das war etwas, was Fox senior niemals passiert wäre – dass er mit einem Haufen Schwuler in ein und derselben Bar saß, während irgendeine Frau seine Arbeit machte. Oder es zumindest versuchte. Reines Glück, dass Jimmy Lawson überhaupt noch am Leben war. Fox hatte es im Polizeifunk gehört. Die alte Frau hatte eine .44er Magnum verwendet. Die Kugel hatte Jimmy am Arm getroffen. Sie hätte ihn ins Herz treffen müssen.

Fox würde die Schuld nicht auf andere abwälzen. Diesmal war es nicht wie beim ersten Mal, als Fox um die Ecke gekommen war und Don Wesley auf Knien gesehen hatte, wie er es Jimmy Lawson besorgt hatte. Jeder Mann wäre in einer solchen Situation erstarrt. Und dann hatte die Waffe auch noch eine Ladehemmung gehabt. Lawson war hinter einen Müllcontainer gesprungen, und Fox war abgehauen, weil ein guter Soldat nun mal wusste, wann er sich zurückziehen musste. Doch heute war es anders gewesen. Fox hatte sich ganz einfach geirrt. Jimmy war doch nicht unterwegs in die Bar gewesen, um sich von irgendeiner Schwuchtel die Wunden lecken zu lassen. Er hatte sich auf die Suche nach dem Mann gemacht, der seinen Tuntenpartner umgebracht hatte.

Mehr hatte es nicht gebraucht. Der Plan rumorte nicht länger in seinem Hinterkopf. Er musste nicht länger seine Alternativen durchgehen und sich Bilder von Kate Murphy vorstellen, um bei der Stange zu bleiben.

Der Plan würde ausgeführt werden.

Teil eins: Jimmy konnte nicht mehr einfach nur getötet werden. Er musste benutzt werden, weil Fox sich beweisen musste, dass er wieder die Kontrolle hatte.

Teil zwei: Der Bauer würde für die Königin geopfert.

Fox stellte seinen Drink beiseite. Das war der wichtige Teil. Dafür brauchte er einen klaren Kopf. Er konnte nicht länger einfach nur untätig herumsitzen und darauf warten, dass irgendein Blitz die Sache aus seinem Hinterkopf nach vorne jagte. Fox kannte jetzt seine Alternativen. Er musste sich nur mehr überlegen, wie er Teil eins und Teil zwei zu einem ausführbaren Plan zusammenführen konnte.

Je früher, umso besser. Eins hatte Fox im Krieg gelernt: dass nämlich ein Mann, wenn er einmal wusste, dass er in jemandes Visier geraten war, umso schlauer agierte. Er achtete auf seine Umgebung. Er traf Vorkehrungen. Er änderte seine Routinen.

Fox liebte Routinen. Er brauchte sie. Seine Routinen hatten ihm immer gute Dienste geleistet, egal, welchem Ziel er nachgejagt hatte.

Er nahm sein Klemmbrett und ging seine Eintragungen durch.

Freitag letzter Woche. Mittwoch letzter Woche. Montag letzter Woche.

Er ging noch weiter zurück. Ein anderer Freitag, ein anderer Mittwoch, ein anderer Montag.

Das gleiche Muster wie in der anderen Woche.

Kates Besuche bei ihren Eltern liefen immer gleich ab – wie ein Uhrwerk. Fox nahm an, dass sie dies eigentlich zu einem guten Mädchen machen sollte, soweit dreckige Juden überhaupt als gut bezeichnet werden konnten. Sie trug nie Hosen. Die meisten Abende blieb sie zu Hause, was die Sache komplizierter machte, Fox andererseits aber auch mehr Alternativen gab.

Jeder, der Fox kannte, wusste, dass er Alternativen fast genauso schätzte wie Routinen.

Alternative eins: das Gestrüpp vor dem Kellerfenster zu Kates Zimmer. Das Bett war ein Einzelbett, wahrscheinlich noch aus Kates Kindheit. An der Wand hingen Poster (die Beatles, was verzeihlich war, und Paul Newman, was er ihr nicht verzeihen konnte). Weiches, rosafarbenes Bettzeug. Die dazu passende Wandfarbe. Eine purpurrote Decke, die sie übers Bett legte, wenn es kälter wurde. Die Badezimmertür stand immer einen Spaltbreit offen. Ein Nachtlicht ermöglichte es Fox, das Heben und Senken ihrer Brust zu beobachten. Er stoppte ihre Atmung mit dem Sekundenzeiger seiner Uhr. Wenn er Glück hatte, stand sie in der Nacht auf, und er konnte in dem Lichtsplitter Kates Nachthemd sehen. Weiße Baumwolle. Fast durchsichtig. Wenn Vollmond war, konnte Fox sogar die Dunkelheit ihrer geheimen Stellen durch den dünnen Stoff erkennen.

Alternative zwei: die Stiefelkammer neben der Küche. Meistens ließen sie dort das Licht an, was bedeutete, dass Fox an der Tür stehen und in die Küche sehen konnte. Kate trug nach dem Abendessen immer das Geschirr zum Spülbecken. Manchmal stand sie einfach nur da und starrte auf den Wasserstrahl hinab. Manchmal setzte sie sich aber auch an den Küchentisch und unterhielt sich mit ihrer Großmutter. Großmutter. Anfangs hatte Fox gedacht, sie wäre die Mutter und die Mutter Kates ältere Schwester. Er hatte an die Tür klopfen und sich als Vertreter der Telefongesellschaft ausgeben müssen, um die tatsächlichen Verwandtschaftsverhältnisse auszukundschaften.

Die Mutter hatte ihn eingelassen. Kurz darauf war die Großmutter zu dem Gespräch dazugestoßen. Sie hatten ihm Kaffee und Plätzchen angeboten, und Fox hatte darum gebeten, auf die Toilette gehen zu dürfen, weil die bloße Nähe dieser Frauen, die genauso aussahen wie Kate, ihn steinhart gemacht hatte.

Alternative drei: der umgestürzte Baum im Vorgarten. Fox hatte dahintergesessen und beobachtet, wie Kate den geschwungenen Fußweg zur Haustür hinaufgegangen war. Sie bewegte sich wie eine Katze. Irgendwie träge. Verdammt sexy. Sie trug Schuhe mit hohen Absätzen, die ihren Waden einen solchen Schwung verliehen, dass ein geringerer Mann als Fox sich umgehend die Hand in die Hose gesteckt hätte, um dem Druck beizukommen.

Fox hingegen war gegangen, weil er an jenem Tag schon zu viel verbockt hatte, um noch glauben zu können, er hätte die Zügel in der Hand.

Strafe Nummer eins: Er kam nicht dazu zu sehen, wie sie sich fürs Schlafengehen umzog.

Strafe Nummer zwei: Er sah nicht, wie sie sich die purpurrote Decke um die Schultern wickelte und sich hinlegte.

Strafe Nummer drei: Er hatte keine Gelegenheit, zum taktfesten Heben und Senken ihrer Brust Druck abzubauen.

16.38: Mit Krankenhausarzt gesprochen (D)
17.18: Auf dem Parkplatz neben dem Polizeirevier geheult (D)
19.01: Im Wohnheim Vorhänge zugezogen (D)

Druck.

Es war nicht das erste Mal, dass eine Jüdin ihn in Schwierigkeiten brachte.

Als Fox neun gewesen war, hatte eine jüdische Familie drei Häuser von ihnen entfernt ein Anwesen gekauft. Die Feldmans waren an einem Wochenende eingezogen, und es dauerte keine Woche, bis sämtliche Nachbarn ein ZU VERKAUFEN-Schild im Vorgarten aufgestellt hatten. Zwei Häuser wurden tatsächlich noch verkauft, doch dann verbreitete sich die Nachricht, und keiner konnte mehr einen vernünftigen Preis erzielen.

Senior erzählte Fox, er hätte so etwas schon öfter erlebt. Zuerst zogen Juden ein, dann rauschten die Immobilienpreise in den Keller. Und dann stürzten sich weitere Juden darauf wie die Geier.

Lektion sechs: Trau nie einem Juden.

Wie so viele von Seniors Voraussagen hatte diese sich nicht bewahrheitet. Keiner hatte es sich leisten können, seine Hypothek einfach abzulösen. Die Juden hatten das Viertel nicht gestürmt. Es war bei den Feldmans geblieben und bei den Animositäten, die immer wieder hochgekocht waren.

Dennoch betrachtete Fox die Juden als Geier. Nicht theoretisch, sondern im Wortsinn. Sie sahen finster aus, hatten schwarze Haare, dunkle Augen und Hakennasen. Feldmans Frau war mollig und durchtrieben gewesen wie eine Hexe, und sämtliche Kinder waren davongelaufen, wenn sie zum Briefkasten gegangen war, weil sie alle gewusst hatten, dass Juden einen verfluchen konnten.

Die älteste Tochter war jedoch eine andere Geschichte gewesen. Rebecca Feldman war ebenfalls dunkel – aber nicht dick. Sie hatte Kurven. Ihre Lippen beschrieben einen perfekten roten Bogen. Sie trug figurbetonte Röcke, die ihre Hüften zur Geltung brachten. In der Straße gab es keinen Mann, der sich nicht auf den Herbst freute, denn da trug Rebecca Feldman immer enge Pullover. Das tat sie mit Absicht. Alle wussten das. Sie wollte sie provozieren. Sie spielte mit ihnen. Und sie konnten nichts dagegen tun, ohne die Polizei auf den Plan zu rufen.

Lektion sieben: Jüdinnen sind Huren.

Fox hatte seinen ersten Steifen, als er Rebecca Feldman in einem dieser engen Pullover sah. Er hatte keine Ahnung, wie ihm geschah. Er lief nach Hause und verschwand in seinem

Zimmer. Versteckte sich unter der Decke. Schwitzte wie ein Verrückter, weil eine Jüdin ihn soeben verflucht hatte.

Doch dann bewegte er seine Hand, um sich den Druck zu nehmen – und danach konnte er an nichts anderes mehr denken als daran, was er mit ihr tun wollte. Den Pullover ausziehen. Den Rock hochschieben. Fox wusste nicht, was danach kommen sollte, aber er wusste intuitiv, dass die Jüdin dafür bezahlen musste, was sie ihm angetan hatte. Denn Fox hatte die Kontrolle verloren. In diesen Augenblicken, wenn er in sein Zimmer hinaufrannte und unter die Decke kroch, hatte nur noch der Druck das Sagen.

Und jetzt passierte es schon wieder. Nur war die Jüdin diesmal Kate.

ZWEITER TAG
DIENSTAG

17

Zum zweiten Mal innerhalb von zwei Tagen schob Kate sich durch das Gedränge der Männer im Bereitschaftssaal. Sie ignorierte die anzüglichen Blicke. Sie verschränkte die Arme vor der Brust, um das Grapschen auf ein Minimum zu beschränken. Nur konnte sie sich so nicht die Ohren zuhalten.

»Mäh!«, blökten sie. »Määäh!«

Warum war von all den Spitznamen, die man ihr gestern verpasst hatte – von Irischer Frühling bis Püppchen –, gerade dieser hängen geblieben?

Jemand tippte sich an die Mütze. »Hallo, Schäfchen.« Aus ihrem Lächeln wurde eine Grimasse.

»Määäh!«

Endlich – die Tür. Kate achtete darauf, sie nicht zu weit aufzuschieben. Vom Regen in die Traufe – Wanda Clack saß auf der Bank und belud eben ihren Waffengürtel. Sie sah zu Kate auf – und machte: »Määäh.«

Kate setzte ein Grinsen auf, hob die Hände und gab sich einfach geschlagen. Sie wusste nicht, wie lange sie das noch durchhielt. Sie verdorrte regelrecht innerlich.

»Schau dich einer in dieser Uniform an! Jetzt würde ich es mir glatt zweimal überlegen, bevor ich dich einen Mann nenne.«

»Vielen herzlichen Dank.« Kate strich die Bluse glatt, die

sich immer noch ziemlich bauschte. Sie hatte Mary Jane gebeten, sie etwas weiter als gewöhnlich zu lassen.

Erneut ging die Tür auf, und Maggie schlüpfte herein. Sie zog die Augenbrauen hoch. Offensichtlich überraschte es sie, dass Kate hier war.

Kate kam sich vor, als hätte sie einen Schlag ins Gesicht bekommen.

»Gib mir mal 'nen Huf, Schäfchen.« Wanda streckte die Hand aus. Kate wusste nicht, was sie tun sollte, außer ihr beim Aufstehen zu helfen. Wanda stöhnte laut, als sie sich aufrichtete. Die Ausrüstung an ihrem Gürtel knarzte. »Na ja, ich muss schon sagen, nach allem, was gestern passiert ist, hätte keine von uns gedacht, dass du noch mal hier auftauchen würdest.«

Kate versuchte es mit einem Scherz. »Tja. Überraschung.«

»Du sagst es.« Wanda zwinkerte ihr zu, bevor sie sich wie ein Krebs seitwärts zur Tür hinausschob.

Kate lächelte Maggie an, doch die war mit ihrem Zahlenschloss beschäftigt. »Guten Morgen.«

Maggie zog das Schloss auf. »Wie bist du gestern Abend eigentlich nach Hause gekommen?«

»Reserveschlüssel.«

»Magnetkästchen unterm Kotflügel?«

»Woher weißt du das?«

Sie warf Kate ihre Handtasche zu. »Das erzählen mir die Opfer für gewöhnlich, wenn ich einen Autodiebstahl aufnehme.«

Kate drückte sich die Handtasche an die Brust. Könnte sie einfach gehen? Wäre es so einfach? Könnte sie sich jetzt einfach umdrehen und gehen?

»Hast du dir ein Schloss besorgt, oder musst du wieder meinen Spind benutzen?«

Wenigstens eine Sache hatte Kate heute bereits richtig gemacht. Sie hielt das Kofferschloss in die Höhe, das sie sich von ihrem Vater geliehen hatte.

Missbilligend musterte Maggie das Schloss. Trotzdem öffnete sie den dritten Spind rechts von ihrem eigenen. Nummer acht, direkt neben dem Vorhang, den die farbigen Mädchen aufgehängt hatten.

»Danke.« Eigentlich brauchte Kate nichts aus ihrer Handtasche. Trotzdem warf sie einen Blick hinein, während sie sich durch den Verschlag auf die Rückseite schob. Alles noch da – Make-up, Kaugummi, ein paar Tampons, Kleingeld, das sie nicht so lose mit sich herumtragen sollte. Sie klappte die Brieftasche auf. Sie sah in die Scheinfächer, aber nicht nach ihrem Geld. Ihr Hochzeitsfoto steckte noch immer zwischen den Quittungen.

Auf dem Foto trug Patrick einen dunkelblauen Anzug und Krawatte. Sein Haar war ordentlich gekämmt. Kate trug ein knielanges weißes Kleid mit einem Schößchen, das locker ihre Hüften umspielte. Sie wusste noch gut, wie die Perlenkette über ihrem herzförmigen Ausschnitt im Licht gefunkelt hatte.

Sie hatten vor einem Richter statt vor dem Priester in der Cathedral of Christ the King geheiratet, und das war auch der Grund, warum Patricks Eltern der Zeremonie nicht beigewohnt hatten. Kate hatte zwar immer angenommen, dass sie wie ihre Eltern Agnostikerin sei; doch das hatte ihnen noch lange keinen Zutritt in die christlichen Clubs gewährt. Als Kind war sie in die Synagoge gegangen, um Oma glücklich zu machen. Zu den Bar-Mizwas war sie nur der Kameraderie und des Kuchens halber gegangen. Sie genoss den gelegentlichen Sabbat und mochte Weihnachten lieber als Chanukka, aber nie und nimmer hätte sie verleumdet, was ihrer Familie angetan worden war, indem sie in einer katholischen Kirche heiratete.

»Noch alles drin?«, fragte Maggie. Kate hob den Kopf.

»Ich hab dein Geld nicht genommen.«

»Hab ich auch nicht geglaubt.« Kate klappte die Brieftasche zu und steckte sie wieder in die Handtasche.

»Du fährst heute wieder mit mir.« Maggie stützte die Hand auf ihren Revolver. »Ist das ein Problem?«

»Nein, ist doch klasse.«

Maggie kniff die Augen zusammen. »Wenn du nachher mittagessen willst, nimm ein bisschen Kleingeld mit. Lippenstift ist okay, aber nichts Dunkles. Hast du Notizbuch und Stift dabei?«

Kate klopfte sich auf die Brusttasche.

»Hast du deine Berichte eingereicht?«

»Gleich heute früh.«

»Schnapp dir deinen Strafzettelblock. Den Morgenappell lassen wir heute sausen.« Sie knallte ihren Spind zu. »In fünf Minuten auf der rückwärtigen Treppe.«

Nach Einzelheiten sollte sie wohl besser gar nicht erst fragen. »Ja, Ma'am.«

Maggie schlüpfte zur Tür hinaus. Herein kam jetzt wohl niemand. Kate war noch nie allein in der Umkleide gewesen. Sie spähte in den Bereich hinter dem Vorhang. Sie hatte sich gefragt, wie es dort wohl aussehen würde. Weitere Spinde, natürlich. Am Ende der Sitzbank stapelten sich ein paar Ausgaben von *Negro Digest*. In der Ecke stand ein kleiner Tisch mit einer Glasvase. Es steckte nur eine einzelne Blume darin, ein Gänseblümchen, aber es war frisch.

Irgendetwas polterte gegen die Tür, und Kate fuhr erschrocken zusammen. Sie wusste nicht, was schlimmer war – noch hier zu sein, wenn die Schwarzen Mädchen kamen, oder zu spät zu Maggie auf die Hintertreppe zu kommen.

Sie nahm sich ein bisschen Geld aus der Brieftasche und steckte ihren Lippenstift ein, der eindeutig zu dunkel war, aber was sollte Maggie dagegen unternehmen – Kate verhaften?

Dann steckte sie den Lippenstift wieder zurück in die Handtasche.

Im nächsten Moment war ihr klar, warum Maggie so missbilligend auf das Schloss reagiert hatte. Der Bügel passte kaum durch die Vorhängeschlossvorrichtung am Spind. Sie musste das Schloss mit Gewalt zudrücken. Der winzige Schlüssel würde ihr bei nächster Gelegenheit aus der Tasche rutschen. Kate war sich sicher, dass sie es nicht einmal spüren würde. Ihre Hüften waren immer noch blauschwarz vom Kel-Lite und dem Schlagstock, die gestern andauernd dagegengeschlagen hatten. Sie hatte sich gewundert, dass sie es überhaupt geschafft hatte, ein bisschen zu schlafen.

Natürlich hatten sie in der vergangenen Nacht zahlreiche Sachen wach gehalten und umgetrieben – vor allem die atemberaubenden dreißig Sekunden, die sie gebraucht hatte, um zu beenden, was Philip Van Zandt angefangen hatte. Sie hatte sich noch nie von einem Mann dort unten berühren lassen. Patrick hatte das für pervers gehalten, als sie es ein einziges Mal stehend im Foyer miteinander getan hatten.

Lieber Patrick, formulierte sie in Gedanken. *Vielen Dank für deinen letzten Brief. Bei mir ist auch sehr viel passiert. Gestern Vormittag habe ich einen schillernden Zuhälter kennengelernt. Ich habe dabei zugesehen, wie eine Nutte misshandelt wurde. Ich habe geholfen, einen Streit über ein Sandwich zu schlichten. Ich habe mich von einem fast Fremden in der Küche meiner Mutter befingern lassen. Ich hoffe, du bist nicht auch so ein …*

Die Tür ging auf, und Kate geriet in Panik. Die farbigen Mädchen waren da. Sie waren zu viert. Sie starrten sie böse an. Kate senkte den Kopf und versuchte sich an einem schnellen Abgang – aber sie machten es ihr nicht leicht. Sie drängten sich zusammen, sodass sie sich zwischen ihnen hindurchzwängen musste.

»Entschuldigung … Entschuldigung«, murmelte Kate. Sie waren fast noch schlimmer als die Männer. Die Mütze wurde ihr beinahe vom Kopf gestoßen. Ihre Schultern wurden gerammt, als würde sie sich durch eine Autowaschstraße kämpfen. Irgendjemand stellte ihr ein Bein. Sie schaffte es gerade noch, durch die Tür zu stolpern.

»Määäh!«, schrie ihr ein fetter Polizist ins Gesicht.

Kates gute Laune für diesen Vormittag war schlagartig aufgebraucht. Sie hatte keine Ahnung, wo sich die rückwärtige Treppe befand, aber sie nahm an, dass »rückwärtig« auf den hinteren Teil des Saals hinwies. Über einer Tür sah sie ein Ausgangsschild, und sie ging darauf zu. Hier war das Vorankommen einfacher. Fast alle nahmen gerade ihre Plätze für den Morgenappell ein. Sie wusste nicht recht, wie so etwas funktionierte – wenn Kate sich nicht beim diensthabenden Offizier meldete, hieß das dann, dass sie rein formal betrachtet gar nicht arbeitete?

»Was hat denn so lang gedauert?« Maggie stand am Fuß einer großen Marmortreppe, schien aber keine Antwort zu erwarten. »Komm.«

Es blieb ihr nichts anderes übrig, als ihr die Treppe hinauf zu folgen. Kate konzentrierte sich auf ihre Füße. Sie schwamm noch immer in ihren Schuhen, obwohl sie sich zusätzlich zwei Paar Socken ihres Vaters übergestreift hatte. Die Mütze rutschte ihr immer wieder über die Augen. Sie schob sie zurück. Sie rutschte wieder herunter. Sie schob sie wieder hoch.

»Du darfst deine Mütze abnehmen«, sagte Maggie beiläufig. Doch da sie ihre immer noch auf dem Kopf hatte, behielt Kate auch ihre auf.

»Geht's deinem Bruder wieder besser?«

»Guck hoch!«

»Was?« Kate hob den Blick. Sie war nur noch eine Stufe von einer hünenhaften Schwarzen Frau entfernt.

Sie standen zu zweit oben auf dem Treppenabsatz, trugen identische Uniformen und gleich kurz geschnittene Afros. Auf ihren Namensschildchen prangten die Namen Delroy und Watson. Sie starrten Kate unverblümt an.

»Sie ist ja wirklich weiß wie ein Schaf«, kommentierte Delroy.

»Mhm.« Watson nickte zustimmend. »Man sollte meinen, nach gestern hätte sie gelernt zu gucken, wo sie hinläuft.« Sie streckte eine Hand aus und schlug Kate die Mütze vom Kopf.

Kate wollte die Mütze sogleich wieder aufheben, aber Maggie hielt sie am Arm fest.

»Hör zu, Schaf.« Delroy zeigte mit dem Finger auf sie.

»Du guckst nach links, du guckst nach rechts, du guckst nach oben, du guckst nach unten.«

Watson beendete den Vers. »Linkes Beinchen, rechtes Beinchen.«

Sie klatschten rhythmisch in die Hände.

»Und immer die Augen auf.«

Sie lachten, aber Watson ließ Kate dabei keine Sekunde aus den Augen. »Wir reißen hier keine Witze, weißes Schaf. Du musst die ganze Zeit über alles wissen, was um dich herum vorgeht. Das ist die einzige Möglichkeit, am Leben zu bleiben. Geschnallt?«

»Geschnallt«, murmelte Kate und klang dabei wie der weißeste Jude, der je aus Buckhead falsch abgebogen war.

»Sie hat's *geschnallt*«, rief Delroy ihrer Partnerin zu. »Hast du das gehört?«

Watson versuchte, Kates Akzent zu imitieren. »Ich hab's *geschnallt*, meine Liebe.«

Delroy versuchte sich ebenfalls an einer Imitation. »Vielen Dank, meine Treueste. Vielleicht kann ich dich ja nach ein paar Cocktails im Club *schnallen*?«

»Für so was haben wir jetzt keine Zeit.« Maggie nickte zu einer geschlossenen Tür hinüber und ließ Delroy und Watson vorausgehen. Dann nickte sie zu der Mütze, die Kate sich wieder aufsetzen sollte.

Kate tat wie geheißen. »Du nickst heute aber ganz schön oft«, bemerkte sie aufgesetzt fröhlich.

Maggie hatte indes den Raum betreten – eine weitere Abstellkammer. Allerdings wurden hier tatsächlich Dinge gelagert. Metallregale enthielten Stifte, Aktendeckel, Hefter, Notizbücher. Maggie nickte zur Tür und bedeutete Kate, sie zu schließen. Wieder tat Kate wie geheißen. Sie nahm an, dass es einen guten Grund gab, warum Maggie in Anwesenheit der beiden Schwarzen Frauen so zugeknöpft war. Der Vorhang in der Umkleide war schließlich nicht das Einzige, was die Schwarzen von den weißen Mädchen trennte.

»Machen wir das jetzt hier vor dem Schaf?«, fragte Delroy.

»Sie wird nicht reden«, sagte Maggie, und Kate verstand dies als Kompliment. »Ich muss euch um einen Gefallen bitten.«

Delroy verzog das Gesicht. »Dann mal los.«

»Es gibt da einen Zuhälter, mit dem ich reden muss. Der Name ist Sir She.«

»Sir She«, wiederholte Delroy. »Der Transenlude aus CT?«

»Du kennst ihn?«

»Hab von ihm gehört. Wir hatten neulich erst mit einigen seiner Mädchen zu tun. Haben sich die Scheiße aus dem Leib prügeln lassen müssen, weil sie ihr Geld nicht abgeben wollten.«

»Er trägt weiße Stiefel mit Goldspitzen«, fuhr Watson fort. »Hat eins seiner Mädchen so bearbeitet, dass sie nie wieder geradeaus pinkeln wird.«

»Wo wohnt er?«, fragte Maggie.

»Er hat angeblich gleich mehrere Zimmer in einer Pension an der Huff gemietet.«

Maggie nickte zum wer weiß wievielten Mal. »Gut. Das haben wir gestern auch von einer Zeugin erfahren.« Kate fiel auf, dass Maggie sich nicht darüber ausließ, wie sie die Information aus Violet herausbekommen hatten. »Sonst noch was?«

»Die Pension gehört einer durchgeknallten Portugiesin«, erklärte Delroy. »Steinalt – aber ich würd mich nicht mit ihr anlegen.« Sie wandte sich an ihre Partnerin. »Wie war die Hausnummer gleich wieder, acht-fünfzehn?«

»Acht-neunzehn.« Watson rümpfte die Nase. »Diese alte Schachtel sieht aus, als hätte sie Spinnen in den Haaren.«

»Eine Portugiesin?«, hakte Maggie nach. »Was hat eine weiße Frau in CT zu suchen?«

»Lasst ihr Knallköpfe irgendeinen verdammten Fremden in eurem Hinterhof wohnen?« Dann versuchte Delroy sich erneut an einem vermeintlich weißen Akzent. »Früher hat sie wohl mal in der Nähe des Einkaufszentrums gewohnt. Aber der Lärm dort war *schier unerträglich*.«

»Schon besser«, kommentierte Kate. Die Satzmelodie hatte Delroy tatsächlich ganz gut hinbekommen.

Maggie streckte den Arm aus und schob Kate auf diese Weise förmlich aus der Unterhaltung hinaus. »Ist irgendjemand von denen bewaffnet?«

»Sir She selbst hat keine Waffe. Aufpassen müsst ihr auf diesen Fettarsch, der für ihn arbeitet – fett wie ein Wal und total verrückt. Aber ehrlich gesagt, nach allem, was man so hört, sind sie beide ziemlich gaga. Aber der Große ist einfach absolut durchgeknallt. Du weißt, was ich meine?« Delroy warf Kate einen bedeutungsvollen Blick zu. »Er hat 'n ganz spezielles Faible für weiße Frauen. Er hasst sie. Und das mein ich verdammt ernst, Schäfchen.«

Jetzt mischte sich auch Watson wieder ein. »Na ja, wenn er sie aufschlitzen darf, dann mag er sie sehr. Hat immer ein Klappmesser bei sich. Zieht es blitzschnell, und in der nächsten Sekunde baumelt dein halbes Gesicht vom Knochen.«

Kate musste sich zusammennehmen, um nicht zu erschaudern.

»Aber keine Schusswaffen?«, hakte Maggie nach.

Watson zuckte mit den Schultern. »Ich sag doch, wir haben diese Brüder nie persönlich getroffen. Sie sind neu in der Stadt. Sind erst seit fünf, vielleicht sechs Monaten hier.«

»Keine Zeit, einen Willkommenskorb vorbeizubringen, was?«, witzelte Delroy, und Watson fügte hinzu: »Das ist allerdings nur die Scheiße, die wir über die beiden gehört haben.«

»Ziemlich gute Scheiße zwar«, warf Delroy ein, »aber es ist immer noch Scheiße.«

»Okay.« Maggie verschränkte die Arme vor der Brust und wartete.

Watson starrte Delroy an. Delroy starrte Watson an.

»Sir She schickt ein paar alte Nutten an die Whitehall«, sagte Watson schließlich.

»Dort wurde doch Don Wesley erschossen.« Delroy hatte es nicht als Frage formuliert.

»Und ihr Bruder wurde dort auch fast erschossen«, wandte sich Watson an ihre Partnerin. »Anscheinend sucht sie nach einem Mädchen, das was gesehen hat – vielleicht will sie versuchen, es zum Reden zu bringen.«

»Kein Mädchen redet ohne das Okay ihres Zuhälters.«

Jetzt starrten beide Maggie schweigend an. Schließlich nickte Delroy. Und auch Watson nickte.

»Gib uns bis Mittag«, sagte Delroy. »Wir sorgen dafür, dass ihr in die CT reinkommt. Auf direktem Weg zur Huff und wieder raus. Mehr können wir euch nicht garantieren.«

»Okay.« Kein Dank von Maggies Seite. »Was habt ihr sonst für mich?«

Watson war offensichtlich vorbereitet. »Vor zwei Nächten wurde drüben in Midtown ein Schwarzes Mädchen vergewaltigt. Die ganze Nacht lang. Dreizehn Jahre alt. Landete in der Notaufnahme im Grady, wo sie wieder zugenäht werden musste. Wir glauben, dass es einer von euch war.«

»Ich hab eine Schwester in dem Alter«, murmelte Maggie und knuffte Kate in den Arm, um sie zum Mitschreiben aufzufordern. »Gibt's eine Beschreibung?«

»Besser als das«, antwortete Watson. »Der Kerl heißt Lewis Windall Conroy der Dritte. Einundzwanzig Jahre alt. Student an der Georgia Tech. Ursprünglich aus Berwyn, Maryland, wo meine Leute mir gesagt haben, dass dort gegen ihn schon mal Anzeige wegen eines sexuellen Übergriffs auf eine Vierzehnjährige erstattet wurde. Sein Vater hat sich damals darum gekümmert.«

Kate hob langsam den Kopf. Maggies Mund war leicht geöffnet. Kate hatte sie noch nie so überrascht gesehen.

»Hat er zufällig seine Klamotten eingebüßt?«, fragte sie schließlich.

»Wie kommst du darauf?« Doch Maggie antwortete nicht.

Watson zog eine dicke braune Brieftasche aus ihrer Gesäßtasche und überreichte sie Maggie. »Das Arschloch muss völlig zugedröhnt gewesen sein. Seine Klamotten lagen dort überall am Boden, und dann schnappt er sich allen Ernstes den Regenmantel ihres Großvaters und macht sich damit aus dem Staub.«

Maggie suchte den Führerschein heraus und starrte auf das Foto hinab. »Scheiße.«

Kate sah ihr über die Schulter. Der Mann war im Collegealter und hatte ein rundes Gesicht und dünne blonde Haare.

»Ich wusste, dass mit dem was nicht stimmt«, sagte Maggie leise. »Ich hatte dieses Arschloch gestern früh – aber es gab keinen Grund, ihn zu verhaften.«

»Na ja, jetzt hast du einen.«

Maggie kontrollierte auch den Rest der Brieftasche. Es gab noch ein Foto eines älteren Paars, wahrscheinlich die Eltern. Beim Studentenausweis der Georgia Tech hielt sie inne.

»Der Vater des Mädchens hat das Geld genommen«, erklärte Watson, und Delroy fügte hinzu: »Bringt ihr kein intaktes Pfläumchen zurück, aber es reichte zumindest für die Schmerzmittel.«

»Danach suche ich nicht ...« Maggie steckte Studentenausweis und Führerschein ein. Dann hielt sie den beiden Frauen die Brieftasche hin. »Da sind noch zwei Kreditkarten drin.«

»Er ist kein Dieb«, wies Delroy sie zurück.

Maggie legte die Brieftasche auf ein Regalbrett. »Wir holen uns den Kerl. Ist das Mädchen zu einer Aussage bereit?«

Angesichts dieser Vorstellung mussten die beiden Frauen lachen.

»Was soll ich denn deiner Meinung nach sonst tun, Del? Für nichts und wieder nichts kann ich ihn nicht verhaften.«

»Dann find irgendwas«, blaffte Delroy sie an. Die Gereiztheit in der Stimme der Frau war nicht zu überhören. »Wenn du dieses Mädchen im Krankenhaus hättest verhören und ihr erklären müssen, warum ihre Muschi nicht mehr feucht werden darf, bis die Fäden raus sind, dann würdest du dieses Arschloch, das Kinder vergewaltigt, postwendend aus dem Verkehr ziehen.«

»Okay«, sagte Maggie. »Aber sein Daddy hat offensichtlich Beziehungen. Wenn ich ihn einsperre, ist er in weniger als vierundzwanzig Stunden wieder draußen.«

Watson sah wieder zu Delroy hinüber. Kate fragte sich, ob zwischen den beiden eine Art telepathische Verbindung bestand.

»Du schaffst ihn auf unsere Seite der Stadt«, sagte Delroy dann. »Den Rest übernehmen wir.«

»In Ordnung.« Maggie schien es ziemlich gleichgültig zu sein, was sie mit ihm anstellen würden. »Ich spreche mit meinen Jungs und leg dir die Details in den Spind.«

»Mach das.« Dann wandte sich Delroy an Kate: »Und du, Schäfchen, guck das nächste Mal, wo du hinläufst.«

Und damit war das Treffen beendet. Kein Small Talk – man fragte einander nicht nach dem Befinden der Eltern oder dergleichen. Maggie nickte Kate bloß zu: Sie durfte die Tür wieder öffnen. Zu viert verließen sie die Abstellkammer, doch anstatt die Treppe hinunterzugehen, wandte sich Maggie dem Korridor zu und blieb so abrupt stehen, dass Kate beinahe in sie hineingerannt wäre. Dann drehte Maggie sich noch einmal um. »Del, kennst du einen Laden namens Dabbler's?«

Die Frauen prusteten vor Lachen. »Dabbler's?«, schnaubte Delroy. »Bist du wahnsinnig, Mädchen?«

Sie lachten noch immer, als sie die Treppe hinuntergingen.

»Gehen wir jetzt Circe bezirzen?«, fragte Kate, doch Maggie ignorierte den Witz.

»Hast du nicht gehört, was sie gesagt haben? Nach Mittag. Wir haben noch mindestens vier Stunden, bis wir ihr Okay bekommen.«

»Okay für …«

Maggie ging den Korridor entlang. Kate hatte keine andere Wahl, als ihr zu folgen. Wie Maggie hatte auch sie die Hand auf ihrem Revolver. Sie versuchte, mit Maggie mitzuhalten, aber ihre Schuhe machten mehr als ein Schlurfen unmöglich.

»Steck dein Notizbuch weg.« Maggie klang mit einem Mal wieder verärgert.

Kate drückte die Mine in den Kuli, klappte das Notizbuch zu und steckte sich beides in die Brusttasche.

»Schreib ja nichts über diesen Kerl in deinen Bericht.«

»Warum nicht?«

»Weil wir weder einen Haftbefehl noch irgendeinen Beweis haben.«

»Und das stört dich nicht?«

»Stört dich nicht, dass ein erwachsener Mann ein dreizehnjähriges Mädchen vergewaltigen kann und damit durchkommt?«

Kate wusste nicht, was sie sagen sollte. Das war keine abstrakte Frage, die man über einem Abendessen debattierte. Dort draußen war ein konkreter Mann unterwegs, der ein konkretes kleines Mädchen vergewaltigt hatte.

»Gewöhn dir an, dein Notizbuch in die Gesäßtasche zu stecken. Im Sommer brennt dir die Spirale sonst ein Loch in die Brust.«

Kate ließ unkommentiert, dass auch Maggie sich ihr Notizbuch in die Brusttasche gesteckt hatte. Stattdessen versuchte sie, die Stimmung ein wenig aufzuheitern. »Meinst du wirklich, ich bin im Sommer noch hier?«

Maggie antwortete nicht.

»Dabbler's. Das war der Name auf dem Streichholzbriefchen, oder nicht?«

Wieder keine Antwort.

Da konnte Kate genauso gut gleich all ihre Fragen loswerden. »Woher kennst du die beiden Frauen?«

»Abendschule.«

»Vom College?« Kate konnte die Überraschung in ihrer eigenen Stimme hören. »Ich meine …«

»Wir haben uns damals alle auf ein und dieselbe Anzeige gemeldet – hinten in diesem Comicheftchen, wo man diese Schildkröte ausmalen muss.«

»So hab ich das nicht gemeint.«

Wieder reagierte Maggie nicht. Sie waren inzwischen im gegenüberliegenden Treppenhaus angelangt. Treppenstufen aus Marmor, prächtiger als die der Hintertreppe. Maggie nahm zwei Stufen auf einmal.

Kate musste sich am Geländer festhalten, als sie ihr folgte. Sie wollte nicht noch einen Tag das unwissende Püppchen spielen. »Bleib stehen … Bitte.«

Maggie hielt am unteren Treppenabsatz an und sah auf die Uhr.

»Hab ich irgendwas falsch gemacht?« Kate wusste, wie dumm diese Frage in Maggies Ohren klingen musste. »Ich meine, ganz offensichtlich mache ich alles falsch. Aber gibt es irgendwas Spezielles, warum du so wütend auf mich bist?«

Maggie blieb stumm.

»Ist es wegen dieses Schaf-Spitznamens?« Und im selben Augenblick erkannte Kate, dass sie nicht die Einzige war, die im Nachklang jener Episode gedemütigt wurde. »Tut mir leid. Ich hätte die Ausrüstung einfach ignorieren müssen. Beim nächsten Mal weiß ich Bescheid.«

»Wegen des Spitznamens …« Maggie starrte auf Kates Füße hinab. »Was für eine Schuhgröße hast du?«

»Neununddreißig«, log Kate, ehe ihr wieder einfiel, dass sie gerade nicht bei Saks shoppen war. »Ich meine, vierzig.«

»Du kannst dir ein paar von Jimmys alten Schuhen leihen. Die passen besser als die, die du jetzt anhast.« Sie nickte zur Tür. Dieses Nicken wuchs sich allmählich zu einem Tick aus.

»Wir fahren bei mir vorbei. Du kannst allerdings nicht mit reinkommen.«

»Bei dir?«

»Bei mir. Wo mein Bruder und ich wohnen.« Sie redete mit Kate wie mit einem Kind. »Wir fahren zu mir, um Schuhe zu holen, die dir passen, und dann fahren wir zu dem Diner an der Moreland Avenue. Dort sind wir in einer halben Stunde mit Jimmy verabredet. Bis Mittag arbeiten wir dann mit ihm ein paar Akten durch. Danach fahren wir in die CT, und zwar zusammen mit Gail, falls wir Verstärkung brauchen und du immer noch nicht wissen solltest, wie man sich die Schuhe zubindet.«

Kate wusste nicht, welche Frage sie zuerst stellen sollte.

»Akten?«

Kate starrte Maggie hinterher. Sie hatte die leere Lobby bereits halb durchquert und ging auf die Glastüren zu. Kate hatte zwei Möglichkeiten: Sie konnte ihr folgen oder sie von hinten anspringen und mit den Fäusten auf sie einprügeln.

Einige Augenblicke gab sich Kate der Fantasie hinter Vorhang Nummer zwei hin. Es wäre wunderbar. Auch wenn sie entgegen Philips Aussage hinsichtlich ihres Lebenszwecks wusste, dass sie eines Tages Kinder haben wollte.

Trotzdem folgte sie Maggie durch die Tür.

18

Kate war noch nie im sogenannten Kohlviertel, in Cabbage Town, gewesen, aber sie nahm an, dass es nicht dasselbe war wie das abfällig gemeinte CT aus Colored Town. Das Viertel lag im südöstlichen Teil der Stadt jenseits der Eisenbahngleise und gehörte nicht gerade zu den besseren Gegenden. Verlassene Häuser und verfallende Fabriken prägten das Straßenbild. Kate nahm an, dass schuld daran die üblichen Verdächtigen waren: die Ölkrise, die hohe Arbeitslosigkeit und der schlimmste Börsencrash seit der Großen Depression. Die öffentlichen Dienstleistungen reichten nur bis zu den Gleisen. Jenseits davon quollen die Mülltonnen über, Schlaglöcher sprenkelten die Straßen. Es schien genau die Art von Viertel zu sein, in dem Leute wie die Lawsons lebten. Die Southside-Bewohner waren dort unter sich.

Durch das heruntergekurbelte Fenster konnte Kate ein großes Lagerhaus aus Backstein mit bröckelnden Kaminen erkennen, die in den Himmel aufragten. Die auf die Fassade gemalten Buchstaben waren verblasst. Sie konnte gerade noch das Wort »National« entziffern und fragte sich, ob dies wohl die Bleistiftfabrik gewesen war, die einst Leo Frank gehört hatte. Vor sechzig Jahren war der jüdische Unternehmer fälschlicherweise für den Mord an einem jungen Mädchen verurteilt worden. Ein Lynchmob hatte Frank aus dem Gefängnis verschleppt und an einem Baum aufgeknüpft. Irgendjemand hatte sogar Fotos geschossen, die seinen überdehnten Hals zeigten.

Fetzen von Franks Kleidung waren als Souvenirs verkauft worden. Zu dem Mob hatten auch ein früherer Gouverneur, ein pensionierter Richter und mehrere Polizeibeamte gehört. Sie waren für den Mord an Frank nie vor Gericht gestellt worden und hatten sich wahrscheinlich umso mehr darüber gefreut, was auf den Vorfall folgte: Ungefähr dreitausend Juden brachen ihre Zelte ab und flohen aus dem Bundesstaat.

Kate hatte Franks Geschichte als kleines Kind gehört. Sie gehörte zu all den anderen Geschichten der Kategorie »Wie sie versuchten, uns zu töten, und wie wir überlebten«, und sie war sogar in der Synagoge als Mahnung vorgetragen worden. Kate war sich nicht mehr ganz sicher, aber vermutlich hatte auch Philip Van Zandt damals den dortigen Unterricht besucht. Er war vor seinem Weggang in all ihren Klassen gewesen. Und bis zu jenem Flaschendrehspiel hatte sie nie auch nur einen Gedanken an ihn verschwendet. Er war immer einer dieser linkischen, pickeligen Jungs gewesen, die sich im Hintergrund aufgehalten hatten.

Und dort konnte er auch liebend gern bleiben, denn Kate hatte noch nicht vollends den Verstand verloren. Der gestrige Abend war lediglich die Folge irgendeiner kurzfristigen Unzurechnungsfähigkeit gewesen. Sie war müde gewesen. Ihr Ego angekratzt. Ihre Abwehr geschwächt. Immerhin war sie die Tochter eines Psychiaters. Sie kannte Freud. Um zu beschreiben, was sie in der Küche hatte geschehen lassen, wäre kein Wort besser geeignet als »pubertär«. Sie war eine erwachsene Frau. Eine Witwe. Und auch Philip war verheiratet. Er würde seiner Frau Kinder machen. Und er hatte mehr als deutlich zur Sprache gebracht, dass Kate nur für eine einzige Sache gut war.

Was Kate anging, konnte Philip Van Zandt verdammt noch mal an seine eigene Tür klopfen.

Die Autoreifen rauschten auf die Brücke, die die I-20 überspannte. Kate blickte hinab auf den schwachen Verkehr auf der Interstate. Vorwiegend Frauen. Zu dieser Tageszeit waren sie entweder unterwegs, um Lebensmittel einzukaufen, oder auf dem Heimweg, nachdem sie ihre Kinder zur Schule gebracht hatten.

Seit sie das Polizeigebäude verlassen hatten, hatte Maggie keinen Ton gesagt. Jetzt brach sie ihr Schweigen. »Highways von Osten nach Westen haben gerade, die von Norden nach Süden ungerade Nummern.«

Kate hatte keine Ahnung, was sie meinte, nickte jedoch.

»Interstate-Zubringer sind dreistellig. Die erste Ziffer ist gerade, wenn es eine Ringstraße ist, und ungerade, wenn es eine Stichstraße ist. Wenn die Nummer durch fünf teilbar ist, ist es eine wichtige Verkehrsader.«

»Faszinierend.«

»Du musst solche Sachen wissen, Kate. Was, wenn du einen Verdächtigen verfolgst und er auf einen Highway fährt?« Kate starrte sehnsüchtig zum Fenster hinaus. Sie waren zu schnell unterwegs, als dass sie unbeschadet hätte hinausspringen können.

»Kennst du deine Funkcodes?«

Kate seufzte so laut, wie sie nur konnte. »Vierundzwanzig: unzurechnungsfähige Person. Achtundzwanzig: betrunkene Person. Dreißig: Fahren unter Alkoholeinfluss. Neunundvierzig: Vergewaltigung. Fünfzig: Schießerei. Einundfünfzig: Messerstecherei. Dreiundsechzig …«

»Schon gut.« Maggie bog auf eine Seitenstraße ein. Kate fiel auf, dass die Häuser hier nach und nach anders aussahen – ein klein bisschen prächtiger als noch ein paar Straßen zuvor; oder zumindest waren sie das irgendwann in einer fernen Vergangenheit einmal gewesen. Ein paar viktorianische Bauten, eine Handvoll im Stil Queen Annes und viele kleinere Craftsman-Bungalows säumten die breiten Straßen.

»Wie heißt dieses Viertel?«

»Grant Park«, antwortete Maggie.

In Grant Park war Kate schon einmal gewesen. Sie hatte einen Ausflug zum Atlanta Zoo gemacht – so ziemlich das Deprimierendste, was sie in ihrem Leben je gesehen hatte. Die Tiere steckten buchstäblich im Dreck. Ein Gorilla saß den ganzen Tag in einem Betonkäfig und wurde mit Fernsehserien bei Laune gehalten.

Wenn sie aus dem Fenster sah, hatte sie nicht den Eindruck, dass es den Nachbarn wesentlich besser ging. Die Verschandelung von Cabbage Town hatte auch Grant Park erfasst. Hier waren Fenster vernagelt, dort überwucherten Gärten. Autos standen auf Betonquadern.

»Genau wie in Buckhead, was?«, sagte Maggie. Kate wollte lieber nicht darauf reagieren.

Maggie ging vom Gas, kreuzte die Gegenfahrbahn und hielt dann vor einem weitläufigen viktorianischen Haus an. Ein Lächeln schlich sich auf Kates Gesicht. Das alte Haus erinnerte sie an ein Puppenhaus, das ihr Vater ihr vor vielen Jahren einmal geschenkt hatte. Die Außenverkleidung war hellblau, die Zargen strahlend weiß, die Fenster schwarz eingefasst. Zierschnecken und -kuppeln waren in dunklerem Blau abgesetzt. Es gab eine umlaufende Veranda und einen kleinen Balkon über einer prächtigen Eingangspforte.

»Sieht wunderschön aus.«

»Ja«, pflichtete Maggie ihr bei. »Nur schade, dass ich in der Scheißbude nebenan wohne.« Sie stieß die Tür auf.

»Bleib im Auto.«

Kate war froh, dass sie sitzen bleiben durfte. Sie sah Maggie aufs Nachbarhaus zugehen. Der großzügigste Gedanke wäre noch gewesen, dass das Haus eine gute Bausubstanz hatte. Ansonsten sah es ziemlich heruntergekommen aus. Das Rondellturmchen wirkte aufgebläht wie ein Geschwür. Plastikplanen hingen vor fast allen Fenstern. Von der Holzverkleidung blätterte die Farbe ab. Das Steinfundament bröckelte. Ein hässlicher metallener Carport, der ursprünglich wohl für einen Airstream-Wohnwagen gedacht gewesen war, überspannte den hinteren Teil der Einfahrt.

Kate hörte, wie eine Fliegengittertür quietschend auf- und wieder zuschlug. Dann trat ein schlaksiger Mann im Trainingsanzug aus dem schöneren Haus. Kate schätzte ihn auf ungefähr ihr Alter. Er trug ein Stirnband und Turnschuhe. Am Fuß der Treppe blieb er stehen und machte ein paar Dehnübungen. Sie nahm an, dass er joggen gehen wollte. Inzwischen sah Kate im Park eine Unmenge von Joggern. An einer Kette um seinen Hals hing etwas, was sie nicht genau erkennen konnte. Immer wieder blickte er zum Haus der Lawsons hinüber. Kate konnte nicht ausmachen, ob er nervös war oder Ausschau nach jemandem hielt.

»Hey, Arschloch«, vernahm sie plötzlich Jimmys Stimme. Hoffentlich meinte er den Nachbarn. Dann kam er über die vordere Veranda gehumpelt. Sein verletzter Arm hing steif herab. »Kümmer dich um deinen eigenen Dreck!«

Der Nachbar schien sich taub zu stellen. Er lief die Einfahrt hoch, Arme am Ellbogen abgewinkelt, was – wie Kate inzwischen wusste – die bessere Art zu laufen war.

»Murphy!« Jetzt hatte Jimmy sich Kate zugedreht. »Hilf Rick.«

Kate hatte keine Ahnung, wer Rick war, aber sie stieg aus. Delroy und Watson hätte das nicht gefallen. Kate war so abgelenkt gewesen von dem, was gerade vor dem Auto passiert war, dass sie völlig vergessen hatte, nach hinten zu sehen. Auf der Straße parkte ein Streifenwagen der Atlanta Police. Ein Uniformierter machte die hintere Tür auf. Er war groß, hatte einen dichten Schnurrbart und Haare, die so schwarz waren wie seine Lederhandschuhe. Im Auto lagen mindestens fünf Kartons voller Akten.

»Rick Anderson«, stellte der Beamte sich vor – und erst da fiel Kate auf, dass er der erste Polizist seit Maggie war, der sich die Mühe machte, sich mit ihr bekannt zu machen. Noch überraschter war sie, als er ihr die Hand gab.

»Kate Murphy. Freut mich sehr, Ihre Bekanntschaft zu machen, Mr. Anderson.«

»Die anderen nennen mich Rick«, sagte er und klang dabei fast ein bisschen peinlich berührt.

»Die Kartons.« Maggie hatte sich an sie herangeschlichen. Sie sah genauso wütend aus, wie sie klang. »Wir machen es gleich hier.«

Kate fragte gar nicht erst nach Einzelheiten, die sie ohnehin nicht in Erfahrung bringen würde. Sie streckte die Arme aus und nahm sich einen Karton. Maggie nahm zwei, und Rick schnappte sich die restlichen und zwei Tüten mit der Aufschrift »Beweismittel«.

»Siehst heut gut aus, Maggie«, sagte Rick.

»Ist das alles?«

»Alles, was ich finden konnte.«

Maggie drehte sich zu Jimmy um. »Ich dachte, wir wollten das im Diner machen.«

»Es ist alles hier. Warum sollten wir woanders hingehen?« Maggie stieg wieder zur vorderen Veranda hinauf. Sie hielt kurz inne und folgte mit dem Blick dem Läufer, der mittlerweile schon ein ganzes Stück weit die Straße entlanggejoggt war.

»Was guckst du denn so?«, blaffte Jimmy sie an.

»Dieses Arschloch von einem Bruder …« Und mit diesen Worten verschwand Maggie im Haus.

Kate konnte sich keinen Reim auf diesen Wortwechsel machen. Vorsichtig stieg sie die Stufen hinauf. Durch eine der vergammelten Stufen wollte sie nun wirklich nicht brechen. Rick schien da argloser zu sein. Er nahm immer zwei Stufen auf einmal und blieb dann vor der Tür stehen, damit Kate vorausgehen konnte.

Aus dem Haus waberte ihr Zigarettenrauch entgegen wie

eine Geisterhand, die sie hereinwinkte. Kate sah zu Boden und versuchte, sich daran zu gewöhnen. Ihre Augen tränten. Die Kehle brannte. Doch dann hob sie den Kopf, weil sie schon oft genug beinahe in irgendwas hineingerannt war. Deprimierend, schoss es ihr durch den Kopf, als Kate sich im Inneren des Hauses umsah. Alles war dunkelgrau gestrichen, von den Wänden über die Decke bis zu den Zierleisten. Die Holzböden waren verwahrlost. Die Beleuchtung bestand aus kaum mehr als nackten Glühbirnen. Die Einrichtung musste aus einem dieser Billigkaufhäuser stammen. Eine gelb-orangefarben geblümte Couch. Hässliche Sessel.

Ein brandfleckiger Beistelltisch.

»Oh Mann, Lady!« Jimmy stand in der Diele. Sein Blick wanderte zu Kates Brust. »Hattest du diese Dinger gestern schon?«

Kate hob den Karton ein Stück höher und errötete, aber nicht aus dem naheliegenden Grund. Sie vermochte Jimmy einfach nicht anzusehen, ohne an die Röntgenaufnahme denken zu müssen, die Philip ihr gezeigt hatte.

»Hier rein.« Maggie hatte sich bereits an einem Tisch niedergelassen. Das war also das Esszimmer. Trotz der großen, vom Boden bis zur Decke reichenden Fenster wirkte es – wie das restliche Haus auch – wie eine Gruft. »Die Beleuchtung ist beschissen, und die Fenster sind übermalt«, versuchte Maggie zu erklären, was keiner Erklärung mehr bedurft hätte.

Kate versuchte verzweifelt, irgendetwas Positives zu sagen.

»Die Anaglypta ist wirklich schön.« Alle starrten sie an. Fieberhaft dachte sie darüber nach, was sie soeben gesagt hatte, und stellte fest, dass sie die ratlosen Blicke der anderen sehr wohl verdiente. »Die Tapete«, sagte sie und nickte vage zu der Strukturtapete an den Wänden hinüber.

»Dad hat sie übermalt«, kommentierte Jimmy.

»Das soll man ja auch.« Erneut schoss ihr das Blut in die Wangen. »Ich bin jetzt einfach still.«

»Das hör ich von einer Frau am liebsten.« Jimmy humpelte um den Tisch herum. Er trug eine schwarze Hose und ein weißes Button-down-Hemd. Die Ärmel waren aufgekrempelt. Der offene Kragen hatte kürzere Spitzen, als es zurzeit Mode war. Kate hatte noch nie einen schwulen Mann getroffen, der sich nicht modisch gekleidet hätte. Sie fragte sich, ob Philip ehrlich zu ihr gewesen war. Sie zu schockieren hatte ihm auf jeden Fall sichtlich Spaß gemacht. Aber warum hätte er in diesem Zusammenhang lügen sollen?

»Setz dich.« Maggie deutete auf einen Stuhl auf der gegenüberliegenden Seite des Tischs. Sie hatte bereits eine aufgeschlagene Akte vor sich. Notizbuch und Stift lagen daneben. Ihr Gürtel hing über der Rückenlehne. Kate nahm ihren Gürtel ebenfalls ab und hängte ihn über den Stuhl. Das Gefühl der Schwerelosigkeit war regelrecht erlesen – doch diesen Gedanken behielt sie lieber für sich.

»Lasst eure Mikros eingesteckt«, murmelte Maggie, ohne von der Akte aufzublicken.

Kate legte sich den Sender auf den Schoß, als sie sich setzte. Rick und Maggie hatten ihre Funkgeräte leise gestellt. Das Knistern war zu einem dauerhaften Hintergrundgeräusch geworden, das Kate kaum mehr wahrnahm.

Rick zog seine Handschuhe aus. »Maggie hat Ballard und Johnson. Du nimmst Keen und Porter.«

Kate griff nach der Akte, die Maggie ihr hinhielt, obwohl sie keine Ahnung hatte, was sie damit tun sollte.

»Schreib einfach alles auf, was dir komisch vorkommt«, erklärte Jimmy es ihr.

»Gut.« Kate hatte noch immer keine Ahnung, aber sie hielt es für besser zuzustimmen. Maggie schob einen Block über den Tisch, und Kate zog den Stift aus ihrer Tasche. Sie könnte einfach irgendwas vor sich hin kritzeln, dachte sie, bis sie jemand fragte, warum zum Teufel sie nicht tat wie geheißen.

»Wir teilen uns die Akten entsprechend der Mädchen auf.«

Rick schob Jimmy einen Stapel Akten zu. »K & P Beweismittelverzeichnis. Dienstplan. Meldungen an die Zentrale.« Er schob die restlichen Ordner zusammen und nahm sie an sich. »Ich hab B & J.«

Jimmy kicherte. »Einen BJ könnt ich jetzt auch vertragen.« Kate spürte, wie ihre Wangen erneut heiß wurden. Was ein BJ – ein Blowjob – war, wusste sie zumindest theoretisch. Sie wusste sich nicht anders zu helfen, als die erstbeste Akte aufzuschlagen. Beim Anblick des Fotos, das zuoberst lag, drehte sich ihr beinahe der Magen um: die Farbaufnahme eines toten Mannes. Vielmehr vermutete sie zuerst lediglich, dass er tot war. Seine Augen waren weit aufgerissen. Sein grau meliertes Haar teilte sich wie ein Vorhang über der Stirn, und exakt in der Mitte prangte ein fast perfekt rundes Loch.

Jimmy boxte ihr in den Oberarm. »Noch nie einen Toten gesehen?«

»Natürlich hat sie.« Maggie klang stinksauer. »Gott …«

»Du mich auch, Kleines.« Er kippte seinen Stuhl nach hinten. »Was ist denn bitte schön in dich gefahren?«

»Wir wollten das hier eigentlich im Diner machen.«

»Und?« Jimmy schnellte nach vorn und warf einen Stift nach seiner Schwester.

Kate wandte sich dem nächsten Foto zu. Noch ein Mann. Noch ein Einschussloch. Die Fotos, die man ihnen an der Akademie gezeigt hatte, waren schwarz-weiß gewesen, ein paar sogar lediglich Fotokopien. Nichts im Vergleich zu den Kodachromes, die sie im Augenblick in der Hand hielt.

»Ist das Porter?«, fragte Maggie.

Kate drehte das Foto um. *Porter, Marcus Paul.* Der Name kam ihr irgendwie bekannt vor, aber sie konnte ihn nicht einordnen. »Ja, Porter.«

»Wann wurde er getötet?«

Kate musste die Frage erst verarbeiten, bevor ihr einfiel, wie sie sie beantworten konnte. Ob mit schlechten Fotokopien oder nicht – normale Polizeiberichte hatte sie schon in der Hand gehabt. Sie blätterte zum Vorfallbericht. »Am zwölften September.« Zwei Tage vor Patricks Todestag. Das brachte ihr Gedächtnis auf Trab. Am zwölften September waren zwei Polizeibeamte hinter einem Kaufhaus wie bei einer Exekution ermordet worden.

Kate überflog die Namen auf den Schachteln: Mark Porter. Greg Keen. Alex Ballard. Leonard Johnson. Jetzt fiel es ihr wieder ein. Sie hatte von all diesen Männern in der Zeitung gelesen.

Sie gingen die Akten der toten Polizeibeamten durch. Maggie klickte die Mine aus ihrem Kuli und machte sich Notizen, während sie beiläufig fragte: »Und Ballard und Johnson wurden ... wann getötet? Drei Wochen davor?«

Kate klickte ebenfalls auf ihren Kuli und folgte Maggies Beispiel, notierte sich die Namen der Opfer und ihre Todestage. Dann blätterte sie zum Bericht des Coroners. »Beide starben an den Folgen von Kopfschüssen.«

»Fang mit den Vorfallberichten an.« Maggie zeichnete eine Tabelle, und Kate tat es ihr nach. »Was solche Verbrechen aufklärt, sind die Verbindungen: In welcher Verbindung stand das Opfer zu seinem Mörder?«

Kate schrieb *Porter* über die erste Spalte und *Keen* über die zweite.

»So etwas wie einen Zufall gibt es hier nicht.« Maggie klopfte zur Betonung mit dem Zeigefinger auf den Tisch.

»Wenn dir irgendwas auffällt, schreib es auf. Egal, wie blöd es klingen mag. Lass es uns wissen.«

»Ja«, warf Jimmy ein. »Denk dir nichts, wenn man dich ausbuht.«

Kate warf ihm einen finsteren Blick zu. Er saß so dicht neben ihr, dass sie die Hitze seines Körpers spürte. Sie verstand diesen Mann einfach nicht. Ganz unabhängig von dem Geheimnis, das er hütete, war gestern auf ihn geschossen worden.

Vierundzwanzig Stunden zuvor war der Mann, der vermutlich sein Liebhaber gewesen war, vor seinen Augen ermordet worden. Derselbe Mörder hatte versucht, auch Jimmy zu töten. Wie konnte er da so lässig hier herumsitzen und Witze reißen?

»Habt ihr Bier im Haus?«, fragte Rick, und Jimmy stand auf, legte kurz die Hand auf Kates Rückenlehne und lehnte sich an die Wand, ehe er aus dem Zimmer humpelte. Auf der Wanduhr neben der Tür war es kurz nach neun.

Und die Trinkgewohnheiten ihrer Kollegen gingen Kate absolut nichts an.

Sie blätterte weiter in den Akten. Führte sich die grundlegenden Fakten zu Gemüte – Einstellungsdatum, Berufserfahrung, Familienstand. Zeugenaussagen fand sie nirgends, nur ein paar Notizen über Familienmitglieder und Freunde, die befragt worden waren.

»Bei ihm muss man immer wieder ganz von vorn anfangen.« Sie meinte Jimmy. »Egal, was man am Tag zuvor getan hat, egal, wie sehr man sich bewiesen hat. Am nächsten Tag drückt er einfach auf Neustart.«

»Als hätte er eine Amnesie«, sagte Rick. Sie starrten ihn beide an.

»Wenn man sich den Kopf anschlägt, ihr wisst schon ...« Rick stand auf. »Ich geh mal nach ihm schauen.«

Kate wartete gerade so lange, bis er verschwunden war.

»Kannst du mir bitte mal sagen, was wir hier eigentlich machen?«

»Eigentlich wollten wir uns woanders treffen ...«

Wie üblich war Kate ein wenig schwer von Begriff. Maggie schämte sich offenkundig wegen ihres Hauses. Und aus gutem Grund. Anstatt es durch hohle Phrasen noch schlimmer zu machen, fragte Kate daher: »Wonach suchen wir in diesen Akten?«

Maggie lehnte sich zurück, klopfte mit dem Stift auf den Tisch und sah Kate an. »Ich glaube, es war der Atlanta Shooter,

der Don Wesley ermordet und versucht hat, Jimmy zu töten.«
Sie hörte auf zu klopfen. »Gestern Abend hat Jimmy mir noch
zugestimmt. Heute hält er mich deshalb für eine Idiotin.«

Kate musste diverse Gedankensprünge machen, um zu verstehen, was Maggie meinte. »Aber der Shooter hat ganz sicher
all diese Männer umgebracht? Porter und Keen und Ballard
und Johnson?«

»Der M. O. ist jedes Mal der gleiche.« Maggie hielt kurz
inne. »Und M. O. ist ...«

»*Modus operandi.* Ich weiß. Die Vorgehensweise des Täters.
Sie wurden alle auf die gleiche Art und Weise umgebracht.«

»Genau. Deshalb müssen wir uns die Details dieser beiden
Fallgruppen auch ganz genau ansehen. Dann erst können wir
sie mit dem vergleichen, was Jimmy und Don zugestoßen ist.
Zumindest mit dem, was Jimmy behauptet ...«

Kate hoffte, dass ihr Gesichtsausdruck sie nicht prompt verraten hatte. Sie hatte eine wesentlich genauere Vorstellung von
den Geschehnissen in der Gasse als Maggie. »Na ja, auf Don
wurde zweimal geschossen, richtig? Und auf diese anderen
Männer wurde immer nur einmal geschossen?«

»Richtig«, pflichtete Maggie ihr bei. »Aber es gibt noch
mehr abweichende Fakten. Weder Porter noch Keen hatten
Johnson oder Ballard regulär zum Partner. Sie arbeiteten zwar
alle in derselben Zone, aber sie hatten untereinander kaum
Kontakt. Detectives, die schlauer sind als wir, haben diese Akten bereits durchgekämmt und rein gar nichts gefunden, was
die Opfer miteinander in Verbindung bringen könnte.«

»Aber warum sollte überhaupt zwischen ihnen eine Verbindung bestehen?«

»Weil ...« Sie suchte nach einer Erklärung. »Sagen wir einfach, alle Opfer waren Vietnamveteranen.«

»Meine zwei waren es zumindest.«

»Meine zwei nicht. Aber wenn sie es gewesen wären, hätten
sie vielleicht zu ein und derselben Veteranengruppe gehört.

Oder sie könnten sich im Lazarett kennengelernt haben. Oder sie hätten zusammen gedient.« Maggie zuckte mit den Schultern. »Wenn wir herausfinden würden, dass sie einander kannten, dann wäre es wahrscheinlich, dass sie alle auch noch jemand anderen gekannt haben …«

»Du meinst den Mörder?« Endlich hatte Kate es kapiert.

Und jetzt verstand sie auch, warum Maggie andauernd nach der Bar fragte, aus der Don Wesleys Streichholzbriefchen stammte. »Oder sie haben alle denselben Ort besucht, eine Bar zum Beispiel. Dann wäre das eine Verbindung.«

»Genau. Aber wenn dieser Laden, aus dem das Streichholzbriefchen stammt, eine Polizeikneipe wäre, dann würden mehr Leute sie kennen.«

»Das ist das erste Mal, dass du mir bei irgendwas recht gibst.« Kate wollte nicht zulassen, dass Maggie ihr den Augenblick verdarb. »Kannst du nicht einfach die Telefongesellschaft anrufen und dir die Adresse geben lassen?«

»So läuft das nicht. Es gibt keine zentrale Nummer, die man einfach anrufen kann. Dafür muss man eine offizielle Anfrage stellen. Salmeris Branchenbuch war einen ganzen Monat alt – genau wie unseres hier. Wenn es die Bar schon gegeben hätte, als diese Jungs ermordet wurden, dann hätte sie dringestanden.«

Kate nickte. »Stimmt. Also gehen wir diese Akten durch, um eine andere Verbindung zwischen den vier Morden und Don Wesleys Tod zu finden?«

»Genau«, erwiderte Maggie. »Manchmal ist es ziemlich schwer, zwischen zwei Fällen eine Verbindung zu finden. Wenn man aber einen dritten Fall dazunimmt, steigen die Chancen auf einmal. Nur müssen wir beweisen, dass dieser dritte Fall überhaupt dazugehört.«

»Und wir tun das, indem wir den gemeinsamen Nenner aufspüren.«

»Liest du?«

»Natürlich lese ich ...«

»Ich meine Bücher. Romane.«

»Ja.«

Sie klopfte auf die Akte, die vor ihr lag. »Betrachte es als einen Krimi. Michael Crichton. Helen MacInnes. Was auch immer. Das hier ist einfach ein Krimi – und wir müssen auf die Lösung kommen, bevor ein anderer es tut.«

Jacqueline Susann war zwar eher nach Kates Geschmack, aber sie verstand, was Maggie ihr sagen wollte. »Okay.«

»Gut.« Damit war die Lektion offenbar beendet. Maggie beugte sich wieder über die Seiten, die vor ihr lagen.

Kate blätterte zu dem Vorfallbericht zurück. Wer immer ihn abgetippt hatte, hatte ausschließlich den typischen Polizeicode verwendet. Zum Glück hatte Kate zuvor nicht nur angegeben; sie hatte tatsächlich sämtliche Signale und Codes aus den Lehrbüchern auswendig gelernt.

Sie schlug eine leere Seite auf und versuchte, den Ablauf allgemein verständlich zu übertragen.

Etwa gegen 3.15 Uhr am Morgen des 12. September erreichte ein 10–79 (anonymer Anruf) die Zentrale und meldete einen möglichen 20 (Einbruch) im Friedman's Department Store. Ein Maskierter mit einem Brecheisen, so der Anrufer, sei gerade dabei, die Tür aufzustemmen. Die zentrale Überwachung bestätigte kein Signal 10 (ausgelöster Alarm). Die Beamten Greg Keen und Mark Porter 10–4ten (bestätigten die Meldung). Die Beamten 10–23ten (trafen am Tatort ein) um 3.35 Uhr und 50ten (verließen ihr Fahrzeug), um das Gebäude zu kontrollieren. Um 3.55 Uhr meldeten sie 4 (alles klar) und kündigten eine 29 (Essenspause) an. Die Pause wurde 10–4t. Um 4.45 Uhr forderte die Zentrale eine 10–20 (Angabe des Aufenthaltsorts) an. Die Beamten waren offensichtlich noch immer 10–7 (außer Dienst), und man nahm an, dass sie immer noch 29ten (aßen). Um 5.00, 5.05 und 5.10 Uhr erfolgten neuerliche Kontaktaufnahmeversuche durch die Zentrale. Möglicherweise lag ein 10–92 (Defekt des Funkgeräts) vor. Dennoch wurden um 5.15 Uhr die Beamten Pendleton und Carson ausgeschickt, um am letzten bekannten Aufenthaltsort nach Keen und Porter zu suchen. Sie meldeten unverzüglich einen A 63 (Beamte am Boden).

Kate starrte auf ihren Text hinab und schlug nach einer Weile eine neue weiße Seite auf. Zuoberst schrieb sie »Friedman's Department Store« und unterstrich den Namen zweimal. Der Laden lag an der Decatur Street. Jimmy Lawson und Don Wesley hatten sich in einer Gasse an der Whitehall befunden – am südwestlichen Abzweig von Five Points.

Verbindung.

Als Nächstes nahm sie sich die Autopsien vor. Kate machte sich weiter Notizen, wusste allerdings nicht recht, ob diese irgendjemandem außer ihr selbst je weiterhelfen würden. Der Bericht klang wahnsinnig geschraubt, und sie war nun mal keine Medizinerin. Die Zeichnungen sagten ihr rein gar nichts – außer dass der Coroner eine zittrige Hand gehabt hatte.

Aber es gab trotzdem Ähnlichkeiten: Bei beiden Männern war Kies an den Knien ihrer Hosenbeine sichergestellt worden. Beiden war aus kurzer Distanz in den Kopf geschossen worden. Beide hatten vor ihrem Tod Hamburger gegessen.

Es gab allerdings auch Unterschiede: Der Nagel von Mark Porters rechtem Mittelfinger war bis zum Nagelbett eingerissen. Greg Keen hatte Blut im linken Ohr, Porter nicht. Die Absätze von Mark Porters Schuhen waren merkwürdig schief abgelaufen. Sein linker Schnürsenkel hatte sich gelöst. Seine Schneidezähne waren abgebrochen – posthum, weil er mit dem Gesicht auf die Pflastersteine der Gasse gefallen war. Dann studierte Kate die Aussagen der Familienmitglieder, die vorwiegend berufsbezogene Anekdoten der beiden enthielten – Geschichten, die von der Ergreifung diverser Bösewichte handelten. Kate kamen sie vor wie Angebereien, aber nach allem, was sie tags zuvor erlebt hatte, sollte sie sie vielleicht doch für bare Münze nehmen. Keen war Jäger gewesen. Porter hatte die Natur gehasst. Beide hatten zu Anfang des Vietnamkriegs gedient. Keen war bei der Navy gewesen, Porter bei der Army. Die Beurteilungen ihrer Dienstzeit klangen verhältnismäßig nichtssagend. Keiner von ihnen hatte unter spezieller Beobachtung gestanden. Keiner war für eine Beförderung vorgeschlagen worden.

Kate fand es unerträglich deprimierend, dass diese wenigen Blätter Papier die Summe ihres Lebens darstellen sollten. Noch einmal sah sie sich die Fotos an. Diesmal war sie auf die Bilder besser vorbereitet. Sie wusste jetzt schließlich bis ins Detail, was ihnen zugestoßen war. Der Schütze hatte aus etwa fünfzehn Zentimetern Entfernung auf seine knienden Opfer geschossen.

Und genau darüber dachte Kate jetzt nach. Gezwungen zu werden, sich hinzuknien. Die Waffe anzustarren, die auf den eigenen Kopf gerichtet war. Zu sehen, wie sich der Finger um den Abzug krümmte. Der Explosion der aus dem Lauf schießenden Kugel entgegenzusehen. Sie konnte sich das Entsetzen nicht annähernd vorstellen.

Beide Männer waren verheiratet gewesen; allerdings hatte Keen von seiner Frau getrennt gelebt. Beide Eheringe waren im Autopsiebericht aufgeführt. Beide Ehefrauen hatten sie im Großen und Ganzen als anständige Gatten, als ehrenwerte Männer bezeichnet. Wer hatte wohl zu ihnen hingehen und an ihre Türen klopfen müssen?

Kate wusste nur zu gut, wie sich das anfühlte. Man kannte den Grund ihres Besuchs, kaum dass man sie sah. Der Rest war nur mehr Theater. Man sagte eingangs: »Wie kann ich Ihnen helfen?«, als wüsste das Hirn es nicht bereits. Als würde einem das Herz nicht längst bis zum Hals schlagen.

»Was ist los?«, fragte Maggie.

Kate schüttelte den Kopf und tat so, als würde sie immer noch die Fotos betrachten. Nur die ersten paar waren ein schwieriger Anblick. Die Nahaufnahmen. Die Kugeln hatten je ein perfektes Loch in die Stirnen gebohrt. Die Austrittswunden waren indes eine andere Sache. Die Schädel waren regelrecht nach außen aufgeplatzt. Knochenfragmente, so blendend weiß wie Zähne, steckten in der blutigen Masse aus Hirn und Gewebe. Diese Fotos waren fast irreal. Kate blickte direkt in den Schädel eines Mannes hinein, aber aus irgendeinem Grund redete der Verstand ihr ein, es wäre eine Täuschung.

Vielleicht war das auch der Grund, warum sie den Kratzer in Mark Porters Nacken entdeckte. Kate hielt das Foto in die Höhe, damit sie es besser sehen konnte. War das ein Kratzer von einem Fingernagel?

Einmal hatte Kate Patrick in der Hitze des Augenblicks im Nacken gekratzt. Am nächsten Tag hatte er es lustig gefunden, doch sie war entsetzt gewesen.

War Mark Porter von seiner Frau im Nacken gekratzt worden, oder hatte er das Gleiche getan wie Don Wesley mit Jimmy, als der Mord passiert war?

Kate merkte, dass sie unwillkürlich den Kopf geschüttelt hatte. Das alles war einfach zu viel des Guten. Offensichtlich hatte der Shooter selbst den anonymen Notruf hinsichtlich des Einbruchs bei Friedman's abgesetzt. Porter und Keen waren dort hingelockt worden. Doch soweit es Kate bekannt war, stand nirgends im Handbuch die Anweisung, den Partner oral zu befriedigen, nachdem man einen falschen Alarm durchgegeben hatte.

Am Ende der Akte fand Kate eine maßstabsgetreue Skizze des Tatorts. Der Zeichner würde dem Coroner noch einiges beibringen können. Die Linien waren gerade und die Gegenstände klar definiert. Alles, was in einem Radius von fünfzehn Metern um die Leichen herumgelegen hatte, war mit einer Nummer auf der Zeichnung markiert worden. Seitlich war die entsprechende Legende aufgeführt. Kate überflog die sichergestellten Gegenstände: Zigarettenkippen, Glasscherben, Injektionsnadeln, Rechtecke aus Alufolie, ein gebogener Silberlöffel, die Schlüssel zum Streifenwagen, der auf der Straße gestanden hatte, ein abgebrochener Fingernagel.

Kate kam ein Gedanke. Ihr Gesicht wurde so heiß, dass sie den Kopf senken musste, um zu verhindern, dass Maggie es sah. Wenn Keen und Porter Oralsex gehabt hatten, und das Resultat dieses Vorgangs war am Tatort nicht gefunden worden – wo würde es dann sein?

Sie blätterte zu den Autopsieberichten zurück. Kate bog die Seiten hoch, damit Maggie nicht sah, dass sie sich auf den Absatz »Genitalien« konzentrierte. Bei beiden Männern stand dort: »unauffällig«.

Dann blätterte zu den Absätzen zurück, in denen der Mageninhalt beschrieben worden war. Beide Opfer hatten teilweise verdaute Hamburger und Pommes frites im Magen gehabt, deren Verzehr der Coroner auf eine Stunde vor dem Todeszeitpunkt eingeschätzt hatte. Sonst war nichts aufgeführt. Kate war sich nicht einmal sicher, ob man so etwas aufführen *würde*. War das etwas, was man im Magen einer Person nachweisen konnte?

»Moment mal …«, sagte Kate.

»Was?«

»Hatten deine Jungs irgendwas in ihren Mägen?« Maggie nickte. »Hamburger und Pommes.«

»Meine hier meldeten eine Essenspause ungefähr zu der Zeit, als sie, wie wir annehmen, ermordet wurden. Aber der Coroner schätzte die Essensaufnahme auf eine Stunde vor ihrem Tod.« Sie hielt Maggie die beiden Berichte hin. »Hamburger und Pommes.«

»Der einzige Laden, wo sie um diese Zeit noch Hamburger bekommen hätten, ist die Golden Lady, ein Striptease-Club an der Peachtree. Die Jungs von der Nachtschicht essen alle dort.«

»Verbindung.« Kate schrieb »Golden Lady« auf ihre Liste. »Aber warum meldeten sie eine Essenspause, wenn sie bereits gegessen hatten?«

»Warum sollten sie eine Essenspause überhaupt melden?« Maggie führte den Gedanken fort. »Nachtschichten werden doppelt bezahlt. Da meldet man sich nicht zum Essen ab. Kontrolliert wird das ohnehin nicht, weil die Bonzen diesbezüglich pennen.« Sie nickte auf Kates Unterlagen hinab.

»Sonst noch was?«

»Wurden deine Jungs ebenfalls an einen vorgeblichen Tatort gelockt?«

»Ja. Ein anonymer Anrufer meldete einen Einbruch. Aber da war nichts.«

»Bei mir das Gleiche. Haben deine eine Neunundzwanzig angemeldet?«

»Der letzte Kontakt mit der Zentrale war die Meldung, dass alles in Ordnung sei – und die Ankündigung einer Essenspause.«

Kate spürte, wie sich ihr die Nackenhaare aufstellten.

»Und auch sie wurden gezwungen, sich hinzuknien?«

»Ja.«

»Ihnen wurde in die Stirn geschossen?«

»Die Waffe war zwischen fünfzehn und zwanzig Zentimeter entfernt und nach unten gerichtet, also stand der Kerl über ihnen und hielt die Waffe schräg nach unten.«

»Das Gleiche steht hier auch.«

»Kaliber .25?«

»Kaliber .25«, bestätigte Kate. »Irgendwas Ungewöhnliches auf der Tatortskizze?«

Maggie blätterte ein paar Seiten in ihrem Notizbuch um.

»Zigarettenkippen, Drogenbesteck, ein zerrissener Damenslip.« Sie zuckte mit den Schultern und sah wieder auf. »So was findet man auf jeder Straße in Atlanta.«

»Was ist mit den Autoschlüsseln?«

Maggie blätterte zu einer anderen Seite. »Die hatte Ballard in der linken vorderen Hosentasche.«

»Laut meiner Skizze lagen die Schlüssel fünf Meter von Mark Porters Leiche entfernt. Hatte er sie vielleicht in der Hand, weil er gerade zum Auto zurückgehen wollte?«

»Man soll sich den Ring immer auf den Mittelfinger stecken.« Maggie zog ihre Schlüssel heraus und zeigte es ihr.

»So können einem die Schlüssel nicht aus der Hand geschlagen werden.«

»Ihr Streifenwagen stand um die Ecke, gut fünfzehn Meter entfernt.« Kate zuckte mit den Schultern. »Ich hole meine Autoschlüssel erst raus, wenn ich schon näher dran bin. Aber das muss ja nichts heißen.«

»Sag mir, was du siehst.« Maggie schob Kate zwei Fotos hin. Ballard und Johnson mit den Gesichtern nach unten in einer Gasse. Wie bei Kates Opfern waren auch ihre Hinterköpfe aufgeplatzt. Die Beine waren unnatürlich abgewinkelt, die Arme ausgebreitet. Ihre Ausrüstung steckte immer noch in den Gürteln. Die Sender hinten an den Gürteln waren blutbespritzt.

»Übersehe ich irgendwas?«

»Guck ganz genau hin.«

Kate beugte sich dicht über die Fotos. Sie studierte die Leichen so, wie sie früher die Bilderrätsel studiert hatte, bei denen man Dinge identifizieren musste, die nicht zum Rest passten. Sie wechselte zwischen den beiden Aufnahmen hin und her. Linker Schuh. Linker Schuh. Rechter Schuh. Rechter Schuh. So wanderte sie hoch bis zu den Funksendern.

»Oh.«

»Was ist mit deinen Jungs?«

Kate fand die entsprechenden Fotos von Keen und Porter. Andere Blickwinkel, aber in etwa die gleichen Bilder: zwei Männer mit den Gesichtern auf dem Boden und aufgeplatzten Hinterköpfen. Sie entdeckte die gleiche Diskrepanz, die auch

Maggie aufgefallen war. »Die Kabel der Schultermikros stecken nicht mehr in den Sendern.«

»So was passiert nicht durch Zufall.«

»Nein«, sagte Kate. Die Buchse war für den Stecker fast zu eng. Sie nahm an, das war Absicht, damit der Stecker nicht versehentlich herausrutschen konnte.

Kate starrte die Fotos an, bis ihr die Augen brannten. Noch etwas anderes störte sie. Sie konnte nur nicht sagen, was.

»Sieh dir die Art an, wie die Arme ausgebreitet sind.« Maggie deutete auf jedes einzelne Foto. Alle Opfer hatten die Arme im gleichen Winkel ausgestreckt. »Wenn man jemanden verhaftet, befiehlt man ihm, die Finger zu verschränken und die Hände auf den Kopf zu legen.«

»Richtig.« Kate wusste sofort, was Maggie meinte. Als die Kugeln in ihre Schädel eingedrungen waren, musste es ihnen die Hände auseinandergerissen haben. »Glaubst du, der Schütze hat sie gezwungen, eine Essenspause zu melden, und dann ihre Mikrofone ausgekabelt?«

»Selbst herausgenommen haben sie sie jedenfalls nicht.«

»Aber die Essenspause ist eine Neunundzwanzig. Diese Jungs haben in die Mündung einer Waffe gesehen. Anstatt um eine Neunundzwanzig zu bitten, hätten sie doch einfach eine Dreiundsechzig durchgeben können – Beamter braucht Verstärkung? Der Shooter hätte den Unterschied nicht einmal bemerkt.« Doch dann beantwortete sich Kate die Frage selbst. »Außer er kennt die Polizeicodes.«

Darüber dachten sie beide nach. Der Shooter kannte die Polizeicodes. Er kannte die gängigen Vorgehensweisen. Er kannte die Abläufe.

»Jimmy!«, rief Maggie über die Schulter, doch sie wartete vergeblich auf eine Antwort. Sie stemmte sich vom Tisch hoch. »Wo zum Teufel steckt der Kerl?«

Kate folgte Maggie durch die klamme Küche hinaus zum Carport. Jimmy und Rick saßen auf Metallgartenstühlen unter dem Dach – und Terry Lawson und Bud Deacon saßen auf der Motorhaube eines braunen Impala. Jett Elliott saß hinterm Steuer. Ganz offensichtlich war er völlig hinüber. Chip Bixby lehnte an einem Holzstapel, Cal Vick daneben. Sie alle hatten Bierdosen in den Händen, sogar Jett. Leere Dosen lagen überall auf dem Boden verstreut. Kate war nicht im Geringsten überrascht zu sehen, dass sie alle Freunde zu sein schienen. Samt und sonders die gleiche Art von Idioten – was wahrscheinlich auch gleich zur Sprache kommen würde.

Terry hob bloß kurz den Kopf, war aber offensichtlich gerade richtig in Fahrt. »Und was passiert? Kennedy wird erschossen, und das Einzige, was zwischen uns und seinem verdammten Kommunistenbruder steht, ist ein Araber mit einer .22er.«

»Nur gut, dass er wusste, wie man sie benutzt.« Chip leerte seine Dose mit einem Zug. Kate sah, dass die Haut an seinen Knöcheln aufgeplatzt war. Übelkeit stieg in ihr auf – aber nicht wegen der Gewalt, die er offensichtlich ausgeübt hatte.

Auf dem Schießstand hatte Chip sich oft an sie gepresst, als er ihr hatte zeigen wollen, wie sie die Waffe halten musste. Es hätte auf der ganzen Welt nicht genug heiße Duschen gegeben, um ihren Körper von dieser Erinnerung reinzuwaschen.

»Nichts für ungut, Süße.« Terry hatte sich an Kate gewandt. Er hielt sich die gekühlte Dose an den Handrücken. Auch seine Knöchel bluteten. »Ich weiß, dass ihr Leute diese Kennedys mit dem Papst auf eine Stufe stellt.«

»Ich bin keine Irin«, wies Kate ihn zurecht. »Ich bin Niederländerin.«

»Aber klar doch.« Cal Vick stieß ein anzügliches Lachen aus, aus dem prompt ein keuchender Husten wurde.

»Na, na.« Chip klopfte dem Mann auf den Rücken.

Terry machte dort weiter, wo er aufgehört hatte. »Ich will damit nur sagen, dass die Leute sich die Macht nicht nehmen. Man gibt sie ihnen. Ihr seht ja, was jetzt hier passiert. Der alte

Bürgermeister Hartsfield hat seine Seele für den Flughafen und das Stadion verkauft. Dann übernimmt Massel, dieser verdammte Scheißkerl, und zwingt uns MARTA auf – von wegen öffentlicher Nahverkehr ...«

»*Moving Africans Rapidly Through Atlanta*«, murmelte Chip.

Afrikaner schnell durch Atlanta bringen.

Terry hob zustimmend seine Bierdose. »Und jetzt haben wir dieses Arschloch, der im Dreiteiler hinter seinem Schreibtisch sitzt, und plötzlich wird unsereins auf der Straße erschossen.« An Kate gewandt, fuhr er fort: »Du warst vor sechs Monaten noch nicht hier. Du weißt nicht, wie es war.«

»Spivey, dieser Mistkerl!«

Edward Spivey. Der Name hallte durch Kates Kopf.

Bud hob seine Dose zu einem Trinkspruch. »Auf Duke Abbott, den verdammt besten Detective, den diese Truppe je hervorgebracht hat. Er hätte was Besseres verdient.«

»Auf Duke«, wiederholten sie alle.

Terry lehnte sich zurück und klopfte auf die Windschutzscheibe. »Jett? Wach auf, du müder Scheißhaufen.«

Jett rührte sich, aber er war viel zu erledigt, um mehr zu tun, als den Kopf zur anderen Seite zu drehen.

»Lass ihn seinen Rausch ausschlafen.« Vick schlürfte ein wenig Bier vom Rand seiner Dose. »Hört mal, Jungs, ich hatte da einen Anruf aus Kalifornien. Spivey lebt immer noch dort. Ein paar Detectives haben ihn für mich überprüft. Er war gestern Abend auf so einer Kirchenfreizeit. Zwanzig Leute haben ihn gesehen.«

»Glaubst du ihnen?«, fragte Bud.

Vick zuckte mit den Schultern. »Nach den Flugplänen hätte er es nie geschafft, bis zum Morgengrauen nach Atlanta und wieder zurück nach Kalifornien zu kommen, bis die Detectives an seine Tür geklopft haben.«

»Sind diese Detectives Schwarz oder weiß?«, fragte Chip.

Vick zuckte wieder mit den Schultern. »Sie klangen weiß, aber wer kann das bei diesen Hollywoodtypen schon sagen?«

»Schwule und Spinner«, murmelte Bud.

»Hört mal, Spivey ist unwichtig.« Terry klopfte Bud auf die Schulter. »Wir schnappen uns diesen Neuen. Und grillen ihn wie ein Hühnchen.«

»Da hast du verdammt recht«, pflichtete Vick ihm bei, obwohl es ihn nicht zu stören schien, dass die Hälfte seiner Detectives in einem Carport herumlungerte und soff, statt nach einem Polizistenmörder zu fahnden.

»Also fangen wir ihn«, sagte Bud. »Na und? Damit ihn irgendein Anwalt wieder rausholt? Und am nächsten Tag wird wieder ein Polizist erschossen. Und dann noch einer.«

»So sind die Zeiten, Jungs«, sagte Vick. »Das wär alles nicht passiert, wenn die guten Jungs noch das Sagen hätten.«

»Verdammt richtig«, sagte Chip. »Damals hatten wir sie noch unter Kontrolle.«

»Und haben die Stadt am Laufen gehalten«, fügte Terry hinzu.

Kate bemühte sich um einen neutralen Gesichtsausdruck. Sie fragte sich, ob das die Art von Gerede gewesen war, die sich auch Leo Frank hatte anhören müssen, ehe der Lynchmob ihn auf einen Baum zu gezerrt hatte.

»Scheiße.« Bud steckte die Hand in den Hosenbund. »Damals, als ich angefangen hab, gab es keinen einzigen Schwarzen in ganz Atlanta, der nicht den Kopf gesenkt hätte, wenn man an ihm vorbeiging. Jetzt stolzieren sie rum, als würde ihnen die Stadt gehören.«

»Sie *gehört* ihnen ja auch.« Terry warf seine leere Dose in den Nachbargarten. »Welche Laus ist dir denn über die Leber gekrochen, Tussi?«

Maggie hatte die Arme vor der Brust verschränkt. »Ich muss mit Jimmy reden.«

»Worüber?«

»Über …«

»Nichts.« Terry schnitt ihr das Wort ab. »Ich hab dich nicht den Morgenappell schwänzen lassen, damit du den ganzen Vormittag mit deiner Freundin hier zu Hause rumsitzen kannst.«

»Also, ich würd gern mit ihr rumsitzen«, warf Bud ein, und Chip ließ einen Rülpser vernehmen. Von allen außer Rick Anderson kam wohlwollendes Johlen. Er sah Kate entschuldigend an. Dann trank er sein Bier aus.

Jimmy warf seine leere Dose zur Seite. »Niederlande, ja?« Er sah Kate eindringlich an. »Das ist Europa, oder?«

»Richtig«, ging Terry dazwischen, ehe Kate antworten konnte. »Ich war 1945 in Amsterdam stationiert. Die Mädchen dort sahen alle genauso aus wie sie. Groß, blond, ordentlicher Vorbau. Sie sehen dich in Uniform, und da brauchst du noch nicht mal mehr mit den Fingern zu schnippen, da fragen sie schon: ›Wie weit?‹« Er sah Kate achselzuckend an.

»Nichts für ungut, Püppchen.«

»Schon gut«, sagte sie, als hätte er nicht gerade angedeutet, ihre Mutter und ihre Großmutter wären Huren gewesen.

»Es dauerte … wie lang? Fünf Tage, bis eure Jungs sich ergaben, als die Nazis anfingen, Bomben zu werfen.«

Kate biss sich in die Wange.

»Im Pazifik waren ein paar Seeleute von dort unterwegs.« Chip zerdrückte seine leere Dose und warf sie in den Garten. »Verrückte Hunde! Haben in einer Woche mehr Schiffe versenkt als die ganzen alliierten Truppen zusammengenommen. Die Briten meinten, das wär ungehobelt gewesen, aber was haben die schon zu melden.«

»Ein niederländisches Schiff hat meinen Bruder aus dem Pazifik gefischt«, sagte Terry. »Nur schade, dass sie ihn nicht auch wieder heimgebracht haben.« Er lehnte sich auf der Motorhaube nach hinten und schien einen Moment nachzudenken. »Ich war erst ganz zum Schluss in Amsterdam. Da war schon alles vorbei – bis auf das Geschrei. Diese verdammten Krauts hatten die Stadt völlig ausgebombt. Weiß auch nicht, was die für Geschütze hatten. Echt präzise. Da geht man an einem Haus vorbei und schaut durch ein Fenster, und da ist nichts mehr drin. Kein Boden. Keine Wandpfosten. Nicht mal Deckenbalken. Nur noch außen die Ziegel – und drinnen ist alles leer.«

»Das waren nicht die Bomben.« Kate war bewusst, dass sie schroff klang, aber sie hatte keine andere Wahl. »Die Nazis hatten die Versorgungswege blockiert. Die Leute waren am Verhungern. Es war der härteste Winter seit Beginn der Wetteraufzeichnungen. Sie haben die Gebäude in alle Einzelteile zerlegt, um heizen zu können.«

Terry schüttelte den Kopf, bevor sie ausgesprochen hatte.

»Ich war dort, Süße. Die sind in die Hölle und zurück gebombt worden. Die halbe Stadt sah aus wie ausgeweidet.«

»Man nannte es den *Hongerwinter*.« Kate sprach die Silben so hart aus, wie sie nur konnte. »Über zwanzigtausend Menschen sind damals verhungert.«

»Ich hab davon gelesen.« Maggie sah Kate nervös an.

»Audrey Hepburn hat mal in einem Interview darüber gesprochen. Sie war dort, als es passierte.«

»Audrey Hepburn ist Engländerin, du hohle Nuss.« Terry nahm sich das nächste Bier. »Wenn du über Verhungernde reden willst, dann hättest du diese Lager sehen müssen.« Bud murmelte etwas, vor dem Kate lieber die Ohren verschloss.

»Man konnte die Knochen unter ihrer Haut sehen«, fuhr Terry fort. »Die Augen lagen tief in den Höhlen. Die Zähne fielen ihnen aus. Keine Haare mehr. Verschrumpelte Pimmel. Titten, die wie leere Säcke nach unten hingen.« Er riss den Verschluss von seinem Bier und warf den Ring in den Garten. »Sie haben uns um Essen angefleht, aber wir durften ihnen nichts geben. Sie mussten diese Dinger bekommen – wie heißen die gleich wieder? Wenn einem der Arzt 'ne Nadel reinsticht.«

»Infusionen.« Kates Stimme zitterte. Ihre Knie zitterten. Alles an ihr zitterte.

»Ja, Infusionen.« Terry starrte seine Bierdose an. »Ich und ein Kumpel von mir, wir haben da diese Alte gesehen … Die hatte irgendwie ein Stück Brot oder sonst was in die Finger bekommen. Wir haben noch versucht, sie davon abzuhalten, aber zwei Sekunden, nachdem sie es geschluckt hatte, fiel sie einfach um. Bekam Krämpfe. Schaum vor dem Mund. Pisste sich ein. Der Doc meinte, ihr Magen wär explodiert.«

»Mein Gott«, murmelte Rick. »Und ich dachte, Vietnam wär schlimm gewesen.«

Bud spuckte auf den Boden. »Guadalcanal war schlimm. Dagegen war Nam ein Spaziergang für Weicheier.«

»Da haste verdammt recht.« Chip hob zustimmend sein Bier. »Lieber täglich 'nen Vietcong als einen einzigen Japsen.«

Rick stand auf und ging ins Haus. Die Tür schloss sich hinter ihm.

Einige Augenblicke lang herrschte Schweigen. Kate starrte auf den rissigen Beton hinab. Tränen trübten ihre Sicht. Sie stellte sich ihre Großmutter vor, die sich auf dem Boden wälzte und sich den Bauch hielt. Sie sah vor sich, wie ihre Mutter um Brot bettelte. Terry war ein brutaler Mann, aber diesmal hatte er ein zu drastisches Bild gezeichnet. Kate musste schleunigst weg von hier, um die Fassung wiederzuerlangen. »Wir sollten uns wieder an die Arbeit machen«, sagte sie leise zu Maggie.

»Arbeit«, höhnte Terry. »Habt ihr das da drinnen gemacht, Tussi?« Er fixierte Maggie. Sein Gesicht hatte sich dunkel verfärbt. Sein Ton war scharf wie ein Messer. »Seid ihr etwa diesen Shooter-Fällen nachgegangen?« Er grinste, als er Maggies überraschte Miene sah. »Ich weiß, was du im Schilde führst, Herzchen. Du hast Rick bequatscht, dir die Akten zu besorgen. Und Miss Amsterdam da drüben hat ihre Titten hergezeigt, damit dein Bruder woanders hinsieht.«

Kate schmeckte Blut auf der Zunge. Er würde ihr nichts anhaben können. Sie würde es nicht zulassen.

»Glaubt ihr etwa, ihr könnt etwas finden, was zwanzig Detectives nicht längst entdeckt hätten?«

»Es ist allemal hilfreich, wenn man dabei nüchtern ist.« Maggie wich der halb leeren Bierdose aus, die Terry nach ihr schleuderte. Das Blech schlug mit einem Knall gegen die Wand. »Und wir haben tatsächlich was gefunden.«

»Ach ja?«, dröhnte Terry. »Na, komm schon, was habt ihr beiden Genies denn ausgegraben?«

Maggie zögerte einen Augenblick. »Ihre Mikrofone waren ausgesteckt.«

Jimmy fuhr zu ihr herum. »Was?«

»Bei allen vieren. Die Mikros waren ausgesteckt.«

Terry war diese Information offensichtlich neu. »Na und?«

»In beiden Fällen ging es bei der letzten Meldung, die sie machten, um eine Essenspause«, erläuterte Maggie. »Danach wurden die Funkgeräte ausgesteckt, wahrscheinlich, damit sie sich nicht mehr melden konnten.«

»Sie haben eine Neunundzwanzig gemeldet?«, hakte Jimmy nach. »Während der Nachtschicht?«

Terry warf einen Blick auf die Uhr. »Drei Stunden eures Vormittags, und das ist alles, was ihr vorweisen könnt? Sie hatten ihre Mikros ausgesteckt, bevor sie zum Essen gingen.« Er, Bud und Chip klopften einander lachend auf die Schultern. »Wahrscheinlich waren sie beim Scheißen. Hab ich recht?«

Merkwürdigerweise tat ausgerechnet Jimmy es nicht so einfach ab. »Zu uns hat er nichts gesagt«, raunte er in Maggies Richtung. »Der Kerl, der auf uns geschossen hat. Er hat keinen Ton gesagt. Hat einfach abgedrückt.«

»Und er hat euch die Reifen zerstochen«, sagte Terry. »Sonst wurden niemandem die Reifen zerstochen, oder, Columbo?«

Kate sah zu, wie Maggie unter dem Blick ihres Onkels in die Knie ging. Drinnen war sie noch so selbstbewusst gewesen.

Kate hatte wie sie das Gefühl gehabt, etwas Sinnvolles zu tun. Sie hatten versucht, etwas zu erreichen.

»Kümmer dich wieder um Strafzettel, Herzchen.« Terry holte sich ein frisches Bier. »Lass uns noch zwei, drei Tage die Straßen aufmischen, dann kommt irgend so ein Arschloch daher und fleht uns an, den Kerl zu verhaften.«

»Der sollte sich besser beeilen«, sagte Bud und wedelte mit der geschwollenen Hand durch die Luft. »Mein Verhörer hier fängt schon an wehzutun.«

Gutmütiges Lachen allenthalben.

Maggie starrte auf ihre Füße hinab. Ihre Kiefermuskeln bewegten sich. Sie versuchte, irgendetwas einzuwenden, aber ihr fiel nichts mehr ein.

»Er wurde von irgendwoher an den Tatort geschleift.« Kate hatte den Satz unaufgefordert laut ausgesprochen.

»Mark Porter wurde dorthin geschleift.« Sie wünschte sich, ihr Notizbuch dabeizuhaben, wenn auch nur als mentale Stütze. »Die Absätze von Porters Schuhen waren hinten abgewetzt. Die Sohle nicht. Und im Nacken hatte er einen Kratzer, wahrscheinlich, weil irgendjemand ihn dort gepackt hatte. Der Nagel seines rechten Mittelfingers war eingerissen. Und die Schlüssel lagen fünf Meter von seiner Leiche entfernt.«

Sie alle starrten Kate mit ausdruckslosen Gesichtern an, während Maggie die Geschichte weiterspann. »Porter will flüchten. Er wird am Kragen gepackt – deshalb hat er den Kratzer im Nacken. Er fällt hin, und wahrscheinlich steht der Shooter jetzt über ihm. Er hat seinen Schlüssel in der Hand. Beim Sturz splittert der Fingernagel. Er wollte sich noch in den Wagen retten, aber der Shooter hat ihn sich geschnappt. Vielleicht war Porter auch k. o. oder zumindest benommen. Der Shooter schleift ihn zu Keen zurück, lässt ihn vor sich hinknien und schießt beiden in den Kopf.« Und dann beantwortete sie Terrys Frage. »Der Shooter passt sich an. Diesmal hat er die Reifen zerstochen, weil ihm beim letzten Mal fast einer entwischt wäre.«

Jimmy lehnte sich zurück und kratzte sich nachdenklich am Kinn.

»Da müssen schon zwei Schlampen kommen«, murmelte Terry, »um sich auf einen kaputten Fingernagel zu stürzen.« Das Gelächter klang jetzt anders als zuvor. Fast erleichtert.

Doch Maggie hielt an der Theorie fest. »In sämtlichen Fällen wurden sie von der Zentrale losgeschickt, weil ein anonymer Anrufer einen vorgeblichen Einbruch gemeldet hatte.« Terry schüttelte den Kopf. »Weißt du, wie viele solcher Anrufe wir jeden Monat bekommen?«

»Drei«, sagte Maggie. »Ich hab heute früh in der Zentrale nachgefragt. Zu dieser Tageszeit kommen aus der besagten Gegend ungefähr drei solcher Anrufe pro Monat.«

»Er hat nicht mit uns geredet, Maggie«, rief Jimmy ihr in Erinnerung. »Er kam einfach um die Ecke und fing an zu schießen. Er war so schnell, dass ich kaum Zeit hatte, zu ihm rüberzusehen.«

Maggie starrte ihren Bruder an, als wollte sie ihn gleich anflehen, sie doch endlich zu verstehen. »Bei euch wirkte es in der Tat eher zufällig. Vielleicht erwartete der Schütze nicht, euch dort zu finden, als er um die Ecke kam. Vielleicht wollte er euch überraschen, so aber habt ihr ihn überrascht.«

Jimmy starrte auf seine Bierdose hinunter.

Kate ahnte, was er dachte. Der Schütze war der Überraschte gewesen. Er hatte zwei Polizisten erwartet, die auf ihren Beinen standen und nicht in flagranti am Boden knieten. Doch der Plan des Mörders war Makulatur gewesen, sowie er sie so entdeckt hatte.

Doch nichts von alledem konnte Kate in Anwesenheit dieses versammelten Haufens aussprechen.

Unvermittelt hupte es von der Straße herauf, und Terry verzog das Gesicht. »Was macht denn diese blöde Pussy hier?«

»Steig schon mal ein«, sagte Maggie zu Kate. »Ich bin gleich wieder da.«

Kate fragte nicht nach. Sie ließ den Carport hinter sich. Die Sonne stach ihr in die Augen, und sie neigte den Kopf. Versuchte, die Sternchen wegzublinzeln. Und dann versuchte sie, die schrecklichen Bilder wegzublinzeln, die ihr immer noch durch den Kopf schossen. Ihre Großmutter, die sich vor Schmerzen wand. Ihre Mutter, die um Essen bettelte. Terry Lawson, der sich das alles mit einer Bierdose in der Hand ansah.

Kates Kehle war wie zugeschnürt, ihre Halsmuskulatur ganz fürchterlich verkrampft. Tränen traten ihr in die Augen. Sie musste diese Bilder schleunigst wieder loswerden. Sie konnte schließlich nicht tagaus, tagein darunter in die Knie gehen. Sie müsste zäher werden. Ihre Familie zählte auf sie. Sie wollten, dass Kate stark war.

Sie zwang sich, den Kopf zu heben. Schlagartig wurde ihr flau im Magen.

Gail Patterson saß hinter dem Steuer eines zweitürigen Mercury, grinste Kate durchs offene Fenster breit an und rief: »Spring rein, Schaf!«

19

Statt durch den Carport kam Maggie durch die Haustür; in jeder Hand hielt sie einen schweren Waffengürtel. Die Stufen knarzten unter dem zusätzlichen Gewicht, als sie hinuntereilte; sie wollte nicht, dass Terry sie fragte, was sie jetzt schon wieder vorhatten. Gail sollte eigentlich auf der Straße stehen und Freier in die Falle locken, und Maggie und Kate sollten Strafzettel schreiben. Alle drei würden bis zum Hals in der Scheiße stecken, wenn Terry herausfände, dass sie nach Colored Town fahren wollten, um dort mit einem Zuhälter über eines seiner Mädchen zu reden.

Über den Bürgersteig kam Lee Grant auf sie zugejoggt. Er trug einen goldfarbenen Trainingsanzug mit grünen Streifen entlang der Hosenbeine. Der Sender seines Hörgeräts steckte in seiner Jackentasche. Er war der Boo Radley des Viertels – ein wenig älter als alle anderen, ein wenig stiller, ein bisschen merkwürdig. Als Maggie noch klein gewesen war, hatten sie ihn *Deaf Lee* – den tauben Lee – genannt, und daraus war später *Deathly* – tödlich – geworden, worüber sich allerdings niemand groß den Kopf zerbrochen hatte, weil er ohnehin nicht hören konnte, wie sie sich über ihn lustig machten.

Lee winkte ihr zu, aber Maggie tat so, als würde sie ihn nicht bemerken. Dass Terry auf falsche Gedanken kam, war das

Letzte, was sie jetzt brauchen konnte. Er war ganz offensichtlich auf Streit aus.

»Hey, Mama.« Gail stieß die Beifahrertür weit auf. Ihre Augen waren noch immer geschwollen von den gestrigen Schlägen der Nutte, aber sie hatte schon wieder ein Grinsen im Gesicht und trug ihre gewohnte Kleidung. Den gelben Rock hatte sie so weit hochgeschoben, dass sie sich ihren Flachmann zwischen die Beine klemmen konnte. An den Füßen trug sie Stiefeletten aus Goldlamé mit hohen, spitzen Absätzen. Ein knallblauer Fedora saß ihr straff auf dem Kopf. Ihr sprödes schwarzes Haar fiel ihr strohig auf die Schultern.

»Deathly macht ihr schöne Augen, was, Kindchen?«, sagte sie und drehte sich zu Kate um, die auf dem Rücksitz Platz genommen hatte. »Maggies heimlicher Verehrer. Stocktaub.« Sie hob die Stimme. »Stimmt doch, oder, Deathly?«

Maggie war vor Scham feuerrot angelaufen. Bei Gail half in solchen Momenten einzig und allein, sie zu ignorieren. Sie warf die Gürtel in den Fußraum des Wagens.

Gail trat ein paarmal aufs Gas. »Festhalten, Mädels!«

Eilig sprang Maggie auf den Beifahrersitz, bevor Gail sie stehen lassen konnte, und mit quietschenden Reifen fuhren sie davon. Gail johlte vor Vergnügen. Sie drehte das Radio laut – Rolling Stones – und zündete sich eine neue Zigarette an der Glut der alten an.

»Hier.« Maggie reichte Kate ihren Waffengürtel, ein Paar von Jimmys alten Schuhen und eine seiner Mützen. »Sorry, dass sie so stinken.«

Stumm legte Kate die Sachen neben sich auf den Sitz. Sie sah blass und verweint aus. Offensichtlich hatte Terry bei ihr die richtigen Knöpfe gedrückt. Oder vielleicht war es auch die Art gewesen, wie Bud Deacon sich die Hand vorn in die Hose gesteckt hatte. Oder der Gestank nach Kotze, den Jett Elliott verströmt hatte. Oder Cal Vicks Unfähigkeit, bei einer Frau irgendwoanders hinzustarren als auf den Busen. Oder die Art, wie Chip Bixby Kate angeglotzt hatte, als wollte er sie im nächsten Augenblick in den Wald zerren und sie vergewaltigen.

Doch im Augenblick wollte sich Maggie darüber lieber keine Gedanken machen. Sie musste ihre eigenen Wunden lecken. Ihre Familie war ihr peinlich. Ihr Haus war eine einzige Demütigung. Und sie hatte eine Heidenangst davor, dass Terry die Hinweise, die Kate und sie zusammengekratzt hatten, nehmen und den Shooter-Fall an sich reißen würde.

Es hätten nur sie und Jimmy sein sollen; das hatte er zumindest gestern Abend noch gesagt. Sie hatten sich die Shooter-Akten vornehmen und sie gemeinsam durchgehen wollen. Zusammenarbeiten. Nach allem, was Jimmy im Krankenhaus zu ihr gesagt hatte – nachdem er sich förmlich bei ihr entschuldigt hatte –, hatte Maggie angenommen, es würde sich irgendetwas ändern. Zum ersten Mal in ihrem Erwachsenenleben hätte Jimmy sie wirklich wie eine Kollegin behandelt. Doch dann war er am Morgen wieder mit der gleichen beschissenen Haltung aufgewacht wie immer, und Maggie hatte sich eingestehen müssen, dass alles nur ein Traum gewesen war.

Gail johlte erneut, als das Auto um eine Kurve schlitterte. Maggie klammerte sich zu beiden Seiten ihres Sitzes fest. Ein Mercury Cyclone war ein teures Gefährt für eine Polizistin. So wie sie Gail kannte, hatte sie ihn wahrscheinlich irgendeinem Zuhälter abgenommen. Trouble, ihr Ehemann, hatte den Motor frisiert und eine Stereoanlage eingebaut, die jetzt die Scheiben erzittern ließ. Die Sitze waren mit weißem Leder bezogen. Roter Flauschteppich klebte rund um das Armaturenbrett und an der Decke. Am Rückspiegel hing ein Paar Würfel. Oder, genauer, vor den Spiegeln, denn am oberen Rand der Windschutzscheibe waren sage und schreibe sechs Spiegel montiert, die ihr einen Einhundertachtzig-Grad-Blick auf alles ermöglichten, was sich neben und hinter dem Fahrer befand.

Gail nahm einen Schluck aus dem Flachmann. Sie hatte ein breites Grinsen im Gesicht. Sie war wie jeder Polizist, den

Maggie kannte: Ganz egal, was auf sie zukam – sie tat so, als würde es ihr nichts ausmachen. Aber das war auch schon Gails einziges wahres Talent: Durchhaltevermögen. Sie stand jeden Tag auf und stürzte sich in die Welt, egal, wie zerschlagen und zerschunden sie vom Vortag sein mochte.

Maggie wollte auch so sein. Sie bemühte sich ungemein um diesen Grad an Selbstverleugnung. Doch leider wurde der Lawson'sche Neustartknopf nur über die männliche Linie weitervererbt. Bei Maggie staute sich alles auf. Und Kate schien es genauso zu gehen. Sie starrte immer noch zum Fenster hinaus und hielt die Hand über die Augen, obwohl die Sonne auf der anderen Seite des Autos stand.

»Scheiße.« Gail stellte das Radio leiser. »Weswegen schmollt ihr beide denn jetzt?«

Maggie ging stumm die Liste durch. Fünf Polizisten waren ermordet worden. Ihr Bruder war angeschossen worden – und ihr Onkel fest entschlossen, sie aus der Truppe zu jagen.

»Mein Gott, was für eine Verschwendung.« Gail nahm noch einen Schluck Whiskey und warf dann den Flachmann aufs Armaturenbrett. »Findet endlich einen Mann, bei dem es sich lohnt, sich auch über den Knien zu rasieren.« Dann boxte sie Maggie spielerisch gegen den Oberarm. »Na, komm, Kleines. Männer sind nicht so schlecht, wenn man erst mal ihre Klamotten runterhat.«

Doch Maggie dachte noch an eine andere Liste. Jimmy hatte ihr einen Schlag ins Gesicht versetzt. Terry war ein Sadist in Reinform. Jett Elliott ein widerlicher Säufer. Cal Vick inkompetent, und Bud Deacon und Chip Bixby waren praktisch Nazis. Und sogar Rick Anderson hatte sie angeblafft, als sie zurück ins Haus gegangen war.

»Wisst ihr, im richtigen Licht betrachtet ist der alte Deathly eigentlich doch ganz nett. Hat was von Mick Jagger, nur eben nicht im Gesicht.«

»Gail, bitte.« Auch wenn Maggie es gewollt hätte – mit Lee

würde nie etwas passieren. Ihre Familien hassten einander, die Lawsons, weil die Grants sich für etwas Besseres hielten, und die Grants, weil sie wussten, dass sie tatsächlich besser waren. Die Situation entsprach weniger der zwischen den Capulets und Montagues, sondern eher derjenigen der Hatfields und der McCoys.

»Ich hab was für euch.« Gail zog eine Kassette unter der Sonnenblende hervor. »Das hier ist echt was Feines. Troubles Bruder hat sie vor ein paar Wochen in L. A. aufgenommen.« Maggie musste sich zusammennehmen, um nicht die Augen zu verdrehen. Trouble und sein Bruder verschafften sich ständig Nebeneinkünfte, indem sie illegal Konzerte mitschnitten. Die Qualität der Aufnahmen war miserabel. Trouble war ein Säufer, sein Bruder ein Kiffer. Auf den meisten Bändern hörte man lediglich ihre eigenen Stimmen, weil sie zugedröhnt bei den Songs mitgrölten.

Gail griff nach hinten und tätschelte Kates Oberschenkel.

»Das hab ich extra für dich ausgesucht, schmollendes Schaf.« Maggie machte sich nicht die Mühe, sich nach Kate umzudrehen. Sie starrte zum Fenster hinaus, als das Geräusch einer jubelnden Menge das Auto füllte. Dann das Lallen von Troubles Bruder, er müsse mal pinkeln. Gail musste so heftig lachen, dass sie dabei aufs Lenkrad schlug. Sie drehte die Lautstärke noch höher. Keiner würde etwas dagegen haben. Sie waren mittlerweile in Cabbage Town angekommen. Die ganze Gegend war schon vor Jahren verwüstet worden.

Die Ziegelfabriken sahen genauso leer aus, wie Maggie sich fühlte.

»Na, komm!« Gail klopfte den Rhythmus auf dem Armaturenbrett mit. Die ersten Zeilen kannte sie nicht, aber den Refrain brüllte sie mit: »*Poor poor pitiful me!*« Sie stieß Maggie an. »*Poor poor pitiful me!*« Armes, armes erbärmliches Ich.

Maggie musste gegen ihren Willen grinsen.

»*Poor poor pitiful me!*«, grölte Gail weiter.

Maggie schüttelte den Kopf, aber ihre Finger klopften inzwischen den Rhythmus mit. Sie hatte sich von Gails Stimmung anstecken lassen. Vielleicht funktionierte es ja genau so: Man hörte sich einen blöden Song über Selbstmitleid an, damit man aufhörte, sich selbst leidzutun. Die einzige Alternative war, zu viel zu trinken und sich in eine wütende Schlampe zu verwandeln, mit der kein Mensch mehr zu tun haben wollte.

Offensichtlich dachte Kate nicht so. Sie lehnte am Fenster und hatte den Kopf auf die Hand gestützt.

Und dann kam der Refrain wieder, und Kate heulte verzweifelt auf.

»Mein Gott!« Gail drehte die Musik leiser und starrte Kate im Rückspiegel an. Maggie ebenso.

Kates Schultern bebten. Sie weinte nicht einfach nur. Sie schluchzte unkontrolliert.

»Hat sie das schon mal gemacht?«, murmelte Gail.

»Nein«, antwortete Maggie, was zum Teil durchaus stimmte. Kate hatte gestern Abend erst geweint, als die Schicht vorüber gewesen war. Aber das war nichts im Vergleich zu den momentanen tiefen, keuchenden Schluchzern.

»Armes Mädchen! Die ist ja richtig drauf! Was hat sie denn so aus der Fassung gebracht? Hat Jett wieder angefangen, seine blöden irischen Witze zu erzählen?«

»Jett war völlig hinüber.«

»Irgendwas muss doch passiert sein. War es Terry mit seinem Quatsch, dass die Schwarzen die Weltherrschaft übernehmen?«

»Das meiste haben wir nicht mal mitbekommen.« Maggie zermarterte sich das Hirn. »Die Kennedys ... Der Bürgermeister ... Edward Spivey ... Der Krieg.«

»Bingo.« Gail bremste. Die Räder trafen den Bürgersteig, als der Mercury vor der alten Baumwolltaschenfabrik zum Stehen kam. »Ihr Ehemann ist in Nam ums Leben gekommen.«

»Was?« Maggie hörte selbst, wie ihre Stimme vor Überraschung ganz schrill klang. »Sie war verheiratet?«

»Hast du ihre Personalakte nicht gelesen? Er wurde in Bang Phuck Mi oder wo auch immer getötet.« Sie legte den Fahrersitz um und kletterte zu Kate auf den Rücksitz.

»Komm her, Süße.«

Kate warf sich ihr praktisch in die Arme. »Tut mir s-s-so leid …«

»Schon gut.« Gail strich ihr übers Haar. Dann stellte sie ihre Stiefel auf die umgeklappte Rückenlehne. »Diese alten Arschlöcher haben den halben Krieg in Hurenhäusern und die andere Hälfte in Kliniken für Geschlechtskrankheiten verbracht.«

Aus irgendeinem Grund musste Kate nur noch heftiger weinen.

Gail warf Maggie einen verzweifelten Blick zu und verdrehte die Augen, doch dann nahm sie Kate noch fester in den Arm. »Ist schon okay, Süße. Lass es einfach raus.« Sie schnippte in Maggies Richtung und deutete eine Trinkbewegung an.

Der Flachmann war halb leer. Maggie schraubte den Deckel ab und reichte die Flasche nach hinten.

Gail nahm einen kleinen Schluck und hielt dann Kate den Flachmann hin. »Das wird dir guttun.«

Kate ließ sich nicht lange bitten. Sie nahm einen kräftigen Schluck.

»He, nicht gleich gierig werden!« Gail nahm ihr den Flachmann wieder ab. Dann half sie ihr, sich aufzurichten, und leerte den Flachmann in einem Zug. »Alles rausgeflennt, Mädchen?«

Kate wischte sich über die Augen. Ihre Hand zitterte immer noch, aber zumindest waren die Tränen versiegt. »Tut mir leid«, brachte sie zittrig hervor. »Ich hab versucht, nicht loszuweinen. Ich weiß auch nicht, was gerade über mich gekommen ist.«

»Das passiert uns allen mal.« Sie blinzelte Maggie zu, was heißen sollte, dass ihnen so etwas ganz sicher nicht passierte – vor allem nicht in der Öffentlichkeit.

»Tut mir leid«, wiederholte Kate. Sie strich ihr Uniformhemd glatt und rückte ihr Schultermikro zurecht. »Ich muss furchtbar aussehen.«

Gail zuckte nur mit den Schultern, warnte sie aber: »Lass dir niemals anmerken, dass diese Mistkerle dir zugesetzt haben. Wenn sie dich weinen sehen, war's das. Dann nehmen sie dich nie mehr ernst.«

Kate nickte, aber sie verstand es nicht ganz. Offensichtlich wurden die härtesten Kämpfe nicht auf den Straßen ausgetragen. Sie fanden im Bereitschaftssaal statt. Sooft eine Beamtin einen Schritt nach vorn wagte, hatte irgendein Mann das Gefühl, zurückgedrängt zu werden. Deshalb stürzten sich die Kerle auf einen, sobald man Schwäche zeigte.

»Scheiße, ihr Mädels wisst ja gar nicht, wie einfach ihr es habt.« Gail warf den leeren Flachmann aufs Armaturenbrett. »In meiner ersten Woche im Job hab ich jeden Morgen frische Scheißhaufen in meinem Spind vorgefunden.« Sie verzog angewidert die Lippen. »Terry, Mack, Red, Les, Cal, Chip, Bud – die haben wirklich versucht, sich gegenseitig zu übertreffen. Sie wichsten in meine Handtasche. Pissten in meine Schuhe. Schissen in meinen Kofferraum. Daraufhin hab ich mal einen blutigen Tampon aufs Armaturenbrett deines Onkels Terry gelegt. Seither bin ich die verrückte Schlampe.«

Maggie glaubte fast, sich verhört zu haben. Sie sah Kate an, die ähnlich perplex dreinschaute.

»Den Gestank müsst ihr euch vorstellen«, fuhr Gail fort.

»Mitten im verdammten August. Es war verflucht heiß. Er hatte nur Glück, dass ich schon am Ende meiner Periode war.«

Mehr brauchte es nicht.

Sowohl Maggie als auch Kate explodierten regelrecht vor Lachen. Maggie konnte gar nicht mehr aufhören. Sie umklammerte verzweifelt den Sitz, um wieder zu Sinnen zu kommen. Ihr Magen krampfte sich zusammen. Ihre Kehle schmerzte. Sie konnte das Bild einfach nicht aus ihrem Kopf vertreiben – den

Ausdruck auf Onkel Terrys Gesicht, als er in seinen Streifenwagen stieg und das Geschenk entdeckte, das Gail Patterson
ihm dort hinterlegt hatte. Sie hoffte nur, der Bourbon war ihm
in einem heißen Strahl aus dem Rachen geschossen. Sie hoffte,
er musste immer noch würgen, wann immer er daran dachte.

Gail wischte sich mit dem Handrücken über den Mund.

»Tja, aber danach haben sie mich nicht mehr verarscht.« Tränen liefen Maggie übers Gesicht. Kate hatte wieder den Kopf
aufgestützt, aber sie bebte immer noch vor Lachen.

»Okay, Mädchen.« Gail rutschte auf die Tür zu. »Genug
rumgealbert. Packen wir's an.«

Kate sah Maggie an, und erneut brachen beide in Gelächter
aus.

Gail seufzte theatralisch und kletterte wieder hinters Lenkrad. »Jetzt kommt schon, beruhigt euch wieder.«

Maggie atmete einmal tief durch. Vom Lachen tat ihr immer
noch der Bauch weh. Sie wischte sich über die Augen und
schüttelte den Kopf.

Gail nahm ihren Fedora ab und klemmte ihn zwischen Armaturenbrett und Windschutzscheibe. Dann zündete sie sich
eine neue Zigarette an. Der Mercury beschrieb eine weite
Kurve, als sie auf die Straße zurückfuhr.

Maggie hatte es endlich geschafft, nicht mehr prusten zu
müssen vor Lachen. Der Trick dabei war, Kate nicht anzusehen.
Sie wischte sich über die Augen. Dann lehnte sie sich zurück
und sah wieder zum Fenster hinaus.

Die Szenerie, die vor ihren Augen vorüberzog, war nicht
nur in ihrer Monotonie deprimierend. Die verlassenen Fabrik-
gebäude wichen allmählich heruntergekommenen Häusern,
die wiederum noch mehr leeren Fabriken Platz machten. Gail
fuhr hinüber ins West End. Jimmy war gestern in CT gewesen.
Maggie bezweifelte, dass er um Erlaubnis gebeten hatte, und
wahrscheinlich war das auch der Grund, warum man auf ihn
geschossen hatte. Sie fragte sich, was er wirklich von seinem

Spitzel hatte wissen wollen. Maggie hatte eine vage Ahnung, dass es Dinge im Zusammenhang mit dem Mord an Don Wesley gab, die niemand außer Jimmy je wissen würde.

»Habt ihr eigentlich irgendwelche neuen Informationen über diese Typen?«, fragte Gail.

Maggie schüttelte den Kopf. Sie hatte Gail heute schon vor dem Morgenappell Bericht erstattet: ein Transvestit als Zuhälter, den kein Mensch je persönlich getroffen hatte, und als sein Handlanger ein Psychopath, der gern weiße Frauen aufschlitzte.

»Hör mir mal zu, Schaf.« Gail richtete ihre Worte an Kates Spiegelbilder. »Weißt du, warum die Schwarzen Mädchen eine so hohe Meinung von sich haben?«

Kate schien die Frage nicht zu gefallen. »Darüber hab ich noch nie nachgedacht.«

»Schwarze Männer. In den Tanzsälen, auf den Straßen, im Diner. Man kann sie überall hören. Sie sehen eine Schwarze Frau – sogar eine mit einem Gesicht wie ein Mülleimer –, und sofort heißt es: ›Hey, Süße, komm mit, ich führ dich zum Essen aus. Komm, ich spendier dir einen Kaffee.‹ Sie sagen einfach immer, dass sie einen schön finden, sie flirten die ganze Zeit. Weißt du, was ich meine?«

Kate sah verwirrt aus. Die Schwarzen Männer, die sie im Leben kennengelernt hatte, hatten wahrscheinlich alle einen Rechen in der Hand gehalten oder auf Liftknöpfe gedrückt.

»Die Schwarzen Frauen stehen da ganz einfach drüber«, erklärte Gail. »Sie hören diesen Mist ihr ganzes Leben lang. Aber wenn eine weiße Frau das hört, denkt sie sich: ›Ach Gottchen, der glaubt tatsächlich, dass ich hübsch bin!‹«

Kate kniff die Augen zusammen. Gail hatte ihren Akzent ziemlich gut nachgemacht.

»So sind Zuhälter nun mal. Sie werfen mit Komplimenten um sich, als wäre es ein Geschäft. Weil es das eben auch ist. Es ist ihr Geschäft, Frauen übers Ohr zu hauen.«

»Willst du damit sagen, dass alle Zuhälter Schwarz sind?«
Kate klang noch immer ein wenig hochnäsig, und Maggie reagierte sofort darauf.

»Nicht alle Schwarzen Männer sind Zuhälter, aber alle Zuhälter sind Schwarze Männer.«

Kate hob die Augenbrauen.

»Ihr zwei, hört endlich mit diesen Spielchen auf. Das hier ist kein Spaß.« Gail warf einen Blick über die Schulter, bevor sie einen Lastwagen überholte, und sagte dann zu Maggie: »Erzähl ihr lieber, wie sie die Mädchen übers Ohr hauen.« Maggie hatte sich vor langer Zeit den gleichen deprimierenden Vortrag von Gail anhören müssen. Sie hoffte, dass Kate genauso aufmerksam zuhörte, wie sie es damals getan hatte. »Die Zuhälter schnappen sich die Mädchen, wenn sie zwölf oder dreizehn sind. Es sind Ausreißerinnen oder Junkies, oder bei ihnen daheim ist irgendwas Schlimmes passiert. Die Zuhälter verführen sie. Sie tun so, als wären sie verliebt. Sie pumpen sie voll mit Drogen. Es dauert nicht lang, bis sie abhängig werden. Und dann schicken sie sie auf die Straße zum Anschaffen.« Maggie zuckte mit den Schultern. So einfach war es tatsächlich. »Diese Mädchen haben Sex mit zwanzig, dreißig Fremden pro Tag, und die Zuhälter kassieren das Geld.«

»Und wenn die Mädchen dann zu alt werden – mit zwanzig, fünfundzwanzig –«, ergänzte Gail, »dann verkauft man sie an einen weniger Anspruchsvollen oder schlitzt ihnen die Kehle auf und wirft sie in die Gosse.«

»Violet ist ungefähr in diesem Alter«, merkte Kate an, doch Gail ließ sich von dieser Bemerkung nicht beirren. Sie nickte nur.

»Kannst drauf wetten, Mama. Eines Tages wirst du zu einem Zehn-vierundfünfzig gerufen, und dann wird's Violets totes Gesicht sein, das dich aus dem Rinnstein anstarrt.« Gail klopfte eine Zigarette aus der Packung. »Du weißt, was wir vorhaben.«

»Oh ja, sicher, Maggie war unglaublich mitteilsam.«

Maggie nahm den Seitenhieb gelassen hin. »Wir werden mit Sir She reden, um zu sehen, ob er uns mit seinen Mädchen reden lässt.« Dann drehte sie sich zu Kate um. »Er lässt ältere Mädchen wie Violet für sich laufen, wahrscheinlich, weil er neu in der Stadt ist. Die Gegend um Five Points, wo Don Wesley erschossen wurde – genau dort arbeiten die Alten.«

»Whitehall«, sagte Kate. Sie hatte die Shooter-Akten gründlich studiert.

»Die Zuhälter haben Five Points unter sich aufgeteilt.« Maggie versuchte, es so auszudrücken, dass selbst Kate es verstand. »Betrachte es als eine Art Einkaufszentrum für Sex.«

Gail lachte heiser. »Der war gut.«

»Du willst Schwarze Mädchen? Dann musst du auf die Marietta. An der Decatur stehen ein paar Asiatinnen. An der Peachtree sind sie gemischt. Die beste Lage ist nördlich der Edgewood in der Nähe von Woodruff Park. Dort ist es wie bei Saks an der Fifth Avenue: Dort lauert das große Geld. Um diesen Standort wird ständig gerangelt. Dort arbeiten die jungen weißen Mädchen. Sie kriegen die einfachen Kunden – Geschäftsleute, Anwälte, Ärzte. Die Sonderlinge gehen direkt nach Whitehall. Stell dir die Gegend als Ramschladen vor. Die Mädchen sind älter. Ihre Zuhälter halten sie nicht sonderlich gut in Schuss. Und diese Sonderlinge handeln die Frauen gern runter. Sie sind auf Schnäppchenjagd. Denen ist es egal, wie ihr Gesicht aussieht oder wie alt sie sind.«

»Und genau deshalb wollen wir mit ihnen reden«, fuhr Gail fort. »Das Leben dieser Mädchen hängt davon ab, dass sie herausfinden, wer ihnen was tun will und mit wem sie sicher mitgehen können. Sie beobachten jeden, sehen alles. Ich würde meine linke Titte drauf verwetten, dass eine von ihnen was gesehen oder zumindest einen Stammkunden hat, von dem sie sicher weiß, dass er was gegen Polizisten hat.«

»Es gibt dort draußen einen Haufen Spinner, die uns Polizisten im Auge behalten«, sagte Maggie. »Manchmal sieht man sie am Bahnhof. Die hängen dort scheinbar grundlos rum – aber sie sind scharf auf Tatorte. Sie hören den Polizeifunk ab.« Maggie spürte, wie sich beim Reden eine Last von ihrer Brust hob. Nach der Lektüre der Shooter-Akten hatte sie schon befürchtet, dass der Mörder ein Polizist sein könnte. Je mehr sie jedoch seither darüber nachgedacht hatte, umso einleuchtender erschien es ihr, dass sie eher nach einem dieser verrückten Möchtegern-Cops suchten. »So einer kennt unsere Codes und Prozeduren.«

»Könnte es einer sein«, warf Kate ein, »der von der Akademie geflogen ist oder auf den Straßen nicht durchgehalten hat?«

Gail konnte nicht widerstehen. »War das gerade ein Geständnis, Schaf?«

Doch Kate war nicht mehr nach Lachen zumute. »Jimmy hat erzählt, der Mann, der Don erschossen hat, sei Schwarz gewesen. Würde ein Schwarzer Zivilist, der dort draußen vor dem Revier rumhängt, nicht auffallen?« Sie machte eine kurze Pause. »Ich meine, wenn er nicht bereits drinsäße, weil er ein Zuhälter ist.«

Gail verzog das Gesicht. »Hängt vom Revier ab. Der Commissioner verschiebt die Beamten wie Bauklötzchen. Das ist zum Beispiel Bud Deacon passiert. Er wurde in ein rein Schwarzes Revier versetzt. Er sagt den Bonzen, sie können ihn mal. Er wird gefeuert, dann klagt er dagegen. Der Richter gibt ihm für die Dauer des Verfahrens den Job zurück.«

»Sie hätten Jett Elliott versetzen sollen«, warf Maggie ein.

»Der weiß doch die halbe Zeit sowieso nicht, wo er ist.«

»He«, ermahnte Gail sie. Jeder wusste, dass Jett soff, weil er ein krankes Kind zu Hause hatte. »Mack McKay hat ebenfalls Anklage erhoben. Er behauptet, er sei degradiert worden, weil er sich über ein feindseliges Arbeitsumfeld beschwert hat. Trag zur Arbeit ein Paar Titten, Mack, dann siehst du, was feindselig bedeutet.«

Bei der Vorstellung musste Maggie grinsen. »Chip Bixby hat einfach gestreikt, als sie ihm die erste Frau in die Einheit setzten. Er wurde nicht gefeuert.«

»Chipper ist nicht so übel«, sagte Gail zu Kate. »Damals, als ich noch so grün war, dass ich Klee geschissen habe, lag ich eines Tages während eines Bankraubs hinter dem Schalter auf dem Boden. Dachte schon, ich würde sterben. Ernsthaft. Ich hatte meinen Frieden mit allem gemacht. Dann taucht wie aus dem Nichts plötzlich Chip Bixby auf und schießt wild um sich. Ich liege seelenruhig auf dem Rücken, während Chip den Kopf für mich hinhält. Und dann fängt der Trottel sich auch noch eine Kugel ein.« Sie tippte sich ans Schlüsselbein.

»Die war für mich bestimmt. Aber was sollte ich denn tun? Füll den alten Chipper nur ausreichend ab, dann zeigt er dir seine Narbe.«

»Ich schreib das alles nachher auf«, sagte Kate, die mit den Gedanken offensichtlich ganz woanders war. »Was ist mit Männern? Wo gehen die hin?«

Gail warf Maggie einen vielsagenden Blick zu. »Darüber reden wir doch die ganze Zeit, Schwester. Wenn man eine Nummer schieben will, geht man nach Five Points.«

»Ich meinte, Sex mit anderen Männern.«

»Hör dir unser Mädchen an.« Gail klang fast, als wäre sie stolz auf Kate, weil sie überhaupt wusste, dass so etwas existierte. »Die Schwulen sind im Piedmont Park. Sie müssen nicht mal dafür bezahlen. Haben die ein Glück.«

»Piedmont?« Kate klang verstimmt. Ihr Apartment lag nur ein Stück weiter die Straße hinauf.

»Darüber sprich am besten mit Jimmy«, sagte Gail. »Der dreht nach der Arbeit mit den Jungs gern noch 'ne Schwuchtelrunde.«

»Schwuchtelrunde?«

»Sie gehen in den Park und verprügeln Schwule«, erklärte Gail.

Kate war entsetzt. »Jimmy geht in den Park und schlägt Homosexuelle zusammen?«

»Warum denn nicht?« Gail schnippte Zigarettenasche zum Fenster hinaus. »Das tun sie alle. Bud, Mack, Terry, Vick. Sie lassen einfach nur Dampf ab. Wen kümmert es, wenn ein paar Tunten die Schädel eingeschlagen bekommen – bei dieser fiesen Scheiße, die sie treiben.« Sie nahm einen Zug von ihrer Zigarette. »Köpfchen hoch, Mädchen. Wir sind jetzt auf feindlichem Terrain.«

Maggie sah zum Fenster hinaus. Schwarze Gesichter starrten zurück. Einige sahen neugierig aus, andere waren sichtlich verwirrt. Doch ihnen allen schien eine gewisse Feindseligkeit gemein zu sein.

Sie waren in Colored Town.

Das Viertel hatte sich regelrecht an sie herangeschlichen. Maggie hatte überhaupt nicht bemerkt, dass die vorherige allgemeine Verwahrlosung irgendwann unlackierten Hütten und Anbauten Platz gemacht hatte. Vor langer Zeit hatte Gail Maggie einmal erzählt, dass Schwarze und Weiße durch den Stein getrennt seien: Schwarze lebten in Häusern, die auf Erde gebaut waren. Weiße lebten in Häusern, die auf steinernen Fundamenten errichtet worden waren.

Maggie hatte den Unterschied nie richtig begriffen, bis sie es mit eigenen Augen gesehen hatte. Colored Town erstreckte sich über weite Teile der West Side, die auch Atlantas letztes immer noch funktionierendes Industriegebiet enthielt. Gießereien und Fabriken husteten schwarzen Rauch aus. Gerbereien spuckten verfaulendes Fleisch und Chemikalien in den Peachtree Creek. In der Luft lag das beständige Surren der riesigen Relaisstationen an der Hauptstraße.

Das hier war nicht einmal mehr sozialer Wohnungsbau. Hier gab es keine Gebäudekomplexe mit einem Hausmeisterservice vor Ort und stündlichen Polizeikontrollen. Die Menschen, die hier in CT wohnten, pfiffen auf staatliche Unterstützung und hatten überwiegend wohl auch keinen Anspruch darauf. Sie waren auf sich allein gestellt. Sie mussten mit dem auskommen, was ihnen zur Verfügung stand. Nackte Sperrholzwände über feuchtem Georgia-Lehm. Zeitungen klebten über Löchern in den Fenstern. Die sanitäre Versorgung schien so primitiv, dass überall auf den kahlen Hinterhöfen Außenklos zu sehen waren. Sogar mitten im Winter standen Haustüren offen, um den Gestank hinauszulassen.

Kate fing an zu husten. Es war nicht allein der Geruch – aber er kam zu allem anderen noch hinzu. Maggie hatte ihr ganzes erstes Jahr im Job damit zugebracht, alle möglichen ekligen Sachen auszuhusten. Delia war entsetzt gewesen von einigen Dingen, die dabei rausgekommen waren. Maggie war fast dauerhaft erkältet gewesen. Ihr Arzt riet ihr, den Job aufzugeben, sonst würde er sie noch in ein frühes Grab bringen. Gail reckte sich und suchte mit dem Blick die Häuserfronten ab. Sie hatten ein Wohngebiet erreicht, das auf wöchentlich mietbare Zimmer spezialisiert war. »Habt ihr eine Adresse?«

Kate hustete erneut, bevor sie antwortete: »Acht-neunzehn Huff Road.«

»Scheiße«, murmelte Gail. »Wir sind auf der Huff, aber hier hat kein einziges Haus 'ne Nummer.«

Die Vermieter hier im Getto waren nicht die Einzigen, die keine Hausnummern an die Fassade schrieben. Das Problem plagte die ganze Stadt. Bei den meisten Einsätzen hatte Maggie keine Ahnung, ob sie am richtigen Ort war, bis irgendjemand anfing zu schreien.

»Da!« Kate deutete zu einem Haus hinüber. »Das muss es sein.«

Sie hatte sich das hübscheste Haus der ganzen Straße ausgeguckt. Die Fenster waren sauber, der kahle Hof gefegt. Das Vordertreppchen bestand aus übereinandergestapelten Betonblöcken, auf denen stand: »Eigentum der Wasserwerke Atlanta«.

Wie bei allen anderen Häusern waren hier die unlackierten Schindeln verwittert braun. Was das Haus indes von den anderen abhob, war die Eingangstür. Sie war unten rot, oben grün, und um das rechteckige Fenster verlief ein gelber Kreis.

»Wo siehst du da eine Nummer?«, fragte Gail.

»Die Tür«, antwortete Kate. »Das sind die Farben der portugiesischen Flagge.«

»Die farbigen Mädchen haben erwähnt, das Haus würde von einer Portugiesin geführt«, erklärte Maggie.

»Na, so was.« Gail fuhr an den Rinnstein und parkte hinter einem alten, auf Betonquadern aufgebockten Pick-up. »Eine Portugiesin. Wo zum Teufel kommt die denn her?«

Kate wandte ihre Aufmerksamkeit endlich Jimmys Schuhen zu. Vielleicht war sie ja doch zu irgendetwas gut.

»Dieser Teil von CT ist übrigens der Außenbereich eines Bezirks, den man Blandtown nennt«, erklärte Gail. »Unterwegs sind wir durch Lightning und Techwood gekommen.« Sie wies sie auf ein paar Orientierungspunkte hin. »Ganz dort drüben liegt Perry Homes – ein Drecksloch, wie ihr wahrscheinlich bald selbst sehen werdet. Dort, wo die Gleise verlaufen, liegen der Tilford und der Inman Yard zwischen der Marietta und dem Perry Boulevard. Was ihr hören könnt, ist das Howell Rail Wye. Dort fahren die Züge drüber, drüben auf der anderen Seite der Pflugfabrik. Also, nicht ›Wye‹ für ›Y‹. Die Schnittstelle hat die Form eines Dreiecks. Fragt nicht, warum. Und der Geruch kommt von der Fleischverarbeitungsanlage. Der Laden kann einen echt zum Vegetarier machen. Hab dort mal 'ne Nuttenleiche in einem Kuhkadaver gefunden. Das war vielleicht eine kranke Scheiße! Wenn ich das Foto noch hätte, könnt ich's euch zeigen. Seid ihr noch bei mir?«

Kate nickte. »Natürlich. Vielen Dank auch.«

Maggie stieg aus. Sie hörte das entfernte Poltern der Züge, die durch den Howell Rail Yard rasten. Der Pfiff einer Lokomotive gellte durch die Luft. In diesen Vierteln war beständig Lärm zu hören. Frachtzüge fuhren Tag und Nacht durch das Wye. Wenn man nur lange genug still stand, spürte man die Vibration unter den Fußsohlen.

Das portugiesische Haus stand ungefähr an der Mitte der Straße direkt gegenüber von einem aufgelassenen Lagerhaus. Rote Fassaden wie diese waren in der Stadt allgegenwärtig; sie bestanden aus Ziegeln, die Sklaven zwischen den Baumwoll- pflückersaisons aus dem hier so typisch roten Lehm geformt hatten. Fenster gab es keine mehr. Einige Ziegel waren heraus- geschlagen worden, dahinter war schwarze Teerpappe zu sehen. Auf dem Boden vor ihren Füßen hatte sich eine große Wasser- pfütze gebildet. Intuitiv hob Maggie den Kopf, um nach Regen Ausschau zu halten. Sie meinte zu sehen, wie an einem der zer- schellten Fenster im Obergeschoss des Lagerhauses eine Hand zurückgezogen wurde.

»Also, Mama, hör zu«, sagte Gail vom Fahrersitz aus und gab über Funk ihren Standort durch. Sie kannte die Frau in der Zentrale, deshalb dauerte es ein wenig länger als unbedingt nötig.

Maggie zwang sich, den Blick vom Lagerhaus abzuwenden. Wahrscheinlich war dort oben nur irgendein Junge gewesen. Oder vielleicht ein Penner auf der Suche nach einem Loch, in das er sich verkriechen konnte. Sie zog die Metallhaken aus den vorderen Taschen ihrer Hose und hängte sie in ihren Gürtel ein. Dann hakte sie den Waffengürtel daran. Auch Kate stieg aus. Sie hielt ihren Gürtel in der einen und Jimmys Mütze in der anderen Hand. »Die gute Nachricht ist: Die Schuhe passen. Vielen Dank dafür. Die schlechte Nachricht ist …«

Maggie gab ihr die Metallhaken, die Kate auf dem Esszimmer- tisch liegen gelassen hatte. »Steck sie immer in …«

»Dieselbe Tasche. Danke.« Kate hängte die Haken ein. In- zwischen gelang es ihr immer besser, den Gürtel anzulegen. Diesmal schaffte sie es bereits im zweiten Anlauf.

Normalerweise fragte Maggie andere nicht nach ihrem Privatleben, aber diesmal hatte sie das Gefühl, dass Kate ihr eine Erklärung für ihren vorherigen Zusammenbruch schuldete. »Wann kam dein Mann ums Leben?«

»Vor zwei Jahren.« Kate schob ihren Schlagstock zurecht.

»Ich hätte gedacht, so was steht in der Personalakte.«

»Da werden bloß Hintergrundrecherchen angestellt. Um sicherzugehen, dass du keine Kommunistin bist.« Was Maggie ihr nicht verriet, war, dass so ziemlich jeder die Akte einsehen konnte. »Keine große Sache.«

»Oh, da bin ich mir sicher.« Kate zog ihren Kragen zurecht. Sie schien das Thema wechseln zu wollen. »Ich hab mir gedacht, dass man mir nur eine große Demütigung pro Tag zugestehen würde. Was denkst du, hab ich meine Quote für Dienstag schon erreicht?«

»Du hattest deine Gründe.«

»Na, komm, Lawson. Mir ist es lieber, du hältst mich für eine Idiotin, als dass ich dir leidtue.«

Maggie lächelte. Kates Mumm war wirklich bewundernswert. »Ich halte dich immer noch für eine Idiotin.«

»Natürlich tust du das.« Sie schnupperte an Jimmys Mütze und verzog das Gesicht.

»Heute keine Mützen.« Maggie warf ihre ins Auto, und Kate tat es ihr nach. »Überprüf deine Waffe.«

Kate öffnete den Sicherheitsriemen über ihrem Revolver. Dann zog sie die Waffe mit einer erstaunlich flüssigen Bewegung aus dem Holster, klappte den Zylinder heraus und schob ihn dann wieder zurück.

Mit einer Zigarette im Mundwinkel trat Gail zu ihnen auf den Bürgersteig. »Weiß sie, wie man das Ding benutzt?«

»Ich hoffe, wir müssen es nicht herausfinden.«

Kate steckte die Waffe wieder ins Holster und grinste selbstzufrieden. »Ich hab den ganzen Morgen geübt.«

»Ich glaube, ich mochte dich lieber, als du noch erbärmlich

warst.« Gail griff in ihre Tasche und öffnete die Kordel eines Crown-Royal-Beutels, in dem sie ihre Waffe aufbewahrte. Ihr Revolver hatte einen Perlmuttgriff. Und auch die Verzierung über der Laufmündung entsprach nicht dem Standard. Sie befüllte ihre Patronen mit zusätzlichem Schießpulver, was zwar ebenso wenig den Vorschriften entsprach, aber so gut wie jeder in der Truppe machte.

»Glupscherchen auf, Mund zu«, wandte sie sich an Kate.

»Verstanden?«

»Ja, Ma'am.«

Gail kniff die Augen zusammen. Das Problem mit Kate war, dass man nie wusste, wann sie den Klugscheißer spielte und wann sie wirklich klug war.

»Scheiß drauf«, sagte Gail und ging über den Lehmpfad auf das Haus zu.

Maggie tippte auf den Sicherheitsriemen über ihrem Revolver, um Kate darauf hinzuweisen, dass sie ihren ebenfalls schließen sollte, wartete jedoch nicht ab, ob ihr Hinweis auch befolgt wurde. Wenn Kate diesen Job machen wollte – und es sah ganz so aus, als wäre sie entweder zu stur oder zu dumm, um es nicht zu tun –, dann musste sie selber schwimmen lernen oder würde untergehen.

Die Stilettoabsätze von Gails Stiefeletten klapperten die Betonstufen hinauf. Die Veranda war schmal, machte aber einen stabilen Eindruck. Die Bohlen waren rot lackiert wie die untere Türhälfte, was einem das beunruhigende Gefühl vermittelte, in einer Blutlache zu stehen. Maggie spähte durch das schmale Fenster in der Haustür. Dahinter konnte sie eine Treppe hinauf zum ersten Stock erkennen, sonst nichts.

»Ist das da nicht so eine Methusela?« Gail nickte zu einem reich verzierten Metallkästchen, das rechts auf den Türpfosten genagelt worden war. Die Spitze neigte sich leicht zur Tür. Gail schnalzte mit der Zunge und zwinkerte Kate vielsagend zu. »So was benutzen Juden.«

»Ach nein, wie interessant.« Kate berührte das Kästchen mit den Fingerspitzen.

»Polizei!« Gail hämmerte so fest gegen die Tür, dass das Fensterchen klirrte. »Ich hab so ein Ding mal aufgemacht«, sagte sie zu Kate. »Da ist nur Papier drin. Mit so lustigen kleinen Schnörkeln drauf.« Sie schlug noch einmal gegen die Tür. »Aufmachen!«

Aus dem Haus waren schlurfende Schritte zu hören, und plötzlich tauchten ein paar wilde grau-schwarze Strähnen im Fenster auf. Maggie ahnte, dass sie auf irgendjemandes Kopf hinabschauten.

»Unglaublich.« Gail trat gegen die Tür. »Aufmachen, sonst brech ich diese verdammte Tür auf!«

Vier Schlösser wurden geöffnet, eine Kette wurde vorgelegt, dann ging die Tür einen Spaltbreit auf. Die alte Frau, die vor ihnen stand, sah aus wie eine trauernde Viktorianerin. Alles an ihr war schwarz: vom hohen Kragen, der ihren Hals umspielte, bis zu dem langärmeligen schwarzen Kleid, das bis zu den Spitzen ihrer schwarzen Schuhe reichte. Sie war winzig. Deshalb hatte sie auch nicht durchs Fenster sehen können. Durch ein auffälliges Muttermal auf der linken Wange sah sie aus, als würde sie schielen. Das grau melierte Haar war zu einem Dutt hoch oben auf ihrem Kopf zusammengefasst. Maggie schoss durch den Kopf, was Delroy und Watson gesagt hatten; man konnte sich durchaus vorstellen, dass dort oben ein Nest Spinnen lebte.

»Tür aufmachen, Oma«, blaffte Gail.

»Was wollen Sie?« Ihre Stimme war tief und hatte einen starken Akzent. Sie klang wie Ricardo Montalbán; nicht wie eine Frau, sondern eher wie ein Kerl aus der Autowerbung.

»Ich muss arbeiten.«

»Wir auch.« Gail tippte demonstrativ auf die Marke an Maggies Brust. »Wir müssen mit Sir She reden.«

Ganz langsam öffnete die Alte die Augen und lächelte auf

eine Art, die Maggie nicht geheuer war. Doch dann machte sie die Tür auf und ließ sie ein.

Gail schnippte die Zigarette in den Hof, bevor sie das Haus betrat. Sie sah sich um, genau wie Maggie. Eine Treppe stieg aus dem Mittelgang auf, der das Haus in zwei Hälften teilte. Links davon lag ein Wohnzimmer, rechts das Esszimmer. Die Küche lag im rückwärtigen Teil des Hauses. Maggie warf einen kurzen Blick in jedes Zimmer. Man betrat keine geschlossenen Räume, ohne sich zuerst nach Gefahren umzusehen. Kontrollierte Fenster und Türen. Achtete darauf, jedermanns Hände zu sehen. Und Gail zufolge fügten Polizistinnen immer auch noch einen weiteren Punkt zu der Liste hinzu: Man beurteilte die Einrichtung und generelle Sauberkeit, um sich darüber ein Werturteil von seinem Zeugen oder dem Täter zu machen.

Bei diesem letzten Punkt schnitt die portugiesische Dame tadellos ab. Ihr Haar sah zwar furchterregend aus, aber sie führte ein makellos sauberes Haus. Geschirr trocknete ordentlich aufgereiht auf einem Gestell neben der Spüle. Der Läufer auf dem Gang lag schnurgerade. Die Böden waren sauber gewischt. Nirgends Spinnweben. Maggie vermutete, dass die Möbel noch aus der alten Heimat der Frau stammten. Im Wohnzimmer standen ein farbenfroher, eleganter Sessel und ein geblümtes Sofa mit geschwungener, mit Schnitzereien verzierter Rückenlehne. Auf jeder Oberfläche lagen Zierdeckchen. Auf dem Sofatisch stand ein schweres schwarzes Teeservice. Dazu passende Platzdeckchen lagen auf dem Esszimmertisch.

»*Bisalhães*«, murmelte Kate.

Gail hörte darüber hinweg, was sicherlich nicht die schlechteste Option war. »Wer ist sonst noch im Haus?«

Die alte Frau deutete die Treppe hinauf. »Im Augenblick habe ich drei Pensionsgäste. Einer ist bei der Arbeit. Die anderen …« Sie schüttelte den Kopf. »Der *paskudnyak* und der *freser.* Sie glauben wohl, ich führe ein *schandhois.*«

Gail runzelte die Stirn angesichts der fremdartig klingenden Wörter. »Was soll das?«

»Der Zuhälter und sein Leibwächter«, mutmaßte Maggie, die kein Wort Portugiesisch verstand, aber die Schlussfolgerung war ihr nicht schwergefallen. »Sind sie oben?«

»Sie haben zwei Zimmer gemietet. Ihr Geschäft betreiben sie vom vorderen aus. *Meschuggene* alle beide.«

Kate horchte auf. »Wie, *meschuggene*?«

Doch statt zu antworten, rief die alte Frau nur die Treppe hoch: »Anthony!«

Von oben kam ein lauter Knall. Schwere Schritte polterten über den Boden. Vom Deckenverputz bröselte Staub herab. Der Lüster schwankte.

»Was ist, alte Frau?« Auf dem Treppenabsatz kam ein Riese zum Vorschein. Er war weit über eins achtzig groß und wog gut und gern einhundertsechzig Kilo. Sein Kopf war vergleichsweise klein – wie bei einem missglückten Schneemann, auch wenn der Schneemann selbst ein messerschwingender Psychopath war. Sein Blick fiel erst auf Maggie, dann auf Kate, dann auf Gail und schließlich auf die Portugiesin.

»Mein Gott, Fettsack«, sagte Gail. »Hat man dich an einem Haken im Schlachthof gefunden?«

Der Schwarze fand das alles andere als lustig. »Was wollt ihr Schlampen?«

Gail packte das Geländer und zog sich die Treppe hoch.

»Ich muss mit deinem Chef sprechen.«

»Leck mich.«

»Aber immer gern. Siehst du diese Uniformen?«

»Ich seh eine abgewrackte alte Nutte und zwei verkleidete Tussis.«

»Na gut.« Gail widersprach der Einschätzung nicht. Wenige Stufen vor dem Koloss blieb sie stehen. »Wir gehen so schnell nicht weg, Fettkloß, also kriechst du besser wieder in dein Loch zurück.«

Etwas Silbernes blitzte auf, es klickte, und im Handumdrehen hielt Anthony Gail ein Klappmesser an die Kehle. »Willst du das vielleicht noch einmal sagen, Schlampe?«

Gail seufzte. »Ich weiß, dass du deinen Pimmel schon länger nicht mehr sehen kannst, Speckschwarte. Aber ich bin mir ziemlich sicher, du willst ihn nicht vollends verlieren.«

Er senkte den Blick. Gails Waffe war genau auf seinen Schritt gerichtet. Sie spannte den Hahn.

»Siehst du, wie meine Hand zittert? Das kommt daher, weil ich unbedingt abdrücken will.«

»Das wird nicht nötig sein, Officer.« Ein zweiter Mann erschien auf dem Treppenabsatz. Maggie konnte ihn von ihrem augenblicklichen Standpunkt aus nicht sehen, aber sie wusste intuitiv, dass er nicht aus dieser Gegend stammte. Dem Akzent zufolge kam er eher aus dem Norden. »Anthony, lass die Frauen vorbei. Je schneller wir herausfinden, was sie wollen, umso eher gehen sie wieder.«

Anthony drehte sich zur Seite; es brachte nicht sonderlich viel. Gail drückte sich als Erste an ihm vorbei. Maggie zog den Bauch ein, aber auch sie konnte eine Berührung nicht verhindern, ehe sie oben ankam. Sie hatte Kate am Arm hinter sich hergezogen.

Sir She stand vor einer offenen Tür. Er war groß und sehr dünn. Seine Haut hatte die Farbe von Flusswasser. Sein Haar war zu einem kurzen Afro gestutzt, der nur knapp über die Ohren reichte. Um den Hals trug er ein rot-goldenes Tuch. Sein purpurfarbenes Seidenhemd hatte Druckknöpfe mit einem Besatz aus weißen Perlen. Die Drillichhose zierte ein schwarz-weißes Fischgrätmuster. Die Hose saß so eng, dass sich ihr gesamter Inhalt mehr als deutlich abzeichnete.

Maggie sah in ihm eher einen Dandy als einen Transenluden. Seine Gesichtszüge hatten nichts Zartes. Er knickte die Hand nicht am Gelenk ab und trug auch kein Make-up. Aber die Schwarzen Mädchen hatten recht gehabt, was seine Stiefel anging: Sie sahen gemeingefährlich aus. Die nadelscharfen Spitzen waren goldfarben eingefasst. Blut sprenkelte das weiße Lackleder.

Der Mann nahm Kate ins Visier und legte ein Krokodilsgrinsen auf. »O Gott, o Gott. Du bist ja das strahlendste Wesen, das ich je gesehen habe. Haut wie feinstes Porzellan. Und deine zarte Taille könnte ich mit meinen Händen umfassen.« So viel zur Vorwarnung. Kate schwoll förmlich die Brust.

»Herzlichen Dank.«

Gail warf Maggie einen flüchtigen Blick zu und verdrehte die Augen. »Bist du Sir She?«

Sein Grinsen verschwand, und missmutig presste er die Lippen zusammen. »Sir Chic. *Chic.*«

Kate kicherte. Maggie hatte genau gewusst, dass sie es tun würde.

»Sprecht ihr weißen Schlampen kein Englisch?«

»Auf der Straße heißt es, du bist 'ne Transe«, bemerkte Gail.

Er griff sich in den Schritt. »Ich kann euch gleich hier das Gegenteil beweisen.«

»Nee, mir ist schon mal 'n dürrer Bimbo in meiner Möse verloren gegangen. Tut beim Niesen verdammt weh.« Gail marschierte schnurstracks in sein Zimmer hinein. »Was ist denn das hier für eine Müllhalde?«

Maggie zog die Augenbrauen hoch. Im Vergleich zum Erdgeschoss war das Zimmer des Luden tatsächlich der reinste Schweinestall. Überall stapelten sich Schachteln. In den Ecken lag Müll. Aus den Sitzmöbeln quoll die Polsterung. Zwei Holzstühle mit abgebrochenen Rückenlehnen standen direkt daneben. Maggie nahm an, dass Anthony darauf saß, wenn er sich in diesem Zimmer aufhielt. Ein halb leeres Glas Eistee stand auf dem Fensterbrett. An der Wand lehnte ein Baseballschläger.

Überall witterte sie Gefahr. In den richtigen Händen konnte so ein Baseballschläger tödlicher sein als ein Revolver.

Ebenso die abgebrochenen Streben der Stuhllehnen. Selbst das Teeglas konnte zu einer Waffe werden. Und wer wusste schon, was sich in den Löchern im Mobiliar und in den Schachteln verbarg.

Maggie sah zum Fenster hinaus. Das verlassene Lagerhaus auf der gegenüberliegenden Straßenseite. Was sie dort zuvor gesehen hatte, war offenbar doch keine Hand gewesen. Die Ziegel rund um die Fensteröffnungen waren abgeschlagen worden, um die Querbalken aus dem Stein herauslösen zu können. Was sie von der Straße aus gesehen hatte, war lediglich ein Stück Teerpappe gewesen, die im Wind geflattert hatte.

Sie wandte ihre Aufmerksamkeit wieder dem Zimmer zu. Die wahre Gefahr stand fünf Meter von ihr entfernt am Türrahmen. Ächzend lehnte Anthony sich dagegen und verfolgte jede von Gails Bewegungen. Sein Unterkiefer war angespannt. Beide Hände waren zu Fäusten geballt. Maggie schwante, dass er nicht der Typ war, der den Dingen einfach ihren Lauf ließ. Die farbigen Mädchen hatten sie gewarnt, dass dieser fette Kerl verrückt war. Aber Maggie hatte dank ihres Vaters schon aus unmittelbarer Nähe mit ansehen dürfen, was verrückt zu sein bedeutete, und war der festen Überzeugung, dass andere eine Verrücktheit nicht einmal dann erkennen würden, wenn sie ihnen direkt ins Gesicht explodierte.

Nach ihrer Expertenmeinung sah Anthony lediglich aus wie ein Typ, der sie ganz einfach in der Luft zerreißen wollte.

»Okay, Ladys.« Chic setzte sich auf die Couch und strich die Hosenbeine glatt. »Wollt ihr jetzt hier rumstehen und gaffen, oder sagt ihr mir, warum ihr hergekommen seid?«

»Zum Teufel …« Gail setzte sich ihm gegenüber auf einen der Holzstühle und legte sich ihre offen stehende Tasche auf den Schoß.

Maggie überließ Kate den anderen Stuhl, damit sie selbst einen Grund hatte, stehen zu bleiben. Sie stellte sich in die

Ecke, das Fenster zu ihrer Rechten. Chic saß direkt vor ihr mitten im Raum. Gail und Kate saßen schräg vor ihm. Anthony war an der Tür stehen geblieben. Maggie brauchte ihn gar nicht erst anzusehen. Sie spürte ihn. Er verströmte pure Feindseligkeit.

Leise öffnete Maggie den Sicherheitsriemen über ihrem Revolver. Sie wusste, dass Gail ihre Waffe in weniger als einer Sekunde aus der Handtasche ziehen konnte, aber um Anthony zu überwältigen, würde es mehr bedürfen.

»Also.« Gail kam direkt zur Sache. »Whitehall. Du hast dort ein paar Mädchen stehen.«

»Hab ich das?« Chic zögerte einen Augenblick, bevor er antwortete. »Ich glaube nicht, dass noch irgendjemand irgendwen irgendwo stehen hat. Eure Sturmtruppen haben ja wohl so ziemlich jedes Mädchen in dieser Stadt eingebuchtet.«

»Ein Polizist wurde ermordet«, rief Gail ihm in Erinnerung. »Du könntest uns helfen …«

»Was geht mich ein toter Bulle an?«

Gail stemmte die Hände auf die Knie. »Hör mal, ich hab wirklich keine Zeit für deine Spielchen.«

Kate richtete sich kerzengerade auf, als hätte man ihr soeben einen Besenstiel in den Hintern geschoben, und prompt wandte Chic sich ihr zu.

»Was glotzt du so blöd, Schlampe?« Jetzt brach sich sein Straßenslang Bahn. »Gibste mir vielleich' 'ne Antwort?«

Doch zur Abwechslung fiel Kate rein gar nichts ein.

Chic hatte sich an Gail die Zähne ausgebissen, also stürzte er sich jetzt auf Kate. »Kommt in *mein* Haus und starrt mich an, als wär ich irgendein Ungeziefer hinter Glas. Was meinste eigentlich, wer du bis', Schlampe? Dass du mich so anstarren darfs'?«

Gail rührte sich nicht. Maggie ebenso wenig. Wenn Kate weiterhin in jede Falle tappte, sollte sie selbst sehen, wie sie da wieder herauskam.

»Und?«, blaffte Chic. »Was sagste jetz', Schlampe? Soll ich dich vielleich' zum Reden bringen?«

Anthony regte sich in der Tür. Der Boden ächzte unter seinem Gewicht.

Dann platzte es aus Kate heraus. »Das Tuch ...«

Chic war ebenso überrascht wie die anderen. Unwillkürlich hob er die Hand an sein Halstuch. »Was is damit?«

»Ich hab mich nur gefragt ...« Kates Stimme zitterte. »Ich hab mich gefragt, ob das von Chanel ist.«

Erst starrte Chic sie nur an. Nach einer gefühlten Ewigkeit sagte er bloß: »Natürlich ist es das.«

Kate schluckte hörbar. Ihre Stimme zitterte immer noch, aber nicht mehr gar so sehr. »Es ist wirklich schick. Ich hab es nur angeschaut ... meinetwegen.«

Er musterte sie einen Augenblick. »Bei deiner Haarfarbe solltest du die Finger von Rot lassen. Du bist ein Wintertyp ...«

»Herbst. Aber ich fühle mich irgendwie dazwischen ...«
Am liebsten hätte Maggie ihr den Kopf an die Wand gedonnert. Wenn ihr in der vergangenen Woche irgendjemand gesagt hätte, dass sie in einem Getto-Saustall stehen und mit anhören müsste, wie ein Zuhälter aus dem Norden über Caygill-Farbtypen fabulierte, hätte sie denjenigen ausgelacht.

»Oh Mann«, murmelte Gail. »Können wir vielleicht wieder zum Thema kommen?«

Chic hob eine Augenbraue. »Und was für ein Thema sollte das sein?«

»Ich wette, eins deiner Mädchen hat in der Nacht, als der Polizist ermordet wurde, irgendwas gesehen.«

Chic lehnte sich auf der Couch zurück. »Oh, ich weiß ganz sicher, dass wenigstens eine von ihnen was gesehen hat.«

Auch Gail lehnte sich zurück – soweit es der Stuhl eben zuließ. Sie tat so, als wäre es unwichtig, aber sie alle wussten, dass es wichtig war. »Und was hat sie gesehen?«

Wieder reagierte Chic nicht sofort. Er strich sich erneut die Hose glatt. Dann berührte er den Knoten in seinem Tuch. Er hatte jetzt die Oberhand und wollte es genießen, solange er konnte.

Gail sah auf die Uhr und warf dann Maggie einen Blick zu.

Dann sah sie wieder auf die Uhr.

»Ich hab das Gefühl«, sagte Chic zögerlich, »ein Mann mit einer so wichtigen Information sollte schon eine Art Gegenleistung bekommen.«

»Okay.« Gail klang verärgert, aber Maggie wusste, dass das Aushandeln eines Deals ihre Lieblingsbeschäftigung war.

»Was willst du?«

Chic wandte sich an Kate, um weiter mit ihr zu flirten.

»Also, was sollte ich von ihnen verlangen, Herbstmädchen?« Kate war noch nicht mal zwei volle Tage auf der Straße, doch ganz offensichtlich hatte sie gut aufgepasst. »Wir könnten dich nördlich von Edgewood arbeiten lassen.«

Gail tat so, als wäre sie vollkommen entrüstet. »Warum überreichst du ihm nicht die Schlüssel zu der ganzen verdammten Stadt, wenn du schon mal dabei bist?«

»Klingt gut. Nördlich von Edgewood.« Er sah zu Anthony hinüber. »Gefällt dir das, Bruder?« Chic spielte ihnen unwissentlich direkt in die Hände.

»Gefällt mir sogar sehr gut.« Anthony nickte eifrig.

»Da musst du dir allerdings ein paar bessere Mädchen besorgen«, wandte Gail ein, als wäre es ihr ein aufrichtiges Anliegen. »Deine zahnlosen alten Nutten machen dort keinen Stich.«

»Ich kann welche besorgen.«

»Zwei«, sagte Gail. »Schick sie vor den Park, nicht hinein. Wenn du irgendwo anders hingehst, weiden sie dich aus, und es könnte durchaus ein Polizist sein, der das tut.« Dann beugte sie sich vor. »Also, keinen Blödsinn mehr, Chic. Du gibst uns besser ein paar gute Informationen. Und ich meine, Informationen von der Art, die wir verifizieren können.«

Chic trommelte mit den Fingern auf sein Knie. Offensichtlich dachte er tatsächlich darüber nach. Und dann traf er eine Entscheidung. Er griff mit der Hand in ein Loch in der Rückenlehne seiner Couch.

Im Bruchteil einer Sekunde hatten Maggie und Gail ihre Waffen gezogen.

»Mein Gott, Schlampen«, sagte Chic beschwichtigend, »ein bisschen vertrauen müsst ihr mir schon.« Er wollte, dass sie ihre Waffen wieder senkten, doch als er sah, dass sie es nicht tun würden, verlangsamte er seine Bewegungen, und seine Hand ruckte nur mehr millimeterweise vor wie in einer Stop-Motion-Animation.

Zuerst erkannte Maggie nicht, was er hervorgezogen hatte. Es war ihr, als würde sie eine Definition in einem Kreuzworträtsel lesen und den Gegenstand im Geiste vor sich sehen, wäre aber nicht in der Lage, das Bild in ein Wort zu übersetzen, das in die Kästchen passte.

Dann auf einmal erkannte sie es.

Jimmys Funksender.

Chic hielt den Plastikziegel in der Hand wie eine Trophäe. »Reicht das als Verifikation?«

Maggie steckte die Waffe wieder ins Holster und ließ sich schwer gegen die Wand fallen.

»Okay.« Auch Gail ließ ihren Revolver sinken, steckte ihn aber nicht zurück in die Tasche, sondern legte ihn sich auf den Schoß. »Sag mir, woher du den hast.«

»Eins meiner Mädchen hat ihn in der Gasse gefunden, wo dieser Bulle getötet wurde. In Whitehall, bei der C & S Bank.«

»Er lag dort einfach in der Gasse?« Gail glaubte ihm kein Wort. »Und wo ist die Kleine?«

»Hab sie versteckt. Sie hat was gesehen, was ihr eine Scheißangst eingejagt hat.« Chic starrte erst Kate an, dann

Maggie, dann wieder Gail. »Sollte euch auch eine Scheiß-angst einjagen.«

»Was hat sie denn gesehen?«, hakte Gail nach.

»Nicht was, sondern *wen*. Und der Kerl, den sie gesehen hat, hatte nichts mit dem Bruder zu tun, den ihr die ganze Zeit in den Nachrichten bringt.« Chic grinste. »Ihr wisst schon. Das ist ein richtig guter Tipp, den ich euch hier geben kann. Ich denke, wir sollten noch mal über unseren Deal sprechen.«

Gail riss die Waffe wieder hoch und zielte dem Zuhälter mitten ins Gesicht. »Wo ist sie?«

»Willst du's bei mir wie bei Edward Spivey machen? Irgend-eine Scheiße in meinem Zimmer deponieren und dann ver-suchen, mich vor Gericht zu zerren?«

»Kann sein.«

Chic starrte in die Mündung der Waffe. »Jetzt hör mir mal gut zu, Schlampe. Entweder du nimmst deine Waffe aus mei-nem Gesicht, oder deine vertrocknete Muschi fliegt gleich zum Fenster raus.«

Anthony machte einen Schritt nach vorn. Maggie bewegte sich beinahe synchron und zog gleichzeitig ihren Revolver. Der Griff war warm in ihrer Hand.

Anthony machte noch einen Schritt.

Und dann passierten zwei Sachen direkt hintereinander. Kate sackte zu Boden.

Und die Hälfte von Chics Kopf verdampfte.

Zumindest sah es für Maggie so aus. In einer Sekunde war Chics Kopf noch da – Augen, Wangenknochen, Unterkiefer –, und in der nächsten Sekunde verschwand eine Seite in einer Gischt aus Blut.

Irgendjemand schrie. Das Fenster explodierte. Vielleicht hörte Maggie es aber auch jetzt erst, genau wie das entfernte Zünden eines Gewehrs, das ihr in den Ohren hallte.

Ein Schuss. Kopfschuss. Der Shooter!

Maggie warf sich auf den Boden, wo Kate bereits lag. Sie

hatte die Augen geschlossen. Sie bewegte sich nicht. Blut lief ihr vom Ohr über die Wange. Überall waren Glasscherben. Maggies Hand war leer.

Ihr Revolver war verschwunden. Dann zerbrach Gails Stuhl. Es klang gerade so wie ein zweiter Schuss. Anthony hatte sich auf sie gestürzt. Er hatte angenommen, dass der Schuss aus Gails Waffe gekommen war. Jetzt saß er mit dem Klappmesser in der Hand rittlings auf ihr und drückte sie zu Boden. Gail packte mit beiden Händen sein Handgelenk. Ihre Arme zitterten, während das Messer immer näher auf sie zukam. Die Klinge war nur noch Zentimeter von ihrem Auge entfernt.

»*Nicht!*« Maggie kroch zu Kate hinüber, um an ihre Waffe zu kommen. Der Revolver hatte sich im Holster verdreht. Die Schließe des Sicherheitsriemens war komplett verbogen. Dann stieß Gail einen markerschütternden Schrei aus.

Maggie musste hilflos mit ansehen, wie die lange, scharfe Klinge direkt in Gails Augapfel getrieben wurde.

Endlich gab die Schließe nach. Der Riemen schnellte auf. Anthony kniete immer noch über Gail.

Es war das Letzte, was er je tun würde. Maggie zielte auf seinen Kopf und drückte ab.

Ihre Sinne spielten verrückt. Sie spürte, wie ihr Finger den Abzug durchdrückte, aber sie hörte den Schuss nicht. Sie sah nicht, wie Anthony rückwärts umfiel. Nur der bebende Fußboden verriet ihr, dass er zu Boden gegangen war. Rauch kringelte aus der Mündung ihrer Waffe, aber riechen konnte sie ihn nicht.

Dann hörte sie ein Geräusch.

Klickklickklick.

Wie das Klatschen einer Blechfigur zum Aufziehen.

In der Kammer waren keine Kugeln mehr, und trotzdem drückte Maggie immer und immer wieder den Abzug durch. Dann ließ sie abrupt die Waffe fallen. Dass sie auf dem Boden aufprallte, hörte Maggie erst Momente später. Die Geräusche kehrten nur langsam wieder zu ihr zurück – wie eine heranrasende Sirene: Erst waren sie so weit weg, dass sie sie kaum hören konnte, und dann, ganz plötzlich, waren sie gellend laut und fürchterlich.

»Mein Gott ... O Gott ...«, keuchte Gail. Ihre Brust bebte, sie versuchte verzweifelt, tief einzuatmen. Das Messer steckte noch immer in ihrem Auge. Der Griff schwankte hin und her wie eine Zeltstange.

»Gail?« Maggie kroch zu ihr hinüber. »Gail?«

»Was ...« Gail hob die Hand.

»Nicht!« Maggie packte sie am Arm. Das war alles nicht real. Das war alles nur eine Übung. Nichts von alledem war wirklich passiert. Maggie hatte nicht soeben jemanden erschossen. Und sie sah auch nicht das Messer, das in Gail Pattersons Auge steckte.

Und jetzt? Was jetzt?

Mit der freien Hand griff Maggie nach ihrem Mikro.

»Zentrale, hier Einheit fünf. Zweimal Dreiundsechzig, am Standort. Wiederhole, zweimal Dreiundsechzig – dringend –, mein Zehn-zwanzig.«

Die Zentrale antwortete umgehend. »Zehn-vier, Einheit fünf. Hilfe ist unterwegs.«

Maggie ließ das Mikro sinken. Sie blickte sich im Zimmer um. Die Szene war ganz und gar unwirklich. So viel Blut. Fragmente von Knochen und Knorpeln waren auf der ganzen Couch verstreut. Splitter von Chics Zähnen steckten in der Wand.

Nichts von alledem war wirklich passiert. Diese Leute waren nicht wirklich tot. Gail ging es gut. Kate ging es gut. Maggie hatte soeben keinen Mann getötet. Sie hatte soeben keine Waffe auf den Kopf eines anderen gerichtet und ihr gesamtes Magazin in seinen Schädel entleert.

»Maggie?«, flüsterte Gail. »Ist es schlimm?«

»Nein.«

»Wirklich nicht?«

Maggie zwang sich, nicht das Klappmesser anzustarren, das aus Gails Gesicht aufragte. Sie war mit Anthonys Blut überströmt. Aus ihrem Auge quoll eine klare Flüssigkeit, die über die teigig weiße Haut ihrer Wange rann.

Es war passiert. All das war wirklich passiert.

»Es ist nicht schlimm«, log Maggie. Die Klinge war mindestens fünfzehn Zentimeter lang. Ein Drittel davon steckte in Gails Auge, ein weiteres Drittel bohrte sich ihr ins Hirn.

»Oma?«, murmelte Kate. Sie kam langsam wieder zu sich und fuhr sich mit der Hand am Gesicht entlang. Der obere Rand ihres Ohrs war blutig. Die Kugel hatte ihr die Haut aufgeritzt.

»Kate …« Maggie legte alle Souveränität in ihre Stimme, die sie aufbringen konnte, auch wenn sie nichts dergleichen verspürte. »Kate, steh auf. Sofort!«

Sie setzte sich schnell, fast panisch auf. Sah Sir Chic an. Sah Anthony an. Sah Gail an. Ihr Mund klappte auf, aber es kam nur ein Krächzen heraus.

»Es ist nicht so schlimm, wie's aussieht«, sagte Maggie. Kate konnte den Blick nicht von dem Messer abwenden.

Sie wusste genau, dass es schlimm war. Dass sie es nicht aussprach, war ein kleines Wunder.

»Scheiße«, flüsterte Gail. Jetzt hatte die Panik sie ergriffen. Die Muskeln in ihrem Nacken traten vor wie Seile, als sie verzweifelt versuchte, den Kopf ruhig zu halten. »Es ist schlimm. Ich weiß, dass es schlimm ist.«

»Du kommst wieder ganz …« Maggies Stimme versagte. Gail würde nicht wieder in Ordnung kommen. Hier war rein gar nichts mehr in Ordnung.

»Nicht …« Gails Stimme klang merkwürdig flach. »Fang jetzt bloß nicht an zu flennen, Lawson.«

»Tu ich nicht«, keuchte Maggie. »Werd ich nicht.«

»Ihr beide. Sonst zieh ich dieses Messer raus und stech euch höchstpersönlich ab. Habt ihr mich verstanden?«

»Okay.« Kate hatte keine Ahnung, womit sie da einverstanden war. Sie hatte die Augen so weit aufgerissen, dass sie vollkommen stoned aussah.

Maggie verstärkte den Griff um Gails Hand. Sie zwang sich, nicht zu weinen. Sie musste ihr Versprechen halten. Die Sanitäter, die zu Hilfe eilenden Beamten, wer auch immer auf dem Weg war – sie konnte nicht zulassen, dass irgendjemand sie weinen sah. Sie mussten jetzt tough sein. Sie mussten stärker sein als alle anderen.

Maggie blickte zur Decke auf. Sie atmete tief ein und wieder aus. Nirgends fanden ihre Augen einen Punkt, den sie hätte fixieren können. Sie wollte weder Gail noch Kate ansehen. Sie wollte die beiden toten Männer nicht sehen, deren Leichen bereits den metallischen Geruch von gerinnendem Blut verströmten.

Sie sah aus dem Fenster zu dem verlassenen Lagerhaus auf der gegenüberliegenden Straßenseite hinüber.

Die im Wind flatternde Teerpappe war verschwunden.

20

Fox lief an dem aufgemotzten Mercury vorbei, als er den Tatort verließ, nahm Kates Mütze vom Rücksitz und ließ ihr für den Rest ihrer Schicht die von Jimmy Lawson liegen.

Blumen.

Er wusste, dass Kates Haar wie Blumen roch. Nicht wie ein Parfüm, sondern wie echte Blumen, die aus der Erde wuchsen. Kurz gestattete er sich, darüber nachzudenken, wie es wäre, ihre Haut zu spüren. Sie mit seinen Zähnen zu traktieren.

Sie durchzuvögeln. Derjenige zu sein, der ihre Blütenblätter zupfte. Der sich an den Dornen stach.

So fühlte er sich immer nach einem Mord – er war nie voll befriedigt. Er gierte immer nach mehr.

Jetzt stand er tief in Kate Murphys Schuld. Sie hatte ihn hierhergeführt. Wobei Fox natürlich auch selber die Ohren aufgesperrt hatte. Seit Don Wesley beseitigt worden war, hatten die Drähte im Polizeifunk geglüht. Keiner hatte sich einen Dreck darum geschert, als Fox Drogenhändler oder irgendwelchen Abschaum von der Straße umgebracht hatte. Aber knall ein paar Polizisten ab, und schon hast du ihre ganze Aufmerksamkeit, auch wenn es ausgerechnet Polizisten waren, die den Tod verdient hatten.

Trotzdem hatte Fox allmählich keine Lust mehr auf Überraschungen.

Und er hatte keine Lust mehr, seine eigenen Fehler korrigieren zu müssen.

Er war schon auf halbem Weg nach Hause gewesen, als er beschloss, noch mal die Gasse abzugehen, in der Jimmy und Don Wesley es miteinander getrieben hatten. Den Tatort eines Anschlags derart hinterlassen zu haben, kam reiner Faulheit gleich – und Fox war nicht faul.

Lektion acht: Folge immer dem Plan.

So lief es normalerweise ab: Man hielt ihnen die Waffe vors Gesicht. Man zwang sie, die Zentrale anzurufen und sich abzumelden. Dann steckte man ihre Mikros aus, damit sie nicht nach Hilfe rufen konnten. Man hieß sie niederknien, die Finger verschränken und die Hände auf den Oberkopf legen. Und dann drückte man ab.

Peng.

Peng.

Zwei Männer. Zwei Leichen. Zwei Namen weniger auf der Liste.

Anschließend kontrollierte man den Tatort, um sicherzugehen, dass man auch wirklich nichts hinterlassen hatte, was die guten Jungs aufspüren konnten.

Als Fox in die Gasse zurückgekehrt war, waren die Wichse und das Blut bereits am Boden festgetrocknet. Gitternetzsuche – so wie sie es früher mit den Landminen gemacht hatten. Fox war immer wieder hin und her gegangen, hatte aber nichts weiter gefunden als die Scheiße, die man auf jeder Straße in dieser Stadt finden konnte.

Er musste wohl oder übel akzeptieren, dass jemand vor ihm dort gewesen war. Offensichtlich dieser Zuhälter – und der war jetzt im Besitz des Polizeisenders. Jimmy Lawsons Sender. Keine Hure der Welt hätte je ein solches Druckmittel aus der Hand gegeben. Diese Fotzen waren doch an nichts anderem interessiert als daran, Schwänze zu lutschen und irgendeinem armen Kerl das Geld aus der Tasche zu ziehen.

Der Zuhälter war nicht nur ein Ärgernis gewesen. Er war auch ein Zeuge gewesen.

Nur gut, dass Fox ein Gewehr besaß.

Die Kugel hatte Kates Ohr aufgeritzt, weil Fox es so hatte geschehen lassen. Er hatte Blut geschmeckt, als es passierte.

Kates Blut.

Fox leckte sich über die Lippen. Der kalte Wind trocknete sie im Nu aus. Wind brauchte er jetzt nicht – er brauchte Blitze. Der Plan hatte sich immer noch nicht so zusammengefügt, wie er es sich wünschte.

Dieses Ding in seinem Hinterkopf redete einfach nicht mit der vorderen Hälfte.

Und das Ding zwischen seinen Beinen ließ ihn wissen, dass es keine Lust mehr hatte zu warten. Fox war wirklich überaus geduldig – aber er war kein Heiliger. Morgen musste sich alles zusammenfügen, oder aber es würde etwas wirklich Schlimmes geschehen.

Er hörte eine Polizeisirene die Straße heraufplärren. Sie waren schneller, als Fox erwartet hatte. Er hatte keine andere Wahl, als in eine Gasse zu verschwinden. In diesem Viertel machte Fox sich wegen potenzieller Zeugen keinerlei Sorgen. Er war ein Weißer mit einer Polizeimütze in der Hand und einem Scharfschützengewehr über der Schulter.

Nein, Sir, Officer, Sir, ich hab echt nichts gesehen.

Der Streifenwagen raste an der Gasse vorüber. Fox' Auto stand hinter der nächsten Häuserreihe. Er kannte einen Fluchtweg durch die Hinterhöfe. Er kannte immer einen Fluchtweg hintenrum.

Ein Lächeln stahl sich auf sein Gesicht. Die Erde bebte unter seinen Füßen. Züge rumpelten übers Howell Wye.

Züge.

Und endlich traf Fox der Blitz, und der Plan schnellte von hinten nach vorn. Jetzt sah er ihn vor sich: einen lebendigen, atmenden Plan, den er in Händen halten und von allen Seiten würde betrachten können. Er war zwar kompliziert, aber brillant.

Und wie bei allem, was in dieser Woche passiert war, stand am Anfang Jimmy Lawson.

21

»Du kündigst.« Terry hatte eine Hand am Steuer, in der anderen hielt er seine Zigarette. »Ich mein das ernst, Mädchen. Deine Kündigung liegt morgen noch vor dem Appell auf Vicks Schreibtisch.«

Maggie antwortete nicht. Sie hatte die Augen geschlossen. Sie presste den Mund so fest zusammen, dass sie die Füllungen in ihren Zähnen schmecken konnte.

»Diese verdammte Patterson«, murmelte Terry. »Was hast du dir dabei gedacht, überhaupt mit dieser verrückten Schlampe zu fahren? Du bist kein verdammter Detective! Seid ihr alle nicht!«

Der metallische Geschmack mischte sich mit dem von Blut. Sie hatte sich in dem portugiesischen Haus in die Wange gebissen. Wann, wusste sie nicht mehr. Die Kante eines Backenzahns hatte ihr die Haut aufgeschlitzt wie ein Messer.

Ein Messer.

»Hörst du mir überhaupt zu?« Terry schlug nach ihr.

»Mach die gottverdammten Augen auf!«

Maggie blinzelte kurz und starrte dann stur geradeaus. Die Scheinwerfer des Autos pflügten durch die Dunkelheit.

»Einfach unglaublich …« Terry schimpfte in einem fort auf sie ein. Sie ignorierte ihn, so gut es ging.

Die Männer hatten Maggie nicht im Krankenhaus warten

lassen wollen. Trouble hatte sie zwar gebeten dazubleiben, und Maggie hatte auch angeboten zu bleiben, doch Terry hatte sie vor versammelter Mannschaft am Kragen hinausgezerrt.

Gail würde nicht einmal mehr wissen, dass sie da gewesen war. Sie lag noch immer im OP. Mit dem verletzten Auge würde sie nie wieder sehen können. Das hatten die Ärzte gleich eingangs gesagt. Außerdem hatten sie gemutmaßt, dass womöglich eine Hirnschädigung vorliegen könnte, aber das vermochte zu so einem frühen Zeitpunkt noch keiner zu sagen. Gail hatte vor der Morphiumvergabe Witze gerissen und die Sanitäter zum Lachen gebracht. Sie hatten ihr sogar eine Zigarette gegeben, und sie hatte geargwöhnt, der Rauch würde aus ihrem Auge austreten.

Maggie lächelte. Als sie noch zusammen Streife gefahren waren, hatten sie die ganze Zeit über Witze gerissen. Gail hatte von alten Verhaftungen wie der jenes Bankräubers erzählt, der über den Schalter gesprungen war, sich dabei den Kopf angeschlagen und sich selbst außer Gefecht gesetzt hatte. Oder der jenes Idioten, der einen Schnapsladen hatte ausrauben wollen und sich dabei die eigene Hand weggeschossen hatte. Bei den Fahrten mit Gail hatte Maggie nicht nur gelernt, wie man sich als Polizistin zu verhalten hatte. Sie hatte überdies gelernt, Verantwortung zu übernehmen. Und erstmals in ihrem Leben hatte sie erfahren, wie sich Macht anfühlte. Leute mussten stehen bleiben, wenn sie es ihnen sagte. Sie mussten sich anhören, was sie ihnen mitzuteilen hatte. Sie stritten nicht mit ihr oder unterbrachen sie oder behaupteten, dass sie sich irre. Und wenn sie es doch taten, protokollierte Maggie jedes einzelne Wort, damit der Staatsanwalt davon Kenntnis bekam.

Gail hatte bei solchen Gelegenheiten immer gesagt: »Red nur weiter, Arschloch. Stifte haben wir im Überfluss.«

Das würde nie wieder passieren. Gail würde nicht mehr als Polizistin arbeiten können. Sie würde den körperlichen Eignungstest nicht mehr bestehen. Sie konnte nicht mehr auf den

Straßen arbeiten und böse Jungs verhaften. Anthony hatte ihr mit seinem Messer nicht nur die Hälfte des Augenlichts genommen. Er hatte ihr auch die Macht genommen.

Vielleicht war das auch der Grund, warum Maggie ihre Tat nicht bereute. Sie hatte einen Mann erschossen. Sie hatte ihm das Leben genommen.

Auge um Auge.

»He, Idiotin!« Terry schnipste vor ihrem Gesicht herum. »Ich hab dich was gefragt.«

Doch Maggie waren Terrys Fragen egal. Sie hatte bereits alle wichtigen Fragen vor Ort beantwortet. Sie hatte Cal Vick alles genau so geschildert, wie es ihr in Erinnerung war. Wobei sie dieser Erinnerung nicht mehr traute. Was in dem portugiesischen Haus passiert war, fühlte sich bereits so entfernt an – sie mochte kaum glauben, dass sie wirklich dort gewesen war. Es war eher, als würde sie Geschichten darüber hören, was sie einstmals als Kind angestellt hatte. Maggie hatte an diese Ereignisse kaum eine Erinnerung mehr. Sie kannte die Geschichten nur noch, weil sie so oft nacherzählt worden waren. Als sie drei gewesen war und Jimmys Weihnachtsgeschenke aufgemacht hatte. Als sie fünf gewesen war und sich das Bein an einem rostigen Nagel aufgerissen hatte.

Maggie presste die Hand auf ihr Bein. Die Kontur jener Narbe war ihr so vertraut wie ihr eigenes Spiegelbild. Sie kannte die Geschichte hinter der Verletzung, aber der Schmerz und die Panik und die Angst, die sie wahrscheinlich einst ausgelöst hatte, waren inzwischen wie ausgelöscht. Terry riss so heftig am Lenkrad, dass Maggie sich abstützen musste, um nicht vom Sitz zu rutschen. Er raste die Einfahrt hinauf und hielt dann mit quietschenden Reifen an.

Maggie stieg aus. Sie hatte keine Ahnung, wo Jimmy war. Sein Auto stand nicht auf der Straße. Eigentlich hatte sie erwartet, mit ihm in dem portugiesischen Haus aufeinanderzutreffen. Immer wenn ein Neuer ins Zimmer gekommen war, hatte ihr

Herz einen Satz gemacht. Und dann hatte sie gesehen, dass es doch nicht Jimmy gewesen war, und kalte Enttäuschung hatte sie übermannt.

Maggie ging die Stufen zur Küche empor. Delia hatte ihr den Rücken zugedreht. Der Aschenbecher quoll über von Zigaretten, die bis zum Filter heruntergeraucht waren.

Maggie legte ihren Gürtel auf die Arbeitsplatte. »Mama.« Doch Delia drehte sich nicht um. »Morgen kündigst du.«

Maggie war überrascht und kam sich sofort blöd vor, weil sie überhaupt überrascht gewesen war.

»Ich meine das ernst, Margaret.« Delia drehte sich um. Ihre Augen waren stark gerötet. Sie sah aus, als wäre sie hundert Jahre alt. »Du gehst mit mir im Diner arbeiten. Du besorgst dir einen Job in einem Büro. Du fährst einen verdammten Sattelschlepper, egal. Aber in diesen Job gehst du nicht mehr zurück.«

»Genau das hab ich auch schon gesagt«, verkündete Terry und schob die Tür hinter sich zu. Er war kein großer Mann, aber seine Anwesenheit presste sämtliche Luft aus dem Raum.

»Wo ist Jimmy?«

»War er nicht bei dir?« Delia machte ein paar Schritte aufs Treppenhaus zu. »Jimmy?« Sie wartete ein paar Sekunden und rief dann noch lauter: »Jimmy!«

»Er hat sich in seinem Zimmer eingeschlossen«, rief Lilly zurück.

»In seinem Zimmer eingeschlossen?«, murmelte Terry. »Was ist verdammt noch mal los mit ihm?«

»Woher zum Teufel soll ich das wissen?«, blaffte ihn Delia an. »Mit mir spricht ja keiner mehr. Ich bin meinen Kindern doch scheißegal.«

Terry stampfte die Treppe hinauf. Seine schlechte Laune ließ er in der Küche zurück.

»Ich meine es ernst, Margaret.« In Delias Stimme lag eine leise Drohung. »Keine Räuber-und-Gendarm-Spielchen mehr.«

Selbst wenn Maggie hätte antworten wollen, hätte sie den Mund nicht aufbekommen.

»Du hast einen Mann getötet. Ihn ermordet.« Maggie hielt den Atem an. »Überall auf deinen Sachen ist Blut. Auf deinem Gesicht. Gail wurde schwer verletzt. Sie ist deine Freundin, verdammt, und jetzt sieh dir an, was mit ihr passiert ist. Sie wird für den Rest ihres Lebens behindert bleiben.« Ihre Stimme wurde schrill. »Ihr *Leben*, Margaret – dieses Leben ist jetzt vorbei.«

Maggie zwang sich, nicht wegzusehen.

»Und was soll jetzt mit ihr passieren?« Delia beantwortete sich die Frage selbst: »Sie wird ihren Job verlieren. Sie wird keinen neuen mehr finden. Ihr Mann wird sie verlassen. Was für ein Mann will mit so einer Frau zusammen sein? Um die er sich für den Rest seines Lebens kümmern muss?«

Maggie schluckte schwer.

»Aber es hätte genauso gut dich treffen können. Hast du darüber schon mal nachgedacht? Dass ich es hätte sein können, die sich dann um dich kümmern müsste, bis ich tot umfalle? Und was dann? Muss sich dann dein Bruder Jimmy um dich kümmern? Oder Lilly? Gott steh ihr bei.« Sie klammerte sich an die Arbeitsplatte. »Willst du jetzt einfach nur dastehen und ins Leere starren wir ein Trottel?«

Endlich fand Maggie ihre Stimme wieder. »Es ist aber nicht mir passiert.«

»Aber sieh nur, *was* dir passiert ist!« Jetzt brach Delias Zorn sich Bahn. »Du bist eine Mörderin. Ist es das, was du immer sein wolltest? Eine Mörderin? Mit Blut an den Händen?« Sie packte Maggie am Arm. »Antworte mir!«

Maggie sah auf die Hand ihrer Mutter hinab. Die Fingerspitzen waren vom Nikotin gelbfleckig. »Ich bedaure lediglich, dass ich ihn nicht schon viel früher erschossen habe.«

Delia taumelte zurück. Sie hätte genauso gut eine Fremde anstarren können.

Maggie machte den Schrank unter dem Spülbecken auf und zog eine Papiertüte vom Stapel.

»Was hast du vor?«

»Terrys und Jimmys Sauerei wegräumen.« Sie rieb die Tüte mit beiden Händen. »Ist es nicht das, was du von mir erwartest, Mutter? Für den Rest meines Lebens hierbleiben und den Dreck der Männer beseitigen?« Und mit ein paar langen Schritten war Maggie draußen.

Die Abendluft war kalt. Sie machte sich nicht die Mühe, das Licht unter dem Carport einzuschalten. Ihr Vater hatte dort Leitungen verlegt, als er das letzte Mal aus dem Krankenhaus gekommen war. Oft flackerten die Birnen wie Discokugeln. Durchs Küchenfenster drang nur wenig Licht nach draußen. Doch aus irgendeinem Grund war Maggie die Dunkelheit gerade lieber.

Vor sieben Stunden hatte Terry ihr eine Bierdose an den Kopf geworfen. Jetzt hob Maggie sie auf. Warm schwappte es ihr über die Hand. Sie warf die Dose in die Tüte. Sie hob eine weitere Dose auf, dann noch eine. Sie hatte nicht vor, sie zu zählen, trotzdem war sie bei fünfzehn angelangt, als sie sich schließlich dem Grünstreifen an der Seite zuwandte. Maggie sah kaum, wohin sie ihre Füße setzte. Trat auf eine Dose. Das Aluminium krümmte sich um ihre Schuhsohle.

Mit dem anderen Fuß stemmte sie sie wieder los. Dann kauerte sie sich hin und sammelte weiter Dosen auf.

Sechzehn. Siebzehn. Achtzehn.

Die Tüte quoll bereits über. Anstatt in die Küche zurückzukehren, ging Maggie durch den Garten.

Lee Grants Transporter stand in der Einfahrt. Sie konnte die goldfarbenen, gelben und blauen Streifen erahnen – das Logo von Southern Bell, das auf der Seite prangte. Maggie legte die Hand auf die Motorhaube. Der Motor war kalt. Sie ging die zwei Stufen zum Seiteneingang hoch und klopfte an die Tür. Und dann drückte sie auf die Klingel, weil sie nicht wusste, ob

Lee das Klopfen hatte hören können. In den vergangenen acht Jahren hatte sie vielleicht fünf Wörter zu ihm gesagt. In Jimmys Nähe war er immer nervös, und er schien eine Heidenangst vor Terry zu haben, was bedeutete, dass er wesentlich klüger war, als die Leute ahnten.

Lee öffnete die Tür – und riss die Augen auf. Er sah das Blut auf ihrer Uniform.

»Keine Angst«, sagte sie und war plötzlich verunsichert. Er musste den Leuten auf den Mund schauen, wenn sie mit ihm redeten. »Es ist nicht meins.«

»Alles in Ordnung mit dir?« Seine Rs klangen weich. *Alles in Oadnung mit dia?*

Maggie warf einen Blick über die Schulter, um zu sehen, ob irgendjemand sie von der Tür aus beobachtete. »Gibt es bei der Telefongesellschaft eine Art Zentralstelle, die über sämtliche Nummern und Adressen von Unternehmen verfügt?« Sie war froh, dass er sie nicht auf das Branchenbuch verwies.

»Die Rechnungsabteilung.«

»Ich brauche die Adresse einer Bar mit dem Namen Dabbler's.« Sie buchstabierte den Namen für ihn, sprach jeden Buchstaben überdeutlich aus. »Kannst du mir die besorgen?«

»Klar.«

Zum ersten Mal seit Tagen, so kam es ihr vor, konnte sie erleichtert aufatmen.

»Alles in Ordnung mit dir?«, fragte er noch einmal.

Maggie erinnerte sich daran, dass er ihr die gleiche Frage schon einmal vor acht Jahren gestellt hatte. Sie hatte auf der Couch in der Küche seiner Mutter gelegen. Die Luft war heiß und stickig gewesen. Seine Mutter war keine große Köchin. Eine Krankenschwester, die überwiegend Nachtschichten übernahm. Die Mahlzeiten, die bei ihnen auf den Tisch kamen, waren entweder tiefgefroren oder Fast Food, was ein Luxus war, den sich wohl sonst niemand in der Nachbarschaft leisten konnte.

»Könntest du mir die Adresse in den Briefkasten stecken? Ich bin die Einzige, die ihn leert.«

»Ich weiß.« Im selben Moment schien es Lee zu dämmern, was er soeben offenbart hatte. Er warf einen Blick auf die Straße hinaus.

Maggie sah das Hörgerät, das hinter seinem Ohr steckte. Beim Joggen trug er sein altes – wahrscheinlich, weil das neue wesentlich teurer war. Soweit sie sich erinnern konnte, war es fünfzehn Jahre her, dass Jimmy sich zum letzten Mal mit Lee geprügelt hatte. Damals hatte Jimmy Lees Hörgerät zerbrochen. Lees Vater war zu ihnen herübergelaufen und hatte es Delia vorgehalten. Auch er arbeitete für die Telefongesellschaft. Er hatte immer noch seinen Störungssucher-Gürtel um. Seine Augen waren blutunterlaufen, was merkwürdig war, weil er kein Säufer war. Delia musste drei Monate lang Zusatzschichten schieben, um das neue Hörgerät abzuzahlen. Sie verpasste Jimmy Hausarrest. Terry unternahm trotzdem Wochenendausflüge mit ihm.

»Tut mir leid«, sagte Maggie, aber Lee sah sie nicht an, und so wusste sie nicht, ob er sie gehört hatte.

»Maggie!«, brüllte es plötzlich herüber.

Beim Klang von Terrys Stimme schrak sie zusammen. Auch Lee hatte es gehört. Er war bereits drauf und dran, die Tür wieder zuzuschieben. Maggie eilte die Stufen hinunter und überquerte den Rasen.

»Maggie!«

»Was ist, Terry? Was willst du?«

Terry stand in der Eingangstür. Wut loderte in seinen Augen. Er schnaubte wie ein Bulle. Seine Nasenlöcher waren geweitet. Der Mund stand halb offen.

Maggie blieb abrupt stehen. Sie hatte auf die harte Tour gelernt, dass Terry – so schlimm er sein konnte, wenn er brüllte – noch viel schlimmer war, wenn er nicht brüllte.

Jetzt biss er die Zähne zusammen. »Geh rein. Sofort!« Maggie ging die Stufen hoch. Sie hielt sich an dem wackeligen Geländer fest. Ihre Beine vermochten sie kaum noch zu tragen. Als Terry das letzte Mal so wütend gewesen war, hatte er sie zu Boden geschlagen.

Über die Küche hatte sich eine Dunkelheit gelegt, die zuvor nicht da gewesen war. Delia stand mitten im Raum. Sie hielt ein Blatt Papier in den zitternden Händen und schwankte leicht. Maggie musste unwillkürlich an das Messer in Gails Auge denken – wie der Griff geschwankt hatte, während Gail versucht hatte, nicht zu blinzeln.

Delia starrte die Worte auf dem Papier an. Alles an ihr zitterte. »Das ist nicht wahr. Sag mir, dass es nicht wahr ist.«

Maggie sah die blaue Tinte durch das dünne weiße Papier hindurchschimmern. Es war Jimmys Handschrift. Sie nahm ihrer Mutter den Zettel ab. Die erste Zeile war so unverständlich, als wäre sie in einer Fremdsprache verfasst worden.

Ich bin der Atlanta Shooter.

Maggie spürte, wie ihr eiskalt wurde.

Ich habe all die Männer umgebracht, weil ich mit ihnen dreckige Schwulensachen gemacht habe und nicht zulassen konnte, dass irgendjemand das herausfindet.

Maggie stützte sich auf der Arbeitsplatte ab, um nicht umzukippen.

Versucht nicht, mich zu finden, sonst bringe ich noch mehr Leute um. Maggie ...

Maggie las ihren Namen zweimal. Sie konnte sich nicht erinnern, je zuvor ihren Namen in der Handschrift ihres Bruders gesehen zu haben.

Maggie, es tut mir leid, dass ich mich nie bei dir entschuldigt habe. Ich hätte dir sagen müssen, dass das, was passiert ist, nicht deine Schuld war.

Sie starrte auf seine Unterschrift hinab. Er hatte mit seinem vollen Namen unterzeichnet – James Lawson. Die einzigen Buchstaben, die sie entziffern konnte, waren das J und das L.

Maggie kannte die Signatur ihres Bruders. Sie tippte all seine Berichte ab. Jeden Morgen vor dem Morgenappell sah sie Jimmy dabei zu, wie er seinen Namen auf die gepunktete Linie setzte.

»Das hier verlässt diesen Raum nicht«, sagte Terry.

Der Satz hallte von den Wänden wider. Maggie hatte beinahe das Gefühl, sie könnte die Hand danach ausstrecken und ihn berühren.

»Aber die Jungs – sie könnten ...«, stammelte Delia.

»Ich meine es ernst«, fiel Terry ihr ins Wort. »Hiervon erfährt niemand was.«

Maggie schüttelte den Kopf. »Das ist ein Geständnis. Wir müssen ...«

Terry packte sie am Hals und riss sie nach oben, sodass sie den Boden unter den Füßen nicht mehr fühlte. Sie griff nach seinen Fingern.

»Ich sagte, hiervon erfährt niemand was!«

Maggie trat um sich. Die Lunge kreischte in ihrer Brust.

»Wenn das rauskommt ...« Er packte noch fester zu.

»Wenn diese Jungs rausfinden, dass sie mit einer Schwuchtel gefahren sind ...«

»Terry«, flehte Delia. »Terry, sie wird schon ganz blau im Gesicht! Lass sie los! Bitte.«

Terry ließ los, und Maggie fiel zu Boden. Sie schnappte nach Luft. Ihre Kehle fühlte sich wund an.

»Das stimmt einfach nicht«, flüsterte Delia. »Mein Junge ist nicht schwul. Irgendjemand muss ihn gezwungen haben, das hier aufzuschreiben.«

»Blödsinn«, fauchte Terry. »Wär mir scheißegal, ob man mir dabei eine Waffe an den Kopf halten würde – dass ich eine Schwuchtel wär, würd ich niemals schreiben. Da müsste man mich schon erschießen.«

Doch Delia ließ nicht locker. »Jimmy geht neuerdings am Wochenende immer mit diesem Mädchen aus ... Er muss sie sich fast schon mit einem Stock vom Leib halten.«

Maggie räusperte sich die Heiserkeit aus der Kehle. Dann hob sie den Brief vom Boden auf. »Wo hast du ihn gefunden?« Sie sah erst Delia an, dann Terry. »Wo?«

»Terry hat ihn auf seinem Bett gefunden.«

Maggie war bereits halb die Treppe hinaufgestürmt, bis ihr bewusst wurde, dass sie sich überhaupt bewegte. Jetzt zwang sie sich, langsam den Gang entlangzugehen. Sie kam an Delias Zimmer vorbei, an Lillys mit der stets geschlossenen Tür, an ihrem eigenen Zimmer, und dann stand sie schließlich vor Jimmys Tür.

Terry musste sie eingetreten haben. Der Türstock war geborsten. Holzsplitter standen davon ab wie Dolche. Maggie strich mit den Fingerspitzen über die scharfen Spitzen.

Jimmys Zimmer war genauso dunkelgrau gestrichen wie der Rest des Hauses. Die Hundert-Watt-Birne in der Deckenfassung ließ das Zimmer aussehen wie einen Tatort. Er hatte ein Doppelbett, das Delia ihm gekauft hatte, als er sechzehn geworden war. Eine Kommode, die sie vom Bürgersteig geholt hatte, als ein Stück weiter die Straße hinunter eine Familie zwangsgeräumt worden war. Sein Toilettenbeutel stand offen obendrauf. Sie sah seinen Rasierer, seinen Kamm und seine Bürste. Seine Aftershaves standen ordentlich aufgereiht nebeneinander – der einzige Bereich, in dem Jimmy Abwechslung liebte. Pierre Cardin. English Leather. Brut. Prince Matchabelli. Maggie hatte ihm jedes Jahr zu Weihnachten ein neues geschenkt.

Sie trat an Jimmys Kleiderschrank. Die Tür fehlte, davor hing nur ein Vorhang, den sie jetzt aufzog. Seine Uniformen hingen wie immer links, die Hosen in der Mitte, dann die Hemden und ganz rechts die Jacketts. Bei seinem Kleiderschrank war Jimmy eigen. Alles war nach Farben sortiert. Marineblau. Schwarz. Grau. Weiß.

Maggie blickte auf den Brief in ihrer Hand hinab.

Ich bin der Atlanta Shooter.

Hinter sich hörte sie Terry. Er atmete noch immer schwer, wahrscheinlich vom Treppensteigen.

»Wo war Jimmy heute Nachmittag?«, fragte sie. »Nachdem wir weggefahren sind?«

Terry antwortete nicht.

Maggie fing an, die Taschen von Jimmys Sachen zu durchsuchen.

Ich habe all die Männer umgebracht, weil ich mit ihnen dreckige Schwulensachen gemacht habe ...

»Wonach suchst du?«, fragte Delia.

Maggie durchsuchte weiter die Taschen. Nichts. Kein Streichholzbriefchen. Keine weiteren Geständnisse. Dann wandte sie sich Jimmys Wäsche zu. Dort fand sie Telefonnummern, die er auf Servietten und Papierfetzen gekritzelt hatte.

Waren all diese Nummern von Männern gewesen?

»Maggie, hör auf«, sagte Delia. »Du weißt, dass Jimmy es nicht leiden kann, wenn du in seinen Sachen wühlst.«

Doch Maggie konnte nicht aufhören. Was sollte sie glauben? Dass ihr Bruder ihr heute zu dem portugiesischen Haus gefolgt war? Dass er Kate beinahe umgebracht hatte? Dass er den Zuhälter erschossen hatte? Und was war mit den anderen Männern – Keen und Porter, Ballard und Johnson? Sollte sie wirklich einfach akzeptieren, dass ihr Bruder all diese Männer umgebracht hatte, sich dann am nächsten Morgen an den Frühstückstisch gesetzt und sich im Kreise seiner Lieben mit Kaffee und Speck und Eiern gestärkt hatte?

Und Don Wesley – Don war sein Freund gewesen. Sie waren Partner gewesen.

Maggie drehte sich um. Terry und Delia standen direkt hinter ihr. Sie musste es einfach sagen, sonst explodierte ihr Kopf. »Das ergibt keinen Sinn. Warum sollte er das tun?«

»Weil er eine Schwuchtel ist«, antwortete Terry. »Kannst du nicht lesen? Du bist hier doch das Collegemädchen. Es war die ganze Zeit direkt vor deiner Nase, aber du warst zu sehr mit dir selbst beschäftigt, um es zu sehen.«

»Du hast es ja auch nicht gesehen.«

Terry schlug ihr mit dem Handrücken so fest ins Gesicht, dass sie rückwärts gegen die Wand knallte. Langsam hob sie die Hand an die Wange. Die Haut war aufgeplatzt.

»Verdammte Scheiße«, murmelte Terry und ging in dem engen Zimmer auf und ab. Drei Schritte in eine Richtung – dann musste er wieder umdrehen. »Was hat er sich nur dabei gedacht?«

Niemand antwortete, weil es keine Antwort gab, die eingeleuchtet hätte. Das einzige Geräusch, das die Stille durchbrach, war das vertraute Kratzen einer Nadel auf einer Schallplatte. *Tapestry.* Jetzt drehte Lilly die Lautstärke voll auf. Sie wollte nicht hören, was nebenan vor sich ging.

»Das darf nicht rauskommen«, sagte Terry. »Habt ihr mich verstanden? Nichts davon darf jemals rauskommen.«

Maggie sah ihn erneut von einer Seite des Zimmers zur anderen marschieren. Dass Jimmy schwul war, machte ihn tausendmal wütender als die Tatsache, dass Jimmy ein Mörder war.

Delia versuchte es noch einmal. »Vielleicht könnten Bud und Cal ...«

»Nein«, fiel Terry ihr ins Wort. »Keiner erfährt davon, Dee. Wir kümmern uns selber drum.«

»Und was hast du vor?« Delia klang entsetzt. »Terry, bitte. Sag mir, was du vorhast.«

Er ging weiter auf und ab. Er überlegte, suchte nach einem Ausweg. Schließlich sagte er: »Ich werde ihn aufspüren und eigenhändig umbringen. Das werde ich tun.«

»Terry!«, kreischte Delia. »Um Gottes willen ...«

»Verdammt noch mal!« Terry schlug so heftig gegen die Wand, dass eine Delle im Verputz zurückblieb.

Für einen Augenblick sagte niemand etwas. *Tapestry* spielte noch immer. *So Far Away.*

Terry starrte seine Hand an. Seine Fingerknöchel waren von der Arbeit bereits schwarz und blau verfärbt. Frische Schnitte hatten die Haut aufgerissen. Er beugte und streckte die Finger. »Ich muss ihn zur Strecke bringen, Dee. Er ist ein Lawson. Das ist meine Pflicht.«

»Terry.« Delia machte ein Mantra aus seinem Namen. »Terry, nein. Das darfst du nicht …«

»Willst du einen Prozess? Willst du das?« Allein der Gedanke schien ihn zu entrüsten. »Dass dein schwanzlutschender Sohn im Zeugenstand sein Herz ausschüttet? Erzählt, dass er es erst mit diesen Polizisten getrieben und sie dann umgebracht hat?«

Delia war mit einem Mal kreidebleich.

»Wenn du das Cal Vick erzählst, wird er ihn ebenfalls erschießen wollen. Jett, Mack, Red – sie alle würden es tun. Sie legen ihn um, und kein Mensch wird ihnen deswegen einen Vorwurf machen.«

»Das stimmt doch gar nicht.« Delia ließ sich nicht so leicht abbringen. »Irgendetwas stimmt hier ganz und gar nicht. Er war nicht richtig im Kopf, als er das geschrieben hat.«

»Glaubst du, eine Jury kauft ihm eine Art vorübergehende geistige Verwirrung ab?« Terry bewegte wieder seine Hand.

»Willst du das riskieren und darauf hoffen, dass sie ihn nicht direkt auf den elektrischen Stuhl schicken?«

Delia musste sich am Türknauf festhalten, um nicht umzukippen.

»Willst du ins Staatsgefängnis gehen und zusehen, wie sie deinen Jungen auf den elektrischen Stuhl schnallen?« Terry wischte die blutige Hand an Jimmys Hemden ab. »Sie legen ihm Windeln an, weil die meisten sich einscheißen. Und wenn sie ihn nicht mögen, machen sie den Schwamm nicht nass genug. Wenn dann der Schalter umgelegt wird, fängt er Feuer und verbrennt bei lebendigem Leib.« Terry packte Delia am Arm. »Willst du das wirklich? Willst du ihn brennen sehen?«

»O Gott, Terry, bitte, sag solche Sachen nicht! Bitte. Ich kann es nicht mehr mit anhören.«

»Du musst es aber hören.« Er wandte sich an Maggie. »Und du musst es auch hören, Tussi. Auch wenn er ein dreckiger Schwuler ist, ist er immer noch dein Bruder.«

Maggie wusste nicht, was sie darauf erwidern sollte. Es war ihr alles zu viel. Ihr Hals tat weh. Ihr Kopf pochte. Das war doch alles verrückt. Sie konnte es nicht glauben – nichts davon. Jimmy war nicht schwul, und auf keinen Fall war er ein Mörder.

»Mom.« Maggie musste ihre Mutter schleunigst zur Vernunft bringen. Sie nahm Delias Hand. »Er hat es nicht getan. Auf gar keinen Fall ...«

»Nein!« Delia riss die Hand weg, als hätte sie sich verbrüht. »Red du nicht mit mir. Sag keinen Ton mehr! Du hättest diesen Job nie annehmen dürfen! Das war für Jimmy zu viel Stress.«

Der Hass in ihren Augen bohrte sich in Maggies Seele.

»Du bist an allem schuld, Margaret.« Bei jedem Wort wurde Delias Stimme stärker. »Wenn du endlich geheiratet hättest, dann hätte Jimmy es auch getan.« Sie schien beinahe erleichtert angesichts dieses Gedankens. Dann wandte sie sich an Terry: »Das ist der Grund. Er konnte kein Mädchen kennenlernen und heiraten. Er wollte uns nicht verlassen, weil sich sonst niemand mehr um uns gekümmert hätte.«

»Ich kümmere mich verdammt gut um euch«, entgegnete Terry.

»Ich weiß.« Delia legte ihm die Hand auf die Brust. Jetzt, da sie erkannt zu haben glaubte, wer wirklich schuld an allem war, ebbte ihre Panik allmählich ab. »Ich weiß, dass du gut zu uns bist. Aber Jimmy – er ist ein junger Mann. Er steht unter enormem Druck. Er wusste einfach nicht, was er tat. Das ist es, da bin ich mir sicher, Terry. Ich bin mir sicher, er kann alles erklären.«

Terry legte die Hand auf Delias. Er sah sie auf eine Art an, bei der Maggie sich der Magen umdrehte. »Ich kümmere mich darum, Dee.«

Maggie starrte auf Jimmys Notiz hinunter. Sein Geständnis. Seine Entschuldigung.

Es tut mir leid, dass ich mich nie bei dir entschuldigt habe.

Was hatte er ihr damit sagen wollen? Er hatte sich doch gestern erst bei Maggie entschuldigt. Im Krankenhaus. Jimmy hatte sich noch nie wegen irgendetwas bei ihr entschuldigt. Gab es noch irgendetwas anderes, was ihm leidtat? Hatte er noch irgendwas anderes getan, wovon Maggie keine Ahnung hatte?

Kein Mord. Eher wollte sie glauben, dass ihr großer, starker Bruder homosexuell war, als dass er fünf Menschen kaltblütig ermordet haben sollte.

»Hör endlich auf«, sagte Maggie zu Terry. »Jimmy hat diesen Brief aus einem ganz bestimmten Grund geschrieben.«

»Er hat ihn geschrieben, weil er will, dass wir ihn aufhalten. Hast du je daran gedacht?«

Darauf hatte Maggie keine Antwort. Daran hatte sie nicht gedacht. Erneut starrte sie auf die letzten beiden Zeilen. Die Entschuldigung, die jene vom Tag zuvor regelrecht nichtig machte.

War es wirklich möglich, dass sie sich in ihrem Bruder derart getäuscht hatte? Acht Jahre waren eine lange Zeit. Der Jimmy, den Maggie damals gekannt hatte, war inzwischen ein erwachsener Mann. Er hielt sich an Orten auf, von denen sie nicht einmal gehört hatte. Er hatte Freunde, die sie nie kennengelernt hatte. Manchmal blieb er über Nacht weg, und keiner fragte ihn am nächsten Morgen, wo er gewesen war.

»Er wird ebenfalls Opfer sein«, erklärte Terry jetzt. »Der Shooter wird ihn sich schnappen. Ich werde es genauso aussehen lassen – sein verdammtes Funkgerät ausstecken, ihm den Fingernagel brechen, wenn's sein muss. Er kriegt ein Polizistenbegräbnis. Er wird mit einer Ehrenwache in die Grube kommen.« Er drehte sich zu Delia um. »Dann kriegst du eine Hinterbliebenenrente. Er wird weiter seinen Teil beitragen.

Genau das will er doch. Er wusste genau, was er tat, als er den Brief auf sein Bett legte, damit wir ihn auch garantiert dort finden.«

Maggie konnte einfach nicht akzeptieren, was Terry sagte. Sie versuchte, Delia mit Vernunft beizukommen. »Mama, du hast recht. Wir müssen diesen Brief den Leuten zeigen. Das ist nicht unser Jimmy. Irgendetwas stimmt da nicht.«

Doch dann wurde Maggie das Blatt aus der Hand gerissen, und Delia zerfetzte Jimmys Geständnis in tausend Stücke.

22

Fox kauerte hinter dem umgestürzten Baumstamm und starrte hinüber zu dem großen Haus am Ende der gewundenen Auffahrt. In der Küche brannte Licht. Kates Auto stand auf dem Platz vor der Garage. Der Boden unten ihm war eisig. Er spürte, wie die Kälte ihm in die Oberschenkel und in die Eier kroch.

Er veränderte seine Position. Doch der Druck wurde dadurch nur schlimmer.

Er wünschte sich, er hätte ein Nachtsichtgerät. So ein Infrarotdetektor tauchte die Landschaft in grünes Licht, und man konnte den Feind sehen, während der Feind selbst nur Dunkelheit sah. Im Krieg hatte Fox so ein auf den Sucher montiertes Gerät benutzt, um seine Ziele aufzuspüren. Der Feind war zwar gerissen gewesen, aber diese Art Technologie hatte seine Fähigkeiten überstiegen. Manchmal war Fox einem Mann stundenlang durch den Dschungel gefolgt. Das grüne Licht hatte jede Bewegung offenbart. Dann hatte Fox zugesehen, wie sein Ziel anhielt, die Umgebung kontrollierte, eine Pause einlegte, um zu essen oder gegen einen riesigen Baum zu pissen – und alles, ohne zu wissen, dass Fox ihm dabei zusehen konnte.

Und genau das tat Fox auch jetzt, wenn auch nur für ein paar Minuten. Er konnte nicht einmal seine Uhr erkennen, aber anhand der Position des Mondes am Himmel schätzte er, dass soeben der Tag in den nächsten überging.

Er brauchte allmählich eine Pause. Er musste nachsehen, ob Jimmy noch dort war, wo er sein sollte. Und dann würde er seinen Plan ein letztes Mal durchgehen. Heute Nacht würde Kate ohne ihn ins Bett gehen müssen.

DRITTER TAG
MITTWOCH

23

Kate saß auf dem Vordertreppchen des Hauses ihrer Eltern. Das schwache Licht von Scheinwerfern wanderte zwischen den Bäumen hindurch, als ein Auto vorüberfuhr. Die Spitzen hoher, schlanker Kiefern küssten den mitternächtlichen Mond. In der Luft hing eine Frische, die ihr Eiskristalle in die Lunge jagte. Der Schmerz war beinahe tröstlich. Sie wollte Dinge fühlen. Sie wollte spüren, dass sie noch am Leben war. Kate konnte nicht schlafen. Sie hatte den Kopf aufs Kissen gelegt, und plötzlich, ohne dass sie gewusst hätte, wie es geschehen war, war sie wieder angezogen und über den Parkplatz gegangen. Die letzten zwei Stunden war sie ziellos durch die Stadt gefahren, eine Straße hoch und eine andere hinunter. Sie hatte versucht, nach Hause zu fahren, aber dann war sie zwei-, dreimal an ihrem Wohnheim vorbeigerollt, ehe sie ihr Auto in Richtung Buckhead gesteuert hatte.

Angehalten hatte Kate lediglich an der Texaco-Tankstelle an der Ponce de Leon – aber nicht, um zu tanken, sondern wegen der geringen Chance auf Erlösung.

Die Lawsons standen im Telefonbuch. Kate warf eine Münze in den Fernsprecher. Sie hatte die ersten drei Ziffern der Nummer bereits gewählt. Doch dann erstarrte ihre Hand, während ihr wahllos Sätze durch den Kopf rasten.

Tut mir leid, dass ich nicht für dich da war.

Tut mir leid, dass ich nichts getan habe, als Gail verletzt wurde. Tut mir leid, dass du einen Mann töten musstest.

Es tut mir leid ... es tut mir leid ... es tut mir so verdammt leid.

Kate überraschte es, dass die Entschuldigungen ihr einfach so durch den Kopf jagten – nicht weil sie nicht um Verzeihung hätte bitten können, sondern weil sie sich noch nie so entsetzlich verantwortlich gefühlt hatte für Dinge, die schiefgelaufen waren.

Gail müsste womöglich jetzt nicht im Krankenhaus liegen, wenn Kate in der Lage gewesen wäre, ihr zu helfen.

Maggie hätte nicht gezwungen sein müssen, einen Mann zu töten, wenn Kate in der Lage gewesen wäre, ihr beizustehen.

In diesem Augenblick erkannte Kate, dass sie noch nie richtig gebraucht worden war. Natürlich hatte sie hier und da Freunden angeboten, ihnen beim Umzug zu helfen. Sie war dabei gewesen, wenn im Freundeskreis ein Haus gestrichen werden musste. Sie war immer ein gutes fünftes Rad am Wagen gewesen. Sie spendierte im Club Runden. Ihre Familie liebte sie. Ihre Freunde genossen ihre Gesellschaft. Patrick hatte sie begehrt. Sie alle hatte sie selbst irgendwann im Leben einmal gebraucht – aber keiner von ihnen hatte je wirklich Kate gebraucht.

Die plötzliche Erkenntnis war wie eine Glocke gewesen, die in ihrem Kopf dröhnte. Kate hatte ausdruckslos das Graffiti über dem Fernsprecher angestarrt. Sie wünschte sich nichts sehnlicher als eine Zeitmaschine – aber nicht wegen Patrick. Sie wollte wieder in dem portugiesischen Haus sein und in dem Sekundenbruchteil, ehe die Kugel ihr Ohr gestreift hatte, den Kopf nur ein klein wenig zur Seite drehen.

Das war das Einzige, was Kate anders machen würde.

Sie bedauerte es nicht, in das portugiesische Haus gegangen zu sein. Sie wollte nicht zurück durch die Zeit reisen und auslöschen, dass sie am Montag ihre Uniform angezogen hatte und zur Arbeit gegangen war, und auch nicht noch weiter zurück, um diesen Artikel über Motorradpolizistinnen nicht lesen zu müssen, um sich selbst davon abzuhalten, das Bewerbungsformular für den Polizeidienst auszufüllen, oder um zu verhindern, dass sie an jenem ersten Tag an der Akademie mit einem Notizbuch erschienen war, das bereits voll war mit Abschriften aus dem Lehrbuch.

Nein, nichts von alledem wollte Kate zurücknehmen. Sie bedauerte nur, dass sie versagt hatte, als sie ihren Kolleginnen hätte helfen müssen.

Genau das wollte sie Maggie Lawson sagen.

Es tut mir leid, dass ich nicht fähig war, dir zu helfen, diesen Mann zu töten.

Es tut mir leid, dass wir die Informationen von Chic nicht bekommen haben, bevor er ermordet wurde.

Es tut mir leid, dass ich nicht verhindern konnte, dass Gail verletzt wurde.

Es tut mir leid, es tut mir leid, es tut mir so verdammt leid.

Letztendlich hatte Kate den Hörer wieder auf die Gabel gehängt, ohne die letzten Ziffern gewählt zu haben. Das Geräusch der Münze, die zum Ausgabefach klapperte, hatte sie an einen Flipper erinnert.

Sie hätte es besser machen sollen. Sie hätte besser sein müssen. Schließlich war Gail nur deshalb in dem Haus gewesen, weil Maggie Unterstützung gebraucht und es Kate allein nicht zugetraut hatte. Aber sie hatte recht damit gehabt, Kate nicht ihr Leben anvertrauen zu wollen. Alles, was sie über sie – den verdammten Scheißfrischling – gesagt hatte, stimmte: Püppchen. Schaf. Die nutzlose Buckhead-Prinzessin, die einfach zu Boden geplumpst war, als das Chaos losbrach.

Kate wusste natürlich, dass sie gerade nicht logisch dachte. Sie hatte sich nicht tot gestellt. Dem Umkippen war ein Schuss vorausgegangen. Sie hatte sich den Kopf so heftig angeschlagen, dass sie eine leichte Gehirnerschütterung davongetragen hatte.

Es war nicht so, dass Kate eine Chance gehabt und einfach nicht gehandelt hätte. Das war keine Mutprobe gewesen. Es hatte keine Entscheidung gegeben, die sie hätte treffen können. Sie hatte Chic nicht sterben sehen. Sie hatte nicht gesehen, wie Anthony Gail angegriffen hatte. Sie hatte nicht gesehen, wie Maggie ihn gestoppt hatte. Sie erinnerte sich nicht einmal mehr an die Kugel, die ihr Ohr aufgerissen hatte. Sie erinnerte sich nicht mehr daran, umgekippt zu sein. Kate hatte noch gehört, wie Gail Sir Chic bedroht hatte, und im nächsten Augenblick hatte sie sich im Zimmer umgeblickt und war sich vorgekommen wie in der vorletzten Szene aus *Wer Gewalt sät.*

Als Kate wieder zu sich gekommen war, war ihr zuallererst der Gedanke gekommen, dass sie verletzt war. Der Kopf tat ihr weh. Ihr Ohr tat weh. Das Bein, auf dem sie gelandet war, tat weh. Ihre Waffe war weg. Vor dem Haus hatte sie noch den Sicherungsriemen zugedrückt, genau wie Maggie es ihr aufgetragen hatte. Sie hatte all die Warnungen vor dem Zuhälter beherzigt. Sie hatte sogar mit Chic verhandelt und ihm das Eingeständnis entlockt, dass er in der Tat etwas über den Anschlag wusste. Oder dass er zumindest ein Mädchen hatte, das etwas darüber wusste. Etwas gesehen hatte.

Und wofür?

Jetzt würden sie dieses Mädchen nie mehr finden. Chic hatte ihren Namen mit ins Grab genommen. Maggie hatte Anthony buchstäblich den Kopf weggeschossen. Es war nichts mehr von ihm übrig als ein scharfer weißer Knochen, der aus seinem Hals ragte wie die Rückenflosse eines weißen Hais.

Für nichts und wieder nichts.

Wieder fuhr ein Auto vorbei. Kate konnte das brennende Ende einer Zigarette erkennen. Vor dem Haus ging jemand die Straße entlang. Sie fröstelte. Dann kam sie sich kindisch vor, denn wen um alles in der Welt sollte es interessieren, dass sie hier auf dem Vordertreppchen ihres Elternhauses saß?

Trotzdem wurde sie das Gefühl nicht los, beobachtet zu

werden, und wenn sie ehrlich war, hatte sie dieses Gefühl schon seit einigen Tagen – als würde ein Augenpaar jede ihrer Bewegungen verfolgen. Selbst wenn sie allein in ihrem Apartment oder im Haus ihrer Eltern war, hatte sie immer wieder das Gefühl beschlichen, unter Beobachtung zu stehen. Vielleicht hatte das ja mit ihrem Job zu tun. Ein bisschen Paranoia war für einen Polizisten wahrscheinlich nur gesund. Hier auf dem Vordertreppchen wäre sie schließlich eine leichte Beute. Kate stand auf und strich ihr Kleid glatt. Sie legte die Hand auf die Mesusa an der Haustür ihrer Eltern. »Methusela« hatte Gail das Kästchen genannt, und dann hatte sie Kate zugezwinkert, weil sie offensichtlich Kates Personalakte gelesen hatte. Sie hatte gewusst, wie Patrick gestorben war – und eben auch, welches Kästchen sie in der Rubrik »Religion« angekreuzt hatte.

Kate flüsterte die Worte, die Oma ihr beigebracht hatte: »Der Herr behüte deinen Ausgang und Eingang, jetzt und immerdar.«

Die Tür war unverschlossen. In Buckhead verschloss niemand seine Tür. Die meisten wussten nicht einmal, wie viele Türen sie hatten. Das Wohnzimmer war dunkel bis auf die Scheite, die noch im Kamin glühten, doch in der Küche brannte Licht. Kate hörte das Lachen ihrer Großmutter, dann das sonore Murmeln ihres Vaters.

»Daddy?«, rief sie, doch es blieb irgendwo in Kates Brust stecken. Sie hatte immer noch keine Ahnung, warum sie hierhergekommen war. Als Kind hatte Kate sich oft im Bett an Oma gekuschelt und die gleichmäßigen Schläge ihres Herzens gezählt. Nach Patricks Tod hatte Kate über einen Monat lang neben ihr geschlafen.

Doch dafür war sie inzwischen zu alt. Zu abgebrüht.

Was sie jetzt wirklich brauchte, war ein ordentlicher Drink.

»Darling!« Ein Strahlen legte sich auf Omas Gesicht, als Kate die Küche betrat. Sie spielten Karten. Jacob Herschel hatte einen Abschluss in Medizin und zwei Doktortitel, aber er würde alles an Oma verlieren, wenn Liesbeth nicht immer wieder darauf bestünde, dass sie nur um Pennys spielten.

Jacob nahm seine Brille ab und sah Kate an. Als Junge hatte er die Sommer immer in South Georgia verbracht. Er hatte einen weichen südlichen Akzent, der sie an Gregory Peck in *Wer die Nachtigall stört* erinnerte.

»Alles in Ordnung?«, fragte er.

Kate legte ihm einen Arm um die Schultern und küsste ihn auf den Kopf. »Konnte nicht schlafen«, sagte sie wahrheitsgemäß. »Da bin ich ein bisschen herumgefahren und hab noch Licht gesehen.«

»Was für eine wunderbare Fügung.« Oma goss sich ein Gläschen Sherry nach. »Dein Kleid sieht toll aus. Ist es neu?«

»Nein. Ja.« Kate setzte sich zu ihnen an den Tisch. Sie hatte sich das Erstbeste übergeworfen, was sie in ihrem Kleiderschrank gefunden hatte – ein gelb, blau und dunkelrot gestreiftes Kleid, das für jedweden Anlass jenseits eines Nachtclubs eigentlich zu tief ausgeschnitten war.

»Es ist wunderbar.« Oma berührte den Stoff, strich über Kates Arm und nahm dann ihre Hand. Zu Jacob sagte sie: »So, jetzt bin ich bereit, dir noch mehr Geld abzuknöpfen.«

Jacob setzte seine Brille wieder auf. »Das hab ich mir schon gedacht.«

Kate betrachtete das Gesicht ihres Vaters, während er die Karten mischte. Er wirkte alt, aber nur, weil Kate ihn immer noch als den jungen Mann vor sich sah, der sie einst hoch in die Luft geworfen und wieder aufgefangen hatte. Sie konnte sich vorstellen, dass umgekehrt ihr eigenes Gesicht auch ihren Vater immer wieder überraschte. Vermutlich sah er in ihr immer noch das Kind, das er in seinen Armen hatte tragen können.

Was würde Jacob über ihre ersten beiden Tage als Polizistin sagen? Nichts, wenn es nach Kate gehen würde. Sie konnte ihrem Vater einfach nicht erzählen, dass sie heute fast gestorben wäre, dass sie buchstäblich nur Zentimeter davon entfernt gewesen war, ihr Leben zu verlieren. Nicht einmal Zentimeter. Weniger als einen Zentimeter. Einen Millimeter, hatte der Sanitäter gesagt.

Kate hatte sich geweigert, ins Krankenhaus zu gehen. Die anderen hatten sie tapfer genannt, aber in Wahrheit hatte sie einfach nur furchtbare Angst gehabt. Gelegentlich ging Jacob Herschel im Grady Hospital Patienten besuchen, die er unentgeltlich behandelte, und bei ihrem Pech war sie sich ziemlich sicher gewesen, dass man sie just in dem Augenblick in die Notaufnahme gebracht hätte, da ihr Vater dort aufgetaucht wäre.

Er hätte sie nicht angeschrien. Er hätte nicht getobt. Er hätte Kate einfach nur geraten, zu kündigen und sich etwas anderes zu suchen, was ihr mehr zusagte. In dieser Hinsicht war ihr Vater gerissen. Er war nicht so dumm, die Frauen in seinem Leben herumzukommandieren. Er stellte keine Ultimaten und schlug auch nicht mit der Faust auf den Tisch. Er erteilte lediglich Ratschläge. Teilte ihnen mit, was er in einer solchen Situation tun würde. So legte er ihnen subtil seine Art zu denken ans Herz.

Die Technik war brillant, aber sie ließ außen vor, dass auch die Frauen in seinem Leben Spezialisten für das menschliche Verhalten waren. Oma beispielsweise hieß seine Anregungen immer gut und wechselte dann einfach das Thema. Und Liesbeth bestätigte ihm stets, wie recht er habe, tat aber dann trotzdem, was sie wollte.

Und Kate log.

»Na?« Jacob mischte Karten. »Was ist denn mit deinem Ohr passiert?«

Kate berührte das winzige Pflaster, das der Sanitäter ihr aufs Ohr geklebt hatte. »Ich hab mir die Haut an dieser lächerlichen Mütze aufgeschürft, die ich immer tragen muss.« Oma schnalzte mit der Zunge. »Erst die Blasen an den Füßen – und jetzt das. Sie hätten dir sagen müssen, dass es so gefährlich ist.«

»Ja, das hätten sie ...« Jacob musterte Kates Gesicht, während er die Karten zusammenschob und dann mit einem Knacken, das von den marmornen Arbeitsflächen widerhallte, auf dem Tisch aufklopfte.

Kate fragte sich, ob ihr Vater womöglich längst wusste, was passiert war. Schon früh hatte es im Radio Berichte über einen Vorfall gegeben, bei dem eine gewisse Gail Patterson verletzt worden war, doch Kate und Maggie waren namentlich nicht genannt worden. Die Abendnachrichten im Fernsehen hatten nicht einmal erwähnt, ob es sich bei den beiden anderen um Frauen oder Männer gehandelt hatte. Um zehn hatten die Radioreporter aus Maggie einen männlichen Beamten gemacht, der einem altgedienten Detective und Partner das Leben gerettet hatte.

»Also dann, Ladys.« Jacob gab die Karten aus. »Ich hab gehört, Philip Van Zandt hat uns gestern Abend die Ehre erwiesen.«

Kate nahm die ersten Karten auf. Sie hatte keine Ahnung, welches Spiel sie spielten. Klar war nur, dass ihr Vater ihr ein beschissenes Blatt geben würde.

»Wisst ihr, wie sie ihn im Krankenhaus nennen?« Jacob warf Kate weitere Karten zu. »Dr. Van Zipless.« Der Arzt mit dem offenen Hosenstall.

Kate spürte, wie ihre Wangen heiß wurden. *The Zipless Fuck* – Erica Jongs heiß debattierter anonymer Fick. Kate wusste nicht, was schlimmer war: dass ihr Vater das Wort »Fick« im Gespräch mehr als deutlich impliziert oder dass er *Angst vorm Fliegen* gelesen hatte.

»Ich werde dir nicht vorschreiben, was du zu tun hast – aber ich würde dir raten, dich von so einem Mann fernzuhalten.«

Kate starrte auf ihre Karten hinab.

Oma schob ihr ein paar von ihren Pennys zu. »Hier, Darling. Ohne Risiko macht Spielen keinen Spaß.«

»Deine Doppeldeutigkeiten sind üblicherweise raffinierter.«

»Ach, du weißt doch, Jacob – mein Englisch. Ich hab ja keine Ahnung, was du meinst.« Oma sprach seinen Namen mit einem J am Anfang aus, nicht wie im Englischen mit Dsch. Dann schob sie Kate ihr Sherryglas zu. »Nimm meinen Drink, meine Liebe.«

Kate stürzte den Alkohol hinunter wie ein Cowboy in einem Westernfilm.

Oma stand auf. »Ich finde Dr. Van Zandt sehr charmant – viel charmanter im Übrigen als seinen langweiligen Vater. Ich hab es nie geschafft, ihm deine Briefmarkensammlung zu zeigen, Jacob.«

Kates Vater konzentrierte sich wieder auf seine Karten.

»Ich nehme an, jemandem eine Briefmarkensammlung zu zeigen, ist nicht doppeldeutig.«

»Ach, wenn ich nur ein paar Jahre jünger wäre!« Sie ging zur Vorratskammer und kam mit einer Flasche Scotch zurück.

»Junge Männer sind immer so lernbegierig.«

Kate versuchte verzweifelt, das Thema zu wechseln. »Oma, wurde Audrey Hepburn nicht in Brüssel geboren?«

»Ich glaube tatsächlich, sie wurde in Elsene geboren.« Sie füllte Kates Sherryglas mit Scotch auf und holte für sich selbst ein frisches Glas. »Ein nettes flämisches Mädchen.«

Angesichts der vertrauten Formulierung musste Kate lächeln. Und dann nahm sie einen so großen Schluck Scotch wie nur möglich, ohne dass dabei der Boden des Glases sichtbar wurde.

Jacob legte eine Karte vor sich aus. »Ich hab die Flamen immer gemocht.«

»Bäh.« Oma nahm seine Karte und legte stattdessen eine von ihren auf den Tisch. Jacob runzelte die Stirn, schob die Karten in seiner Hand zusammen und fächerte sie neu auf. Sie spielten gerade erst wieder zwei Minuten, und er war bereits drauf und dran, erneut zu verlieren.

Kate nippte am Rest ihres Drinks. Ihr Vater hatte während

des Kriegs für das Außenministerium gearbeitet. Er war nach der Befreiung nach Amsterdam geschickt worden, um die Überlebenden psychiatrisch zu begutachten. Während seiner Dienstzeit hatte er dort Liesbeth kennengelernt – aber Kate hatte keine Ahnung, in welcher Funktion. Der Legende zufolge hatten die beiden sich auf dem Blumenmarkt ineinander verliebt. Aber war Liesbeth in Wirklichkeit eine Patientin gewesen? Oder einfach nur jemand, den er auf der Straße getroffen hatte?

Unvermittelt musste Kate an Terry denken, der unter dem Carport über die Frauen gesprochen hatte, die sich den Offizieren an den Hals warfen.

»Na ja.« Oma goss Kate nach und füllte auch ihr eigenes Glas neu auf. »Schätze, die Flamen sind am Ende nicht so übel. Sie hüten Schafe und heiraten ihre Cousins.«

Kate lachte. Sie war bereits leicht beschwipst, aber sie konnte einfach nicht aufhören zu trinken. Vielleicht wurde man so, wenn man zur Polizei ging. Heute in einer Woche würde sie womöglich hinter dem Steuer eines Impala besinnungslos zusammensinken.

»Es gab da mal einen flämischen Psychiater, mit dem ich zusammengearbeitet habe – ein brillanter Mann.« Jacob legte wieder eine Karte auf den Tisch. Erst jetzt bemerkte Kate, dass sie ohne sie spielten. »Sein Name war Walthere Deliege.«

Oma runzelte demonstrativ die Stirn. »*Dat is Waals, geen Vlaams.*«

»Oh, verzeih. Der Gentleman war also Wallone, kein Flame. Bitte entschuldige meine amerikanische Ignoranz.« Jacob zwinkerte Kate zu. Dann runzelte er die Stirn, als Oma erneut seine Karte aufnahm.

»Wie können …« Kate hielt kurz inne. Eigentlich hatte sie nichts sagen wollen, aber jetzt war es bereits halb draußen.

»Wie können schreckliche Menschen gleichzeitig gut sein?« Beide starrten sie an.

»Diese Frau, mit der ich arbeite …« Wieder unterbrach sie sich. Arbeitete sie wirklich mit Gail zusammen? Würde sie je wieder mit ihr arbeiten?

»Diese Frau?«, hakte Oma nach.

»Diese Frau«, wiederholte Kate und zögerte dann ein drittes Mal, weil sie nicht wusste, wie sie weitermachen sollte. Aber wie schon zuvor konnte sie nicht mehr aufhören zu reden. »Sie ist vulgär, rassistisch, gehässig, abfällig, gewalttätig und gemein.« Kate hatte nicht den Hauch eines schlechten Gewissens, weil sie sich sicher war, dass Gail diese Charakterisierung sogar als Kompliment betrachtet hätte. »Ich glaube, ich habe noch nie jemanden wie sie kennengelernt. Sie ist einfach nur …«

Wieder verklang ihre Stimme. Kate fragte sich, warum sie überhaupt weiterredete. Normalerweise vertrug sie Alkohol besser. Vielleicht war es der Stress, dem sie an diesem Tag ausgesetzt gewesen war; der Schock, die Schmerzmittel – das alles wirkte nun zusammen und verminderte ihre Alkoholtoleranz.

Sie hob den Kopf. Sowohl Oma als auch Jacob hatten den Blick auf sie gerichtet.

Und wieder ermunterte Oma sie zum Weiterreden. »Diese Frau ist …«

»Sie ist furchtbar«, gab Kate zu. »Und sie kann gleichzeitig eine der nettesten Personen sein, die ich je getroffen habe.« Dass dies der Wahrheit entsprach, überraschte Kate selbst. »Ich habe mich heute wahnsinnig aufgeregt, und sie war daraufhin echt nett zu mir. Es ist nicht wichtig, warum ich mich so aufgeregt habe. Aber sie war für mich da, und sie war freundlich zu mir.« Kate merkte, dass sie schon fast so sehr lallte wie Gail. »Aber, ganz ehrlich – sie ist nicht freundlich. Sie sagt diese Sachen zu mir – diese gemeinen, brutalen Sachen –, und wenn ich dann später darüber nachdenke, merke ich auf einmal, dass sie mir etwas beigebracht hat. Nicht nur irgendwas, sondern etwas Nützliches. Etwas, was wichtig ist, damit ich meine Arbeit machen kann. Etwas, was meiner Sicherheit dient.« Kate griff wieder zu ihrem Sherryglas. »Und dann denke ich: ›Wie kann sie mir helfen, wenn sie gleichzeitig so furchtbar ist? Wie kann es sein, dass ich anfange, diese widerwärtige Person als meine Freundin zu betrachten?‹« Jacob und Oma schwiegen.

Kate trank ihr Glas leer. Jetzt war alles andere auch schon egal. »Und dann ist da noch dieser furchtbare Mann. Vulgär ist gar kein Ausdruck für ihn. Er ist ein *Arschloch*.« Sie warf ihrem Vater einen entschuldigenden Blick zu. Es gab wirklich kein anderes Wort, das besser auf Terry Lawson zutraf. Oder auf seine Freunde. Was Kate anging, waren sie alle gleich.

»Wie auch immer, dieses Arschloch – auch er ist furchtbar, genau wie diese Frau, aber in vielerlei Hinsicht noch viel schlimmer, weil er dabei auch noch so zornig ist. Er ist ein Sexist und Rassist und hässlich und grob. Und es ist nur eine Frage der Zeit – denkt man, wenn man ihm gegenübersteht –, bis er etwas Gewalttätiges unternimmt.«

Jacob legte seine Karten auf den Tisch, und Oma goss ihr nach.

»Gewalttätig gegen mich?«, fragte Kate sich selbst. »Nein, den Eindruck habe ich nicht. Ihr wisst schon – wenn man einen gemeingefährlichen Hund vor sich hat und er an der Leine ist … Aber man weiß genau: Sobald er von der Leine gelassen wird …« Wieder verklang ihre Stimme. »Ich hab das Gefühl, dieses Arschloch ist so zornig, dass ich, wenn ich allein mit ihm wäre, bereit sein müsste, mich zu verteidigen.« Und wieder dachte Kate dabei nicht nur an Terry. Sie alle hatten etwas vergleichbar Bedrohliches an sich. Je mehr sie tranken, umso schlimmer wurde es – und doch hatte Gail erwähnt, dass Chip Bixby ihr einmal das Leben gerettet hatte. Wie konnte das sein? Der Mann war ein widerwärtiger Frauenhasser, aber er hatte sein Leben riskiert, um Gail zu beschützen.

Das war die Welt, in der Kate jetzt lebte. Die alten Regeln galten einfach nicht mehr. Man konnte einen Menschen nicht nach seinem Aussehen oder seinem Akzent beurteilen oder danach, was der Vater beruflich tat. Vielleicht war Jett Elliott in Wahrheit ein Gentleman. Und Bud Deacon ein gottesfürchtiger Mann. Und Cal Vick war gar kein widerlicher Lüstling. Vielleicht lag der Fehler ja bei Kate, weil sie diese Männer nach ihren Worten und nicht nach ihren Taten beurteilte.

Oma schraubte den Deckel wieder auf die Scotchflasche.

»Also, ich musste mir heute ein besonders gewalttätiges Arschloch anhören. Er verunglimpfte erst Präsident Kennedy und meinte dann, Bobbys Ermordung wäre ein Gottesgeschenk gewesen. Er verunglimpfte den Bürgermeister, die Schwarzen, die Frauen – und mich.« Sie schnaubte. Natürlich hatte Terry auch Kate verunglimpft. »Andererseits war auch er im Krieg, Daddy. Er hat bei der Befreiung der Lager geholfen. Er hat Menschen aus der Versklavung befreit und vor dem Tod gerettet. Er half ihnen in ihren dunkelsten Stunden. In den dunkelsten Stunden der Menschheit. Und ich muss annehmen, dass er in seiner Eigenschaft als Polizist an irgendeinem Punkt – vielleicht an vielen Punkten seines Tages – ebenfalls Menschen hilft. Das muss er doch tun, oder?«

Oma starrte stumm in ihr Glas.

Kate schüttelte den Kopf. Sie hatte keine Kontrolle mehr darüber, was aus ihrem Mund sprudelte. »Wie können diese Leute so schrecklich sein und doch Gutes getan haben?« Keiner antwortete. Das Schweigen hing wie eine dunkle Wolke über dem Tisch.

Schließlich ergriff Jacob das Wort. »Das ist wohl eins der großen Geheimnisse des Lebens.«

»Plattitüden!« Kate lehnte sich zurück. Wie hatte sie erwarten können, dass sie es verstünden? Sie verstand es ja selbst nicht. Sie war müde, und sie war betrunken, und sie sollte wieder nach Hause fahren, bevor sie sich noch mehr zum Narren machte.

Kate versuchte, sich zusammenzureißen. Sie wollte schon aufstehen.

»Ich kannte mal ein flämisches Mädchen«, fing Oma an, und unwillkürlich musste Kate lächeln, doch als sie sich wieder zurücklehnte, wurde ihr das Herz schwer.

»Hat sie Schafe gehütet und einen Cousin geheiratet?«

»Nein.« Oma starrte die bernsteinfarbene Flüssigkeit in ihrem Glas an. »Sie stammte aus Antwerpen. Sie kam am Ende des sechsten Jahres, wie du es nennen würdest, an meine Schule.«

Kate hielt den Atem an. Ihre Großmutter erzählte nur selten aus ihrem Leben vor Atlanta.

»Ihr Name war Gilberte Soetaers – was du sehr lustig finden würdest, hättest du anständig Niederländisch gelernt.« Sie lächelte Kate traurig an. »Gilberte passte sich sofort an. Die beliebten Mädchen mochten sie vom ersten Augenblick an. Warum auch nicht? Sie trug herrliche Sachen – alles sehr modisch. Ihr Haar war braun und seidig wie die Mähne eines edlen Pferds. Sie kam uns sehr exotisch vor ... oder wenigstens mir. Ihr Vater betrieb ein paar Gummiplantagen im Kongo. Mein Vater war Akademiker. Sie war privilegiert. Ich nicht. Sie war Calvinistin, ich Jüdin. Ich war wie du, Kaitlin. Mein Körper hatte sich vor denen der anderen Mädchen entwickelt, und sie alle hatten sich von mir abgewandt. Doch nach Gilbertes Ankunft wurden sie noch viel schlimmer. Sogar meine alte Freundin, die früher immer Tee mit mir getrunken hatte. Sie rissen Witze über meine Kleidung, meine Figur, meine akademischen ...« Sie zuckte mit den Schultern, als würde das irgendwie einen Sinn ergeben – und das tat es auch, weil Mädchen eben genau so waren, ganz gleich, wo man lebte.

»Es wird dich überraschen zu hören, dass die Welt sich trotz meines Kummers weiterdrehte«, fuhr Oma fort. »Ich schloss die Schule ab. Ich ging an die Universität. Ich heiratete einen wunderbaren Mann. Er schenkte mir wunderschöne Kinder. Ich bekam eine Stelle an der Universität. Doch dann kam der Krieg. Wir mussten in die Jodenbuurt umziehen – wir durften dort eigentlich nicht weg, aber ...« Sie strich sich übers Haar.

»Die Nazis waren dumm. Sie konnten einfach nicht glauben, dass auch eine Jüdin blond sein konnte.« Sie sah kurz Jacob an, und Kate hatte das unbestimmte Gefühl, dass ihr Vater diese Geschichte schon einmal gehört hatte. »Ich verließ das Viertel, um Essen für deinen *opa* und deine *moeder* zu besorgen. *Voor oom* ...« Wieder blickte sie zu Jacob hinüber.

»Onkel«, übersetzte Jacob.

»Ja, dein Onkel – er war schon weg, lebte damals bei einem Paar in Friesland, die so freundlich gewesen waren, ihn bei sich aufzunehmen. Sehr nette Leute. Sie taten, was sie konnten ...« Oma starrte in ihr Glas. Kate wusste, dass der Junge im Krieg umgekommen war.

»Wie dem auch sei«, fuhr Oma fort. »Eines Tages war ich in der Nieuwmarktbuurt auf der Suche nach Essen. Die Nieuwmarktbuurt war eine gefährliche Gegend für mich. Der Nieuwmarkt diente als Sammelpunkt, und natürlich hätte ich verhaftet und weggebracht werden können, weil ich den *jodenster* nicht trug.« Sie lächelte Kate an, doch in ihren Augen lag nicht die gewohnte Verschmitztheit. »Ich war gerade in einem Laden und fragte mich, ob ich mir wohl ein Stück Käse in die Tasche stecken könnte, wenn der Krämer gerade nicht hinsähe, drehte mich um – und da stand sie.« Oma zog die Augenbrauen hoch. »Gilberte Soetaers, das Mädchen, das mich jahrelang gepiesackt hatte. Und was am schlimmsten war: Sie war in Begleitung eines Nazisoldaten.«

Kate hob unwillkürlich die Hand an die Kehle.

»Gilberte erkennt mich. Ich sehe es in ihren Augen. Wir sind inzwischen erwachsen, aber gleichzeitig sind wir immer noch die beiden Mädchen, die einander gehasst haben.« Oma hielt inne. »›Friedrich‹, ruft Gilberte auf einmal, und ich gerate in Panik. Der Mann in ihrer Begleitung ist nicht nur ein Nazi. Er ist Deutscher. Ich will schon weglaufen, aber da steht er bereits vor mir. Gilberte erklärt ihm: ›Wir sind zusammen zur Schule gegangen‹, und ich zitterte wie Espenlaub. Ich kann es nicht glauben. Ich werde verschwinden. Meine Familie wird nie erfahren, was aus mir geworden ist. Meine Liesbeth ist jetzt schon so dünn, sie kommt kaum noch aus dem Bett. Ohne mich wird sie sterben.« Oma nahm Kates Hand und drückte sie fest. »Und genau so packt Gilberte mich bei der Hand, und ich denke: ›Sie lässt mich nicht gehen. Sie wird mich verraten.‹ Doch dann sagt sie zu mir – und zwar herzlich –: ›Ach, es freut mich so sehr, dich wiederzusehen, *mijn zoeteke.*‹« Oma lehnte sich zurück, hielt aber weiter Kates Hand. »*Mijn zoeteke.* Meine Süße, mein Zuckerchen. Das ist ein flämischer Ausdruck. Erinnerst du dich noch daran, wie ich dir mal erzählt habe, dass sie mit Blumen im Mund sprechen?«

Kate nickte. Sie wollte, dass Oma die Geschichte zu Ende erzählte.

»Ich war wie vor den Kopf gestoßen, als sie mich so nannte.« Und selbst in diesem Augenblick wirkte Oma verblüfft.

»Und dann sagte Gilberte Soetaers – dieses schreckliche Wesen, das mir jahrelang das Leben zur Hölle gemacht hatte – zu diesem Nazi: ›Darling, du musst meiner Freundin ein paar Lebensmittelmarken geben. Sieh nur, wie dünn sie ist!‹« Oma klang immer noch überrascht. »Also hat er mir einige Marken in die Hand gedrückt. Wir verabredeten uns auf ein paar Drinks und küssten einander die Wangen – wir alle. Und dann ging ich einfach weg.«

Oma zuckte mit den Schultern. Das war alles. Ihre Geschichte war zu Ende.

Doch Kate wollte mehr wissen. »Dieser Nazi hat dir Essensmarken gegeben?«

»Ausgerechnet Gilberte Soetaers sorgte dafür, dass wir Brot hatten, Käse, Milch. Eine regelrechte Mizwa. Und ich sorgte dafür, dass die Marken drei Wochen lang reichten.«

Kate fragte sich, wie lange es nach diesen drei Wochen noch gedauert hatte, bis sie in die Lager deportiert worden waren. »Wusste dieser Nazi, dass du Jüdin bist?«

»Gilberte wusste es natürlich, aber danach konnte sie es ihm nicht mehr sagen. Er hätte sie unter Garantie sitzen lassen oder – schlimmer noch – in ein Lager geschickt.« Sie trank den Rest ihres Scotch. »Du siehst, auch schreckliche Leute können Gutes tun.«

Kate schüttelte ratlos den Kopf. »Ich verstehe das nicht. Das ist doch nur ein Beispiel, aber keine Erklärung.«

»Genau.« Oma stand auf. »Denn es gibt keine Erklärung, Kaitlin. Böse Menschen können Gutes tun. Gute Menschen können Böses tun. Warum passiert das manchmal? Weil Dienstag ist.« Sie warf einen Blick zur Wanduhr hinüber.

»Nein. Mittwoch. Schon weit über meine Schlafenszeit. Gute Nacht, meine Lieben.«

Sie legte Kate die Hand auf die Schulter und ging zur Tür. Kate wollte sie noch aufhalten, aber Oma verschwand ohne ein weiteres Wort.

»Na ja.« Jacob sammelte die Karten auf dem Tisch zusammen.

Kate spürte, wir ihr Herz in der Brust hämmerte. »Kanntest du die Geschichte?«

»Ja«, antwortete ihr Vater.

»Und du hast nichts hinzuzufügen?«

»Zu deiner Frage?«, entgegnete er schulterzuckend. »Menschen sind abgrundtief schlecht. Und manchmal sind sie es eben nicht.«

»All diese Abschlüsse – und ich bekomme von dir einen Spruch wie aus einem Glückskeks?«

Er legte die Karten aufeinander. »Diese Polizistin, mit der du zusammen warst ... Sie wird mit dem einen Auge nie mehr sehen können. Sie hatte großes Glück.« Er fasste sich ans Ohr. »Und du auch.«

Kate wandte den Blick ab.

»Und du hast dazu nichts hinzuzufügen? Nicht einmal einen Glückskekssspruch?«

»Ich will nicht, dass du dir Sorgen um mich machst.«

»Ich mache mir nur Sorgen, weil du nicht die Wahrheit sagst.«

Kate starrte sehnsüchtig die Flasche Scotch an.

Ihr Vater legte die Karten in einem ordentlichen Stapel in die Tischmitte. Als Kate noch kleiner gewesen war, hatte er ihr Gin Rommé beigebracht. Er hatte immer gewonnen – bis Kate eines Tages das Spiegelbild seiner Karten in seiner Brille gesehen hatte. Diesen Trick hatte sie ihm nie verraten. Und offensichtlich hatte auch Oma es ihm nie gesagt. Sie gewann einfach viel zu gern, und Kate ahnte, dass er sie obendrein viel zu gern gewinnen ließ.

»Soll ich dir die Wahrheit sagen, Daddy?«

»Du solltest dir selbst gegenüber die Wahrheit sagen. Ich bin jetzt nicht mehr wichtig. Du bist eine erwachsene Frau. Ich kann dich nicht mehr auf dein Zimmer schicken.«

Kate suchte nur selten seinen Rat, aber jetzt wollte sie ihn.

»Was soll ich denn deiner Meinung nach tun?«

Er stützte die Ellbogen auf den Tisch und lächelte Kate an. »Du bist für mich kostbarer als Rubine. Weißt du das?«

Sie nickte. Dass ihre Familie sie liebte, war inzwischen die einzige Gewissheit in ihrem Leben.

»So etwas wie *eine* Stadt gibt es nicht.« Er lehnte sich wieder zurück. »Das hast du in den letzten beiden Tagen mit eigenen Augen gesehen.«

Kate glaubte für einen Augenblick, dass er ihre vorige Frage beantworten wollte. »Willst du damit sagen, dass Menschen sind wie Städte?«

»Ich will damit sagen, dass dein Leben anders ist als das Leben, das andere Menschen führen – die Mädchen, mit denen du in der Schule warst, deine Kollegen, die Leute, denen du hilfst, die Leute, die du verhaftest. Für jeden Einzelnen von ihnen bedeutet Atlanta etwas anderes. Sie alle fühlen sich als stolze Besitzer. Sie alle haben das Gefühl, dass die Stadt ihnen gehört und dass die Stadt genau so sein sollte, wie sie es sich vorstellen. Und deswegen haben sie das Bedürfnis, sie zu verteidigen. Sie zu beschützen.« Mit einem schiefen Grinsen signalisierte er ihr, dass er zugegebenermaßen ein wenig wirr redete, Kate aber Geduld mit ihm haben sollte.

»Dieses gewalttätige Arschloch – ich nehme an, dieser Typ denkt, dass Atlanta gewalttätigen Arschlöchern wie ihm gehört. Deine furchtbare Frau – vielleicht denkt sie, dass die Stadt den furchtbaren Frauen gehört. Ich bin mir sicher, das ist für beide eine sehr starke Empfindung. Aber welches Atlanta ist nun das wahre Atlanta? Ist es unseres? Ist es jenes, das Patrick kannte? Gehört die Stadt jetzt den Schwarzen? Gehört sie überhaupt irgendwem?«

»Daddy, es tut mir leid, aber ich kann dir nicht folgen.«

»Selbst bei meiner ehrenamtlichen Arbeit im Grady werde ich nie das Atlanta zu Gesicht bekommen, das du siehst. Ich werde nie die Leute kennen, die du kennst. Ich werde nie die Orte sehen, die du siehst.«

Allmählich dämmerte es ihr. Ihr Vater sprach nur aus, was er dachte, seit sie zum ersten Mal das Polizeirevier betreten hatte. »Ich bin nicht länger nur in meiner isolierten Welt.«

»Richtig«, antwortete er, und sie hörte eine ungewohnte Traurigkeit in seiner Stimme. »Ich werde die Menschheit nie genauso wahrnehmen wie du, falls du mit dieser Arbeit weitermachen solltest.«

»Falls?«

»Du weißt, dass mein Großvater für die Konföderation gekämpft hat?«

Kate nickte.

»Und mein Vater und ich marschierten in einer Demonstration für Dr. King.«

Sie nickte noch einmal.

»Ich weiß noch gut, wie es nach der Demo war. Wir gingen nach Hause und genehmigten uns einen Drink. Was für ein Fortschritt! Wir prosteten einander zu. Wir klopften einander auf den Rücken. Aber das alles haben wir drinnen getan.« Er meinte dieses Haus, das Herrenhaus an einer baumgesäumten Straße mit Limousinen samt Chauffeur, Hausangestellten und Gärtnern. »Wussten wir, wie es für Dr. King war, in sein Zuhause am anderen Ende der Stadt zurückzukehren? Wussten wir, wie sein Leben in dieser Stadt aussah, in *seinem* Atlanta, das auch *unser* Atlanta war?«

»Du hilfst Menschen«, entgegnete Kate. Sie hatte ihren Vater stets als Mann des Volkes betrachtet. »Du heilst ihre Seelen.«

»Ich rede mit wohlhabenden Männern, die Angst haben, ihr Vermögen zu verlieren. Ich verschreibe Frauen Valium, obwohl sie lieber ein bisschen freiwillige Arbeit in der Kirche leisten sollten.«

Kate gefiel das Bild nicht, das er da zeichnete. »Du hast Mama und Oma gerettet. Du hast sie hierhergebracht.«

»Nein, Kaitlin. Als ich nach Amsterdam kam, sah ich zum ersten Mal mit eigenen Augen, worum es im Krieg wirklich gegangen war ...« Seine Stimme war heiser geworden, und er räusperte sich. »Deine Mutter hat *mich* gerettet. Ich kann dir versichern, es war nicht andersherum.«

Kate suchte verzweifelt nach irgendeinem Strohhalm. »Du hast deine ehrenamtliche Arbeit im Grady ...«

»Wenn ich im Grady einen Patienten zu Gesicht bekomme, wurde er bereits gewaschen, hat Medikamente bekommen und ist ans Bett geschnallt.« Jacob lächelte traurig. »Aber wie sein Leben drei, vier Stunden zuvor aussah? Ich habe nur eine Krankenakte, an die ich mich halten kann. Manchmal vielleicht auch noch einen Polizeibericht. Aber ich war nie bei dem Patienten zu Hause. Ich habe keine Ahnung, wie er wirklich lebt. Und ich habe noch nie einen Gedanken an den Polizisten verschwendet, der ihn ins Krankenhaus gebracht hat. Der ihm die Rasierklinge weggerissen hat, bevor er sich die Pulsadern aufschneiden konnte. Der ihn zu Boden drückte. Der ihn davon abhielt, sich selbst oder andere zu verletzen.«

»Ich hab mich nicht annähernd so heldenhaft verhalten, Daddy. An meinem ersten Tag bin ich gegen eine Wand gerannt. Heute Nachmittag habe ich mich selber k. o. geschlagen.«

Er zuckte zusammen, und obwohl sie annahm, dass er über das Wesentliche Bescheid wusste, war sie ihm dankbar, dass er keine Details hören wollte. »Ich will nur sagen, dass du die Menschen jetzt auf eine Art sehen wirst, wie ich sie nie sehen kann. Deine Erfahrungen sind jetzt nicht mehr meine Erfahrungen. Ich kann dich nicht mehr anleiten, weil ich nicht weiß, in welche Richtung du gehen musst.«

Kate musste an den widerwärtigen Gestank in der Sozialsiedlung denken. An den Zuhälter, der sich über die Lippen geleckt und sie angegafft hatte. An den Besitzer der Reinigung, der sie seine Toilette hatte benutzen lassen. Die beiden Toten, die im Obergeschoss des Hauses der Portugiesin gelegen hatten. »Es ist nicht alles so, wie es aussieht.«

»Nicht?«

Kate vermochte ihm nicht zu antworten, weil sie das alles selbst nicht mehr verstand. Dieser Job verhieß den Tod der eigenen Seele, Demütigung und Angst, aber auf einer merkwürdigen anderen Ebene war er zugleich eine Herausforderung, und – am überraschendsten – er machte Spaß. Sie begnügte sich mit Banalitäten. »Ich werde immer deine Tochter bleiben.«

»Das weiß ich, Liebling.« Er legte ihr sanft die Hand an die Wange. »Deine Mutter hat Angst, dass dieser Job dich zu jemandem machen könnte, der du nicht bist. Und ich habe Angst, dass er dich zu dem Menschen machen könnte, der du wirklich bist.«

Kate wunderte sich, dass seine Ehrlichkeit sie nicht tiefer traf. »Wäre das denn so schlimm?«

»Ich weiß es nicht, Katie. Leute mit dieser Art von Arbeit neigen dazu, sich zwei Persönlichkeiten zuzulegen. Ein Teil von dir wird immer das Mädchen bleiben, das wir kennen. Doch der andere wird sich abspalten und eine Frau aus dir machen, die wir nie kennenlernen werden, die aber all diese schrecklichen Sachen mit ansieht.«

Kate hatte das Gefühl, sich verteidigen zu müssen. »Wie Oma? Wie Mutter?«

»Kluges Mädchen. Und hiermit soll Schluss sein mit meinen Hypothesen.« Der Augenblick war vorüber. Seine Stimme wurde sofort ein wenig unbeschwerter. »Es steht einem Vater nicht zu, das Verhalten seiner Tochter zu beanstanden.«

»Freud?«

»Herschel.«

»Dieser Kerl«, neckte Kate ihn, »ich hab gehört, er soll fantastisch sein.«

Er lächelte noch einmal. Dann nahm er die Brille ab und rieb sich über die Augen.

»Gute Nacht, Daddy.« Kate küsste ihren Vater zum Abschied auf den Kopf.

Dann ging sie durch die Vordertür hinaus. Mit den Fingerspitzen berührte sie die Mesusa. Sie löste den Pferdeschwanz, während sie die Treppe hinunter und über die Einfahrt ging. Sie hatte auf dem Wendeplatz neben der Garage geparkt. Kate stützte die Hand aufs Auto und zog erst den linken, dann den rechten Schuh aus, als Nächstes die Strumpfhose und warf dann alles ins Auto.

Doch statt einzusteigen, ging sie die Einfahrt hinunter. Ihre Füße loderten bei jedem Schritt. Frische Blasen über alten Blasen. Ihre Fersen sahen aus wie durch den Fleischwolf gedreht.

Am Ende der Einfahrt bog Kate nach links ab. Nirgends standen Autos. Nirgendwo glühte eine Zigarette. Kein Phantom verfolgte sie mit seinen Blicken. Sie sah zum Mond hinauf, der nur mehr eine dünne Sichel war. Der Weg war ihr so vertraut, dass sie den Mond nicht als Wegweiser brauchte. Die ersten fünfundzwanzig Jahre in ihrem Leben waren von dieser Straße definiert gewesen. Ihre beste Freundin hatte gleich im übernächsten Haus gelebt, bevor sie nach New York gezogen war. Ihre Grundschule war sechs Blocks entfernt, die Highschool siebeneinhalb. Die Synagoge vier Straßen.

Zum Einkaufszentrum fuhr man zehn Minuten. Dort hatte sie Fahrradfahren gelernt. Dort hatte der Schulbus sie immer abgesetzt. Dort hatte sie mit Patrick im Auto herumgemacht, bevor sie sich getraut hatte, ihn ihrer Familie vorzustellen.

Der Metzger, der Bäcker, der Kerzenzieher – sie alle befanden sich im Umkreis von einer Meile um genau diesen Punkt, wo sie jetzt stand.

Das Atlanta ihres Vaters.

Das jetzt nicht mehr Kates Atlanta war.

Sie schlenderte an Janice Saddlers Haus vorbei. Janices Eltern waren inzwischen beide tot. Autounfall. Janice und ihr Bruder hatten das Haus an einen jungen Anwalt und seine Frau verkauft.

Die Kleinmans. Die Baumgartens. Die Pruetts.

Ihre Kinder waren samt und sonders längst erwachsen, aber einige der Eltern lebten noch immer in den prächtigen alten Villen, die über Generationen weitervererbt worden waren. Kate hatte auf ihren Schaukeln gesessen und war in ihren Pools schwimmen gegangen, sie hatte mit ihren Söhnen geflirtet und sich durch ihre Gärten nach Hause geschlichen. Wieder bog Kate links ab. Die Einfahrt war nicht gepflastert. Feiner Kies heftete sich unter ihre nackten Sohlen. Sie spürte jetzt fast gar nichts mehr, und sie nahm an, dass dies den gegenwärtigen Zustand ihres Lebens wohl am besten beschrieb. Wenn der Schmerz zu groß wurde, verdrängte Kate ihn einfach.

Die Außenbeleuchtung des Haupthauses war ausgeschaltet, sämtliche Fenster waren dunkel. Kate strich mit der Hand über den schwarzen Cadillac Fleetwood. Sie ging an der Küche vorbei, dem dahinter liegenden Arbeitszimmer, dem Pool, dem Tennisplatz.

Das Gästehaus war ursprünglich für Bedienstete vorgesehen gewesen, doch dank der Bürgerrechtsbewegung, dank Staubsaugern und Waschmaschinen und Wäschetrocknern und all den anderen nützlichen Gerätschaften, die es möglich gemacht hatten, ein großes Anwesen ohne Personal zu führen, war diese Zeit inzwischen ein für alle Mal vorbei. Vor dem einstöckigen Haus stand ein kleiner Sportwagen mit offenem Verdeck. Mit der Hand strich Kate über das weiche Leder des Fahrersitzes.

Das Verandalicht brannte. Hinter den Vorhängen war noch immer ein schwacher Schein zu erkennen. Von drinnen hörte sie eine Schallplatte. Wie schon vor dem Haus ihrer Eltern stützte Kate jetzt eine Hand auf die Seitenverkleidung des Autos. Diesmal zog sie ihre Unterwäsche aus.

Sie warf sie ins Auto. Ging die Stufen hinauf. Und klopfte dreimal an Philip Van Zandts Tür.

24

Mit zitternden Knien durchquerte Kate die Tiefgarage unter dem Barbizon Hotel. Jede Zelle ihres Körpers pulsierte in einer anderen Frequenz. Ihre Lippen fühlten sich von Philips Küssen geschwollen an. Ihre Brüste waren noch immer empfindlich. Sobald sie die Augen schloss, konnte sie wieder spüren, wie seine Zunge über ihren Körper wanderte.

Sie sehnte sich in Philips warmes Bett zurück und wünschte sich, dass er all diese wunderbaren Dinge wieder und immer wieder mit ihr täte, aber es gab auch immer noch einen kleinen Teil von Kates Hirn, der sich an einem winzigen Rest Verstand festhielt. Sie durfte am Morgen nicht neben ihm aufwachen. Sie konnte in seiner Küche nicht Toast verbrennen oder Kaffee kochen oder ihn nach seinen Plänen für den Tag fragen. Sie durfte nicht zulassen, dass sie in trügerische Häuslichkeit verfiel.

Es fühlte sich zu sehr nach Betrug an.

Merkwürdig war, dass sie, als sie Philip all diese Dinge mit ihr hatte tun lassen, nicht im Mindesten das Gefühl gehabt hatte, Patrick zu betrügen. Die beiden Männer waren einfach zu verschieden. Philips Küsse waren sinnlicher. Er hatte eine intime Kenntnis der weiblichen Anatomie. Und er hatte es nicht eilig gehabt. Er hatte jeden Zentimeter von ihr genossen. Als sie so weit gewesen waren, hatte er etwas Außerordentliches mit seinen Hüften gemacht – eine exquisite Bewegung, als tauchte ein Löffel in Honig. Es hatte keine immer heftiger werdenden Stöße gegeben, die zu schnell vorbei waren, sodass Kate ins Badezimmer hatte huschen und die Sache selbst in die Hand hatte nehmen müssen.

Kate war mit ihrem Ehemann nie zum Orgasmus gekommen. Zumindest nicht so, wie sie es allein konnte. Es war aber auch keine Frage der Dauer, sondern der Finesse. Patrick hatte sie bis an den Rand gebracht, was gut gewesen war, aber es hatte nie den letzten Stoß gegeben, der sie darübergejagt hätte. Kate war sich sicher, dass sich das geändert hätte, wenn sie nur mehr Zeit miteinander gehabt hätten. Zeit zum Erkunden. Zeit, zusammenzuwachsen und schätzen zu lernen, was sie einander zu bieten hatten.

Im Mittelpunkt hatte immer Patricks Vergnügen gestanden, was Kate nie etwas ausgemacht hatte. Sie hatte sich gut mit ihrem Ehemann gefühlt. Ihr Körper hatte auf ihn reagiert. Es hatte an den richtigen Stellen gekribbelt, ihr Herz hatte einen Satz gemacht und ihr Körper sich vor Erwartung aufgebäumt. Dass das Nächstliegende dann nicht gefolgt war, hatte Kate sich selber zugeschrieben. Nicht wegen Freud; sie hatte Pattrick so sehr geliebt, dass es ihr eigenes Versagen hatte sein müssen.

Und dafür hatte Kate Patrick ehrlich gestanden auch nicht gebraucht. Es hatte ausgereicht, einfach nur in seinen Armen zu liegen. Seine starken Arme um sich zu spüren. Zu hören, wie er den Atem anhielt, den Blick in seinen Augen zu sehen – das war ihr mehr als genug gewesen. Sie liebten einander, liebten einander tief, tief und innig, und dass er glücklich war, war für sie befriedigender als alles, was man im Bett mit ihr anstellen konnte.

Kate war sich sicher, dass sie zu Philip nie diese Gefühle entwickeln würde. Sie würde nie seine Hemden bügeln. Sie würde nie liebevoll seine Taschentücher zu ordentlichen kleinen Quadraten falten. Sie würde nie ihr Gesicht in sein Kissen drücken, nur um seinen wunderbaren Geruch einzuatmen.

Ihr Vater hatte sich geirrt. Kate spaltete sich nicht in zwei Persönlichkeiten auf. Sie zerbrach in drei.

Sie drückte auf den Liftknopf. Normalerweise stieg Kate die Treppe zur Lobby hoch, aber heute traute sie ihren Beinen nicht. Es war inzwischen halb sechs in der Früh. Hummeln schwirrten ihr durch den Kopf. Gedanken an Philip durchpulsten ihren Körper. Sie musste duschen. Sie musste sich wenigstens kurz hinlegen. Und dann würde sie die Uniform anziehen und zur Arbeit gehen.

Die Aufzugtüren glitten auf. Kate betrachtete die rotsamtene Bank an der Rückwand der Kabine, aber sie wusste, sie durfte jetzt nicht schwach werden. Sie drückte auf den Kopf für die Lobby und überlegte, wie komisch es doch war, dass sie nach allem, was gestern passiert war, trotzdem wieder zur Arbeit gehen wollte. Falls das Gemetzel in dem portugiesischen Haus irgendetwas bei ihr bewirkt hatte, dann, dass sie nur umso dringender weiterarbeiten wollte. Sie musste sich beweisen. Sie musste sich wieder mit Maggie vertragen. Sie musste Gail Patterson zeigen, dass ihr Verlust nicht umsonst gewesen war.

Wieder kam ihr Freud in den Sinn – der Fluch der Tochter eines Psychiaters. Zweifellos hätte der tote Seelenklempner bei Kate masochistische Tendenzen diagnostiziert. Oder vielleicht hätte er es Penisneid genannt. Warum sonst sollte eine Frau Männerarbeit verrichten wollen? Sie sehnte sich nach der Aufmerksamkeit ihres Vaters. Sie wollte ihre Mutter dafür bestrafen, dass sie ihrem Vater Dinge gab, die sie selbst ihm nicht geben konnte. Sie war verrückt. Sie war hysterisch. Ihre Hormone waren aus dem Gleichgewicht geraten.

Wie kam es, dass völlig unabhängig voneinander jene Männer der Polizei von Atlanta und ein alter österreichischer Psychiater exakt die gleichen Schlüsse zogen?

Sie sollten sich alle von Dr. Philip Van Zandt beraten lassen. Er war eher ein Mann à la Masters und Johnson. Und das war auch der Grund, warum Kate breit lächelte, als die Tür aufging.

Doch dann verschwand ihr Lächeln schlagartig.

Vor ihr stand Maggie Lawson. Offensichtlich hatte sie geweint. Unter einem Auge verlief eine Schnittwunde. Am Hals waren Quetschungen zu sehen. Sie sagte kein Wort, aber sie verströmte eine derartige Verzweiflung, dass Kate fast mit den Händen danach greifen konnte.

»Was ist passiert?«

»Jimmy ist verschwunden.« Der Satz platzte regelrecht aus Maggie heraus, als hätte sie ihn schon eine ganze Weile zurückhalten müssen. »Er wird vermisst.«

»Vermisst?« Kate stieg aus dem Aufzug. Mr. Schueneman, der Nachtportier, sah sie missbilligend an. Sie fragte sich, wie lange Maggie schon auf sie gewartet hatte. Kate hatte Angst, dass sie genauso aussah, wie sie sich fühlte. Und jetzt machte sie sich Sorgen um Jimmy. »Erzähl mir, was passiert ist.«

Maggie atmete tief durch, bevor sie antwortete. »Ich kam gestern Abend nach Hause. Jimmy war nicht in seinem Zimmer. Sein Auto stand nicht vor dem Haus. Er war nicht auf dem Revier. Er wird heute nicht zum Dienst erscheinen. Keiner seiner Freunde weiß, wo er steckt. Dons Freundin hat seit Montag nichts mehr von ihm gehört. Er ist nicht in seiner Stammkneipe. Wir können ihn nirgends finden. Wir haben überall nach ihm gesucht.«

Kate versuchte, sich trotz ihrer Erschöpfung zu konzentrieren. Maggies Tonfall hatte etwas Eingeübtes, als würde sie ein Redemanuskript verlesen. »Wir?«

»Terry. Ich. Wir haben uns aufgeteilt.« Sie wandte sich kurz ab, als wollte sie Kates Blick nicht begegnen. »Auch die anderen Jungs suchen nach ihm. Terry hat ihn zur Fahndung ausgeschrieben.«

Kate dachte einen Moment nach. »Ist Jimmy schon mal verschwunden?«

»Noch nie.«

»Und er hat auch nicht angerufen oder eine Nachricht hinterlassen?«

»Nein.« Sie blickte an Kates Schulter vorbei. »Er hat nichts hinterlassen.«

Kate versuchte verzweifelt, einen klaren Gedanken zu fassen. Ein Teil von ihr lag immer noch in Philips Bett und schlief. »Bist du dir sicher, dass er nicht mit irgendjemandem weggegangen ist?«

Maggie schüttelte den Kopf. »Es gibt niemanden.«

Kate fragte sich, ob das wirklich stimmte. Wenn es in Jimmy Lawsons Leben einen Mann gäbe, wären seine Familienangehörigen wohl die Letzten, die davon wüssten.

Außer es gab einen anderen Grund.

Allmählich meldete ihr Hirn sich zurück. »Der Shooter ...«

Jetzt sah Maggie sie direkt an. In ihren Augen lag aufrichtige Angst. Offensichtlich hatte sie sich genau darüber Sorgen gemacht. Nicht darüber, dass ihr Bruder durchgebrannt sein könnte – sondern dass ihn jemand ermordet haben könnte und sie nur noch nicht die Leiche gefunden hätten.

»Wir finden ihn, okay? Ich bin mir sicher, es geht ihm gut.« Sie nahm Maggie am Arm und führte sie zu den Aufzügen hinter der Rezeption. »Ich muss mich nur schnell umziehen, okay? Aber ich mach dir einen Kaffee, und dann reden wir darüber.«

»Da gibt es nichts zu reden.« Maggie folgte ihr in den Aufzug. »Wir müssen den Shooter finden. Wir müssen ihn aufhalten.«

Den Shooter finden, nicht ihren Bruder. Sie war ja wirklich völlig durch den Wind.

Die Tür glitt zu, und Kate betrachtete Maggie im Spiegel. Sie sah schrecklich aus. Ihr Haar war zerzaust, der Lippenstift ver-

starrte sie die Einrichtung an. Nachdem Kate inzwischen Maggies Zuhause gesehen hatte, ahnte sie, warum.

Was sie allerdings nicht einordnen konnte, war der merkwürdige Zigarettengeruch. In ihrem Zimmer hatte noch nie jemand geraucht.

»Soll ich die Schuhe ausziehen?«, fragte Maggie.

»Natürlich nicht.« Kate wollte nicht länger über den Geruch nachdenken. Wahrscheinlich kam er von dem Mädchen nebenan. »Fühl dich wie zu Hause.«

»Wie lange wohnst du schon hier?«, fragte Maggie argwöhnisch.

»Vielleicht ein Jahr?« Sie deutete zu dem üppigen Sessel am Fenster. »Setz dich.«

Doch Maggie blieb, wo sie war. »Hat dir dein Vater geholfen, hier reinzukommen?«

Kate erzählte die erste Lüge, die ihr in den Sinn kam.

»Mein Ehemann hatte eine Versicherung.« Sie warf einen kurzen Blick zu Patricks Foto auf dem Nachttischchen hinüber. Und dann sah sie sofort noch einmal hin.

Patricks Armeemarken waren verschwunden.

Als sie gestern Abend gegangen war, waren sie noch da gewesen. Kate wusste genau, dass sie die Marken einen Augenblick lang angestarrt hatte, ehe sie die Tür hinter sich zugezogen hatte. Sie beugte sich über das Nachttischchen, um dahinter nachzusehen. Die Lücke war zu schmal, um irgendetwas erkennen zu können. Am liebsten hätte sie sofort auch noch unter dem Bett nachgesehen, aber Maggie hatte ohnehin schon Grund genug, Kate für leichtsinnig zu halten, auch ohne dass sie in einem Kleid auf dem Boden herumkroch. Ohne Unterwäsche.

»Was ist los?«, fragte sie jetzt.

»Nichts ...« Kate rieb sich die Arme, um sich zu wärmen. Die Vorhänge waren zurückgezogen. Kate hätte schwören können, dass sie sie zugezogen hatte, bevor sie gestern Abend gegangen war. Sie spürte das gleiche Frösteln, das sie auch schon auf dem Vordertreppchen ihrer Eltern empfunden hatte: das inzwischen nur zu vertraute beunruhigende Gefühl, dass irgendjemand sie beobachtete.

»Kate?«

»Alles okay.«

»Bist du dir sicher?«

»Natürlich bin ich mir sicher.« Und bevor Maggie weiterfragen konnte, wechselte sie das Thema. »Ich hab mir nur eben gedacht: Wenn der Shooter Jimmy was angetan hätte, würden wir es inzwischen wissen. Du hast es doch selber gesagt: Seine Vorgehensweise ist immer die gleiche. Er tötet seine Opfer, während sie im Dienst sind. Er zwingt sie, eine Pause zu melden und dann die Mikros auszustecken. Er weiß, dass irgendwann nach ihnen gesucht wird. Und unseren Vorschriften zufolge ist es offensichtlich, wo zuerst nachgeschaut wird – am letzten Zehn-zwanzig, den sie der Zentrale gemeldet haben.«

»Bei Sir Chic ist das nicht passiert.«

»Glaubst du wirklich, dass Sir Chic vom Shooter umgebracht wurde?«

»Wer sonst hätte ihn umbringen sollen?«

Kate fielen eine Menge möglicher Täter ein, nicht zuletzt, weil er ein Zuhälter gewesen war. Trotzdem schloss sie sich Maggies Gedankengang an. »Wir waren offenbar nicht die Einzigen, die herausgefunden haben, dass eins von Chics Mädchen etwas gesehen hat. Offensichtlich war noch jemand bei dem portugiesischen Haus, bevor wir dort ankamen. Oder ein bisschen später – er hatte immerhin Zeit genug, auf der gegenüberliegenden Straßenseite in Stellung zu gehen. Vielleicht ist er uns ja gefolgt.« Doch dann verwarf Kate diese Theorie gleich wieder. Sie wollte lieber nicht daran denken, dass sie von irgendjemandem verfolgt worden waren. »So oder so, mit Sicherheit hat der Shooter Chic beobachtet, als wir alle oben in seinem

Zimmer waren. Überleg doch mal, wie es passiert ist. Chic hält den Sender in die Höhe. Gail richtet die Waffe mitten auf sein Gesicht. Chic ist kurz davor zu reden. Das weißt du ganz genau. Und der Shooter wusste es auch. Der Sender war nur der letzte Beweis dafür, dass irgendjemand vor Ort gewesen sein muss. Chic hätte uns nur noch zu sagen brauchen, was dieser Jemand gesehen hatte.«

»Jimmys Sender.« Maggie hatte das offensichtlich schon völlig vergessen.

»Weißt du – jetzt, da ich darüber nachdenke, war es doch merkwürdig, was Chic gesagt hat.« Kate zitierte die Worte des Zuhälters, soweit sie sie in Erinnerung hatte. »›Der Kerl, den mein Mädchen gesehen hat, hat nicht die geringste Ähnlichkeit mit dem Bruder, den ihr die ganze Zeit in den Nachrichten bringt.‹«

Maggie schwieg. Ihr Gesicht war blass. Schweiß stand ihr auf der Stirn.

Kate machte das Fenster einen Spaltbreit auf, und kühle Luft pfiff herein. »Bestimmt meinte Chic die Polizeiskizze, die Jimmy hat erstellen lassen. Die war doch überall in den Nachrichten. Sie war sogar auf dem Titelblatt der Abendzeitung. Ich kenne mich in Sachen Slang nicht besonders gut aus, aber ist es nicht so, dass mit einem ›Bruder‹ ein Schwarzer gemeint ist? Aber was meinte er dann mit ›Kerl‹? Einen Weißen?«

Maggie stützte sich auf der Kommode ab. Sie schien weiche Knie zu haben. »Kommt drauf an, mit wem man spricht …«

Kate versuchte, es ihr zu erklären. »Du hast mir doch erzählt, Gail habe dir beigebracht, dass Weiße Weiße umbringen und Schwarze Schwarze, und deshalb …« Maggie reagierte nicht. »Was weißt du noch von gestern? Ich meine, nachdem ich ohnmächtig wurde.«

Maggie zuckte bloß mit den Schultern. »Alles.«

»Ganz deutlich? Auch, wie jeder Einzelne ausgesehen hat?« Kate verschränkte die Arme vor der Brust. Allmählich wurde ihr kalt. »Ich hab nachgedacht – ich könnte beispielsweise um nichts in der Welt diese portugiesische Dame beschreiben. Wir haben mehrere Minuten lang mit ihr gesprochen. Wir waren in ihrem Haus. Aber wenn du von mir verlangen würdest, ihr Aussehen zu beschreiben – ich könnte es nicht.«

Maggie zuckte erneut mit den Schultern. »Und?«

»Wenn ich sie nachts gesehen hätte, und sie wäre mit einer Waffe um die Ecke gekommen, hätte ich ihr Gesicht unmöglich beschreiben können. Also hat vielleicht Jimmy ...«

»Das bist du, Kate. Du machst diesen Job gerade mal seit zwei Sekunden. Du hast noch nicht die Erfahrung, auf gewisse Dinge zu achten. Mein Gott, du bist gegen eine Ziegelmauer gerannt ...«

Kate dachte einen Moment darüber nach, was Maggie soeben gesagt hatte. Es ging nicht darum, was sie gesagt hatte, denn damit hatte sie vollkommen recht. Es ging darum, *wie* sie es gesagt hatte. Da hatte nichts von ihrer gewohnten Verärgerung mitgeschwungen. Sie hatte abwehrend geklungen. Und trotz der kalten Luft schwitzte sie noch immer.

»Du hast recht«, pflichtete Kate ihr schließlich bei. »Vielleicht brauche ich einen Kaffee, um wieder wach zu werden.« Sie schnappte sich die Kaffeekanne und ging damit ins Bad. Drehte das Wasser auf. Und versuchte, das Gefühl abzuschütteln, dass sie gerade irgendetwas Wesentliches übersah.

Damit Maggie sie über das Rauschen des Wassers hinweg hören konnte, rief sie über die Schulter: »Jimmy ist in den letzten Tagen in diverse traumatische Situationen hineingeraten. Er hat mit angesehen, wie Don ermordet wurde. Ihm wurde in den Arm geschossen. Sicherlich hat ihn auch aufgeregt, was dir zugestoßen ist. Vielleicht braucht er einfach nur ein bisschen Zeit für sich? Um seine Gedanken zu sortieren?«

Zunächst kam keine Antwort. Kate wollte die Frage schon wiederholen, doch dann sagte Maggie: »So etwas macht Jimmy nicht.«

Mit der vollen Kanne kehrte Kate ins Zimmer zurück.

»Gibt es irgendeinen Menschen, mit dem er sich vielleicht insgeheim trifft?«

Maggie musterte Kate eingehend. »Insgeheim?«

Kate stand jetzt vor der Kaffeemaschine. »Ich hatte nie einen Bruder, aber meine Freundinnen schon. Und die haben immer behauptet, dass Jungs irgendwann geheimniskrämerisch würden – vor allem, sobald es ihr Liebesleben betrifft.«

»Hat er dich im Auto angemacht?«

»Jimmy?« Die Frage war überraschend gekommen. Kate wusste nicht recht, was sie darauf antworten sollte. »Ich glaube, er wollte mir, dem neuen Mädchen, einfach nur zeigen, was Sache ist. War das nicht der Grund, warum Terry mich ihm überhaupt zugewiesen hat?«

»Aber er hat mit dir geflirtet?«

»Ja.« Kate schaltete die Maschine ein. »Natürlich. Und ich habe zurückgeflirtet. Er kann sehr charmant sein, wenn er will.«

Maggies Miene war jetzt vollkommen ausdruckslos. Zuvor hatte sie Kate nicht in die Augen blicken können, aber jetzt schien sie unfähig zu sein, wieder wegzuschauen.

»Lass uns an dem Fall weiterarbeiten, okay?«, sagte Kate.

»Wir machen da weiter, wo wir gestern aufgehört haben. Wir haben nach Informationen gesucht, die zum Shooter führen könnten. Lass uns heute damit weitermachen.«

Maggie zögerte erst und nickte dann langsam. »Jimmy werden wir nicht finden können, aber wenn wir den Shooter aufspüren, dann wissen wir vielleicht auch, was mit Jimmy los ist.«

Kate war erleichtert, dass sie endlich zur Vernunft zu kommen schien. »Gibt es sonst noch was, was dich beschäftigt?«

»Was sollte mich denn sonst noch beschäftigen?« Maggie war schlagartig wieder abweisend. »Hast du ein Problem damit, was ich mit Anthony getan habe?«

»Absolut nicht. Du hast in Notwehr gehandelt. Du hast uns gerettet. Uns alle.« Kate schnürte sich die Kehle zu, und sie musste hart schlucken, um die in ihr aufsteigenden Emotionen zurückzudrängen. Sie fühlte sich wieder wie in der Telefonzelle an der Tankstelle – überwältigt von dem Gefühl, zu Kreuze kriechen zu wollen. »Wenn überhaupt, dann muss ich mich bei dir entschuldigen. Ich habe dich im Stich gelassen. Ich habe Gail im Stich gelassen. Ich hätte wachsamer sein müssen. Ich hätte in der Lage sein müssen, euch zu helfen, als plötzlich die Hölle losbrach.«

Maggie starrte die Kaffeemaschine an. »Ich hätte mir das Gebäude gegenüber genauer ansehen müssen.«

»Das hast du doch getan«, erwiderte Kate. »Ich hab genau gesehen, wie du hinübergeschaut hast, als wir Chics Zimmer betreten haben. Du und Gail, ihr beide habt euch alles genau angesehen – das gegenüberliegende Gebäude mit eingeschlossen.«

Offensichtlich glaubte Maggie ihr nicht.

»Du hast mir an meinem ersten Tag gesagt, Polizist zu sein lernt man nur, indem man andere Polizisten beobachtet. Ich habe dich und Gail beobachtet. Ihr habt euch alles genau angesehen.«

Doch Maggie wollte sich anscheinend nicht überzeugen lassen. Sie winkte ab und zupfte ein paar Fusseln von ihrer Uniform. »Der Chef hat gesagt, wir sollen uns ein paar Tage freinehmen.«

»Na und?« Kate hatte direkt neben Maggie gestanden, als Cal Vick es gesagt hatte. »Du nimmst dir nicht frei. Und ich bin mir sicher, auch Gail würde heute zum Appell erscheinen, wenn man sie nur aus dem Krankenhaus lassen würde.«

Maggie lächelte kurz, zog sich dann aber gleich wieder in ihr Schneckenhaus zurück.

»Okay.« Der Kaffee war durchgelaufen. Kate goss zwei Becher ein, während sie weiterredete. »Unser Plan ist doch, die

Identität des Shooters herauszufinden, oder nicht? Ich denke, wir sollten noch mal zu dieser Portugiesin fahren und mit ihr reden.«

»Warum?«

»Angenommen, der Shooter hat geglaubt, Chic wäre der Zeuge, aber in dem Haus könnte noch jemand sein, der die ganze Geschichte kennt ...«

Maggie schien nicht zu verstehen, was sie meinte.

»Hattest du nicht auch das Gefühl, dass die Portugiesin eine verdammte Wichtigtuerin war, die ihre Nase in alles steckte?«

»Lassen wir uns jetzt wieder von unseren Gefühlen leiten?« Maggie schüttelte den Kopf. »Ich schwöre dir, diese Frau wurde inzwischen von so ziemlich jedem in der Hierarchie der Truppe befragt, und jede ihrer Aussagen wurde schriftlich festgehalten. So läuft es, wenn die Kacke am Dampfen ist. Wir haben wahrscheinlich inzwischen genug Papierkram, um dieses ganze Wohnheim damit zu tapezieren.«

Kate stellte die Kanne wieder auf die Wärmeplatte. »Du hast gestern erst gesagt, dass die Leute lügen ...«

»Das tun sie ja auch.«

»Dann hat die Portugiesin die Polizei womöglich angelogen.« Sie versuchte, diesen Gedanken fortzuführen. »Sieh's mal so: Einem von Chics Mädchen ist irgendwas Schlimmes passiert. Sie hat gesehen, wie ein Polizist ermordet wurde. Sie hat furchtbare Angst. Was glaubst du, zu wem sie zuerst gegangen ist?« Kate beantwortete sich die Frage selbst. »Sie ging zu ihrem Chef und weckte ihn auf und übergab ihm den Sender. Und wer ließ sie mitten in der Nacht ins Haus? Wer schloss vier Schlösser auf und hakte die Sicherheitskette aus?«

»Okay«, gab Maggie nach einer Weile zu. »Es ist ein Schuss ins Blaue, aber was anderes haben wir nicht.«

»Gib mir ein paar Minuten, damit ich mich waschen und umziehen kann.« Kate zog frische Unterwäsche aus der Kommode. Als sie ihren Kleiderschrank öffnete, um ihre Uniform herauszuholen, bekam sie ein schlechtes Gewissen. Die Kleiderstange bog sich förmlich unter der Menge ihrer Kleidung. Schuhkartons waren über- und hintereinander gestapelt und nahmen die gesamte Bodenplatte des Schranks ein.

Auf dem Weg ins Bad schnappte Kate sich ihren Kaffee. Die Rohre lärmten, als sie die Dusche aufdrehte. Sie versuchte zu verhindern, dass ihr Haar nass wurde. Ihre Nerven feuerten wirre Impulse, während sie sich wusch. Unterhalb der Taille sah sie mächtig ramponiert aus. Doch sie durfte jetzt nicht daran denken, wie zärtlich Philip ihre blauen Flecken geküsst hatte.

Kate bezweifelte, dass es irgendjemanden gab, der die blauen Flecken an Maggies Hals küsste. An diesem Morgen wirkte sie, als trüge sie noch einen zweiten über ihrem üblichen Schutzpanzer. War das so, weil ihr Bruder vermisst wurde? Tief im Innern hatte Kate das Gefühl, dass noch mehr dahintersteckte. Argwöhnte Maggie inzwischen, dass Jimmy schwul war? Warum wollte sie ihn so dringend finden? Und Maggie war offenbar nicht die Einzige, die Jimmy aufspüren wollte. Terry wollte es auch. Sein Fahndungsaufruf hatte die gesamte Truppe alarmiert. Jeder Polizist in Atlanta würde heute mächtig zu tun haben – ob er nun Jimmy Lawson suchte oder dem Shooter nachjagte.

Eigentlich schade, dass Kate keine Kriminelle war.

Sie stieg aus der Dusche, trocknete sich schnell ab und frischte nur kurz ihr Make-up auf. Mit ein wenig Glück würde der Concealer, den sie sich unter den Augen verrieb, die dunklen Schatten überdecken. Kate hatte vergessen, eine Strumpfhose mit ins Bad zu nehmen, aber sie ging davon aus, dass es niemand bemerken würde, wenn sie heute keine trug. Während sie sich fertig anzog, horchte sie auf Geräusche aus dem Schlafzimmer. Sie fragte sich, ob Maggie wohl eingeschlafen war. Ein Teil von ihr hoffte inständig, dass es so wäre. Gestern erst hatte Kate Maggie Lawson für eine der klügsten Frauen gehalten, die sie je kennengelernt hatte. Im Augenblick schien sie allerdings unfähig zu sein, auch nur die offensichtlichsten Schlüsse zu ziehen.

Kate öffnete die Badtür. Maggie stand noch genau dort, wo Kate sie zurückgelassen hatte. Die Flecken an ihrem Hals wurden minütlich dunkler. Kate hätte schwören können, dass sich die Haut um den Schnitt an ihrer Wange ebenfalls verfärbte.

»Wir sollten noch mal unsere Notizen von gestern durchgehen«, sagte sie, und bevor Maggie etwas einwenden konnte, fuhr sie fort: »Also, alles, was wir uns über die Shooter-Fälle notiert haben.«

»Terry hat die Akten.«

Kate fragte gar nicht erst nach, weil sie genau wusste, dass Maggie nicht antworten würde. »Und was ist mit der Bar?«

»Welche Bar?«

»Dabbler's. Die von dem Streichholzbriefchen in Don Wesleys Hosentasche.«

Maggie hatte den Laden offensichtlich völlig vergessen. Doch dann sagte sie zu Kate: »Mein Nachbar arbeitet bei der Telefongesellschaft. Ich hab gestern Abend mit ihm gesprochen.« Maggie sah sich nach einer Stelle um, wo sie ihren Kaffee abstellen konnte. »Er hat versprochen, dass er die Adresse raussucht und sie mir in den Briefkasten steckt. Wir sollten vielleicht gleich losfahren, damit niemand anderes sie findet.«

Kate fragte sich, wen Maggie wohl in Verdacht hatte, ihren Briefkasten zu durchwühlen. »Es ist sowieso erst kurz nach sechs. Die Portugiesin ist vielleicht gesprächiger, wenn wir ihr noch ein bisschen Zeit zum Aufwachen geben. Stell den Becher einfach irgendwo ab.«

Maggie stellte den Becher auf die Kaffeemaschine. »Ist wahrscheinlich ohnehin eine Sackgasse. Gail hat angedeutet, das wäre keine Stammkneipe für Polizisten.«

»Mein Vater sagt immer, wenn du nicht weißt, was du tun sollst, bleib einfach in Bewegung, bis du es herausfindest.«

Kate steckte die Füße in Jimmys Schuhe und nahm den Gürtel vom Schrankgriff. Die Metallhaken lagen in ihrem Schmuckkästchen neben einer ihrer alten Uhren. Sie legte auch die Uhr an. »Müssen wir uns mit Delroy und Watson in Verbindung setzen?«

»Wozu?«

Kate hängte die Haken an ihrem Gürtel ein. »Um die Erlaubnis zu bekommen, noch einmal in diesen Stadtteil zu fahren.«

»Ich hab gestern fünfmal auf einen Mann geschossen. Ich glaube nicht, dass uns irgendjemand blöd kommen wird.«

Kate starrte sie an. War dies das eigentliche Problem? Fühlte Maggie sich schuldig, weil sie Anthonys Leben ausgelöscht hatte? Waren die Quetschungen an ihrem Hals ein Versuch, ihre Dämonen zum Schweigen zu bringen?

»Es ist schon in Ordnung«, sagte Maggie unvermittelt.

»Ich hab doch gar nichts …«

»Du bist wie ein Buch.«

»Man sollte ein Buch nie nur nach dem Umschlag beurteilen.« Dann kontrollierte Kate ihre Taschen: Lippenstift, Bargeld, Strafzettelblock, Notizbuch, Stifte. Sie hängte den Schlagstock in die Schlaufe am Gürtel und steckte das Mikro in den Sender. »Dein Nachbar scheint nett zu sein.«

»Er ist taub.«

Handschellen. Schlüssel. Stablampe. Kreuzschmerzen.

»Gail ist halb blind. Deswegen magst du sie kein bisschen weniger.«

»Seine Mutter ist Krankenschwester. Sie hat früher Abtreibungen gemacht.«

Kate riss den Kopf hoch.

»Bevor sie legal wurden.« Maggie sprach stockend. »Zu jeder Tages- und Nachtzeit kamen Mädchen zu ihr. Deshalb ist ihr Haus auch das hübscheste im ganzen Block. Sie hat damit eine Menge Geld verdient. Bist du fertig?«

Kate ging zur Tür, drehte sich dann aber noch einmal um und zog die oberste Schublade ihres Schreibtischs auf. Man hatte ihr gestern einen neuen Revolver überreicht, sowie der alte als Beweismittel eingezogen worden war. Kate steckte die Waffe ins Holster und legte den Sicherheitsriemen darüber.

»Jetzt bin ich fertig.«

Unter all dem Sarkasmus in ihrer Miene blitzte ein Hauch der alten Maggie auf. »Waffe sichern, Murphy! Du könntest dir den Fuß wegschießen.«

25

Fox konnte den Gedanken an Kates Haar einfach nicht beiseiteschieben. Er sah es vor sich, sobald er die Augen schloss. Strähnen aus Gold und Honig. Seidige Wellen, die ihren langen Hals umschmeichelten. Wangenknochen wie aus Elfenbein geschnitzt. Augen wie der makelloseste Ozean.

Alles Lügen.

Blond – obwohl sie dunkel sein sollte. Mit einem irischen Namen – obwohl sie Jüdin war. Mit einem Gesicht, das sie der Welt präsentierte, während sie ihr wahres Ich hinter einer Maske der Normalität versteckte. Und genau das war auch das Problem – all die Heucheleien, in die man sich unbemerkt verstrickte; und wenn man sie endlich als solche erkannte, war es längst zu spät.

Juden. Italiener. Schwule. Schwarze. Inder. Der alte Mann hatte recht gehabt. In dieser Welt war das Unterste nach oben gekehrt worden. Die Leute kannten ihren Platz nicht mehr. Fox musste dies wieder korrigieren – er musste sich fragen, wie sein Leben verlaufen wäre, wenn er es geschafft hätte, die Dinge auch für Senior zu korrigieren.

Diesen Itaker zu erschießen, ehe er die Fabrik hatte schließen können.

Die Schlampe zu vergasen, bevor sie den Scheck vom Arbeitsamt in Stücke gerissen hatte.

Den Mistkerl hinzurichten, bevor er ihm den Job hatte wegnehmen können.

Seine Mutter vor Seniors Schmerz zu bewahren.

Denn es war sein Zorn, der alle anderen verletzt hatte. Es war sein Schmerz.

Nachdem die Fabrik geschlossen worden war, hatte Senior jeden Abend am Küchentisch gesessen und von den Leuten gesprochen, die ihm so übel mitgespielt hatten: von den Itzigs. Den Latinos. Den Arschlöchern, die nicht hierhergehörten. Senior hatte angefangen, die Bibel zu lesen. Plötzlich hatte er sich dafür interessiert wie ein Konvertit. Nach Jahren, in denen er über die Frömmelei von Fox' Mutter gelästert hatte, hatte er nun endlich selbst seine Berufung gefunden.

Und er hat von einem Menschen alle Völker abstammen und sie auf dem ganzen Erdboden wohnen lassen und hat im Voraus ihre Zeiten und die Grenzen ihres Wohnens bestimmt.

Fox hatte danebengesessen, als Senior die Stelle gefunden hatte. Der alte Mann hatte den Finger auf die Zeile gelegt und ein »Aha!« ausgestoßen, das tief aus seinen Eingeweiden zu kommen schien. Apostelgeschichte 17:26. Gott hatte Senior ein Ziel gegeben, das ihm von Adam vererbt worden war, doch seine vorbestimmte Zeit war ihm genommen worden. Seine Grenzen wurden neu gezogen.

Und wer waren die Diebe von Seniors sonnigen Zeiten? Die Itzigs. Die Latinos. Die Itaker. Die Asiaten. Sie waren wie Dominosteine herabgefallen und auf seine Welt geprasselt.

Und dann forderten sie ihr letztes Opfer: Fox' Mutter. Sie saßen gerade am Küchentisch, als sie vom Arzt nach Hause kam. Die Bibel war zugeschlagen. Senior trank Jack Daniel's direkt aus der Flasche und suchte förmlich nach einem Grund, jemanden zu verprügeln. Fox wollte ihm keinen geben. Er war eben erst von der Schule heimgekommen. Er aß den Snack, den seine Mutter immer für ihn herrichtete: eine Scheibe Brot mit abgeschnittener Rinde und einer

Scheibe Käse obendrauf. Eigentlich gehörte dazu noch ein Keks, aber Fox war nicht so einfältig zu fragen, was damit passiert war.

Seine Mutter setzte sich an den Tisch. Ihr Stuhl war kleiner als seiner. Die Lehne war zerbrochen. Sie saß immer auf der vorderen Kante. Obwohl sie ihr ganzes Leben lang versucht hatte, immer die Wogen zu glätten, beschönte sie diesmal nichts. Der Schmerz in ihrem Magen war Krebs und der Tumor inzwischen so groß wie eine Grapefruit.

Man gab ihr noch drei Monate. Vier, wenn sie sich schonte. Senior fing an zu weinen. Die erste von zwei Gelegenheiten, da Fox den alten Mann zusammenbrechen sah.

Fox weinte nicht. Er stellte sich eine Grapefruit vor. Er verglich sie mit anderen Dingen. Einem Baseball. Einem Softball. Der Faust seines Vaters.

Für Fox kam es mehr als nur dem Zufall gleich, dass seine Mutter ein Krebsgeschwür hatte, das in etwa so groß war wie Seniors Faust. Denn dorthin hatte Senior sie am häufigsten geschlagen – in den Magen. Fox stellte sich vor, wie die Faust das Organ zusammendrückte, bis es die gleiche Form und Beschaffenheit annahm. Er stellte sich den Magen seiner Mutter als Faust vor. Mit seinen Gedanken wollte er die Finger zwingen, sich zu öffnen. Er flehte Gott an, den Tumor aufzubrechen und seine Mutter von den Schmerzen zu befreien. Morphium war das Einzige, was ihr noch half. Vermutlich hätte man etwa zwei Jahre zuvor, als sie den Ärzten zum ersten Mal von dem scharfen Stechen erzählt hatte, oder im letzten Jahr, als Blut gekommen war, noch irgendwas tun können.

Jetzt aber war es dafür zu spät.

Fox konnte es den Ärzten nicht verdenken, dass sie ihr nicht geglaubt hatten. Sie hatte schließlich ständig gelogen. Die gebrochenen Handgelenke. Die zertrümmerten Sprunggelenke. Die Schnitte und Quetschungen und die Panik in ihren Augen, wenn man ihr sagte, dass sie genäht werden müsse. Niemand knallte einem unabsichtlich zweimal hintereinander die Autotür gegen das Bein. Niemand erlitt Verbrennungen dritten Grades am Arm, weil er zufällig an die heiße Herdplatte kam. Die ins Fleisch gebrannten konzentrischen Ringe hatte man nur, weil einem jemand anders den Arm auf die Platte drückte, um einem eine Lektion zu erteilen.

Wenn ein Mensch die ganze Zeit log, wie sollte man da erkennen, dass er ein einziges Mal die Wahrheit sagte? Fox hatte die Wahrheit sehen können. Wie die Knie seiner Mutter einknickten, wenn der Schmerz sich wieder meldete. Die zitternden Hände. Die Schmerzensschreie, wenn sie im Bad war. Immer wieder sagte sie den Ärzten, dass irgendetwas mit ihr nicht in Ordnung sei, und sie erwiderten immer nur beschwichtigend, sie brauche einfach nur etwas Erholung.

Und auch Fox brauchte Erholung. Unzählige Jahre waren vergangen, aber beim Gedanken an ihr Leid verschlug es ihm immer noch den Atem.

Er lehnte sich an die Kellertür. Er schloss die Augen und konzentrierte sich auf sein Gehör. Die Schallisolierung war gut. Er musste sein Ohr fest ans Holz pressen, um das Rasseln der Ketten zu hören. Jimmy Lawson weinte noch immer. Er hatte geflennt von dem Augenblick an, da Fox ihn sich geschnappt hatte. Er hatte nicht um Gnade gefleht. Sondern um den Tod. Wie alle anderen wusste auch Jimmy, was er verdiente. Zwei Kugeln in den Kopf, genau wie Senior.

Oder zumindest hatte Senior das versucht.

Der Wichser hatte nie in seinem ganzen Leben irgendwas richtig gemacht.

Es war nach der Beerdigung passiert. Fox hatte zugesehen, wie der Sarg seiner Mutter in die Erde gelassen wurde. Es war bitterkalt gewesen an jenem Tag. Fox hatte gefroren. Niemand war da gewesen, der ihm sagte, dass er seinen Mantel anziehen solle. In seinem dünnen Anzug hatte er einfach nur neben dem ausgeschaufelten Erdhaufen gestanden und den feuchten Lehm ganz hinten in seiner Kehle geschmeckt, während der Wind durch ihn hindurchgefahren war wie ein Schwert.

Senior hatte geweint. Das zweite Mal, dass Fox ihn hatte weinen sehen. Große, fette Tränen waren ihm die Wangen hinabgelaufen. Fox hatte genau gesehen, wie sie ihm auf die Schuhspitzen fielen.

Lektion neun: Ein Mann poliert immer seine Schuhe.

Als sie nach Hause zurückfuhren, herrschte Schweigen. Niemand war da, um sie zu begrüßen. Fox' Mutter hatte keine Freundinnen. Seniors frühere Kollegen waren anderweitig beschäftigt. Die Damen aus der Kirche hatten Essen gebracht, das in der Küche stand. Ein Nachbar hatte Milch vorbeigebracht. Es gab einen Kuchen von der Frau des Pastors, aber keinen Pastor, nur ein kaltes, leeres Haus, das seine Mutter immer irgendwie mit Leben gefüllt hatte, wie Fox jetzt erst erkannte. Mit Glück. Mit Schmerz. Mit Angst. Mit Liebe.

Senior ging in die Küche und setzte sich an den Tisch. Dann zog er eine Schublade auf und holte die Waffe heraus, hielt sich die Mündung an den Kopf und drückte ab.

Fox stand direkt daneben, als er es tat. Sie sahen einander bis zur letzten Sekunde in die Augen. Gleich nachdem Senior abgedrückt hatte, schnellte sein Auge zur Seite. Es sah beinahe komisch aus, wie er zum Fenster hinaus und gleichzeitig Fox anzuschauen schien. Die Waffe fiel zu Boden. Doch Senior fiel nicht hinterher. Er saß kerzengerade auf seinem Stuhl wie jeden Abend, solange Fox zurückdenken konnte.

Kaliber .22. Die Kugel war nicht aus dem Schädel ausgetreten. Sie war in seinem Hirn hin und her gesaust wie ein Moskito. Von der einen Seite zur anderen. Von vorne nach hinten. Es kam nicht viel Blut. Aus dem schwarzen Loch über Seniors Ohr rollten nur ein paar kleine Tropfen. Sein Mund bewegte sich. Aus seiner Kehle drang ein Laut, der klang wie das Krächzen einer Krähe.

Fox sah zu dem Kuchen hinüber, den die Frau des Pastors gebracht hatte. Die Kruste war am Rand schwarz. Seine Mutter hätte nie jemandem einen Kuchen mit verbrannter Kruste gebracht.

Wieder machte Senior dieses krächzende Geräusch.

Fox brach ein Stück Kruste ab und steckte sie sich in den Mund. Buttrige Üppigkeit breitete sich auf seiner Zunge aus. Dann der verkohlte Nachgeschmack. Er griff einfach in den Kuchen und zog eine Handvoll Füllung heraus, leckte sich den Kirschbrei von der Hand und trat ein paar Schritte auf seinen Vater zu. Seine Hand war röter als die Schusswunde in Seniors Kopf, doch dieses Missverhältnis verschwand aus seinem Bewusstsein, als Fox die Waffe vom Boden aufhob, seinem Vater die Mündung an den Kopf hielt und ein zweites Mal abdrückte.

Lektion zehn: Ein Mann bringt immer zu Ende, was er angefangen hat.

Die wichtigste Lektion. Die einzige Lektion, die wirklich zählte.

Und wieder hatte Fox etwas, was er zu Ende bringen musste. Nicht, weil es eilte, sondern weil alles Hinauszögern nichts bringen würde. Jimmy Lawson weinte noch immer. Er würde auch in einer Stunde oder einem Jahr noch weinen.

Fox war kein Mörder. Er war ein Richter. Jimmys Schmerz bereitete ihm kein Vergnügen.

Kaum Vergnügen.

Er stieß sich von der Kellertür ab und kontrollierte das Schloss. Anstatt sich umzudrehen und zurück ins Haus zu gehen, blieb er stehen. Er konnte nirgends hingehen.

Druck.

Selbst wenn er gerade nicht an Kate dachte, begehrte sein Körper sie. Fox presste die Hand auf seinen steifen Schwanz. Er brauchte Zeit mit Kate. Zeit mit ihr allein. Er vermochte ihr nicht länger nur aus der Ferne zuzusehen. Er musste sie haben – in seinem Haus, seinem Bett, seinem Keller.

Und dann würde er sie behalten, bis der Druck endlich nachgelassen hatte. Allmählich dämmerte es ihm, dass er dies schon vor langer Zeit beschlossen hatte. Auch damals schon hatte seit Hirn gleichzeitig an zwei Plänen gearbeitet. Fick sie. Töte sie. Fick sie noch mal.

Schadet doch keinem.

Niemand würde je erfahren, was zwischen ihnen passiert wäre. Senior war längst unter der Erde, begraben neben all den anderen Mittellosen. Er würde nie erfahren, dass sein Sohn eine Jüdin gefickt hatte. Er würde nie von der Macht erfahren, die Kate über seinen Jungen ausgeübt hatte.

Nur Fox würde es wissen.

Er hielt sich die Hand vor die Augen. Die Scham traf ihn wie Tränengas. Die Stacheln in seiner Hornhaut. Das Glas in seiner Lunge. Das atemberaubende, erstickende Wissen, dass er in sie verliebt war.

Liebe.

Er konnte es nicht länger leugnen. Der Blitz, der seinen Schädel in diesem Augenblick traf, fügte nicht wie sonst seine Pläne zusammen. Es war Kate, die ihren Judenzauber über ihn geworfen hatte. Die dreckige Schlampe hatte den Spieß umgedreht. Er dachte, er würde sie jagen, sie verfolgen, doch in Wahrheit hatte Kate ihn längst eingefangen.

Fox würde die Kontrolle wieder an sich reißen müssen. Kate würde sich seinem Willen beugen müssen. Vielleicht würde sie darunter zerbrechen. Das konnte lediglich die Zeit weisen. Fox musste sie sich allein schnappen. Das war das Wichtigste. Er brauchte ihre ungeteilte Aufmerksamkeit. Er würde sie studieren. Er würde ihre Schwächen studieren, ihre Reaktionen auf seinem Klemmbrett notieren, damit er lernte, wie er am besten mit ihr umging.

Es würde nicht annähernd so sein wie bei Senior, wenn er sich Fox' Mutter vorgenommen hatte. Kate war schließlich nicht unschuldig. Sie war eine Lügnerin. Sie war eine Betrügerin. Sie hatte Fox dazu gebracht, ihr zu verfallen – genau wie Rebecca Feldman. Genau wie jede Schlampe, die Fox nach seiner Mutter geliebt hatte.

Fox nickte bedächtig. Endlich hatte er begriffen, was passiert war. Der Blitz hatte ihn mitnichten im Stich gelassen. Das alles gehörte zu seinem Plan. Sein Hirn hatte es sich schon seit Wochen zurechtgelegt. Die Ketten waren bereits an die Dachsparren geschraubt. Die Schallisolierung funktionierte. Fox hatte überhaupt nicht die Kontrolle verloren. Er hatte die ganze Zeit über das Sagen gehabt.

Jetzt ging es nur mehr darum, alles zusammenzubringen.

Das war sein Plan: Bring diesen Job zu Ende. Dann fang mit Kate einen neuen an.

Fox steckte die Hand in die Tasche und zog die Armeemarken daraus hervor, die er aus ihrer Wohnung mitgenommen hatte. Die Metallplättchen klirrten vertraut, als er sie aneinanderrieb.

Murphy.

Patrick R.

Seine Sozialversicherungsnummer, obwohl er nie wieder Steuern zahlen würde.

Seine Blutgruppe – das Blut, das er in irgendeinem gottverlassenen Dschungel verspritzt hatte.

Seine Religion – aber scheiß auf den Papst, weil er den Krieg doch nicht hatte stoppen können.

Fox hängte sich die Kette um den Hals. Er steckte sie sich ins Hemd. Das kalte Metall küsste seine Brust.

Er fragte sich, ob Kates Lippen sich genauso anfühlen würden.

26

Auf dem Weg nach CT verfuhr sie sich. Sie war schon hundertmal von ihrem Haus aus zur West Side gefahren, aber ihr Hirn hatte sich abgeschaltet, ihre Muskelerinnerung hatte sie verlassen, und anstatt vor dem Haus der Portugiesin zu landen, steckten sie jetzt im Morgenverkehr in Downtown fest. Sofern Kate es gemerkt hatte, sagte sie zumindest nichts.

Maggie war dankbar dafür. Kates Verwandlung gab ihr Rätsel auf. Aus dem Schaf war urplötzlich eine Frau geworden, die das Zeug zu einer verdammt guten Polizistin hatte. Davon hatte Maggie eine erste Ahnung bekommen, als sie gemeinsam über den Shooter-Akten gesessen hatten. Heute früh hatte Kate so schnell Zusammenhänge hergestellt, das Maggie kaum mehr hatte mithalten können. Kate schien mit jedem Tag besser zu werden.

Und Maggie mit jeder Sekunde schlechter.

Sie hatte Angst, dass Kate sie dazu bringen könnte, die Wahrheit zu sagen, was Jimmy anging; nicht dass Maggie die Wahrheit mit Sicherheit kannte. War ihr Bruder wirklich schwul? War er ein Mörder? Konnte sie das eine ohne das andere glauben? Oder waren beide Optionen nur grausame Lügengeschichten?

Ihr Kopf würde irgendwann explodieren, wenn sie sich nicht aus diesem Teufelskreis der Lügen löste.

Maggie war inzwischen so weit, dass sie all die dummen Dinge tat, nach denen sie gemeinhin Ausschau hielt, wenn sie einem Verdächtigen gegenübersaß. Ihre Hände zitterten. Sie schwitzte. Sie konnte Kate nicht in die Augen sehen. Eigentlich sollte man Maggie aus dem Auto zerren und sie an der Akademie vor eine Klasse stellen. Sie war eine Schuldige wie aus dem Lehrbuch.

Und sie war schrecklich müde.

Am vergangenen Abend hatte Maggie das Haus ihrer Mutter mit dem Gedanken verlassen, dass sie nie wieder zurückkehren würde. Sie hatte nicht gepackt. In ihrem Zimmer war nichts mehr, was sie benötigte. Sie hatte nur den Gürtel von der Anrichte genommen und war zur Tür hinausgegangen. Per Funk hatte sie eine Streife bestellt, die sie an der Ecke abholen sollte, und hatte sich am Revier absetzen lassen. Sie hatte in der leeren Männerumkleide geduscht. Dann hatte sie eine frische Uniform aus ihrem Spind angezogen.

Alles, was Maggie getan hatte, hatte sich endgültig angefühlt, doch gleichzeitig hatte sie gewusst, dass sie nirgends würde hingehen können. Sie hatte keine andere Unterkunft. Ihr Auto war in der Werkstatt. Sie hatte kein Geld, das ihr allein gehörte. Sie hatte kein schickes Apartment mit einem weißen Flokati am Boden und mehr Klamotten im Schrank, als es zum Tragen Tage gab.

Terry kassierte all ihr Geld. Noch vor Kurzem hatte sich das wie eine gute Idee angefühlt. Delia hatte ohne die Unterschrift ihres Mannes kein eigenes Konto eröffnen dürfen, und immer wenn Hank aus dem Krankenhaus kam, räumte er die Konten leer. Als sie beinahe das Haus verloren hätten, hatte Delia angefangen, Terry ihre Gehaltsschecks zuzustecken. Auch Maggie hatte ihm ihre Schecks gegeben, nachdem sie bei der Polizei angefangen hatte. Aber sobald auch nur eine von ihnen nicht nach seiner Pfeife tanzte, drehte er ihnen einfach den Geldhahn zu.

Es gab alle möglichen Bundesgesetze, die finanzielle Türen für Frauen zu öffnen versprachen, aber in Atlanta, Georgia, waren all diese Türen noch immer fest verschlossen. Es gab immer irgendeinen Winkelzug, einen zusätzlichen Riegel, der die Tür im Schloss hielt. Maggie würde kein Konto eröffnen können, auf das Terry keinen Zugriff hätte. Ohne Terrys Unterschrift hatte sie sich kein Auto kaufen dürfen. Ohne Terrys Erlaubnis würde sie keine Kreditkarte beantragen oder sich eine Wohnung mieten können.

Daten des nächsten lebenden männlichen Verwandten.

Danach wurde in allen Formularen gefragt. Monatelang hatte Maggie die Nummern in den Wohnungsanzeigen der Zeitung abtelefoniert. Bei allen war ein Mann als Bürge verlangt worden, sogar bei den eher zwielichtigen. Sie hatte zu viel Angst gehabt, um Terry darum zu bitten – und Jimmy hatte sich geweigert, weil er nicht zwischen die Fronten hatte geraten wollen.

In der vergangenen Nacht hatte Maggie bei seinen Freunden angefangen, hatte an ihre Wohnungstüren geklopft und ihre Familien geweckt, obwohl sie bereits geahnt hatte, dass er nicht dort sein würde. Sie hatte die Bar aufgesucht, in der er sich manchmal nach der Arbeit einen Drink genehmigte. Sie rief jede alte Freundin an, an deren Namen sie sich noch erinnern konnte. Sie sah auf dem Rücksitz seines Streifenwagens nach, brach im Revier seinen Spind auf, ging zum Schießstand, fuhr zum Sportplatz der Grady High und durchsuchte dort die Umkleidekabine, das Büro des Trainers und den Keller, wohin sich oft junge Pärchen schlichen, um ungestört rumzumachen. Sie weckte die Manager sämtlicher Motels an der Interstate. Sie marschierte mit einer Stablampe durch den Piedmont Park. Sie leuchtete in sämtliche Unterführungen und Gassen, in denen sich, wie sie wusste, Schwule trafen. Sie ging in Pornokinos und Vierundzwanzig-Stunden-Diner.

Ihre Verzweiflung wurde größer mit jedem Parkplatz und jeder Gasse, jedem erschrockenen anonymen Mann, der sich beim Anblick eines Polizeiwagens aus dem Staub machte. Maggie musste ihren Bruder finden, bevor Terry es tat. Sie wusste nicht einmal mehr, ob sie noch die Absicht hatte, ihm das Leben zu retten oder nicht. Das war inzwischen merkwürdig zweitrangig – am wichtigsten war ihr nur mehr, ihn aufzuspüren. Ihr erstes Ziel war eine wie auch immer geartete Erklärung. Jimmy musste Maggie in die Augen sehen und ihr sagen, warum er diesen Brief geschrieben hatte.

Der Brief …

Jedes einzelne Wort hatte sich ihr ins Hirn eingebrannt. Delia hatte das Blatt zerrissen, aber Maggie hatte Jimmys Geständnis aus dem Gedächtnis in ihr Notizbuch geschrieben, kaum dass sie das Haus verlassen hatte. Sie hatte sich jeden Satz genau angesehen. Sie hatte Formulierungen unterstrichen. Hinter dem Brief musste einfach mehr stecken als die bloße Aneinanderreihung von Wörtern.

Aber was würde ihr das am Ende bringen?

Auch auf die geringe Chance hin, dass Jimmy wirklich schwul war und Don Wesley und all die anderen Männer ebenfalls schwul gewesen waren – wie hatte man sie einfach umbringen können? Jeder von ihnen trug eine Waffe, die mindestens so mächtig war wie die der Gegenseite. Die Situation war beinahe schon vergleichbar mit der zwischen Russland und den Vereinigten Staaten, die inzwischen übereingekommen waren, ihre Nuklearwaffen nicht einzusetzen, weil ein Einsatz einzig und allein zur wechselseitigen Vernichtung führen würde.

Aber wenn Jimmy nicht schwul war, warum sollte er dann die Morde gestehen? Was war dann sein Motiv? Vielleicht hatte Kate recht in Bezug auf Jimmys Verfassung. Er hatte mit ansehen müssen, wie Don Wesley vor seinen Augen erschossen worden war. Er hatte es nicht geschafft, seinem Partner rechtzeitig zu Hilfe zu eilen. Er war von einer Verrückten in den Arm geschossen worden. War Jimmy wie diese kriegsmüden

Soldaten geworden, die durchdrehten, wenn sie in die normale Welt zurückkehrten? War der Brief ein Hilfeschrei gewesen?

Wenn das der Fall war, dann hatte Jimmy einen Weg gefunden, auf dem Terry ihn von seinem Leid erlösen würde. Denn Terry verabscheute neben Schwarzen und Liberalen nichts mehr als Homosexuelle.

»Scheiße!« Maggie schlug mit der Faust aufs Lenkrad. Sie waren die Third Street entlanggefahren, nur wenige Blocks vom Tunnel an der Georgia Tech entfernt, und plötzlich lief vor ihren Augen London Fog völlig unbekümmert über den Bürgersteig. Er trug wieder denselben Altmänner-Regenmantel, doch diesmal konnte sie den Saum einer Kammgarnhose über seinen glänzenden schwarzen Schuhen erkennen.

Maggie schlug das Lenkrad ein und stieg so heftig auf die Bremse, dass sie den Motor abwürgte.

Kates Hand schnellte vor ans Armaturenbrett. »Was soll …«

»Da!« Maggie sprang aus dem Auto. »Das ist der Vergewaltiger, der sich über das kleine Mädchen hergemacht hat.«

Kate stieg ebenfalls aus. »Bist du dir sicher?«

»Er hat den Mantel ihres Großvaters an.« Maggie zog den Schlagstock aus ihrem Gürtel. Sie hatte so laut gerufen, dass London Fog es gehört hatte, aber genau wie zwei Tage zuvor spazierte er einfach weiter. »Er hat ein dreizehnjähriges Mädchen vergewaltigt. Er hat den Mantel ihres Großvaters gestohlen.« Sie beschleunigte ihre Schritte, um ihn einzuholen. »Sein Name ist Lewis Windall Conroy der Dritte. Er stammt aus Berwyn, Maryland.«

Als er dies hörte, blieb er endlich stehen. In den Manteltaschen ballten sich die Fäuste. Doch er drehte sich immer noch nicht um.

Maggie baute sich hinter ihm auf und ließ den Schlagstock in die Handfläche klatschen. »Auf die Knie!«

Er rührte sich nicht.

Maggie war nicht in Stimmung für eine zweite Warnung.

Sie holte aus und hämmerte ihm den Schlagstock in die Knie-kehlen.

Conroy sackte zusammen.

»Maggie!«, keuchte Kate.

»Aufstehen«, bellte sie dem Mann zu. »Steh auf, oder ich tu dir so weh, wie du diesem kleinen Mädchen wehgetan hast.« Conroy schaffte es lediglich, auf alle viere zu kommen. Der Schlag hatte ihm den Atem geraubt. Er riss zwar den Mund auf, aber es troffen nur Spuckefäden heraus.

»Ich sagte: Aufstehen!« Maggie schlug ihm so fest aufs Steißbein, dass der Schlagstock surrte.

Conroy schrie auf. Seine Arme und Beine sackten nach au-ßen weg, und er knallte mit dem Gesicht auf den Bürgersteig. Maggie packte den Schlagstock fester. »Glaubst du wirklich, dein Daddy haut dich aus dem hier auch wieder raus?« Sie wollte ihn noch einmal schlagen, Knochen brechen hören, seine Schmerzensschreie hören. »Aufstehen!«, gellte sie ihn er-neut an. »Steh auf, du verdammter Kinderficker!«

Er gab sein Bestes, aber die Arme gaben unter ihm nach, und er fiel zurück aufs Pflaster.

»Hilf ihm auf!«, befahl sie Kate, die Conroy entsetzt unterm Arm packte, doch sie war nicht kräftig genug, und er war schwer wie ein nasser Sack.

»Bitte ...«, flehte er.

»Benutz deine Beine«, sagte Kate tonlos.

»Bitte, Lady ...« Genau wie Maggie spürte auch er Kates Schwäche. »Bitte, helfen Sie mir! Ich habe nichts Unrechtes getan.«

»Schnauze!« Kate ließ ihn wieder auf den Bürgersteig fallen und wandte sich an Maggie. »Was willst du mit ihm machen?«

Die Frage brachte Maggie regelrecht aus der Fassung. An den nächsten Schritt hatte sie noch gar nicht gedacht.

»Bitte«, jaulte Conroy. »Das ist alles nur ein Missverständ-nis!«

»Funk die Mädchen an«, sagte Kate.

Doch Maggie wusste, dass dies hier nicht über den Funk laufen durfte. Sie sah sich um. An der nächsten Ecke stand eine Telefonzelle. »Hast du ihn unter Kontrolle?«

»Wir kommen schon zurecht, solange ihm klar ist, dass ich mit dem Schlagstock genauso gut umgehen kann wie du.«

Kate hob eine Augenbraue, ein stillschweigendes Eingeständnis, dass dies eine Lüge war. Aber Kate machte das verdammt gut. Wann war das nur mit ihr passiert?

»Brauchst du Kleingeld?«

»Hab ich.« Maggie war so wütend, dass ihre Fäuste sich beinahe nicht öffnen wollten. Lewis Windall Conroy III. So einer konnte in jeden Wohnblock der Stadt spazieren und sich zehn Apartments mieten. Er konnte sich jedes Auto kaufen, das er haben wollte. Er konnte tun, was immer ihm in den Sinn kam.

Aber mit der Vergewaltigung eines kleinen Mädchens würde er nicht davonkommen.

Die Telefonzelle stank nach Pisse, und Erbrochenes war über den Boden gespritzt. Maggie stellte sich in die Tür und hielt sie, so gut es ging, mit der Schulter auf. Sie wählte die Nummer des Reviers und bat um eine Verbindung aus dem Festins Funknetz. Delroy meldete sich unter ihrer Kennnummer. Weder nannte Maggie ihren Namen, noch belästigte sie sie mit einer ausschweifenden Erklärung. »Ecke Third und Cypress.«

»Gib mir fünfzehn Minuten.« Delroy legte auf, und Maggie hängte den Hörer zurück auf die Gabel.

Die Tür schwang zu. Sie sah, wie Kate breitbeinig über Conroy stand – den Schlagstock hielt sie zwar in der Hand, aber er baumelte vor ihrem Gesicht wie eine Fackel.

Dreizehn Jahre alt.

Genau wie Lilly. Lilly war hübsch und würde eines Tages sogar richtig sexy aussehen, wenn sie sich geschickt schminkte, aber im Augenblick war sie immer noch ein Kind, das noch bis vor wenigen Monaten mit ihrer Barbiepuppe gespielt hatte.

Maggie blickte auf ihre Hände hinab und streckte einen Finger nach dem anderen. Sie wollte ruhig sein, wenn sie wieder zu ihnen zurückging. Sie wollte sich einreden, dass sie nicht die Kontrolle verloren hatte wie Terry oder ein kaltblütiger Mörder wie Jimmy, doch als sie wieder neben Conroy stand, hätte sie am liebsten ihre Waffe gezogen, sie ihm in den Mund gerammt und abgedrückt, so wie sie es bei Anthony getan hatte.

»Wie lang?«, fragte Kate.

»Zu lang. Aufstehen.« Sie packte Conroy am Kragen. Er war klug genug, sich nicht zu wehren. Er stolperte wie ein Fohlen, das seine ersten Schritte tat. »Dort lang.« Maggie trat ihm in den Hintern. »Beweg dich!«

Kate ging neben Maggie her. Sie hielt sich den Schlagstock immer noch vors Gesicht. Maggie drückte ihn schräg nach unten, damit Kate besser würde ausholen können.

Conroy ging langsam vor ihnen her. Er ließ den Kopf hängen und suchte sichtlich nach einem Ausweg. »Ladys, bitte – wir können doch darüber reden. Das ist alles doch nur ein Missverständnis.«

»Dieses Mädchen musste wieder zugenäht werden, nachdem du mit ihr fertig warst. Ist dir das klar?«

»Ach, darum geht's hier?« Er klang erleichtert. »Mein Gott, dann zahl ich eben die Arztrechnung. Mein Vater stellt einen Scheck aus …«

»So leicht kommst du diesmal nicht davon.«

»Warum fragen Sie nicht erst mal bei ihrer Familie nach? Ich bin mir sicher, die akzeptieren das Geld. Glauben Sie mir, sie wusste genau, was sie tat.«

»Hat sie dich angemacht?« Maggie hatte diese Ausrede schon so oft gehört, dass sich ihr schier der Magen umdrehte. *Sie hat mir nicht verraten wollen, wie alt sie war. Aber sie war ziemlich reif für ihr Alter. Sie hat den ersten Schritt auf mich zu gemacht. Sie wollte gar nicht mehr aufhören. Was hätte ich denn tun sollen?*

Männern wurde alle Verantwortung der Welt zugeschrieben – außer die Verantwortung für ihre eigenen Schwänze.

Maggie hob ihren Schlagstock. »Leg einen Zahn zu.«

Er sah verstohlen nach rechts und nach links. Jetzt suchte er nach einem Fluchtweg.

Maggie drückte ihm den Stock ins Kreuz. »Versuch nur loszurennen, du Arschloch. Gib mir einen Grund …«

»Ich kenne Ihre Namen.«

»Und wir kennen deinen.« Maggie ignorierte den angsterfüllten Blick, den Kate ihr zuwarf. »Das wird ein großer Spaß: dein Bild neben dem des Mädchens, das du so malträtiert hast, quer über der Titelseite!«

»Was geht Sie das eigentlich an?«, fragte er barsch. »Sie war doch nur eine verdammte kleine Straßennutte.«

»Und du bist ein verzogenes Miststück, das sich jetzt gleich zusammenprügeln lassen wird, nur um die nächsten drei Jahre nicht im Knast zu sitzen.«

Endlich hatten sie die Telefonzelle erreicht.

»Rein da.« Maggie stieß ihn vorwärts. Er zögerte. Auf dem Boden schwamm überall Erbrochenes. Er wollte sich seine Schuhe nicht schmutzig machen. »Schuhe ausziehen.«

»Wie bitte?«

Sie klopfte mit dem Schlagstock gegen die Zelle. »Schuhe runter.«

Er streifte sie ab. Unter den Schnallen seiner Loafers steckten allen Ernstes Pennys, und wahrscheinlich hatte er für seine Schurwollhose mehr bezahlt, als Maggie in einer ganzen Woche verdiente. Sie hatte die Nase allmählich voll von diesen reichen Säcken, die durchs Leben schwebten, als wäre es das reinste Zuckerschlecken.

»Mantel ausziehen. Der gehört dir nicht.«

Diesmal protestierte er nicht, sondern zog wortlos den Mantel aus. Kate nahm ihn an sich, ehe er zu Boden fallen konnte.

»Den Rest auch.«

»*Was?*«

Sie hob bedrohlich den Schlagstock. Mehr war nicht nötig. Er riss sein Hemd auf, dass die Knöpfe absprangen. Er öffnete den Bundhaken seiner Hose, zog den Reißverschluss auf. Dann schob er die Daumen in den Bund seiner Unterhose.

»Nein«, sagte Maggie – nicht weil sie ihn nicht zusätzlich demütigen, sondern weil sie ihn einfach nicht sehen wollte.

»In die Zelle.«

Zögerlich trat er in das Erbrochene. Sie hoffte inständig, dass es kalt genug war. Dass er die Brocken unter den Sohlen spüren würde.

»Warum tun Sie ...«

Mit einem Knall schlug Maggie die Tür zu. Dann griff sie an den oberen Rand der Zelle. Sie musste sich auf die Zehenspitzen stellen, um den Sperrriegel zu finden. Der Metallbolzen rastete ein.

Conroy warf sich gegen die Tür. Sie bewegte sich nicht.

»Lassen Sie mich raus!« Er rammte die Schulter dagegen.

»Rauslassen, verdammt noch mal!«

Kate faltete den Mantel des Großvaters zusammen und legte ihn neben die Telefonzelle. »Meinst du, die zahlen es ihm so richtig heim?«

»Geht uns nichts mehr an.« Sie steckte den Schlagstock zurück in die Gürtelschlaufe. »Sonst noch was, Kate? Noch irgend'ne Frage, Bemerkung oder Ermahnung?«

Kate schüttelte den Kopf, und Maggie machte auf dem Absatz kehrt. Bei jedem Schritt klopfte sie mit den Fingern auf den Schaft ihrer Stablampe. In ihrem Kopf pochte es im selben Takt. Sie sah nur noch verschwommen. Sie schwitzte und zitterte am ganzen Leib.

Dann erst hörte sie hinter sich wieder Kates Schritte. Sie war ihr mit einigem Abstand gefolgt, hatte Maggie ein wenig Freiraum gelassen, was zugleich irritierend und erniedrigend war und genau das, was Kate nun einmal tun würde.

Als Maggie in ihrer ersten Woche bei der Polizei mit Gail zusammen losgeschickt worden war, hatte sie intuitiv gewusst, dass sie besser die Klappe hielt. Sie hatte sich Notizen gemacht. Sie hatte Anordnungen befolgt. Sie hatte keine Fragen gestellt. Sie hatte nicht alle fünf Minuten ungefragt ihre Meinung geäußert. Sie hatte nicht aus jeder Dummheit, die ihr unterlief, einen Witz gemacht, um über sich selbst zu lachen, bevor die anderen es tun konnten.

Maggie fischte die Schlüssel aus der Tasche. Ihre Hand verkrampfte sich. Sie konnte den Zeigefinger nicht durch den Ring schieben.

Den Abzug drücken. Das Lenkrad umklammern. An Türen hämmern. Die Stablampe halten. Den Schlagstock schwingen. Händeringend zu Gott beten, dass ihr Bruder noch am Leben war. Dass er tot war. Dass Terry ihn noch nicht gefunden hatte. Dass sie ihn nie wiedersehen musste.

Vor dem Streifenwagen blieb Maggie stehen. Ihre Brust schmerzte. Sie überlegte kurz, ob sie gerade einen Herzanfall erlitt.

Kate stand jetzt dicht hinter ihr. Sie sagte nichts, aber die Frage hing laut und deutlich in der Luft: Alles in Ordnung mit dir?

Sie meinte sogar, ihren vornehmen Akzent hören zu können. Dann warf Maggie ihr die Schlüssel zu. »Du fährst.«

27

Auf dem ganzen Weg zum Haus der Portugiesin biss Maggie die Zähne aufeinander. Kate fuhr wirklich wie eine alte Frau. Sie stieg auf die Bremse, sobald ein anderes Auto auch nur in Sicht kam. Sie blinkte zweihundert Meter vor der Abzweigung. Sie hielt die Hände streng auf Zehn-vor-zwei-Position am Lenkrad.

Maggie wusste genau, wann jemand ihr was vormachte. Sie hatte schon hinreichend Kate Murphys an den Rand gewinkt. Frauen wie sie dachten, dass Verkehrsregeln für sie nicht galten. Sie ignorierten Stoppschilder. Sie fuhren zu schnell. Sie fuhren mit offenem Verdeck und Seidentüchern überm Haar, damit ihre Frisuren nicht durcheinandergerieten.

Ach Gottchen, Officer, war ich wirklich so schnell?

Vor dem Haus der Portugiesin ließ Kate den Streifenwagen ausrollen. Alles sah noch immer so aus wie tags zuvor – nur aus dem kaputten Fenster im Obergeschoss wehte der Vorhang. Niemand hatte sich die Mühe gemacht, es mit Pappe zu vernageln.

Kate stieg als Erste aus. Sie ging als Erste über den Bürgersteig, stand als Erste auf der Veranda. Maggie war es nur recht, dass sie die Führung übernahm. Sollte endlich mal ein anderer die Verantwortung tragen. Bei Kates Glück würde sich die Tür öffnen, und Jimmy würde dort vor ihnen stehen. Er würde die

Hände heben und alles gestehen. Cal Vick würde Kate beförderen. Sie würde der erste weibliche Detective der Truppe werden. Bei der Zeremonie würde sie sich verbeugen, und aus ihrem Arsch würde ein Regenbogen leuchten.

Kate klopfte an die Tür, als wäre sie eine Avon-Vertreterin.

»Du musst fester anklopfen.«

»Ich hatte den Eindruck, du wolltest, dass ich das hier übernehme.«

Maggie verstummte. Immer wenn sie glaubte, dass es vorbei wäre mit der Feindseligkeit, machte Kate den Mund wieder auf, und Maggie wollte ihr am liebsten eine verpassen.

Kate klopfte – diesmal wie ein Junge, der Zeitschriften-Abos verkaufte.

»Wo hast du überhaupt Portugiesisch gelernt? Hast du mal in Europa gelebt oder so?« Wahrscheinlich hatte sie dort ihre Flitterwochen mit ihrem Ehemann verbracht, der ausgesehen hatte wie Robert Redford.

»Wie bitte?« Kate sah verwirrt drein, doch dann breitete sich ein Lächeln auf ihrem Gesicht aus. »Sie hat nicht Portugiesisch gesprochen. Das war Jiddisch. Ein bisschen was hab ich von meiner Großmutter gelernt – väterlicherseits. Sie stammte aus Osteuropa. *A schande un a charpe* – ein ziemlicher Skandal, als sie meinen Großvater heiratete.«

Bevor Maggie nachhaken konnte, ging die Tür auf.

Diesmal wurden keine Riegel aufgeschoben und Ketten ausgehängt. Die Portugiesin trat einen Schritt von der Tür zurück. Sie hielt eine Kerze in der Hand. Im Haus war es dunkel, nirgends brannten Lichter. Sie trug dieselbe schwarze Kleidung wie beim letzten Mal, nur der Ärmel war an der Schulter aufgerissen. Ihr grau meliertes Haar hing ihr bis zur Taille. Weiß der Himmel, warum. Vielleicht hatte sie sich nicht die Mühe machen wollen, es zu waschen, mutmaßte Maggie.

Kate sagte gar nichts. Sie berührte nur das kleine rechteckige Kästchen am Türstock und trat dann über die Schwelle. Intuitiv schrillten bei Maggie alle Alarmglocken – all die Warnungen, die sie schon während ihrer Ausbildung gehört hatte: Die Zimmer waren voller Schatten. Die Vorhänge waren zugezogen. Sogar der Spiegel über dem offenen Kamin war mit einem schwarzen Tuch verhängt. Am liebsten hätte sie das Licht eingeschaltet. Es war unmöglich auszumachen, wer sich sonst noch in diesem Haus aufhielt.

Die Frau ging zur Küche. Die Kerzenflamme flackerte im Luftzug. Ihre Füße tapsten leise über den Boden. Sie war barfuß.

Kate folgte ihr, doch Maggie fasste sie am Ärmel.

»Pscht«, wies Kate sie sanft zurück.

Noch einmal versuchte Maggie, sie am Ärmel festzuhalten, doch Kate war bereits den Gang entlanggegangen. Maggie konnte ihr nur mehr folgen. Das hatte sie nun davon, dass sie Kate die Führung überlassen hatte – eine Befragung, bei der niemand sprechen durfte …

Wenigstens war die Küche nicht so dunkel wie der Rest des Hauses. Vor den Fenstern hingen keine Vorhänge. Doch vor ihr offenbarten sich Dinge, von denen Maggie die Hälfte nicht ansatzweise einzuordnen wusste.

Die Portugiesin stellte die Kerze aufs Fensterbrett über dem Waschbecken und nickte zum Küchentisch. Kate setzte sich, Maggie ebenfalls. Mit dem Rücken zu ihnen richtete die Frau zwei Teller her.

Maggie seufzte laut auf, um die anderen wissen zu lassen, dass sie nicht glücklich mit der gegenwärtigen Situation war. Dies alles hier brachte sie keinen Meter näher an Jimmy heran. Sie hatte von Anfang an gewusst, dass es sich als Schnapsidee erweisen würde.

Die alte Frau war fertig mit den Tellern und drehte sich wieder zu ihnen. Sonnenlicht erhellte ihr Gesicht.

Maggie entfuhr ein überraschtes »Oh!«.

Stoppeln bedeckten das Gesicht der Frau. Kein Wunder,

dass sie geklungen hatte wie Ricardo Montalbán. Die Portugiesin war ein Portugiese.

»Darf ich Ihnen vielleicht einen Eistee anbieten?«

»Ja, vielen Dank.« Kate schien das alles nicht im Geringsten zu überraschen. Sie nahm die beiden Teller entgegen und stellte sie auf den Tisch. Dann warf sie Maggie den gleichen warnenden Blick zu wie eine Mutter ihrem ungezogenen Kind. »Ich glaube, wir haben uns gestern gar nicht vorgestellt. Ich bin Officer Murphy, und das ist Officer Lawson.«

»Eduardo Rosa.« Er stemmte die Hände in die Hüften und sah Kate eindringlich an. »Murphy. Ich nehme an, Sie sind mit einem *schegez* verheiratet.«

»War ich.«

»Kluges Mädchen. Jüdische Männer können den Mund nicht halten.«

Kate lachte laut auf. Diese Bemerkung, dachte Maggie frustriert, war wohl ein Insiderwitz.

Eduardo ging zum Kühlschrank und holte eine Kanne mit geeistem Tee heraus. Aus dem Gefrierfach nahm er einen Behälter mit Eiswürfeln und aus dem Küchenschrank zwei Gläser. Maggie sah ihm gebannt dabei zu. Wie hatte sie das gestern übersehen können? Ein hoher Kragen versteckte zwar den Adamsapfel, und die langen Ärmel verhüllten die haarigen Unterarme. Die großen Füße verschwanden unter dem bodenlangen Rock. Doch das Verräterischste an ihm waren die riesigen Hände.

Endlich fiel bei Maggie der Groschen. »Sie sind der Transenlude!«

»Pah!« Er ließ ein paar Eiswürfel aus dem Behälter klimpern. »Zuhälter sind alle *schvartze*.«

Kate hielt sich die Hand vor den Mund, um nicht laut loszulachen.

»Mein verstorbener Mann, Gerald ...« Eduardo stellte die zwei Gläser Eistee auf den Tisch. »Er hatte die Verantwortung für das Geschäft.« Er deutete auf den Stuhl, auf dem Maggie saß. »Starb vor drei Monaten genau hier. Herzanfall. Wir waren zwanzig Jahre zusammen.«

»War Chic Ihr Sohn?«, fragte Kate.

»Sein Name war Lionel. Er ist bei seiner Mutter Lydia in Detroit aufgewachsen. Ich hab Farbige schon immer gemocht.« Es standen noch zwei freie Stühle am Tisch, aber Eduardo hielt sich kurz an der Tischkante fest und ließ sich dann auf dem Fußboden nieder. »Lionel baute sich in Detroit ein Geschäft auf, aber dann bekam er Schwierigkeiten. Er war immer in Schwierigkeiten – *alav hashalom.*« Eduardo hielt einen Augenblick inne und sprach dann weiter. »Lydia bat mich, ihm zu helfen. Da Gerald nicht mehr da war, dachten wir, er könnte sich hier um das Geschäft kümmern.«

Maggie stützte das Kinn auf die Hand, um zu verhindern, dass sie mit offenem Mund dasaß. »Haben Sie gestern bei Ihrer Zeugenaussage Ihren Namen angegeben? Das war eine Aussage unter Eid.«

»Ich habe den Beamten Geralds Namen genannt. Niemand hat von mir verlangt, dass ich die Hand auf die Bibel lege.« Eduardo sah zu Kate auf. »Ich weiß, dass Sie hier sind, weil Sie Informationen brauchen. Können Sie dafür sorgen, dass mein Sohn freigegeben wird?«

Kate schien ehrlich überrascht zu sein. »Haben Sie ihn denn noch nicht beerdigt?«

»Der Coroner gibt die Leiche einfach nicht frei. Der Papierkram ist längst fertig. Lydia ist auch schon hier. Aber es heißt, es wird noch eine ganze Woche dauern.«

Endlich konnte auch Maggie etwas beitragen. »Er wird obduziert werden müssen. Wenn sie die Kugel zu der benutzten Waffe zurückverfolgen können, dann finden wir vielleicht den Mörder. Das alles muss dem Gericht vorgelegt werden.«

»Ich will nicht, dass mein Sohn noch mehr verstümmelt wird, als er es ohnehin schon ist.« Eduardos Stimme klang entschlossen. »Diese Ehre muss ich ihm erweisen.«

»Es tut mir leid«, sagte Maggie, »aber so ist nun mal das Gesetz. Wollen Sie denn nicht, dass wir den Mann zur Strecke bringen, der Ihren Sohn umgebracht hat?«

»Junge Dame, ich weiß, dass Lionel in einem gefährlichen Metier tätig war. Ob ich froh wäre, wenn Sie seinen Mörder fingen? Natürlich. Aber Sie müssen auch verstehen, dass ich seine Leiche brauche, damit seine Mutter und ich ihn beerdigen können.«

»Haben Sie schon mit dem Rabbi gesprochen?«, fragte Kate.

»Sehe ich etwa aus wie eine Reformierte?«, fragte er und nickte auf seine Kleidung hinab.

»Maggie, kennst du dort jemanden?«

»Im Büro des Coroners?« Maggie meinte, sich an ein Mädchen aus der Abendschule zu erinnern, die dort Sekretärin geworden war. »Ich kann dort anrufen, aber versprechen kann ich nichts.«

Eduardo faltete die Hände im Schoß und sah zu Boden. Maggie fragte sich kurz, ob er betete. Sie hatte keine Ahnung, wie Juden beteten. Oder ob sie überhaupt beteten.

Schließlich hob er wieder den Kopf. »Wenn Sie mir versprechen, alles zu tun, was in Ihrer Macht steht, dann sage ich Ihnen, was Sie wissen möchten.«

»In Ordnung«, sagte Kate, als hätte sie genau das erwartet.

»Das Mädchen, das in jener Nacht, als der Polizist erschossen wurde, dort war, heißt Delilah. Ich weiß ehrlich gestanden nicht, ob das ihr echter Name ist – vielleicht mag sie auch nur Tom Jones. Wer täte das nicht? Ihren Familiennamen kenne ich nicht. Sie war vermutlich fünfzehn, als Gerald sah, wie sie an der Ponce im Pornokino jemandem einen geblasen hat.«

Kate lehnte sich zurück.

»Er hat sie hart rangenommen. So war eben sein Ruf – puritanisches Arbeitsethos.« Sie zuckte mit einer Schulter.

»Delilah hielt nicht lang durch. Sie machte mehr Stress, als sie wert war. Gerald verscherbelte sie mit Verlust, nur um sie wieder loszuwerden. Als Lionel in die Stadt kam, musste er ganz von vorn anfangen. Ich hab diesen Jungen geliebt – aber er war ein *arumloyfer*. Man musste ihm alles auf dem Silbertablett servieren. Also hab ich erwähnt, dass ich vielleicht ein Mädchen kennen würde, das so verzweifelt wäre, dass sie alles für ihn täte. Er stöberte sie bei der Arbeit am Amtrak-Bahnhof an der Peachtree auf.«

»In Buckhead?« Kates Stimme klang ein bisschen schriller als sonst. Jetzt war sie wieder ganz die Alte.

»Arbeitet Delilah immer noch an der Whitehall?«, hakte Maggie nach.

»Keine Ahnung. Sie kam in der Nacht des Überfalls hierher, und Lionel hat ihr eine Tracht Prügel verpasst. Sie sollte wieder hinaus und die Nacht durcharbeiten. Den Polizeisender ließ sie hier. Dann rief Lionel nach mir. Ich sollte ihn mir ansehen. Ich wusste sofort, was er da in der Hand hielt.«

»Ein Pfand«, sagte Maggie.

»Wir wollten abwarten, bis die Belohnung höher angesetzt würde. Fünftausend Dollar …« Eduardo schnaubte verächtlich. »Als sie den letzten Kerl festsetzten, lag die Belohnung bei zwanzigtausend.«

Kate verschränkte die Arme vor der Brust. Ihre Höflichkeit war inzwischen wie weggefegt.

»Was hatte Delilah denn nun gesehen?«, fragte Maggie. »Ich nehme an, Sie wollten sie nicht einfach aufs Revier latschen, ihre Geschichte erzählen und das Geld einsacken lassen.«

»Sie machen diesen Anruf?«, erinnerte Eduardo sie. »Versprochen?«

»Ich hab doch gesagt, dass ich es tue.«

»Und ich vertraue Ihnen.«

»Ist Ihnen bewusst«, fuhr Maggie fort, »dass die Person, die Lionel getötet hat, vermutlich dieselbe ist, die diesen Polizisten erschoss?«

Eduardo legte sich die Hand auf die Brust. Seine Stimme

zitterte. »Das verstehe ich, aber Sie müssen auch verstehen, dass ich meinen Sohn schnellstmöglich beerdigen muss. Er gehört unter die Erde.«

Maggie verstand seine Verzweiflung so, wie sie ihre eigene empfand. »Ich verspreche Ihnen, ich werde alles in meiner Macht Stehende tun, um die Freigabe herbeizuführen.«

Eduardo nickte. »Der Mörder war ein Weißer – nicht wie der Schwarze auf der Polizeiskizze.«

Maggie spürte, wie ihr Herz einen Schlag aussetzte.

»Groß. Muskulös. Er trug eine schwarze Hose, ein rotes Hemd und schwarze Handschuhe. Die Schuhe hat sie nicht gesehen.«

Maggie biss sich auf die Unterlippe, damit sie nicht zitterte. Jimmy trug schwarze Handschuhe.

»Sein Haar war dunkel und kurz geschnitten. Sein Schnurrbart gestutzt. Lange Koteletten. Delilah meinte, abgesehen von den Koteletten hätte er ausgesehen wie ein Normalo.«

Maggie zwang sich, mit ruhiger Stimme zu sprechen.

»Das ist eine ziemlich genaue Beschreibung. Wie dicht war sie dran?«

»Sie kauerte am Ende der Gasse. Sie hat alles gesehen. Der Mann kam um die Ecke. Er hatte eine Saturday Night Special in der Hand. Eine Raven MP-25.«

Die Marke der Waffe war nicht veröffentlicht worden. »Ist sie sich da ganz sicher? Eine Raven MP-25?«

»Delilah kennt sich mit Waffen aus. Ihr Vater hat eine ganze Reihe von Schnapsgeschäften überfallen.«

»Und sie hat das alles gesehen?« Maggie zwang sich, ein wenig skeptisch zu klingen. »Sie war so dicht dran, dass sie die Waffe und das Gesicht des Schützen und seine Kleidung erkennen konnte, und doch war sie noch am Leben, als alles vorbei war?«

»So wie ich Delilah kenne, kauerte sie hinter irgendeinem Karton und spritzte sich Heroin.«

»Sie war zugedröhnt?« Maggie spürte ein wenig Hoffnung in sich aufkeimen. »Das ist nicht gerade, was ich eine verlässliche Zeugin nennen würde.«

»Sie ist verlässlich, wenn sie ein Messer in der Möse hat.« Eduardo griff zur Anrichte und zog sich ächzend vom Boden hoch. »Das ist alles, was wir aus ihr herausbekommen haben. Anthony hat das übernommen. Delilah hat ihm alles gesagt, was sie gesehen hat, das können Sie mir glauben.«

Maggie lief der Schweiß über den Rücken. Es war zu warm in dieser Küche. Sie würde gleich kotzen, wenn sie nicht schleunigst wieder hier herauskäme.

»Was haben die beiden Polizisten getan, als der Shooter um die Ecke kam?«, fragte Kate.

Eduardo drehte sich zum Waschbecken. »Das hat sie nicht gesagt. Und ich habe Ihnen alles gesagt, was ich weiß. Möge *HaShem* Sie treffen, wenn Sie Ihren Teil der Vereinbarung nicht einhalten.«

»Das werden wir«, sagte Kate. »Versprochen.«

Maggie stand auf. Sie musste raus aus diesem Haus. »Ihr Verlust tut mir sehr leid.«

»Möge der Himmel Sie trösten«, fügte Kate hinzu.

Maggie zwang sich, nicht hinauszurennen. Ihre Kehle war wie zugeschnürt. Sie zerrte an ihrem Kragen. Dabei strichen die Finger über die Quetschungen an ihrem Hals. Sie riss die Haustür auf und atmete tief durch.

Kate legte Maggie die Hand auf die Schulter. »Alles okay?« Maggie schüttelte sie ab und sprang die Stufen hinunter. Sie knöpfte ihren Kragen auf. Sie hatte Kate eingeschärft, niemandem zu trauen; warum trauten sie dann Eduardo über den Weg? Die Beschreibung konnte schließlich erstunken und erlogen sein. Er mochte in Bezug auf das Mädchen gelogen haben, die angeblich Zeugin gewesen war – und auch das Mädchen selbst konnte sie alle belogen haben.

Aber wie war sie dann an Jimmys Sender gekommen?

»Na ja«, murmelte Kate, »schätze, das war interessant, aber ich weiß nicht, ob es uns weiterhilft.«

Maggie wischte sich den Schweiß vom Nacken. Ihr Magen rumorte. Sie fühlte sich ausgelaugt und erschöpft.

»Wir haben ja bereits in Betracht gezogen, dass der Shooter ein Weißer sein könnte«, fuhr Kate fort. »Und diese Beschreibung – groß, athletisch, Schnurrbart, lange Koteletten. Wonach klingt das?«

Maggie hatte Galle im Mund.

»Nach so ziemlich jedem Polizisten in der Truppe – Jimmy und dein Onkel Terry mit eingeschlossen. Und sie alle tragen schwarze Handschuhe. Haben wahrscheinlich alle zu viele Steve-McQueen-Filme gesehen.« Sie gab Maggie die Schlüssel zum Streifenwagen. »Ist wahrscheinlich besser, wenn du zum Dabbler's fährst. In dem Stadtteil war ich noch nie.« Sie öffnete die Tür. »Eins muss man Gail allerdings lassen: Sie hatte recht mit diesen Leuten. Ich kann kaum glauben, wie Eduardo über dieses arme Mädchen gesprochen hat. Ich weiß, dass sie eine Prostituierte ist – aber trotzdem. Man hätte meinen können, sie redet über ein Stück Rindfleisch.« Sie hielt einen Augenblick inne. »Er? Sie? Gott, was denn nun überhaupt?«

Maggie ging ums Auto herum und setzte sich hinters Steuer. Sie versuchte, den Schlüssel ins Zündschloss zu stecken, doch der Ring glitt ihr aus den Fingern. Sie tastete blindlings auf dem Boden herum, während Kate weiterplapperte.

»Eine Sie, denke ich. Wir sollten sie für ihren Einsatz belohnen. Das würde ich mir an seiner Stelle wünschen. An ihrer Stelle. Ich konnte es kaum glauben, als sie die Tür aufmachte und ich den Bart sah. Das erklärt auch die Stimme. Gestern hatte ich fast erwartet, dass sie über weiches korinthisches Leder sprechen würde.« Kate kicherte in sich hinein.

»Schätze, wir sollten ihren Namen in unser System eingeben, damit uns keine unliebsamen Überraschungen mehr erwarten.

Himmel auch – ich klinge ja wirklich nicht gern arrogant, aber von einem Juden erwartet man einfach mehr.«

»Verdammt«, murmelte Maggie. Sie konnte die Schlüssel mit den Fingerspitzen ertasten, bekam sie aber nicht zu fassen.

»Ich weiß. Ich sollte nicht ungerecht sein. Sie sitzt *Schiva*. Eigentlich ist das ein sehr schönes Ritual. Es gibt da alle möglichen Regeln – man darf sich nicht rasieren oder Make-up benutzen. Sie hat ihre Kleidung zerrissen – das nennt man *Kri'e reißen* und symbolisiert die Trauer und den Zorn über den Tod. Sie saß am Boden, weil man sich klein machen soll. Und man muss den Leichnam innerhalb von vierundzwanzig Stunden beerdigen. Das ist der Grund, warum sie sich so aufregt. Die Trauer dauert sieben Tage. *Schiva* heißt sieben.«

»Hab sie.« Maggie hatte die Wange gegen das Lenkrad gepresst und zuckte vor Schmerz zusammen. Die Prellung hatte förmlich ihren eigenen Herzschlag.

»Maggie, ich weiß nicht mehr, was für unsinnige Sachen ich noch sagen muss ... Ich würde es sehr zu schätzen wissen, wenn du mir mal irgendeine Art von Antwort gäbst.«

Maggie machte es sich einfach. »Ich melde der Zentrale den Namen Eduardo Rosa. Mal sehen, ob er schon einen Eintrag hat.«

Kate sah Maggie eindringlich an. »Ich habe schon den ganzen Vormittag über das Gefühl, dass du mir etwas Wichtiges verschweigst.«

»Gottchen, wirklich?«, äffte Maggie Kate nach. »Zum Beispiel, dass ich Jüdin bin? Oder dass ich eine Witwe bin? Oder dass mein Vater der reichste Gärtner der Geschichte ist?«

»Ja, das sind alles hervorragende Beispiele für das, was ich meine.«

Maggie rammte den Schlüssel ins Zündschloss und ließ den Motor an.

»Tut dir der Hals weh?«

»Nur wenn ich dumme Fragen beantworten muss.«

28

Kate starrte den Sender auf ihrem Schoß an. Im Funkverkehr mit der Zentrale ging es fast ausschließlich um mögliche Sichtungen von Jimmys Auto und neue Hinweise auf den Shooter. Sie hatte recht gehabt: Heute war wirklich ein Festtag für Verbrecher. Wanda meldete einen geklärten häuslichen Streit, und eins der farbigen Mädchen meldete ein gestohlenes CB-Funkgerät, aber das waren die einzigen Verbrechen, die an diesem Tag aufgeklärt wurden.

Sie stützte das Kinn auf. Sie saß im Streifenwagen vor dem Dabbler's, während Maggie in der Telefonzelle neben dem Gebäude stand. Sie hatte keine Ahnung, in genau welchem Viertel, geschweige denn, ob sie sich überhaupt noch innerhalb der Stadtgrenzen befanden. Die Bar als unauffällig zu beschreiben, wäre eine Untertreibung gewesen. Kate vermutete, das war eine Art Selbstschutz. Hierher kam man nur, wenn man genau wusste, wozu sie da war, und wenn man nicht wusste, wozu sie da war, würde man sie wahrscheinlich nicht einmal bemerken. Die Backsteinfassade war schwarz gestrichen. Die schmalen Fenster waren verhängt, damit kein Licht hineinfiel. Es gab keine Schnapsreklame, die sie von der Straße aus hätte sehen können. Es gab nicht einmal ein Kneipenschild über der Tür.

Was den Laden verriet, waren seine Besucher. Ein gut gekleideter Mann nach dem anderen stieg aus einem teuren Auto und

verschwand durch die Pendeltür. Sie alle fuhren sich mit der
Hand an den Kragen. Koteletten rahmten kantige Gesichter
ein. Sie trugen Schnurrbärte – und sie alle sahen genauso aus
wie die schwulen Männer, die Kate sonst kannte. Dass vor dem
Etablissement ein Streifenwagen stand, schien wenig Einfluss
auf den Publikumsverkehr zu haben. Zehn Minuten, nachdem
Maggie aus dem Auto gestiegen war, war der Parkplatz voll.
Autos umringten Kate von allen Seiten. Einige Männer lächel-
ten sogar zu ihr herüber, als sie auf das Gebäude zugingen.

Ein Polizeibeamter war also im Dabbler's nichts Ungewöhnliches.

In diesem Teil der Stadt landete man nicht zufällig. Man
musste schon genau wissen, wohin man unterwegs war. Sie
konnten wohl davon ausgehen, dass Don Wesley die Bar mindestens einmal besucht hatte. Aber was war mit Jimmy? War er
jetzt dort drinnen und hing seiner Trauer nach? Leckte die
Wunden? Denn verwundet musste er sein – nicht nur aufgrund
der Schädelfragmente in seinem Bein und der Kugel, die seinen
Arm durchschossen hatte. Egal, wie ungezwungen er sich gestern Morgen erst gegeben hatte – Kate wollte einfach nicht
glauben, dass Jimmy nichts für seinen verstorbenen Liebhaber
empfand.

Oder für seine Schwester. Maggie hatte gestern einen Mann
getötet. Wusste Jimmy auch, dass jemand versucht hatte, sie zu
erwürgen? Die Quetschungen waren inzwischen nicht mehr
zu übersehen. Kate konnte deutliche Druckspuren erkennen,
wo irgendjemandes Finger Maggie am Hals gepackt hatten. Sie
nahm an, dass Terry der Angreifer gewesen war. Jimmy mochte
zwar ein selbstgerechtes Arschloch sein, aber sie konnte sich
nicht vorstellen, dass er seine Schwester stranguliert hatte.

Allerdings hatte Kate sich auch nicht vorstellen können,
dass Maggie durchdrehen würde. Doch genau das war zuvor
bei Lewis Conroy passiert. Dass sie so etwas noch nie gesehen
hatte, konnte sie nicht behaupten; schließlich hatte Gail auf

ähnlich brutale Art die Prostituierte angegriffen. Sie hatte der Frau ein Bein gebrochen, sie gefoltert. Maggie war mit Conroy nicht annähernd so sadistisch umgesprungen, aber ein paar unheimliche Ähnlichkeiten hatte es doch gegeben.

Würde Kate in Zukunft ebenfalls dergleichen tun? Lauerte in ihrer Psyche noch eine vierte Person, die sich als gewalttätige Sadistin erweisen würde?

Doch wie alles andere, was mit der Polizei zu tun hatte, war auch diese Situation nicht nur schwarz und weiß. Also – im Fall Lewis Conroy vielleicht schon. Dass er ein Weißer und sein Opfer ein junges Schwarzes Mädchen gewesen war, hatte einiges zu bedeuten. Seine Schuld stand außer Frage. Conroy hatte die Tat sogar zugegeben. Und er hatte nicht die geringste Reue gezeigt – selbst als er auf dem Boden nach Luft geschnappt hatte. Er hatte sich nicht entschuldigt, im Gegenteil, er hatte bloß arrogant dahergeredet wie ein Mann, der über eine falsche Rechnung Streit mit einem Kellner vom Zaun brechen wollte. Und ein Mann wie Conroy wusste eben auch, dass er einen solchen Streit gewinnen würde.

Kein Wunder, dass die Leute aus Kates Teil der Stadt derart verhasst waren. Allmählich hasste Kate sie sogar selbst. Dieses Gefühl, Ansprüche zu haben; die Haltung gegenüber anderen. War es das, was Maggie gegen sie aufgebracht hatte? Als sie Conroy zurückgelassen hatten, war sie mehr als nur aufgebracht gewesen. Kate hatte angenommen, sie bräuchte bloß ein bisschen Zeit, um sich wieder zu sammeln. Doch stattdessen hatte Maggie die Zeit genutzt, um ihre Wut gegen Kate zu richten.

Über Funk wurde eine weitere mögliche Shooter-Sichtung gemeldet. Kate drehte die Lautstärke herunter und betrachtete nachdenklich den weißen Plastikziegel auf ihrem Schoß. Auch wenn sie eine Million Jahre alt würde, würde sie niemals vergessen, wie dieses Ding aussah. Gail hatte es als Waffe benutzt. Sir Chic hatte es als Pfand hergenommen. Jimmy hatte es am

Schauplatz des Mordes an Don Wesley zurückgelassen. Kate konnte sich gut vorstellen, warum Jimmy sich den Sender in der Gasse abgenommen hatte. Mit so einem Ding am Gürtel konnte man kaum sitzen, geschweige denn die Hose runterlassen. Wahrscheinlich hatte er den Ziegel neben sich abgelegt, wie alle anderen es bei bestimmten Gelegenheiten ebenfalls taten. Und indem er das Mikro aussteckte, hatte er verhindert, dass versehentlich irgendetwas übertragen würde. Als Don erschossen wurde, war das Funkgerät sicher das Letzte gewesen, woran Jimmy gedacht hatte.

Endlich hatte Maggie ihre Anrufe beendet. Sie überquerte den Parkplatz, schlängelte sich zwischen den Autos hindurch und hielt den Kopf gesenkt. In der linken Hand hielt sie ihr Spiralnotizbuch. Sie stieg ins Auto. Stützte den Ellbogen auf. Starrte das Gebäude an und sagte kein Wort.

Auch Kate starrte das Gebäude an. Sie hatte es mit Fragen versucht. Sie hatte es mit sinnlosem Geplapper versucht. Jetzt würde sie es mit Schweigen versuchen.

Maggie schien die Sache absichtlich in die Länge ziehen zu wollen. Sie starrte die Männer an, die das Gebäude betraten. Der Parkplatz war mittlerweile voll, obwohl es gerade erst elf Uhr vormittags war. Am Bordstein entlang standen weitere Autos, die auf dem Parkplatz keine Lücke mehr gefunden hatten.

»Meine Kontaktfrau im Büro des Coroners wird sehen, was sie tun kann«, sagte sie schließlich. »Sie ist nur Sekretärin. Ich weiß nicht, ob man auf sie hören wird.«

Kate biss sich auf die Lippe, um nicht sofort loszusprechen.

»Und ich habe Eduardo Rosas Vorstrafenregister angefordert. Rick meint, er würde es für uns im Krankenhaus hinterlegen. Ich dachte, in der Zwischenzeit sehen wir mal nach Gail.«

Jetzt konnte Kate sich nicht mehr beherrschen. Sie nickte. Maggie blies zischend Luft zwischen den Zähnen aus.

»Das ist eine Schwulenbar, richtig?« Kate zögerte kurz. »Ja.«
Maggie zog am Türgriff. »Bereit?«

Kate stieg aus. Sie klemmte sich den Sender an den Gürtel
und setzte Jimmys müffelnde Mütze auf.

Schweigend mäanderten sie zwischen den Autos hindurch.
Maggie hatte sich die Mütze tief in die Stirn gezogen. Die
Hände hielt sie steif an den Flanken, doch sie ließ die Schultern
hängen. Kate fragte sich, wie wenig Kraft noch nötig wäre, um
sie vollends niederzuringen. Sie hoffte, es nicht herausfinden
zu müssen.

In der Bar blickte jeder auf, als sie eintraten. Neugieriges
Gemurmel erhob sich, größtenteils aber schien es den Männern
egal zu sein, dass zwei Polizistinnen durch die Tür gekommen
waren.

Jimmy Lawson war nicht unter ihnen.

Im Inneren der Bar war es genauso finster, wie das Gebäude
von außen ausgesehen hatte. Männer saßen dicht beieinander
an Tischen. Sie drückten sich Schulter an Schulter in kleine
Sitznischen. Aus den Lautsprechern hörte man leise Linda
Ronstadt. Die Wahl des Songs schien auf die Kundschaft zu
passen. *When Will I Be Loved.*

Kate wusste nicht genau, was sie erwartet hatte. Lüsterne
Blicke, dreckige Hinterzimmer? Die Männer sahen größtenteils aus wie Paare, die sich vor dem Mittagessen auf einen
Drink trafen. Hier und da hielt man Händchen. Hatte man
seinen Arm über die Rückenlehne seines Sitznachbarn gelegt.
Verstohlene Blicke wanderten durch den Raum. Alles in allem war die Atmosphäre entspannt und unaufgeregt – bis auf
die Tatsache, dass alle vom selben Geschlecht waren, wirkte
der Laden wie jeder beliebige Club, den Kate je besucht
hatte.

Und selbst Ritterlichkeit schien es im Dabbler's zu geben.
Zwei Männer räumten ihre Plätze an der Bar. Ohne ein Wort
des Dankes ließ Maggie sich nieder und legte ihre Mütze vor

sich auf den Tresen. Sie sah aus, als könnte sie einen Drink vertragen, doch als sie dann einen Bourbon pur bestellte, war Kate doch ein wenig überrascht.

»Willst du auch einen?«

»Sicher.« Auch Kate legte ihre Mütze auf die Bar. Maggie starrte in den Spiegel hinter den Schnapsflaschen.

Ihr Blick wanderte hin und her, während sie jedes Gesicht eingehend musterte, jede Geste genau beobachtete.

»Aufs Haus.« Der Barkeeper stellte ihnen zwei Gläser hin. Er sah hinreißend aus – wahrscheinlich nicht älter als achtzehn, aber mit ähnlich langen Koteletten und einem dichten Schnurrbart, wie ihn auch alle anderen trugen. »Kann ich irgendwie helfen?«

Maggie griff in ihre Brusttasche und zückte ein Foto. »Haben Sie diesen Mann schon mal gesehen?«

Er lächelte. Seine Zähne waren makellos und schön. »Ja, das ist Jim. Ein Freund von Ihnen?«

Maggie legte das Foto mit dem Gesicht nach unten auf den Tresen. »Wann haben Sie ihn zuletzt gesehen?«

Unwillkürlich kniff der Barkeeper die Augen zusammen.

»Steckt er in Schwierigkeiten?«

»Kommt drauf an, wann Sie ihn zuletzt gesehen haben.«

»Vor ein paar Tagen?« Er dachte kurz nach. »Es muss bei der Trauerfeier für Don gewesen sein. Die war am Montagabend, nicht?«

Maggie nahm das Glas und leerte ihren Bourbon in einem Zug.

»Und seitdem haben Sie Jimmy nicht mehr gesehen?«, hakte Kate nach.

»Nein, tagsüber kommt er aber normalerweise auch nicht.«

»Ist er ein Stammgast?«

»Klar. Alle mögen ihn.« Der Barkeeper nickte unauffällig zu einem Gast hinüber, um ihnen zu signalisieren, dass er sich um ihn kümmern müsse. »Sonst noch was?«

»Haben Sie irgendwelche verdächtigen Personen hier herumhängen sehen?«, fragte Maggie.

»Außer zwei Schupos mit Titten?«, fragte er augenzwinkernd zurück und wandte sich dann an Kate: »Ihr Haar ist herrlich, Ma'am. Die Farbe ist einfach umwerfend.«

»Vielen Dank.« Kate strich sich übers Haar. Sie konnte nicht anders. »War in letzter Zeit niemand hier, der irgendwie fehl am Platz wirkte? Der sich nicht einfügte?«

»Herzchen, jeder Mann in diesem Laden fügt sich ein, sobald er durch die Tür kommt. Darum geht's doch irgendwie.« Er füllte Maggies Glas wieder auf. »Tut mir leid, ich konnte nicht …« Er hielt inne. »Wissen Sie was? Tatsächlich war gestern erst ein Kerl da, der mir irgendwie unheimlich vorkam.«

»Wie sah er aus?«, fragte Maggie.

»Wie ich.« Er lachte. »Nur älter.«

Kate war klar, dass er ihnen nicht weiterhelfen würde. Aus der Sicht eines Achtzehnjährigen sah jeder Dreißigjährige uralt aus. »Hat er irgendwas gesagt?«

»Nicht wirklich. Er war einer dieser kräftigen, stillen Typen. Gab ein gutes Trinkgeld. Trank Southern Comfort. Sah jedes Mal zur Tür, wenn sie aufging. Ich hatte den Eindruck, dass er entweder auf jemanden wartete oder jemand Bestimmten suchte. Aber das tun fast alle, wenn sie hier reinkommen.«

»War er Polizist?«

»Er trug zumindest keine Uniform. Aber er sah irgendwie aus wie ein Polizist … oder wie ein Soldat. Es kommen viele Veteranen hierher. Ich glaube, die meisten von ihnen sind nicht einmal schwul. Sie waren es dort drüben einfach gewöhnt, nur unter Männern zu sein. Sie wollen sich wieder einer Einheit zugehörig fühlen. Merkwürdig, was?«

Kate nickte, als würde sie es verstehen.

Erneut füllte der Barkeeper Maggies Glas auf. »Hören Sie, Sie dürfen hier gern herumsitzen und trinken, was immer Sie wollen, aber gehen Sie nicht rum und stellen den Gästen Fragen.

Sie kriegen von denen auch nicht mehr, als ich Ihnen erzählt habe, und es würde Sie vielleicht überraschen, wie viele Polizisten von weiter oben in der Nahrungskette unsere Tür verdunkeln. Sie schnallen, was ich meine?«

»Ja.« Nach dem Debakel von gestern wollte Kate sich lieber nicht noch mal an Slang versuchen. »Vielen Dank.«

Er zwinkerte ihr zu, bevor er davonging.

Maggie nahm noch einen Schluck. Kate probierte ihren Drink und hätte beinahe gewürgt. Er hatte ihnen nicht gerade die allerbeste Qualität hingestellt.

»Gehen wir.« Maggie nahm ihre Mütze und wandte sich der Tür zu, doch Kate beschloss, sich noch ein bisschen Zeit zu lassen. Erst nahm sie das Foto von der Bar an sich. Es war ein gutes Bild von Jimmy: Er stand an ein Auto gelehnt da, und sein Hemd spannte sich über der muskulösen Brust. Das Kinn hatte er selbstbewusst in die Höhe gereckt. Er lächelte. Kate hoffte inständig, dass Maggie das Foto geschossen hatte – dass das Grinsen, das die Kamera eingefangen hatte, seiner Schwester galt.

Dann klemmte sie sich die Mütze unter den Arm und durchquerte den überfüllten Raum. Es gab weder ein Schieben noch Drängeln – die Männer traten höflich beiseite und nickten ihr ehrerbietig zu. Einer öffnete ihr sogar die Tür.

Draußen suchte sie den Parkplatz nach Maggie ab. Weder saß sie im Streifenwagen, noch wanderte sie an den geparkten Autos entlang. Kate drehte sich um. Auch die Telefonzelle war leer. Sie wollte schon wieder in die Bar zurückkehren, als sie ein Würgen hörte.

Maggie kauerte auf allen vieren an der Seite des Gebäudes und entledigte sich ihres Mageninhalts.

Kates erster Instinkt war, zu ihr zu gehen, ihr die Hand auf den Rücken zu legen und ihr Haar nach hinten zu halten. Doch aus unerfindlichen Gründen war sie mit einem Mal zur zweiten Kate geworden – oder vielleicht zur vierten? Und so stand sie einfach nur da und wartete, bis Maggie fertig war.

Es dauerte länger, als sie erwartet hatte. Allmählich taten ihr die Füße weh. Sie setzte sich auf den Bordstein. Sie starrte das leere, zugemüllte Nachbargrundstück an. Irgendjemand hatte dort einen Einkaufswagen voll feuchter Pappkartons abgestellt. Kondome, Nadeln, Alustreifen, Löffel. Der übliche Unrat, den sie inzwischen kaum mehr wahrnahm, verunstaltete schlichtweg jeden Teil der Stadt – außer ihren eigenen.

Schließlich hatte Maggie hinausgeächzt, was ihr Magen an flüssigen Resten noch beinhaltet hatte. Sie wischte sich mit der Hand über den Mund.

Kate blickte auf ihre Mütze hinab. Auf dem Schweißband stand Jimmys Name. Sie hatte keine Ahnung, wo ihre eigene Mütze hingekommen war. Ihre Schuhe lagen hinten in Maggies Auto, aber die Mütze war schlichtweg verschwunden.

Maggie kauerte sich auf die Fersen und keuchte.

»Eigentlich wollte ich gestern Abend ein Duftkissen in die Mütze legen. Ich hab ein paar in meiner Wäscheschublade. Sie riechen nach Rosen.«

Maggie wandte sich ab und blickte über den Parkplatz. Kate stülpte sich die Mütze übers Knie und strich die Hosenbeine glatt. »Mein Vater ist Psychiater.«

»Oh Mann«, murmelte Maggie. »Das klingt doch gleich viel wahrscheinlicher.«

Kate lächelte, weil es vermutlich stimmte. »Er finanziert meine Wohnung. Patrick hatte keine Lebensversicherung. Und die Versorgungsleistungen von der Armee hab ich nie in Anspruch genommen, weil ich mir eingebildet habe, wenn ich es täte, würde ich damit ein für alle Mal eingestehen, dass er tot ist.«

Maggie drehte sich zu ihr um.

»Ich hab die letzte Nacht mit einem verheirateten Mann verbracht. Er will, dass ich heute Abend wiederkomme, aber ich weiß nicht, ob ich es tun soll. Sollte ich? Wahrscheinlich eher nicht.«

»Warum erzählst du mir das alles?«

»Keine Ahnung«, gab Kate zu. »Du hast ausgesehen, als wärst du stinkwütend auf mich. Ich dachte, der Grund wäre, weil ich dich angelogen habe. Jetzt gerade bin ich mir nicht mehr so sicher ...«

»Soll das eine Art Handel sein? Erzähl mir dein Geheimnis, und ich erzähl dir meins?«

Kate zuckte mit den Schultern. Sie wusste auch nicht, was es gewesen war.

»Jimmy ist schwul.« Sowie Maggie es aussprach, klang es tatsächlich endgültig. »In diesem Punkt hat er nicht gelogen. Ich hab die ganze Nacht dagegen angekämpft, aber ich glaube nicht, dass er in dieser Hinsicht gelogen hat.«

Kate war klug genug, jetzt nicht nachzufragen.

»Wenn einem auf der Straße jemand eine Lüge erzählt, blockt man einfach auch alles andere ab. Man will solchen Leuten nun mal nicht trauen.« Maggie räusperte sich ein paarmal. Sie sah aus, als wollte sie ausspucken. »Aber wenn er die Wahrheit bei etwas so Schrecklichem sagt ...« Sie beendete den Satz nicht. Stattdessen beugte sie sich vor und spuckte endlich aus. »Tut mir leid.«

Dass Spucken so viel weniger damenhaft wirkte als Erbrechen, schoss es Kate durch den Kopf. »Soll ich noch mal in die Bar gehen und dir ein Glas Wasser holen?«

»Diese ganzen Männer da drinnen ...« Sie schüttelte den Kopf. »Sie haben alle so normal ausgesehen.«

»Sie *sind* normal.«

Maggie sah sie skeptisch an.

»Du hast nie darüber nachgedacht, was dein Bruder mit einer Frau machen würde. Warum solltest du jetzt darüber nachdenken, was er mit Männern macht?«

»Für dich ist das alles so einfach. Du entscheidest für dich, dass es eben so ist, wie es ist, und dann machst du weiter, als wäre das alles unwichtig.«

»Ich kann doch nicht rumsitzen und mir selber leidtun! Ich hab es zwei Jahre lang versucht – und es hat mir rein gar nichts gebracht.«

»Kate, du weinst die ganze Zeit …«

Unwillkürlich lachte sie. Sie hatte es gar nicht als Weinen betrachtet. Die Tränen der letzten Tage waren nichts gewesen im Vergleich zu denen, die sie um Patrick vergossen hatte.

»Du musst gewisse Dinge einfach hinnehmen und abhaken. Du darfst sie nicht die ganze Zeit mit dir herumschleppen.«

»Leicht gesagt, wenn man eine Wahl hat.«

»Du hast eine Wahl.« Kate gab ihr das Foto von Jimmy zurück. »Du könntest beschließen, deinen Bruder zu lieben, ganz gleich, was kommt.«

Maggie nahm das Foto entgegen und starrte darauf hinab, bis eine Träne auf Jimmys Gesicht tropfte. »Okay, ich hab ihm nicht geglaubt. Ich kenne meinen Bruder. Oder zumindest hab ich geglaubt, ihn zu kennen …«

Kate entschied sich wieder für die Schweigetaktik.

Unvermittelt zerknitterte Maggie das Foto und stopfte es sich in die Hosentasche. »Jimmy hat gestanden, der Shooter zu sein. Er hat all diese Männer umgebracht.«

Kate spürte regelrecht, wie die Worte durch ihr Hirn wanderten wie Murmeln durch einen Labyrinthkasten. Sie kullerten hin und her und suchten den richtigen Ausgang.

»Mark Porter, Greg Keen, Alex Ballard, Leonard Johnson, Don Wesley. Jimmy hat sie alle umgebracht.«

»Das ist unmöglich«, gab Kate nach einem kurzen Moment zurück.

»Er hat es selbst geschrieben.« Maggie zog ihr Notizbuch aus der Tasche. »Sein Geständnis. Ich habe es abgeschrieben.«

»Wo ist das Original?«

»Unwichtig.«

Kate nahm ihr das Notizbuch aus der Hand. »Natürlich ist das wichtig – was ist mit dem Original passiert?«

»Meine Mutter hat es zerrissen, okay? Liest du es jetzt oder nicht?«

Jetzt war Kate gänzlich verwirrt. Sie starrte auf den Text hinab und las ihn sich stumm vor. Sie musste ihn zweimal lesen, ehe sie begriff, was da stand.

Ich bin der Atlanta Shooter. Ich habe all die Männer umgebracht, weil ich mit ihnen dreckige Schwulensachen gemacht habe und nicht zulassen konnte, dass irgendjemand das herausfindet.

Versucht nicht, mich zu finden, sonst bringe ich noch mehr Leute um. Maggie, es tut mir leid, dass ich mich nie bei dir entschuldigt habe. Ich hätte dir sagen müssen, dass das, was passiert ist, nicht deine Schuld war.

Kate war so verblüfft, dass sie nicht mehr wusste, wie sie reagieren sollte. »Das hat er nicht geschrieben.«

»Doch. Es war seine Handschrift. Seine Unterschrift.«

»Aber es stimmt nicht …«

»Ich weiß, was du mir sagen willst. Mir ist gestern Abend das Gleiche durch den Kopf gegangen.« Maggie nickte zur Bar hinüber. »Er ist schwul, Kate. Warum sollte er darüber die Wahrheit sagen und in Sachen Mord lügen?«

Kate war schon drauf und dran, den Mund aufzumachen, aber sie wusste einfach nicht, was sie noch sagen sollte.

»Für Onkel Terry ist das Erste noch viel schlimmer als das Zweite. Jimmy hätte ebenso gut einen Abschiedsbrief schreiben können. Sag mir, warum er irgendwas davon aufgeschrieben haben sollte, wenn es nicht wahr wäre?«

»Weil …« Kate wusste einfach nicht weiter. »Weil.«

»Eduardos Beschreibung. Das war Jimmy. Denk doch mal nach: Der Shooter kennt die Polizeicodes. Er kennt sämtliche Abläufe und Verfahren der Polizei. Don hätte niemals erwartet, dass Jimmy seine Waffe zog. Keiner hätte das. Und jetzt sieh dir genau an, wo wir sind. Das dort ist eine Schwulenbar – in der sogar eine Trauerfeier für Don stattgefunden hat. So eine

Feier richtet man nicht für jemanden aus, den man nicht kannte. Don war schwul, sie waren beide schwul, und Jimmy hielt es nicht mehr aus und ...«

»Maggie, hör auf! Du bist erschöpft. Du hast die ganze Nacht nicht geschlafen. Du ziehst so viele voreilige Schlüsse, dass du dabei die Fakten komplett aus den Augen verlierst.«

»Ich kenne die Fakten.«

»Gehen wir sie noch einmal durch.« Kate legte es ihr dar. »Delilah hat behauptet, der Shooter habe Jeans und ein rotes Hemd getragen. Willst du mir allen Ernstes weismachen, dass Jimmy sich umgezogen hat, um Don zu töten, und dann wieder in seine Uniform schlüpfte, bevor er Don den ganzen Weg zum Krankenhaus trug?«

Maggie schüttelte den Kopf. »Ich weiß es nicht. Ich weiß nicht mehr, was ich denken soll.«

»Hat Jimmy überhaupt ein rotes Hemd? Du hast mal gesagt, er trägt nur Schwarz, Grau und Blau.«

»Die Nutte könnte gelogen haben. Oder Eduardo.«

»Dann hat sie Jimmy dieselbe Lüge erzählt. Auch er meinte nämlich, der Shooter habe ein rotes Hemd und Jeans getragen.«

Maggie konnte es immer noch nicht glauben. »Aber Jimmy hat in Bezug auf den Shooter gelogen – er hat angegeben, es wäre ein Schwarzer gewesen.«

»Der Shooter trug schwarze Handschuhe. Vielleicht behauptete Jimmy deswegen, er wäre Schwarz gewesen. Er hat wahrscheinlich die Waffe und die Hand gesehen, die sie hielt, und ist dann sofort in Deckung gegangen. Nach allem, was wir beide gestern durchgemacht haben, ist es doch nur verständlich, dass dabei ein paar Details verloren gehen.«

Maggie schüttelte immer noch den Kopf. Sie hatte Tränen in den Augen. »Akzeptier es einfach. Wir müssen es beide akzeptieren.«

»Ich werde nichts dergleichen akzeptieren.« Endlich begriff Kate, dass ihr nichts anderes übrig blieb, als Maggie die Wahrheit zu sagen. Oder zumindest einen Teil davon. »In der Nacht, als Don getötet wurde, wurde Jimmy ebenfalls verletzt.«

Maggie sah sie skeptisch an. »Ich hab dir doch gesagt, dass er eine alte Knieverletzung ...«

»Davon rede ich nicht. Ein Splitter der Kugel, die Don getötet hat, ist in Jimmys Oberschenkel stecken geblieben.« Kate musste jetzt genau überlegen, wie sie es formulieren sollte. Die Details brauchte Maggie nicht zu kennen. »Ich hab mit dem Arzt im Grady gesprochen, der ihn behandelt hat.«

»Von einem Splitter hat Jimmy gar nichts gesagt ...«

Kate suchte händeringend nach einer Erklärung. »Du weißt doch, wie Jimmy ist. Er würde nie zugeben, dass er verletzt wurde. Dafür ist er viel zu tough.«

Maggie sah aus, als würde sie sich allmählich auf Kates Argumente einlassen. »Was willst du damit sagen?«

»Jimmy hätte den Splitter niemals abbekommen können, wenn er selbst geschossen hätte. Also muss er direkt neben Don gestanden haben, als es passierte.«

Maggie fuhr sich mit der Hand an den Hals. »Er hatte auf Brust und Hals überall Blut. Ich weiß noch, wie ich gedacht habe, er muss ziemlich dicht dran gewesen sein, als Don erschossen wurde ...«

»Stimmt genau«, pflichtete Kate ihr bei. »Er stand unmittelbar neben Don, als es passierte.«

Maggie setzte sich auf. »Auf Jimmys Hose war frisches Blut. Du warst dabei. Ich war mit Conroy auf der Straße, und ihr beide kamt dazu. Ich sah das Blut und fragte ihn danach, und er reagierte irgendwie komisch.« Sie fasste Kate am Arm. »Kate – bist du dir sicher? Hat dieser Arzt das wirklich gesagt?«

»Sprich selbst mit ihm.« Kate war sich sicher, dass Philip kein Problem damit haben würde, sich eine kleine Notlüge zurechtzulegen. »Wir fahren jetzt sofort zu ihm.«

Doch Maggie hörte schon gar nicht mehr zu. Sie war inzwischen völlig in Gedanken versunken und zerlegte Information für Information in sämtliche Einzelteile. »Ich verstehe das nicht – warum sollte er dann schreiben, dass er diese Männer umgebracht hat?«

»Stress?« Kate bewegte sich jetzt auf sehr dünnem Eis. Dies hier war eher das Spezialgebiet ihres Vaters. »Vielleicht fühlte er sich ja in gewisser Weise schuldig, weil er Don nicht hatte retten können?«

Dann fiel Maggie siedend heiß etwas ein. »Dann waren also all diese Kerle schwul? Keen, Porter, Johnson, Ballard?«

»Du hast den Barkeeper doch gehört«, sagte Kate. »Es gibt bei der Truppe jede Menge …«

»Aber diese Jungs hatten Ehefrauen. Sie hatten Geliebte.« Dafür fiel Kate keine Erklärung ein. Sie machte sich nur noch Sorgen um Jimmy. Warum hatte er diesen Brief geschrieben? Was mochte sein Motiv gewesen sein?

Sie las den Text noch einmal. *Dreckige Schwulensachen.* So würde es jemand anders sagen – aber doch nicht man selbst.

Maggie sprach schließlich aus, zu welchem Schluss sie beide gekommen waren. »Das ergibt alles keinen Sinn.«

»Aber es muss einen Grund geben – wir müssen ihn nur finden.«

»Ich hab die ganze Nacht damit zugebracht. Es gibt keinen Grund.« Maggie hob einen Kieselstein vom Boden auf und warf ihn ins Unkraut.

Erneut ging Kate Jimmys Brief durch. *Ich hätte dir sagen müssen, dass das, was passiert ist, nicht deine Schuld war.*

Maggie warf noch einen Stein. Er flog ein Stück weiter. Sie hatte versucht, den Einkaufswagen zu treffen.

Kate sah immer noch stumm auf die Zeilen hinab.

Es tut mir leid, dass ich mich nie bei dir entschuldigt habe. Ich hätte dir sagen müssen, dass das, was passiert ist, nicht deine Schuld war.

»Was war nicht deine Schuld?«

Maggie warf noch einen Stein. Sie arbeitete sich immer dichter an den Einkaufswagen heran. Doch statt zu antworten, suchte sie jetzt nach mehr Munition.

Kate blickte erneut auf den Brief hinab. Inzwischen kannte sie ihn fast auswendig. Sie starrte die Schreibschrift an. Maggies Handschrift sah besser aus als ihre eigene. Der Stift hatte sich ins Papier gebohrt. Sie spürte die Spuren sogar auf der Rückseite.

»Vor acht Jahren hatte Jimmy einen Freund namens Michael«, sagte Maggie unvermittelt.

Kate hielt den Blick gesenkt.

»Er sah gut aus. Jimmys Freunde sehen immer gut aus.« Maggies scharfes, überraschtes Lachen bedeutete Kate, dass sie endlich verstanden hatte, was der Grund dafür war. »Michael übernachtete oft bei uns. Ich war damals fünfzehn und bis über beide Ohren in ihn verknallt. Er hat mich nicht mal angesehen …« Sie ballte die Faust um einen weiteren Stein.

»Eines Nachts – ich hatte tief und fest geschlafen – wachte ich plötzlich auf, und Michael lag schon halb auf mir drauf.« Sie zuckte mit den Schultern. »Ich war wirklich dumm bei solchen Dingen. Ich wusste überhaupt nicht, was da gerade ablief, und es tat verdammt weh, und er wollte überhaupt nicht mehr aufhören … Jimmy musste mich schreien gehört haben, denn ich weiß nur noch, dass er als Nächstes in mein Zimmer stürmte und Michael die Seele aus dem Leib prügelte.« Sie warf Kate einen flüchtigen Blick zu. »Meine Mutter war auch zu Hause und Onkel Terry ebenfalls – und da erst hab ich begriffen, dass Michael schon öfter die Nacht bei uns verbracht hatte. Meine Schwester war damals fünf. Sie hat das alles verschlafen, aber inzwischen weiß sie es. Dafür hat Terry gesorgt.« Sie feuerte den Stein in Richtung des Einkaufswagens. Es schepperte. »Er hält es mir bis heute vor. Sie alle tun es. Sie benutzen es gegen mich, wenn ich mal wieder vergesse, wo mein Platz ist.«

Kate presste die Lippen zusammen. Sie wusste nicht, was sie dazu sagen sollte. Aber wenigstens ergab Maggies Wut über

Lewis Conroys Vergewaltigung des Teenagermädchens jetzt einen Sinn.

»Weißt du, während Jimmy Michael verprügelte, schrie er die ganze Zeit: ›Wie kannst du mir das antun?‹ Als wäre er derjenige, den Michael verletzt hatte. Aber er war tatsächlich verletzt. Ich hatte ihn zuvor noch nie so aufgebracht gesehen. Er flennte. Tränen liefen ihm übers Gesicht. Rotz tropfte ihm aus der Nase. Danach hat er monatelang nicht mehr mit mir geredet, und als er es dann endlich wieder tat, war es nie wieder so wie früher.« Sie trat nach dem Kies auf dem Boden.

»Ich dachte immer, es wäre meine Schuld gewesen … wegen allem, was danach kam. Weil ich Schande über meine Familie gebracht habe. Aber inzwischen glaube ich, Jimmy war nur deshalb so aufgebracht, weil Michael ihn betrogen hatte.« Wieder lachte sie bitter auf. »Er war eifersüchtig auf mich. Oder auf das, was zwischen mir und Michael passiert war.«

Maggies Worte hallten in Kates Ohren nach. *Was danach kam.* Was war danach gekommen? Die Krankenschwester von nebenan?

Maggie nahm ihr Notizbuch wieder an sich und starrte auf Jimmys Geständnis hinab. »Das Komische ist – Jimmy hat sich gestern bei mir entschuldigt. Als wir im Krankenhaus waren. Er sagte, was damals passiert sei, tue ihm leid. Zum allerersten Mal hat er sich für irgendwas entschuldigt. Und ich weiß genau, dass er von der Nacht mit Michael geredet hat. Er sagte: ›vor sieben Jahren‹, und ich hab ihn korrigiert. Es sind mittlerweile acht. Und er hat mir zugestimmt.« Sie sah Kate an und zuckte mit den Schultern. »Warum hat er dann in dem Brief geschrieben, er hätte sich nie entschuldigt?«

»Er hat sich nicht dafür entschuldigt, was *wirklich* passiert ist.«

»Er war randvoll mit Schmerzmitteln. Vielleicht hat er einfach vergessen, dass er sich bereits entschuldigt hatte.« Sie klappte das Notizbuch wieder zu. »Aber das erklärt immer noch nicht, warum er diese Dinge aufgeschrieben hat. Oder wo er jetzt ist.«

»Er könnte bei jemandem sein, den du nicht kennst.« Maggie erinnerte sich an eine Formulierung, die Kate zuvor gewählt hatte. *Bei einem Menschen, mit dem er sich insgeheim trifft.*

»Er ist wahrscheinlich bei irgendeinem Freund, Maggie. Bei jemandem, der über Don Bescheid weiß und der ihn trösten kann. Lies diesen Brief doch mal aus diesem Blickwinkel«, schlug Kate vor. »Dir zu gestehen, dass er schwul ist, heißt doch nur, dass du ihn unter Garantie niemandem zeigen wirst. Und dieser Hinweis, dass er noch mehr Menschen etwas antun könnte, wenn du nach ihm suchst – er hat überhaupt nie jemandem irgendwas angetan. Er versucht damit nur, sich dich vom Leib zu halten.«

»Terry sucht ebenfalls nach ihm.« Maggie stand der Kummer ins Gesicht geschrieben. »Er wird ihn erschießen, sobald er ihn findet. Das hat er mir selber gesagt.«

»Wenn wir Jimmy nicht finden können, dann kann Terry es auch nicht.«

Doch Maggies Verzweiflung war nicht so schnell zu vertreiben. »Ich weiß nicht mehr, was ich tun soll …«

»Wir machen weiter, so wie wir es schon die ganze Zeit gemacht haben: Wir bearbeiten den Fall. Das hier könnte der Durchbruch sein. Don und Jimmy wurden vom Shooter aus einem ganz bestimmten Grund als Opfer ausgewählt. Wenn dieser Grund darin besteht, dass der Shooter Schwule hasst, dann haben wir einen Zusammenhang.«

»Aber was, wenn Jimmy weiß, wer der Shooter ist? Was, wenn es jemand ist, mit dem er mal zusammen war, und er zwar weiß, dass dieser Kerl Leute umgebracht hat, er ihn aber nicht ausliefern kann?«

Das klang nach einem ziemlich einleuchtenden Einwand, brachte sie aber auch nicht weiter. »Wir können weiter rumsitzen und Verschwörungstheorien wälzen oder endlich genauere Nachforschungen anstellen.«

»Vielleicht jagt Jimmy ihn ja auch allein«, argwöhnte Maggie. »Vielleicht hat er das gestern bereits getan, als die Frau auf ihn geschossen hat. Vielleicht hatte Jimmy eine Spur aufgenommen, und diesen Brief hat er nur geschrieben, um dafür zu sorgen, dass wir ihm nicht in die Quere kommen.«

Wieder konnte Kate nicht widersprechen. »Ich sehe allerdings nicht, wie wir ihm in die Quere kommen sollten, wenn wir den Fall genauso weiterbehandeln wie bisher.«

»Du meinst die Akten«, sagte Maggie. »Die hat Terry.«

»Aber er hat nicht unseren Verstand. Und du scheinst noch nicht bemerkt zu haben, was für ein ausgezeichnetes Gedächtnis ich habe.« Kate hatte kein Problem, sich an all die Fragen zu erinnern, die sich ihr nach dem Lesen der Shooter-Akten gestellt hatten. »Die Autopsieberichte sind öffentlich zugänglich. Würde ein Arzt die Dokumente zensieren, wenn er auf Hinweise stieße, die ihn zu der Annahme brächten, dass die Opfer schwul waren?«

»Keine Ahnung.«

»Was ist mit deiner Bekannten aus dem Büro des Coroners?«

»Sie tippt nur die Berichte ab. Ansonsten erfährt sie rein gar nichts.« Maggie rieb sich die Augen. »Mark Porter war glücklich verheiratet. Greg Keen lebte von seiner Frau getrennt. Ballard und Johnson kannte ich nicht. Ihren Personalakten zufolge waren sie ebenfalls verheiratet, und sie hatten jeweils zwei Kinder. Vielleicht weiß Gail ja mehr. Sie steckt ihre Nase schließlich in alles.«

»Dann fahren wir jetzt ins Krankenhaus.« Kate stemmte sich hoch und hielt Maggie die Hand hin. »Du quetschst Gail nach allem Klatsch und Tratsch aus. Und ich kenne dort einen Arzt, der möglicherweise unsere Fragen zu den Autopsieberichten beantworten kann.«

Maggie stand ohne Hilfe auf. »Was, wenn wir uns irren und Jimmy aus einem ganz anderen Grund verschwunden ist?«

»Wir machen einfach weiter«, wiederholte Kate, »bis wir die Wahrheit herausfinden.«

29

Fox klappte den Kragen seines Mantels hoch und überquerte
das Eisenbahngelände. Er hatte sich nicht rasiert. Er stank nach
Schnaps. Er trug seine Tarnkleidung.

Hier gibt's nichts zu sehen, Kumpel, nur irgendein Penner
auf der Suche nach einem trockenen Plätzchen, um sich zu ver-
kriechen. Er hatte erwartet, am Morgen die Tür aufzumachen
und eine Zeitung mit der reißerischen Schlagzeile über einen
Polizisten vorzufinden, der die abscheulichsten aller Verbrechen begangen hatte. Stattdessen hatte er einen Artikel über
den neuen Integrationsplan des Bürgermeisters vorgefunden.
Fox' Augen waren gut. Er hatte über der Zeitung gestanden,
die ersten Zeilen gelesen und dann die Tür leise wieder geschlossen.

Diese Entwicklung war unerwartet.

Fox' ganzer Plan hing davon ab, dass das Geständnis veröffentlicht würde. Es musste schließlich einen Tag der Rache
geben. Es musste Jagd auf Jimmy Lawson gemacht werden. Er
musste von irgendeinem heldenhaften Polizisten gefangen genommen werden. Und dann musste sich diese ach so helden-
hafte Truppe mit ihm beschäftigen. Einer, vielleicht zwei Männer würden für diese Aufgabe ausgewählt; Männer mit ruhigen
Händen und eisernen Nerven. Jimmy würde seine Geschichte
nicht erzählen dürfen. Mit so einer Schande könnte die Truppe

nicht umgehen. Der gefallene Beamte wäre schließlich einer von ihnen gewesen. Würden sie die Welt wissen lassen, dass sie einen Mörder, einen Perversen in ihren Reihen beherbergt hatten?

No, Sir. Die guten Männer, die diese Stadt kontrollierten, würden so etwas nicht zulassen.

Fox wusste, dass Scham ein enormer Motivator war. Das war auch der Grund, warum Jimmy so schnell eingeknickt war. Fox hatte Jimmy bloß die Waffe an den Kopf halten müssen, und schon hatte er mit einem Stift in der Hand am Lawson'schen Esstisch gesessen.

Doch damit hatten die Probleme überhaupt erst angefangen. Jimmys Tränen waren auf das Papier getropft. Fox hatte ihn noch einmal von vorn anfangen lassen. Dann hatte Jimmys Stift das Papier zerrissen. Fox hatte ihn noch einmal neu anfangen lassen müssen. Jimmy hatte es so oft vermasselt, dass Fox ihm am Ende jedes einzelne Wort diktiert hatte. Und dann hatte Jimmy darum gebeten, noch etwas schreiben zu dürfen.

Wer hätte gedacht, dass dieser Kerl sich Gedanken um das Wohlergehen seiner Schwester machte?

Fox war ein Einzelkind gewesen wie auch schon seine Eltern. Es hatte keine Cousins gegeben, mit denen er hätte spielen können. Der einzige Onkel, den er je gekannt hatte, war Uncle Sam. Fox hatte nie darüber nachgedacht, wie es gewesen wäre, mit Geschwistern aufzuwachsen.

Noch einen Kopf mehr, auf den Senior hätte einprügeln können. Noch ein Arsch mehr, in den er hätte treten können. Noch eine Hand mehr, die er mit dem Absatz hätte zermalmen können. Noch ein Paar Beine mehr, die er hätte brechen können.

Denn natürlich war es nicht nur um Fox' Mutter gegangen. Warum nur eine Frau verprügeln, wenn man sich genauso gut an einem heranwachsenden Jungen auslassen konnte?

Fox fragte Jimmy nicht, wofür er sich bei seiner Schwester entschuldigte. Sie hatten Zeit, aber so viel nun auch wieder nicht. Falls Jimmy damit irgendeinen Code hinterlassen wollte, zerbrach Fox sich zumindest nicht den Kopf darüber. Kein Mensch würde auf Maggie Lawson hören. Fox hatte sie vor Jahren schon mal als Zielperson auserkoren, dann aber beschlossen, dass sie es nicht wert war. Eine Frau wie sie würde ganz von allein ausbrennen. Maggie hatte so viel Schande über die Familie gebracht, dass ihre eigene Mutter nicht mehr erhobenen Hauptes die Straße überqueren konnte.

Womit Fox jedoch nicht gerechnet hatte, war Terry Lawsons Scham. Jimmy war schließlich sein eigen Fleisch und Blut. Fox hätte voraussehen müssen, dass ein alter Soldat wie Terry seinen Neffen selbst würde zur Strecke bringen wollen. Eine unerwartete Entwicklung – aber eine, die Fox für sich nutzen konnte. So etwas tat ein echter Kerl nun mal. Andere Männer beäugten nur ihre Probleme. Doch Fox sah sich auch die potenzielle Lösung an.

Dennoch war er nervös. Würde Kate ihre Rolle einnehmen? Würde Fox sie in sein Versteck locken können?

Er spürte einen Atemzug in seinem Nacken. Er hörte unsichtbare Schritte, die sich von hinten an ihn heranschlichen. Er sah die Bewegung des Laubs, durch das der Wind gefahren sein mochte – oder aber ein Mann mit einem Messer, der Fox lautlos die Kehle durchschneiden würde, sich dann im Dschungel verstecken und auf das nächste weiße Gesicht warten würde, das vorbeikam.

Fox hatte es passieren sehen. Sie hatten ihn Mick gerufen.

Er hatte ausgesehen wie ein Schauspieler, aber er war bereit gewesen, sich die Hände schmutzig zu machen. Er war anpassungsfähig gewesen. Schlau. Er hatte sich die Grundlagen angeeignet. Seinen Beitrag geleistet. Und dann hatte er die falsche Richtung eingeschlagen, die Zeichen ignoriert und war schließlich mit einer durchtrennten Kehle liegen geblieben.

Fox hatte den Mörder nicht verfolgt. Er hatte zu viel Ehrfurcht vor dessen Arbeit gehabt. Mick war drei, vielleicht fünf

Meter von Fox entfernt gewesen, als seine Zeit gekommen war. Fox war schier verzaubert gewesen vom Tanz des Mörders. Dieses elegante Schleichen durch den Dschungel. Das anmutige Ausholen mit der Machete. Das geschmeidige Wegdrehen des Kopfes, um der Gischt arteriellen Bluts zu entgehen, die ihm die Sicht vernebelt hätte.

Ein Künstler.

Genau das würde Fox heute ebenfalls sein. Er hatte sich den Tanz in seinem Kopf bereits zurechtgelegt. Jetzt ging es nur mehr darum, Kate mit auf die Bühne zu holen.

Während Fox das Eisenbahngelände überquerte, konnte er die Musik bereits hören.

30

Kate versuchte, die wissenden Blicke der Schwester zu ignorieren, als sie nach Dr. Van Zandts Büro fragte. Wenn sie sich bis dato ein klein wenig wie eine Nutte vorgekommen war, fühlte sie sich jetzt eindeutig in vollem Umfang so.

Sie ging den Gang entlang und sah kurz auf die Uhr. Sie hatte zehn Minuten, um Philip die entscheidenden Fragen zu stellen. Gail lag irgendwo in den Tiefen des Krankenhauses, wo irgendwelche Tests an ihr durchgeführt wurden. Die Schwester hatte zu ihr gesagt, sie würde mindestens eine halbe Stunde weg sein. Doch so lange würde Kate nicht mit Philip in einem Raum sein müssen. Zehn Minuten dürften ausreichen, um die wesentlichen Informationen einzuholen. Das Ganze war vermutlich ohnehin vergebliche Liebesmühe. Gail Patterson würde nicht über die Informationen verfügen, die diesen Fall zu einer Lösung brächten. Sie war viel zu schlau, um sich nicht selbst längst alles zusammengereimt zu haben, wenn sie die Informationen denn gehabt hätte. Und Kate war sich überdies nicht sicher, ob Maggie ihrer Aufgabe gewachsen war. Sie hatte zwar durchaus erlebt, wie Maggie zur Sache gehen konnte; aber es hatte sie gelinde gesagt entsetzt, dass sie ihren eigenen Bruder auch nur für eine Sekunde allen Ernstes für einen Serienmörder gehalten hatte. Was die Frage anging, die sie Philip stellen wollte: Was würde ihnen das Wissen bringen, wenn sich herausstellte, dass wirklich alle toten Männer homosexuell gewesen waren? Was würden Kate und Maggie mit dieser Information anfangen? Sie würden damit zu niemandem gehen können. Würden mit niemandem darüber sprechen können. Die Mitglieder der Schwulenszene durften sie dazu nicht befragen, weil sie keine Ahnung hatten, wer sie wirklich waren. Kate las gelegentlich eine alternative Zeitung. Deren Redaktionsräume mochten ein erster Ausgangspunkt sein. Oder sie konnten noch mal den Barkeeper im Dabbler's befragen.

Oder sie konnten sich einfach weiter im Kreis drehen, bis sie sich die Köpfe anstießen und umfielen.

Philips Bürotür war geschlossen. Kate hörte das sonore Vibrato seiner Stimme. Offensichtlich war er am Telefon. Wahrscheinlich sprach er gerade mit einer anderen Frau. Möglicherweise mit seiner Ehefrau. Kate hätte beinahe darauf verzichtet anzuklopfen, aber dann kamen ein paar kichernde Schwestern vorbei, und Kate klopfte so laut an, dass die Tür erzitterte.

»Ja?«

Kate schob die Tür auf. Philip saß hinter einem Metallschreibtisch und presste sich den Telefonhörer ans Ohr. Ihm gegenüber standen zwei Sled-Sessel mit Lederbespannung. Eine elegante Ledercouch nahm die gesamte linke Seite des Raums ein. Philip trug einen dunkelblauen Anzug, der die Farbe seiner Augen betonte, und darunter ein gelbes Hemd mit offenem Kragen, aus dem sein Brusthaar quoll.

Am liebsten hätte Kate sich wieder umgedreht und wäre zur Tür hinausgelaufen.

»Darling ...« Er legte den Hörer auf die Gabel und stand auf. »Welch Freude, dich zu sehen.«

»Ich bin beruflich hier.« Sie schloss die Tür. »Ich muss mit dir über Sperma reden.«

»Da könnt ich dir mehr bieten als nur ...«

Kate verfluchte ihre verbale Idiotie. »Es ist ernst.«

»Natürlich. Jetzt sehe ich's dir an.« Er deutete zur Couch. Kate setzte sich auf die Kante eines der tiefen Sessel.

»Darf ich dich fragen, ob es dir gut geht? Du bist heute Morgen so überstürzt aufgebrochen.«

»Selbstverständlich, Dr. Van Zipless. Haben Sie herzlichen Dank für Ihr Interesse.«

Er lachte. Der Name schien für ihn offenbar noch vergnüglicher zu sein als für Oma. Er ließ sich wieder hinter seinem Schreibtisch nieder. »Lass uns gleich zu deinem ernsten Anliegen kommen. Wie lautet Ihre Frage, Officer Murphy?«

»Würde ein Arzt in einem Autopsiebericht Tatsachen unterschlagen?«

Prompt war sein Interesse geweckt. »Ich nehme an, das hängt davon ab, was gefunden würde ...«

»Wenn ein Mann homosexuell wäre, würde es dafür materielle Anzeichen geben?«

»Die kurze Antwort lautet: Ja.« Er lehnte sich zurück. »Was deine Ursprungsfrage angeht: Spermaspuren findet man am ehesten dort, wo man sie auch erwartet. Wenn es binnen zwei Stunden vor dem Eintreten des Todes oral aufgenommen wurde, findet man es im Magen. Sperma ist reich an Fetten und Proteinen, und beides braucht seine Zeit zur Verdauung. Wobei der Kalorienwert ungefähr dem einer Dose Tab entspricht – was für dich vielleicht interessant sein könnte ...«

Kate riss sich zusammen, ehe sie die Frage nach dem Warum stellen konnte. »Sagen wir mal, ein Coroner findet Spuren an entsprechenden Stellen, so wie du es angedeutet hast – oder aber Hinweise im Magen. Würde so etwas in einem Autopsiebericht erwähnt werden? Oder ist das etwas, was man lieber weglässt?«

»Ich würde es eher weglassen, außer die Information dient einem bestimmten Zweck. Aber ich bin auch für meine Diskretion bekannt. Soll ich den Coroner anrufen und es für dich herausfinden?«

»Du kennst den Coroner?«

»Einen von ihnen – Artie Benowitz.« Kate war die Überraschung deutlich anzusehen. »Ja, genau, der Witzbold. Der
Schlechteste seines Jahrgangs an der UGA. Ich ruf ihn schnell
für dich an.« Er griff zum Hörer. »Candy, kannst du mir
Dr. Benowitz geben, bitte?« Er zwinkerte Kate zu.

Sie sah auf die Uhr. Waren wirklich erst vier Minuten vergangen? Kate ließ den Blick durchs Büro schweifen. Die Couch
war länger, als Philip groß war, und der Sessel so tief, dass ihr
die Waden wehtaten. Es war anstrengend, auf der Kante zu
balancieren.

Philip legte die Hand über die Sprechmuschel. »Hast du einen Namen für mich?«

Kate zog ihr Notizbuch heraus und blätterte zu den Namen
der toten Beamten. »Es waren jeweils Doppelmorde – also gehören sie zusammen, je zwei und zwei.«

»Ich kann dich nicht verstehen. Kannst du dich bitte auf
meinen Schoß setzen?«

Kate knallte das Notizbuch vor ihn auf den Tisch.

Philip sah stumm auf die Liste hinab. »Das sind die Polizeibeamten, die hingerichtet wurden.«

»Richtig.«

Er hob kurz den Finger und sprach dann ins Telefon: »Hallo,
Artie. Ja, Van Zipless hier.« Er zwinkerte Kate erneut zu. Am
liebsten hätte sie ihm eine geknallt. »Ich hab hier ein paar Na-
men für dich. Ich will wissen, ob sie *fejgeles* waren.« Er las die
Namen von der Liste vor und griff dann in seine Sakkotasche.
Unter seiner Hand schimmerte schwarze Seide.

Sie machte einen Satz über den Schreibtisch. Er hielt ihren
Slip in die Luft.

»Ja, ich warte«, sagte er in den Telefonhörer.

»Philip …« Es fiel Kate schwer, ihre Stimme unter Kontrolle
zu halten.

Er hielt den Hörer ein Stück von sich weg. »Das hab ich

heute Morgen in meinem Auto gefunden. Weißt du, wem es gehört?«

»Gib es mir!«

»Du willst es doch gar nicht zurück. Ich hatte es übrigens auf dem Kopf, als ich zur Arbeit fuhr.«

Kate streckte die Hand aus. »Sofort!«

»Aber es ist so seidig ...« Er steckte sich das Höschen vorn in die Hose. »Ich mag es, wie es sich anfühlt an meinem ... *Ja.*« Er hielt den Hörer wieder ans Ohr. »Ich bin hier, Artie. Großartig. Kein Hinweis irgendeiner Art ... Wie bitte?« Er hielt den Hörer wieder ein Stück weg und wandte sich dann an Kate: »Artie war so frei. Positiver Befund bei Don Wesley. Die vier anderen sind negativ. Sonst noch was?«

Kate nahm sich einen Stift und schrieb Lionel Rosas Namen auf. »Dieser Mann wurde gestern getötet. Seine Mutter wünscht sich die Freigabe der Leiche. Sie sitzt bereits *Schiva.*« Philip richtete sich auf seinem Stuhl auf. Seine Stimme hatte den neckenden Unterton verloren, als er die Information an Artie Benowitz weitergab. Small Talk schien mit einem Mal nicht mehr angebracht zu sein. Dann legte Philip einfach auf. »Mr. Rosa wird noch heute Nachmittag freigegeben.«

»Danke.« Kate war erleichtert. So hatte sie heute wenigstens etwas Gutes zustande gebracht. »Gibst du mir jetzt bitte mein Höschen zurück?«

»Darling. Ich würde mich sehr freuen, wenn du es dir holen kämst ...«

Kate legte die Hände in den Schoß. »Bitte, versuch ein einziges Mal, ernst zu sein. Ich hab dich doch gerade ernst erlebt – du kannst es also.«

»Aber ständig muss ich an deine Hand in meiner Hose denken. Ich kann mich überhaupt nicht konzentrieren ...«

Sie gab es auf. »Wohin soll das führen?«

»Warum muss es zu irgendwas führen?«

Kate hatte allmählich genug davon, dass er ihre Fragen immer mit Gegenfragen parierte.

»Hör zu, Kaitlin.« Philip kam um den Schreibtisch herum und setzte sich in den Sessel neben ihr. »Darf ich deine Hände halten? Ich muss wirklich ganz dringend deine Hände halten …«

Widerwillig streckte sie die Hände aus, und er sah ihr tief in die Augen.

»Ich wollte dich von dem Augenblick an, als ich dich in Janice Saddlers Keller sah. Du bist das schönste Mädchen, das ich je im Leben getroffen habe. Ich habe die Erinnerung an deine Küsse mit nach Jerusalem genommen. Ich habe meine Eltern damals angefleht, mich zurückkehren zu lassen. Ich schrieb unser beider Namen in meine Notizbücher. *Mr. Kaitlin Herschel.* Ich küsste meine Hand und tat so, als wärst es du.« Kate musste lachen. Das alles war sogar für Philips Verhältnisse lächerlich. »Warum hast du mich dann nicht besucht, als du wieder in Amerika warst? Ich war zu der Zeit noch allein.« Jetzt hielt er ihre Hände sanfter. »Weil ich die Pflicht habe, eine jüdische Frau zu heiraten, die meine Kinder in unserem Glauben aufzieht, damit diese wiederum ihre Kinder in ihrem Glauben aufziehen und so weiter und so fort, bis unser Volk wieder ein Ganzes ist.«

Kate löste sich aus seinem Griff. »Und was stelle ich in dieser Gleichung dar?«

»Du bist meine *schiggse* ohne schlechtes Gewissen.«

»Ich bin genauso jüdisch wie du.«

»Ja, aber du riechst besser.« Er schnupperte an ihrem Hals. Kate stieß ihn von sich weg. »Ich bin bei der Arbeit. Ich muss wieder nach unten.« Sie warf einen Blick auf die Uhr und fragte sich, ob die Zeiger sich irgendwie rückwärts bewegt hatten. Gail war immer noch bei der Untersuchung. Kate hatte die ganze Woche über gelogen, dass sich die Balken bogen, doch plötzlich schien ihr diese Fähigkeit abhandengekommen zu sein. »Ich hab nur fünfzehn Minuten …«

»Dann küss mich vierzehn Minuten lang. Danach hast du immer noch genügend Zeit, um nach unten zu gehen.«

»Warum beschleicht mich gerade das Gefühl, dass du dir das längst ausgerechnet hast?«

Philip schob seine Manschette hoch und präsentierte Kate seine Digitaluhr. Er drückte auf ein paar Knöpfe, und der Timer zeigte vierzehn Minuten an.

»Philip ...«

Er startete den Timer.

»Ich sollte besser gehen ...«

»Aber du tust es nicht.«

Kate drückte die Hände auf den Rand des Sessels. Aber sie stand nicht auf.

»Weißt du eigentlich, wie perfekt dein Mund ist?« Er sah auf ihre Lippen hinab. »Ich muss die ganze Zeit an ihre Farbe denken. Ist sie wie Rosen? Wie Tulpen? Ich drehe fast durch, wenn ich nur daran denke.«

Sie lächelte schief, aber nicht, weil er charmant zu ihr war. Er redete mit ihr wie ein Zuhälter, nur dass er sie nicht auf den Strich schicken wollte. Er wollte sie willenlos machen.

»Hier.« Philip nahm ihre Hand und drückte sie an seine Brust. »Spürst du mein pochendes Herz? Verstehst du, welche Wirkung du auf mich hast?«

Sein Herz schlug tatsächlich schnell. Sie spürte es durch sein Hemd hindurch. Kate ließ ihre Hand zu seinem offenen Kragen wandern. Seine Haut glühte. Dann fuhr sie mit den Fingern über sein Gesicht. Seine Wange war rau von Bartstoppeln. Seine Lippen waren so weich.

Kate küsste ihn, weil sie es wollte. Sie legte ihm die Hand in den Nacken. Sie zog ihn an sich. Alles, weil sie es wollte.

Philip brauchte keine Ermutigung. Er nahm ihr mit – wie es schien – geübter Souveränität den Gürtel ab. Kate hielt sich nicht mit der Frage auf, wie er dabei so geschickt vorgehen konnte. Sie konzentrierte sich nur mehr auf seinen Mund, seine

Hände. Er ging vor ihr auf die Knie. Ihr Hemd landete auf dem Boden. Er hakte ihren BH auf. Sie lehnte sich zurück und legte einen Fuß an die Schreibtischkante. Ihr Kopf sank nach hinten, als er ihr den Slip auszog.

Und dann verlangsamte er alles.

Seine Zunge umkreiste sanft und träge ihre Brust und wanderte dann hinunter zu ihrem Bauch. Er tastete sich nach unten vor, bis seine Finger sie sanft zwischen den Beinen streichelten. Kate strich ihm durch das dichte Haar. Er beobachtete sie – ihre Atmung, ihre Reaktionen –, damit er ihre Erregung in seinem eigenen entspannten Rhythmus allmählich steigern konnte.

»Philip …« Sie musste an die gottverdammte Uhr denken.

»Komm. Bitte.«

Er ließ sich von ihr hochziehen. Sie knabberte an seiner Lippe, saugte an seiner Zunge. Sie versuchte, ihre Hand auf ihn zu legen, doch er ließ es nicht zu. Er ließ sich nicht drängen. Er behielt sein eigenes träges Tempo bei, bis sein Mund ihren Körper vollends in Brand gesteckt hatte. Als er schließlich in sie eindrang, tat er es mit so ausgesuchter Langsamkeit, dass Kate regelrecht erbebte. Er zog sich langsam wieder zurück. Ihr Körper wollte ihn umklammern und festhalten. Sie fühlte sich leer. Und dann stieß er erneut zu, und sie stöhnte laut auf vor Lust.

»Kaitlin …« Sein Atem war heiß an ihrem Ohr. Er behielt seinen aufreizenden Rhythmus bei. »Gefällt es dir, wie ich dich ficke?«

Kate grub ihm die Fingernägel in die Haut.

»Willst du, dass ich langsamer werde?«

»Nein.« Er brachte sie schier um. »Bitte …«

»Sicher?«

»Philip …« Sie hielt es nicht mehr aus. »Halt einfach den Mund und fick mich.«

31

Maggie stand vor Gails Krankenzimmer und hörte den Funk-verkehr ab. Das Geplapper beruhigte sie. Niemand schien mehr nach ihrem Bruder zu suchen. In der Innenstadt hatte es einen Bankraub gegeben; zwei Kassierer und ein Wachmann waren niedergeschossen worden. Sämtliche verfügbaren Fahr-zeuge machten Jagd nach dem Räuber.

Maggie hätte wesentlich erleichterter sein müssen, dass man nicht länger nach ihrem Bruder fahndete – doch stattdessen war sie entrüstet über sich selbst. Wie hatte sie seinem Brief auch nur einen Augenblick lang Glauben schenken können? Was war nur los gewesen mit ihr? Als sie noch klein gewesen waren, hatte Jimmy sie immerzu ausgetrickst. Er hatte so getan, als wüsste er nicht, wo ihre Schuhe waren. Er hatte ihre Bücher versteckt und nur mit den Schultern gezuckt, wenn sie ihn ge-fragt hatte, ob er den Schlüssel für ihre Rollschuhe gesehen hätte, obwohl er die ganze Zeit über in seiner Gesäßtasche ge-steckt hatte. Er hatte immer diesen Quatsch im Schwimmbad gemacht und ihr Wasser ins Gesicht gespritzt. Und jedes Mal hatte Maggie das Gleiche getan, was sie auch gestern Nacht getan hatte: Sie hatte das Grummeln in ihrem Bauch überhört und Jimmy geglaubt, nicht weil sie gutgläubig gewesen wäre, sondern weil ein Teil vor ihr nie hatte akzeptieren wollen, dass Jimmy sie je anlügen würde.

Der gestrige Tag war einer der schlimmsten in Maggies Leben gewesen. Sie war von Terry und seinen Freunden gedemütigt worden. Sie hatte einen Mann getötet. Gail war schwer verletzt worden. Terry hatte sie durch die Gegend geschleudert wie ein Frisbee. Als Maggie dann auch noch Jimmys Geständnis vor Augen gehabt hatte, war sie sich vorgekommen wie Kate, nachdem sie gegen die Mauer gerannt war. Der Schock hatte sie gepackt, und sie hatte nicht mehr klar denken können. Ihr Hirn hatte die Wirklichkeit nicht länger verarbeiten können.

Und das war auch die einzig plausible Erklärung dafür, warum ein trauernder Transsexueller und ein schwuler Barkeeper aus Maggies Zweifeln Gewissheit hatten machen können. Die ganze Nacht über hatte sie sich gegen den Inhalt von Jimmys Brief gesträubt. Ihre Gedanken waren immer wieder hin und her gesprungen. Für jedes Ja hatte es ein Aber gegeben – aber er hätte es nicht tun müssen. Aber er ist doch mit so vielen Mädchen ausgegangen. Aber er ist doch immer fast schon übertrieben verlässlich und aufrichtig gewesen.

Erst zwei Tage zuvor hatte sie Kate vor dem Colonnade erklärt: Die Leute lügen die ganze Zeit, aber wenn nur genug Leute die gleiche Geschichte erzählten, dann sollte man irgendwann vielleicht akzeptieren, dass man es womöglich doch mit der Wahrheit zu tun hatte.

Mit dem Barkeeper zu reden, zu hören, wie er ihren Bruder Jim genannt nannte, sein Lächeln zu sehen, als er das Foto angesehen hatte – das alles war Beweis genug gewesen. Und wenn Jimmy diesbezüglich die Wahrheit gesagt hatte, folgte dann nicht zwangsläufig daraus, dass auch alles andere der Wahrheit entsprach?

Maggie hatte Jimmy einfach aufgegeben. Sie hatte ihn genauso schnell abgeschrieben, wie Terry es getan hatte.

Aber wenigstens hatte Maggie ihn aus anderen Gründen abgeschrieben. Terry hatte die Erkenntnis, dass Jimmy schwul war, ins Mark getroffen. Ihn auch noch für einen Mörder zu halten, war da beinahe nebensächlich. Bei Maggie indes war das Gegenteil der Fall. Und jetzt, da die schlimmste aller Möglichkeiten ausgeräumt war, wog die andere Last beinah zu schwer. Maggie würde sich später – wenn Jimmy erst wieder zu Hause und der wahre Shooter gefasst wäre – damit herumschlagen.

Doch im Augenblick mussten sie in Bewegung bleiben. In dieser Hinsicht hatte Kate recht. Sie mussten alles tun, um diesen Fall zu lösen. Maggie war zwar erschöpft, aber an Schlaf war jetzt nicht mehr zu denken, bis sie wusste, dass ihr Bruder sich in Sicherheit befand.

Aus Gails Zimmer hörte sie Lachen. Bud Deacon, Mack McKay und Chip Bixby waren zu Besuch gekommen und unterhielten sich mit Trouble, Gails Mann, über Football. Die Männer rissen Witze, als wären sie alte Freunde. Maggie mochte ihnen die Heuchelei nicht verübeln. So verhielten sich Polizisten nun mal. Gleichgültig, wer man war, wie sehr alle anderen einen verachteten – wenn man im Krankenhaus landete, konnte man sich darauf verlassen, von jedem in der Truppe besucht zu werden. Tags zuvor hatten sie das Gleiche für Jimmy getan.

Und falls Terry ihn fände, würden sie das Gleiche auch bei Jimmys Begräbnis tun.

Terry hatte nicht auf Maggie gehört. Sie hatte ihn vom Münzfernsprecher der Notaufnahme aus angerufen. Sie hatte ihrem Onkel mitgeteilt, sie wisse inzwischen ganz sicher, dass Jimmy nicht der Schütze gewesen sein konnte. Doch sowie Terry sie nach einem Beweis gefragt hatte, hatte Maggie angefangen zu stammeln wie eine Schwachsinnige. Was für Beweise habe sie schon – außer ihrem Bauchgefühl und einer Handvoll Informationen, die das Schaf habe anklingen lassen? Das alles höre sich doch sehr nach Spekulationen an. Ärzten sei nicht zu trauen. Abgesehen von Blutgruppen und Fingerabdrücken betrachtete Terry die Forensik als Blödsinn. Er hielt sich nicht mit Nuancen auf. Er wollte kalte, harte Tatsachen. Am Ende hatte Maggie ihn nur mehr bitten können, ihr zu vertrauen, doch Terry hatte bloß gelacht und dann einfach aufgelegt.

Maggies Sender piepste. »Einheit fünf, hier Zentrale. Was ist Ihr Zehn-zwanzig?«

Sie drückte den Knopf am Schultermikro. »Zentrale, hier Einheit fünf. Bin im Grady Hospital.«

»Zehn-vier, Einheit fünf. Zehn-neunzehn wird verlangt.«

»Zehn-vier …« Maggie ließ das Mikro sinken. Sie war aufs Revier zurückbeordert worden. Sie wollte lieber nicht darüber nachdenken, was passieren würde, wenn sie dort ankäme. Terry konnte sie nicht dazu zwingen zu kündigen, aber er würde mit Leichtigkeit Gründe für ihre Entlassung finden. Sie sah auf die Uhr. Kate war bereits zwei Minuten zu spät.

Sie hatte Maggie praktisch angefleht, sich pünktlich um 12.30 Uhr wieder zu treffen. Hoffentlich verfolgte sie eine solide Spur.

»Was machst du denn hier draußen, Mädchen?« Mack hatte wie immer mächtig einen in der Krone. Sie musste einen langen Schritt zurücktreten, um nicht allein von seinen Ausdünstungen besoffen zu werden. »Du solltest unterwegs sein und deinen Bruder suchen.«

»Wenn Jimmy gefunden werden will«, erwiderte sie unwirsch, »wird ihn schon jemand finden.«

»Da hör sich einer diese toughe Tussi an«, blökte Chip. Er sah wesentlich besser aus als Bud und Mack, aber das hieß nicht viel. Sie alle waren ungefähr in Terrys Alter, aber sie sahen aus wie alte Männer. Zu viel Alkohol, zu viele kurze Nächte. Als sie bei der Truppe angefangen hatten, war das der einzige Weg gewesen, des Jobs Herr zu werden. Doch jetzt, da sich die Dinge allmählich veränderten, konnten sie einfach nicht mehr damit aufhören.

»Hast du je herausgefunden, warum Marks Fingernagel ein-

435

gerissen war?«, fragte Bud, und Mack gackerte, als wäre das Ganze ein Witz und Mark Porters Tod eine Belanglosigkeit.

»Ja, hab ich«, redete Maggie gegen ihr Gelächter an. »Um genau zu sein – wir haben eine ganze Menge Spuren gefunden. Murphy und ich haben den ganzen Vormittag an dem Fall gearbeitet, und wir haben sogar einen Zeugen ausfindig gemacht.«

»Na, bravo!«, rief Bud. Offensichtlich glaubte er ihr kein Wort. »Die Kleine hier hat einen Zeugen gefunden! Was sagt man dazu, Chipper?«

»Schätze, wir erfahren aus der Zeitung davon.« Angesichts der Vorstellung grinste Chip breit. »Los, wir verschwinden. Wir können ja nicht den ganzen Tag auf die verrückte alte Schlampe warten.«

»Nein, können wir nicht.« Mack zog seine Handschuhe aus der Jackentasche. Sie waren aus schwarzem Leder, genau wie die von Terry. Und von Jimmy. Wie die eines jeden Kollegen.

»Detective Titte …«, sagte Chip und salutierte noch, ehe der Trupp sich in Bewegung setzte.

Maggie stützte die Hand auf ihren Schlagstock. Die gleiche Wut wie zuvor brachte sie einfach nicht mehr auf. Warum hatte sie ihnen gegenüber überhaupt einen Ton gesagt? Wie viele Fehler würde sie heute noch begehen? Sie war bereits vor Kate zusammengebrochen. Jetzt hatte sie auch noch Bud, Mack und Chip angelogen. Wahrscheinlich würden sie über Funk Terry Bescheid geben, sobald sie wieder in ihren Fahrzeugen saßen. Wie lange würde es dauern, bis Terry sie hier aufspürte und fragte, was sie hier eigentlich trieb? Das wäre das Letzte, was sie jetzt brauchen konnte. Dass sie pünktlich zu Beginn des Nachmittags vor Kate Murphys Augen heruntergeputzt wurde.

»He, Mama!«, schrie plötzlich jemand vom Ende des Gangs herüber. Eine Schwester schob Gail in einem Rollstuhl heran. Ein breiter Kopfverband verdeckte ihr verletztes Auge. Der Krankenhauskittel war ihr über die Beine gerutscht. Sie machte sich nicht die Mühe, die Knie zusammenzudrücken.

»Wie lang bist du'n schon da?«

»Noch nicht lange.« Am liebsten hätte Maggie losgeweint, und das war ihr zutiefst peinlich. Gail saß aufrecht in ihrem Rollstuhl. Sie redete. Sie klang wie eh und je.

»Verdammt, wo hast du denn die blauen Flecken her?« Maggie schüttelte bloß den Kopf. Sie traute sich nicht, den Mund aufzumachen. Genau das war das Problem, wenn man die Tränen zuließ: Wenn man einmal nachgab, verlor man die Fähigkeit, sie beim nächsten Mal zurückzuhalten.

»Danke, Puppe«, sagte Gail zu der Schwester. »Ich schaff den Rest auch allein.« Dann rollte sie in ihr Zimmer.

»Trouble!«

Trouble lag auf ihrem Krankenbett und blätterte in einem Magazin. »Oh, hi, Maggie. Wie geht's dir, Baby?«

»Die hatten mich im Keller in so 'ner verdammten Maschine … durfte fünfundvierzig Minuten lang nicht rauchen.«

Er rollte sich aus dem Bett und reichte Gail ihre Handtasche. »Und was haben sie gesagt?«

»Nur Blödsinn. Das Gleiche wie schon die ganze Zeit.« Sie hielt den Kopf merkwürdig schief, damit sie in ihre Handtasche sehen konnte. »Hast du meine ganzen Zigaretten geraucht, du Arschloch?«

»Mir war langweilig.«

Gail bedachte ihn mit einem bösen Blick aus ihrem gesunden Auge.

»Unten steht ein Automat.« Trouble flitzte aus dem Zimmer.

»Der treibt mich noch in den Wahnsinn.« Gail rollte zum Fenster. »Lässt mich einfach nicht in Frieden. Holt mir Kissen. Füllt den Krug mit Eiswasser. Du weißt, dass ich kein Wasser trinke. Was zum Teufel denkt er sich eigentlich dabei?«

Maggie war klar, dass sie keine Antwort erwartete.

»Das Ding da nervt«, sagte Gail und wies auf ihren Kopfverband. »Darf nicht nach unten sehen, weil mein Augapfel sonst rausfallen könnte.« Sie lachte, als sie Maggies Gesichtsausdruck sah. »Scheiße, Mädchen, ich hab schon Schlimmeres durchgemacht. Erzähl mir von der Arbeit. Mir will keiner was sagen.«

Maggie versuchte, sich zu konzentrieren. Sie war aus einem bestimmten Grund hier. »Was weißt du über Alex Ballard und Leonard Johnson?«

»Nicht viel. Sie waren gute Polizisten. Hassten einander wie die Pest. Lagen andauernd im Clinch miteinander.«

Das hatte Maggie nirgends in den Akten gelesen. »Weswegen?«

»Wer weiß das schon?« Gail konzentrierte sich darauf, den Rollstuhl zu drehen. »Die Chefs haben sie zusammengesteckt, weil sie beide mit Schwarzen Tussis verheiratet waren. Dachten, da hätten sie wohl was gemeinsam. Typischer arroganter Blödsinn.«

Die Tatsache, dass beide mit Schwarzen verheiratet gewesen waren, stellte in Maggies Augen eine weitere Art Verbindung dar. »Und was ist mit Greg Keen und Mark Porter? Waren die auch mit irgendwelchen Vertreterinnen von Randgruppen zusammen?«

»Soweit ich weiß, nicht. Keen war ein Weiberheld, aber das bringt der Job wohl mit sich.« Gail deutete zu einer Akte auf ihrem Nachttisch. »Das da hat Rick für dich abgegeben. Er musste Jake Coffee dafür allein lassen, um ins Zentrum zu fahren und sie zu holen. Das hat er zweimal betont. Also vermute ich, er erwartet, dass du dich außer Dienst bei ihm erkenntlich zeigst.«

»Ich klemm ihm einen Zettel unter den Scheibenwischer.« Maggie schlug die Akte auf. Eduardos Rosas Vorstrafenregister. Es waren sechs vorn und hinten beschriebene Blätter.

»Hier ging's den ganzen Vormittag zu wie an der Grand Central Station.« Gail fixierte die Bremse an ihrem Rollstuhl. Sie hatte sich seitlich gedreht, damit sie Maggie ansehen konnte. »Rick war hier. Cal Vick. Les Leslie hat Whiskey mitgebracht, Red Flemming hat die Hälfte davon getrunken, dein Onkel

Terry den Rest. Zwei der farbigen Mädchen haben mir Schokolade vorbeigebracht – Delroy und Watson. Kennst du sie?«

Maggie sah von der Akte auf. Delroy und Watson? Die Art, wie Gail sie anstarrte, verhieß, dass die beiden ausgeplaudert hatten, dass sie Lewis Conroy nackt in einer Telefonzelle vorgefunden hatten.

»Und – hat's sich gut angefühlt?«

»Als ich es tat, schon«, gab Maggie zu. »Aber danach …« Sie zuckte mit den Schultern. Sie wusste nur zu gut, dass Conroy seine Strafe verdiente. Und auch zusätzlich zu dem, was Delroy und Watson mit ihm vorgehabt hatten, hatte er es verdient gehabt. Trotzdem fühlte Maggie sich schlecht. Nicht wegen Conroy, sondern ihrer selbst wegen. Sie hatte die Kontrolle verloren. So etwas war ihr noch nie passiert.

»Es fühlt sich immer gut an, während man so was macht«, sagte Gail.

»Und fühlt es sich danach auch immer schlecht an?«

»Jedes verdammte Mal.«

Maggie konnte Gails prüfenden Blick nicht länger ertragen. Sie sah wieder auf die Akte hinab. Eduardo Rosas früheres Leben war geradezu prototypisch für die meisten Kriminellen gewesen: Raubüberfälle auf Gemischtwarenläden. Bewaffnete Überfälle auf Schnapsläden. Immer wieder im Knast. Doch auf dem Papier sah es ganz so aus, als hätte er sein Leben irgendwann auf die Reihe bekommen. In den vergangenen zwanzig Jahren kein einziger Eintrag mehr. Wahrscheinlich, weil sich ab diesem Zeitpunkt Gerald um die kriminellen Machenschaften gekümmert hatte.

»E-du-ar-do.« Gail sprach den Namen so gedehnt wie nur möglich aus. »Wer ist dieser Kater?«

»Der Transenlude.« Maggie klappte die Akte wieder zu.

»Nein, falsch. Die Mutter des Luden. Der Vater?« Jetzt klang sie schon beinahe wie Kate. »Kannst du dich noch an die Portugiesin erinnern?«

Gail verzog das Gesicht, wie Maggie es wohl verdient hatte. Natürlich konnte sie sich noch an die Portugiesin erinnern.

»In Wahrheit ist sie ein Mann. Wir waren heute Vormittag bei ihr. Sie hatte Stoppeln im Gesicht.«

»Heilige Scheiße!« Gail lachte so heftig, dass ihr Fuß unwillkürlich vorschnellte. »Oh Mann!« Der Rollstuhl schepperte unter ihrem Gelächter. Sie sah zur Decke hoch, damit sie nicht zusammenklappte. »Ein Knaller!«

Auch Maggie musste grinsen – nicht weil es so lustig gewesen wäre, sondern weil Gail immer noch nicht verlernt hatte zu lachen.

»Scheiße.« Gail wischte sich über das gesunde Auge.

»Scheiße, Mann. Das is ja 'n Ding. Ich glaub, ich hab mich angepisst …« Zu Maggie sagte sie: »Echt, ich glaub, ich hab's wirklich getan …«

»Soll ich eine Schwester holen?«

»Ach was. Trouble soll sich darum kümmern. Er mag solche Sachen.« Gail steckte die Hand in ihre Handtasche und wühlte blindlings darin herum. »Kann kaum glauben, dass das gestern keinem von den Trotteln aufgefallen ist. Es war doch fast das ganze Revier in dem Haus. Hat irgendjemand ihre Aussage aufgenommen?«

»Sie hat einen falschen Namen angegeben.« Maggie wollte nicht genauer auf Gerald und Sir Chic eingehen. Gail hatte für heute schon genug Spaß gehabt. »Hast du eigentlich gewusst, dass Murphy Jüdin ist?«

»Klar. Wanda Clack hat's mir gesagt. Hat es in ihrer Akte gelesen.«

Natürlich hatte sie das getan. »Außerdem ist sie stinkreich.«

»Im Ernst?« Mit einem Mal war Gails Hang zum Sarkasmus wieder da. »Was hat sie nur verraten – ihr Akzent oder das Auto?«

Maggie konnte sich nicht überwinden, nach dem Auto zu fragen. »Sie hat bei ziemlich vielen Dingen gelogen …«

»Ach Gottchen«, äffte Gail Kates Akzent nach. »Aber sag mir eins, Kleines. Hast du irgendwann erwähnt, du hättest diese blauen Flecken, weil du die Treppe hinuntergefallen bist?«

Maggie antwortete nicht.

Gail hielt ihr die Tasche hin, damit sie einen Blick hineinwerfen konnte. »Komm her. Zieh den Stuhl näher ran.«

Maggie setzte sich vor sie. »Meinst du, aus ihr wird mal eine gute Polizistin?«

»Aus Murphy?« Gail klappte eine Dose auf. »Ich versuche immer noch, aus diesem Mädchen irgendwie schlau zu werden. Näher!«

Maggie beugte sich zu ihr vor.

Mit einem Schwämmchen tupfte Gail Concealer auf Maggies Wange – ganz behutsam, und trotzdem krümmten sich ihr vor Schmerz die Zehen. »Murphy geht unter, oder sie lernt schwimmen. In dieser Hinsicht können wir nichts für sie tun. Sie ist verdammt schlau – und gleichzeitig blöd genug, dass sie nicht weiß, wann sie besser Schiss haben sollte.«

»Sie hat Angst vor Terry.«

»Scheiße, er wird ihr nichts tun. Sie gehört schließlich nicht zur Familie.«

Maggie lachte. Das hatte es ziemlich gut getroffen.

»Hör auf zu grinsen. Das hier ist harte Arbeit. Er hat dir kräftig eins verpasst …«

Maggie schloss die Augen, damit Gail das Make-up rund um die Augen verteilen konnte. Sie konnte sich nicht daran erinnern, wann sich zuletzt jemand um sie gekümmert hatte. Delia war nicht der Typ, der ihre Kinder bemuttern würde. Wann immer Maggie früher eine Erkältung oder Grippe gehabt hatte, hatte Delia sie auf ihr Zimmer geschickt, damit sie die anderen nicht ansteckte. Selbst an dem Tag, als Maggie von nebenan heimgekommen war, hatte Delia bloß zu ihr gesagt, sie solle nach oben gehen und in ihrem Zimmer bleiben. Der einzige

Mensch, dem ihr Wohlergehen am Herzen gelegen hatte, war Deathly gewesen. Er hatte in der Küche seiner Mutter neben der Couch gestanden. Die Kabel seines Hörgeräts hatten aus seinen Ohren geragt. Den Empfänger hatte er sich vor die Brust geschnallt. So nah war sie ihm noch nie zuvor gewesen. Er hatte die freundlichsten Augen, die Maggie je gesehen hatte.

»Fertig, Miss America.« Gail setzte das Schwämmchen ab.

»Es ist nicht deine Farbe, aber mehr kann ich nicht tun.« Maggie nahm ihr die Dose aus der Hand, um sich im Spiegel zu betrachten. Gail hatte eindeutig einen dunkleren Teint. Der Concealer sah ein bisschen zu bräunlich an ihr aus, aber zumindest waren die blauen Flecken abgedeckt. »Danke.«

»Hör zu, Baby.« Gail steckte die Dose wieder in die Handtasche. »Was da gestern abgelaufen ist … Scheiße passiert nun mal, so ist das eben.«

Maggie wusste, dass Gail recht hatte, aber ihr Bauchgefühl sagte ihr etwas anderes.

»Du hast dieses fette Arschloch erschossen, und das war auch gut so. Ich wurde bei dem Einsatz verletzt. Das war nicht ganz so gut.« Sie zuckte mit den Schultern. »Aber so ist nun mal der Job. Du machst ihn jetzt seit fünf Jahren, und du wirst ihn noch fünfzig weitere Jahre machen.« Sie umklammerte die Armlehnen des Rollstuhls. »Du hast Eiswasser in deinen Adern, genau wie ich, Kleines. Im Augenblick gibt's niemanden auf der Welt, dem ich mehr vertraue als dir.«

»Gleichfalls.«

»Dann is ja gut.« Gail grinste. »Dann wär das ja geklärt. Und jetzt erzähl mir endlich von dieser Fahndung nach Jimmy.«

Maggie musste wieder an Jimmys Geständnis denken und daran, was sie und Kate im Dabbler's herausgefunden hatten. Vielleicht hatte sie doch kein so großes Vertrauen zu Gail.

»Er ist einfach so verschwunden …«

»Klingt nicht gerade nach Jimmy.«

Sie versuchte es mit Kates Argumentation. »Don wurde vor

seinen Augen erschossen, und Jimmy wurde gestern angeschossen. Zwei Kugeln in zwei Tagen, die ihn beinahe das .
Leben gekostet hätten. Ich glaube, er musste einfach mal weg,
um wieder zu sich zu kommen.«

»Jimmy Lawson – dein Bruder?« Gail klang extrem skep-
tisch. »Jimmy schmollt nicht, wenn ihn niemand dabei sieht.
Scheiße, *kein* Mann schmollt, wenn ihm niemand dabei zusieht.
Würd doch gar nichts bringen.«

»Das hier ist irgendwie anders ... Er schmollt nicht. Ich
glaube, er hat wirklich Angst.«

»Und er hat dir nicht gesagt, wohin er geht? Auch Terry
oder Bud oder Chip nicht und auch sonst niemandem? Nee,
nee, Kleines, das kauf ich dir nicht ab.«

»Er hat einen Brief hinterlassen.« Die Abschrift in ihrem
Notizbuch zeigte sie Gail nicht. »Er schreibt, er will allein
sein.«

»Hat er auch gesagt, warum?«

Maggie hielt den Augenkontakt aufrecht. Sie kontrollierte
ihre Atmung. Versuchte, nicht hin und her zu rutschen. Doch
Gail durchschaute sie sofort.

»Du lügst mich an.«

Maggie biss sich auf die Lippe. Selbst wenn sie es Gail erzählen wollte – sie könnte es nicht. Es gäbe zu viel zu erklären.
Maggie wollte das alles nicht noch einmal durchmachen. Und
sie durfte Jimmys Geheimnis nicht preisgeben. Das Gerede
würde für Gail einfach zu unwiderstehlich sein. Außerdem
wusste Maggie aus Erfahrung, dass Gail selbst zwar gern mal
über die Stränge schlug, aber auch überaus vorurteilsbehaftet
war, wenn andere eine Grenze überschritten. Also blieb sie
eher allgemein. »Ich hab ihn die ganze Nacht über gesucht. Er
will nicht gefunden werden.« Sie rang verzweifelt nach einer
besseren Lüge. »In seinem Brief steht, dass wir ihn nicht suchen sollen.«

»Was hat er sonst noch geschrieben?«

»Das war alles: ›Ich gehe weg. Sucht nicht nach mir.‹ Du kennst doch Jimmy, er schreibt keine Romane.«

»Hat er seine Papiere beim Chef eingereicht?«

»Nein.«

»Hat er Urlaub beantragt?«

»Nein.«

»Hat er eurer Mutter gesagt, dass er weggeht?«

»Nein …«

Gail ließ sich nicht hinters Licht führen. »Is schon okay, Mädchen. Ich lüg dich ja auch manchmal an.«

»Ich würde dich nicht …« Maggie brachte den Satz nicht fertig. Sie konnte nicht auch noch übers Lügen lügen. »Du versuchst, diesen Fall zu lösen«, fuhr Gail fort.

»Glaubst du, du hast irgendeine Spur zum Shooter?«

»Ich weiß rein gar nichts.«

»Blödsinn.« Gail war immer noch der Ansicht, dass Maggie sie belog. »Du hast mich nach den toten Polizisten gefragt. Warum eigentlich nicht nach Don?«

Maggie sagte einfach das Erste, was ihr in den Sinn kam.

»Erzähl mir von ihm.«

Sie zuckte mit den Schultern, als würde die Frage ganz schmerzlos an ihr abperlen. »Er hatte seine Dämonen …«

»Welche zum Beispiel?«

»Den Krieg.« Gail stützte sich schwer auf die Armlehne.

»Der Krieg zerreißt diese Jungs. Sie gehen hinein und denken, sie tun es für Gott und Vaterland, und dann kommen sie zurück im Wissen, dass das alles Blödsinn war – nur ein Haufen alter Generäle, die Krieg spielen, weil sie anders keinen mehr hochkriegen.«

»Ich hab gehört, Don hätte seine Freundin schlecht behandelt …«

»Pocahontas?« Gail schnaubte verächtlich. »Das hat doch nichts zu bedeuten. Sämtliche Soldaten kommen zurück und sehen die Welt auf einmal aus einem anderen Blickwinkel. Die meisten lassen es gut sein, machen weiter mit ihrem Leben, gründen eine Familie. Aber ein paar schaffen es eben einfach nicht. Sieh dir deinen Onkel Terry an. Die ganze Scheiße, die er drüben in Europa gesehen hat – denk ja nicht, dass er das alles nicht mehr mit sich herumschleppen würde. Jett hätte vor den Midways fast einen Arm verloren. Mack ist auf den Philippinen in Gefangenschaft geraten. Chip und Red haben ihre Seelen in Guadalcanal gelassen. Und wer zum Teufel weiß schon, was Rick in Nam getrieben hat. Die schleppen das alles doch immer noch mit sich herum – jeder auf andere Art.«

»Pocahontas«, wiederholte Maggie. Der Name war das Einzige, was sie über Dons Freundin wusste, und ihr Bauch sagte ihr, dass sie ihn nicht einfach so beiseiteschieben durfte. Don Wesleys Freundin war Native American. Alex Ballard und Leonard Johnson waren mit Schwarzen Frauen verheiratet gewesen. Jimmy hatte keine Freundin gehabt, vielleicht aber stattdessen einen Freund. »Du warst doch bei Mark Porters Beerdigung. Kannst du dich noch an seine Frau erinnern?«

»Ja, ich glaube schon.«

»Sie ist weiß, oder nicht?«

»Weiß wie Schnee. Klein, rundlich, sieht ein bisschen aus wie Totie Fields. Eine waschechte Kifferin. Hab gesehen, wie sie sich hinter dem Leichenwagen einen Joint reingezogen hat.« Dann griff Gail Maggies Gedankengang auf. »Greg Keens Frau ist ebenfalls weiß. Wenn sie Schwarz wäre, hätt ich davon gehört. Worauf willst du hinaus, Kleines?«

»Ist doch irgendwie komisch, dass drei von ihnen Frauen hatten, die nicht weiß waren.«

»Du darfst Jimmy und Don nicht mit dazuzählen. Sie haben normalerweise keine Nachtschichten übernommen. Sie sind in jener Nacht für Rick Anderson und Jake Coffee eingesprungen.« Gail rieb sich nachdenklich das Kinn. »Soweit ich weiß, hat Rick kein Mädchen – auch wenn er sich wahnsinnig ins Zeug legt. Jakes Freundin ist so ein Hippiemädchen. Sieht ziemlich gut aus. Hat allerdings so 'ne Marina-Oswald-Sache laufen. Sie arbeitet für eine Gruppe, die unten in der Mall einen Betriebsrat gründen will.«

»Jimmy und Don waren also nicht die eigentlichen Zielpersonen.« Maggie musste es sich laut vorsagen. Sie wusste nicht, warum sie das so erleichterte. Wenn auf dem Rücken ihres Bruders schon eine Zielscheibe prangen musste, dann wollte sie, dass es zumindest so war, weil er Polizist, und nicht, weil er schwul war.

Gail atmete geräuschvoll aus. »Sackgasse Nummer zehntausend und ein paar Zerquetschte.« Sie griff wieder in ihre Handtasche. »Scheiße. Wo bleibt Trouble mit meinen Zigaretten?«

Maggie schüttelte langsam den Kopf. Der Gedanke ließ sie einfach nicht los. Rick gehörte zu den Guten, das sagten alle. Er half den Frauen – er trat für sie ein, wann immer er konnte. Er schien nicht einmal etwas dagegen zu haben, dass sie immer zahlreicher zur Truppe kamen. Und Jake Coffee war ganz genauso.

Dann bestand also eine Verbindung zwischen mindestens vier der Männer – sechs, wenn man Don und Jimmy mit dazuzählte. Sie hatten samt und sonders dem alten Wertesystem widersprochen.

»Störe ich?« Plötzlich stand Kate in der offenen Tür. Sie glühte regelrecht – so wie sie auch am Morgen geglüht hatte, als die Lifttüren aufgegangen waren. »Tut mir leid, dass ich zu spät bin. Die Unterhaltung hat ein bisschen länger gedauert, als ich erwartet habe.«

Gail kicherte heiser. »He, Mama, kann ich auch so eine Unterhaltung haben, wie du sie eben hattest?«

Kate errötete. »Gail, freut mich sehr, dass du wieder wohlauf bist. Es tut mir so leid, dass …«

Gail schnalzte nur mit der Zunge.

Kate lächelte schief. Ihre Wangen brannten. »Darf ich vielleicht deine Toilette benutzen?«

»Lass dir Zeit, Darling. Sieht ganz danach aus, als bräuchtest du 'nen Augenblick ...« Gail kicherte immer noch, als Kate die Toilettentür hinter sich zuzog. »Oh Mann, dieses Biest wird vielleicht doch noch eine echte Polizistin.«

Doch im Augenblick spielte Kate für Maggie keine Rolle.

»Gail, worüber wir gerade gesprochen haben ... Die Opfer. Sie alle haben sich dem System widersetzt.«

»Was meinst du?« Gail schien immer noch abgelenkt zu sein.

»Ballard und Johnson waren mit Schwarzen Frauen verheiratet. Wie hat man auf dem Revier darüber gedacht?«

»Was glaubst du wohl? Ballard haben sie einmal eine gottverdammte Henkersschlinge in den Spind gehängt.«

»Und Jakes Freundin? Was ist mit ihr?«

»Scheiße, sie ist weiß wie du und ich, aber sie ist so eine Art Kommunistin. Aus heiterem Himmel will sie einen Betriebsrat gründen.«

»Und Rick ist praktisch selbst ein Hippie. Er ist der einzige Kerl, den ich kenne, der offen ausspricht, dass die Polizei natürlich auch Frauen offenstehen sollte.«

Gail stützte das Kinn in die Hand. Auch sie dachte jetzt ernsthaft über diese Theorie nach. »Porter hat McGovern gewählt. Er hatte sogar einen Aufkleber am Auto.«

»Jake Coffee ebenfalls.« Maggie konnte sich noch gut daran erinnern, wie man ihn auf dem Revier damit aufgezogen hatte. Cal Vick hatte sogar Jakes Parkausweis eingezogen.

Die Toilettentür ging auf. Kate hatte offensichtlich zugehört. »Greg Keen fuhr einen Toyota. Ich hab es in seiner Akte gelesen.«

»Stimmt«, sagte Maggie. Das ausländische Auto – klein wie ein Toaster – war auf dem Parkplatz inmitten all der Fords und Buicks mit aufgesetzten Frontspoilern und verstärkten Fahrgestellen völlig untergegangen.

»Und er hat sich ein Peace-Symbol auf den Arm tätowieren lassen. Das weiß ich aus dem Autopsiebericht.«

»Das hast du mir gar nicht erzählt ...«

»Tut mir leid, Maggie. Aber das Tattoo war auf seinem Oberarm. Das hätte unter normalen Umständen niemand zu Gesicht bekommen ...«

Doch Maggie hatte in der vergangenen Nacht im Umkleideraum der Männer geduscht. Es gab dort nirgends Vorhänge – nur ein Rohr in der Mitte des Raums mit ringförmig angeordneten Duschköpfen.

Das Tattoo hätte dort jeder sehen können.

»Wisst ihr«, sagte Gail zögerlich, »ich hab ein bisschen über diese Kugel nachgedacht, die Sir Chic das Licht ausgeknipst hat. Sie kam von der anderen Straßenseite. Der Shooter muss dafür ein Gewehr benutzt haben. Wie weit liegen diese Gebäude auseinander – fünfzig Meter?«

»Mindestens.« Maggie hatte bislang nicht den geringsten Gedanken daran verschwendet, wie gut der Schütze gewesen sein musste, um aus einer solchen Entfernung derart präzise sein Ziel zu treffen.

»Ich hab mal mit einem Gewehr herumgespielt. Da muss man echt wissen, was man tut. Windstärke und Windrichtung mit einberechnen. Voraussehen, wohin das Ziel sich bewegen könnte. Das ist nicht wie bei einer normalen Schrotflinte, bei der man einfach abdrückt und den Scheißkerl zerfetzt.«

Schließlich sprach Kate aus, was sie alle dachten. »Er könnte Polizist oder Soldat gewesen sein.« Und genau das entsprach auch der Beschreibung, die der Barkeeper im Dabbler's ihnen gegeben hatte.

»Es gibt nur einen Schießstand, der für Gewehre geeignet ist«, fuhr Gail fort. »Drüben beim Frauengefängnis. Er gehört der Stadt, aber Zivilisten haben dort ebenfalls Zutritt.« Sie runzelte die Stirn. Offensichtlich gefiel ihr nicht, welche Richtung dieses Gespräch eingeschlagen hatte. »Scheiße, mir fällt gerade ein, was wir im Auto gesagt haben: Der Shooter könnte ein Ex-Soldat sein, der im Dunstkreis von Polizisten rumhängt. So was sieht man doch die ganze Zeit: Sie schaffen es nicht durch die Akademie, also klemmen sie sich an Polizisten ran, schnappen ihren Slang auf, hören sich ihre Geschichten an. Ihr wisst doch, wie wir sind. Gib uns ein paar Bier, und wir kriegen die Klappe nicht mehr zu.«

»Daher könnte er auch unsere Codes und Verfahrensweisen kennen«, ergänzte Kate.

Maggie wusste, dass Jimmy eine Menge Zeit auf dem Schießstand verbracht hatte. Er war einer der besten Schützen der ganzen Truppe. Und wieder regte sich eine frühere Theorie in ihr. Hatte Jimmy dort womöglich jemanden kennengelernt? Gab es auf diesem Schießstand irgendeinen Mann, der gut mit einem Gewehr umgehen konnte?

Und war dieser Mann für Jimmy vielleicht mehr als nur irgendjemand gewesen, der wusste, wie man mit einer Waffe umging?

»Ich weiß noch, dass auf dem Schießstand an einer Wand Zielscheiben aufgehängt waren. Die hatten eine Art Punktesystem …«

»Das stammt von Jett. Er leitet den Schießstand.« Maggie wusste, dass alles, was sie diesem Mann gegenüber äußerte, sofort an Terry weitergegeben würde. »Kannst du ihn vielleicht anrufen?«, fragte sie Gail.

»Trau diesem Arschloch nicht. Fahr zum Schießstand und sieh selber nach. Murphy hat recht: Die Zielscheiben hängen dort an der Wand und sind für jeden einsehbar. Direkt darunter stehen die Namen.« Sie nickte Maggie zu. »Finde heraus, wer der beste Schütze ist. Dann hast du einen ziemlich guten Verdächtigen.«

»Maggie«, drängelte Kate jetzt, »hast du den Funkspruch entgegengenommen? Wir sollen aufs Revier zurückkommen.«

»Du fährst zurück.« Maggie stand auf. »Einer von den Jungs unten soll dich mitnehmen.«

»Unter keinen Umständen lass ich dich allein dorthin gehen.« Kate stemmte die Hände in die Hüften. Sie klang fast schon wie eine Polizistin – bis sie hinzufügte: »Mach dich bitte nicht lächerlich.«

»Ihr fahrt beide zum Schießstand«, ging Gail kurzerhand dazwischen. »Glaubt ihr, die hängen euch hin, wenn ihr herausfindet, wer der Shooter sein könnte? Nicht mal Terry würde euch dann noch was anhaben.« Sie packte Maggie am Arm. »Aber jetzt hör mir mal gut zu, Süße. Ihr macht das alles streng nach Vorschrift. Übergib es bloß nicht deinem Onkel oder sonst einem von diesen Trotteln. Diesmal muss es vor Gericht Bestand haben.«

Maggie starrte Gail an. Es hatte ihr noch nie jemand deutlicher zu verstehen gegeben, dass Terry damals die Beweisstücke im Fall Edward Spivey manipuliert hatte. Die Waffe im Kanalgitter. Das blutige Hemd. Die beiden Informanten, die sogar die Hand auf die Bibel legten, während in der anderen eine »Du kommst aus dem Gefängnis frei«-Karte lag. Niemand hatte je ernsthaft daran geglaubt, dass Terry so viel Glück gehabt hatte. Und das Beschissenste daran war, dass die Anklage gegen Spivey ohne die gefälschten Beweise auf soliden Füßen gestanden hätte. Während des Prozesses hatte Spiveys Anwalt die Waffe und das Hemd überzeugend als manipuliertes Beweismaterial darzustellen vermocht, und damit war für den Staatsanwalt der Fall wie ein Kartenhaus in sich zusammengefallen.

»In Ordnung«, sagte Maggie und gab so stillschweigend ihre Zustimmung zu allem, was ungesagt geblieben war.

»Wenn ich am Schießstand irgendwas finde, machen wir es auf die korrekte Art. Ich funke Rick und Jake an, und wir marschieren damit geradewegs zu den Chefs.«

»Braves Mädchen.«

Aus Kates Sender drang hektischer Funkverkehr. Anstatt leiser zu drehen, hielt sie sich die Ohren zu, und Maggie schaltete ihren Sender aus. Zu Kate sagte sie: »Einfach leiser …«, doch Gail ging dazwischen.

»Nein, stell es lauter. Stell das Funkgerät lauter!«

Kate drehte die Lautstärke auf. Ein vertrauter, lang gezogener Ton kam aus dem Lautsprecher, als würde jemand einen Knopf an einem Telefon gedrückt halten.

»Schalt um auf ...«, sagte Maggie, doch Kate hatte bereits den zugangsbeschränkten Notfallkanal eingeschaltet.

»Zehn-neunundneunzig.« Terrys Stimme war glockenklar. Von seiner gestrigen Panik war nichts mehr zu hören. Er klang stählern. »Zehn-neunundneunzig. Schüsse am Howell Rail Yard. Bestätigte Shooter-Sichtung.«

»Howell Rail Yard«, rief Gail. »Das ist die Gleisanlage in der Nähe von CT!«

Maggie konzentrierte sich auf Terrys Stimme. Er klang zu ruhig. Nicht die Spur von Angst war ihm anzuhören. Nicht die geringste Aufregung.

»Er hat Jimmy.«

32

Maggie peitschte den Streifenwagen durch die Stadt. Blinklicht und Sirene waren angeschaltet, aber das kümmerte wie üblich niemanden. Die Leute gaben eher Gas, als auszuweichen. Doch Maggie ließ den Fuß auf dem Gaspedal. Sie bremste nirgends – weder vor Stoppschildern noch vor roten Ampeln noch vor Zebrastreifen. Das Pedal war bis zum Boden durchgedrückt.

»Maggie!« Kate musste schreien, um sich über die Sirene hinweg verständlich zu machen. »Fahr langsamer!«

Doch Maggie scherte nur auf die Gegenfahrbahn aus, um einen Lastwagen zu überholen. Ein Auto kam direkt auf sie zu. Erst im letzten Augenblick riss sie das Lenkrad wieder herum.

»Maggie …«

»Ich kenne meinen Onkel, Kate.« Maggie tat die Kehle vom Schreien weh. Ihre Handflächen waren schweißnass. Sie rutschten immer wieder vom Lenkrad ab. »Ich kenne seine Stimme. Er hat angekündigt, dass er Jimmy einen Polizistentod schenken will, und genau das macht er jetzt.«

»Er würde doch nie andere mit hineinziehen …«

»Doch. Genau das hat er vor.« Maggie wischte sich die Hände an den Hosenbeinen ab. »Er wird es aussehen lassen, als hätte der Shooter es getan. Und wird Jimmy auf diese Weise ein Heldenbegräbnis bescheren. Genau so wird es passieren.«

»Bus!«, schrie Kate. »Da ist ein Bus!«

Maggie stieg heftig auf die Bremse, riss das Lenkrad nach links und rauschte nur wenige Zentimeter an einem Greyhound vorbei. Kates Fenster explodierte. Sie hielt sich schützend die Arme über den Kopf, als das gesplitterte Sicherheitsglas auf sie herabregnete. Schwankend kam das Auto zum Stehen.

»Kate?«

Sie hielt die Arme immer noch über den Kopf.

»Kate?«

Nur langsam ließ sie die Arme sinken, und genauso langsam dämmerte es Maggie: Sie war nicht in tausend Stücke zerfetzt worden. Sie würde nicht sterben.

Maggie stieg wieder aufs Gas. Die Reifen des Streifenwagens quietschten, das Auto machte einen Satz nach vorn, und sie schossen wieder die Straße entlang.

Kate schüttelte sich Splitter aus den Haaren. Wischte sie vom Schoß. Sie hatte noch immer nicht aufgegeben. »Ich hab alles gehört – worüber du mit Gail gesprochen hast. Dass die Opfer sich alle auf irgendeine Art dem System widersetzt haben.«

Maggie scherte erneut auf die Gegenfahrbahn aus. Die Spur war leer. Sie überholte sechs Autos und riss das Lenkrad dann wieder nach rechts.

»Was, wenn Terry der Shooter ist?«

Maggie sah kurz zu ihr rüber, dann richtete sie den Blick wieder auf die Straße.

»Er hat doch diese Ansprache gehalten über die Liberalen und Minderheiten, die die Welt zugrunde richten …«

»So was hörst du in jedem Bereitschaftssaal in der Stadt.«

»Terry war bei der Armee, oder nicht?«

»Bei den Marines.« Direkt vor ihnen lag die Peachtree. Mit Vollgas raste Maggie auf die leicht erhöhte Kreuzung zu.

»Scheiße!« Kate stützte sich am Armaturenbrett ab. Die Reifen verloren den Halt auf der Straße.

Dann krachte der Streifenwagen zurück auf die Fahrbahn. Maggie schlug sich den Kopf an der Decke an. Sie kämpfte mit dem Lenkrad, um die Räder in der Spur zu halten.

Kate wartete, bis sie wieder die Kontrolle über den Wagen hatte. »Wenn Terry der Schütze wäre, könnte er Jimmy verschleppt haben. Das könnte zu seinem Plan gehören – hol dir Jimmy und häng ihm diese ganzen Verbrechen an.«

Maggie flog regelrecht an einem anderen Fahrzeug vorüber. Und an noch einem.

»Er könnte Jimmy gezwungen haben, diesen Brief zu schreiben. Der Schluss – diese Entschuldigung: Sie könnte ein Code gewesen sein.« Kate hob die Stimme. »Vielleicht wollte Jimmy dir damit eine Nachricht zukommen lassen.«

Doch Maggie konnte jetzt nicht darüber nachdenken. Ob Kate nun recht oder unrecht hatte – das Wichtigste war jetzt, Terry Einhalt zu gebieten, ehe er Jimmy töten konnte.

Endlich näherten sie sich dem Howell Wye. Die Fabriken machten unkrautbewachsenen Grundstücken Platz. Keins der Autos auf den Straßen hatte noch Räder oder einen Motor. Glas knirschte unter den Reifen des Streifenwagens.

Aus einiger Entfernung hörte Maggie das Geräusch von Zügen. Das Klackern ihrer Räder, das Rattern über die Gleise. Maggie ging vom Gas, um nicht die Zufahrt zu verpassen. Das Tor zu dem verlassenen Gelände war normalerweise mit Ketten verwehrt, doch heute stand es sperrangelweit offen. Maggie bog auf den lang gezogenen Kiesweg ein. Etwa hundert Meter vor ihr ragten zwei Bürogebäude in die Höhe: eines zu jeder Seite der Sackgasse, beide fünf Etagen hoch. Jedes von ihnen war etwa einen halben Block breit.

Die Gleisanlage war noch etwa zwei Footballplatzlängen entfernt, doch Maggie spürte die Vibrationen durch die Karosserie des Streifenwagens. Je näher sie kamen, umso heftiger wurde das Auto durchgerüttelt. Das Lenkrad schlug zur Seite. Die ratternden Züge schickten förmlich ein Erdbeben durch den Boden.

Das Howell-Bahnhofsgelände war für den Verkehr der Region eine der Hauptarterien gewesen, bis etwa eine halbe Meile entfernt das Gelände an der Tilford mit dem Inman Yard zusammengelegt worden war. Sämtliche Betriebe hatten sich dorthin verlagert. Mittlerweile diente Howell kaum mehr als der Durchfahrt zu den größeren Anlagen, die dahinter lagen. In den Büros saßen keine Angestellten mehr. Die Parkplätze waren mit Unkraut überwuchert. Maggie war hin und wieder zu Einsätzen hier gewesen. Jeder Polizist des Reviers landete mindestens einmal im Monat hier. Die hohen, verlassenen Gebäude boten die perfekte Deckung für kriminelle Machenschaften. Drogengeschäfte. Gewalttätige Herumtreiber. Tote Penner. Beute, die in den leer stehenden Büros gelagert wurde. Mädchen, die in die Gebäude verschleppt wurden, damit die Züge ihre Schreie übertönten.

Hier wurden Morde geplant.

Maggie bremste. Weiter ging es nicht mehr. Mindestens zwanzig Beamte waren bereits vor Ort. Ihre Fahrzeuge waren kreuz und quer über dem Gelände verteilt wie Mikadostäbchen. Am Ende des Wegs stand Terry. Ein paar Männer umringten ihn. Er stellte soeben sein Team auf. Zwischen den hohen Bürogebäuden steckten sie die Köpfe zusammen. Soldaten, die der Attacke entgegensahen.

»Bleib hier«, wandte sie sich leise an Kate. Dann sprang sie aus dem Auto und rannte den Weg hinauf, noch ehe Kate irgendetwas einwenden konnte. Mack McKay kam mit einer Schrotflinte in der Hand an ihr vorbei. Sie hatte ausreichend Übungseinheiten erlebt, um zu wissen, was gleich los sein würde. Sie würden das Gelände ringförmig umstellen, damit die Zielperson nicht entkommen konnte. Über ihren Köpfen ratterte ein Hubschrauber. Bud Deacon zog Schutzwesten aus einem Kofferraum. Jett Elliott wirkte überraschend nüchtern, als er eine Handvoll Schnelllader in eine Tasche warf.

Kate rannte ebenfalls los. Sie atmete schwer, aber sie hielt mit. Sie hatte die Arme angewinkelt. Die Ausrüstung schlug ihr gegen Hüften und Beine – genau wie bei Maggie. Sie sah nach links und nach rechts. Genau wie Maggie.

Bis sie nur noch ein paar Meter von Terry entfernt waren.

Sie wurde ein wenig langsamer, um ihn verstehen zu können.

»Dort.« Terry wies zu dem links stehenden Gebäude hinüber. »Die Schüsse kamen aus dem dritten Stock. Der Shooter ist immer noch dort drinnen. Rückseite und Flanken sind unter Kontrolle. Wir übernehmen die Vorderseite. Wenn irgendjemand Jimmy sieht: draufhalten!« Terry schlug mit der flachen Hand auf die Motorhaube. »Und jetzt los! Bewegung!«

Ein Dutzend Männer lief auf das Gebäude zu.

Die Türen mussten gar nicht erst eingetreten werden. Sobald sie drinnen waren, verteilten sie sich, um das Gebäude vom Keller bis zum Dach abzusuchen. Drei Männer warteten mit angelegten Waffen vor dem Gebäude, falls die Zielperson herausgerannt käme. Zu ihnen gehörte auch Rick Anderson. Sein Gesichtsausdruck war starr und ernst. Er sah kaum in ihre Richtung.

»Zentrale«, bellte Terry ins Funkgerät, »stoppt diese verdammten Züge!«

»Terry!«

Er wirbelte herum. »Was zum Teufel machst du hier?«

Maggie hatte ihren Revolver gezogen. Sie konnte sich nicht erinnern, wann das geschehen war. Sie musste die Stimme heben, um sich über das Rattern der Züge hinweg verständlich zu machen.

»Ich werde nicht zulassen, dass du ihn tötest.«

Terry schien nicht die geringste Angst vor der Waffe zu haben. »Du lässt deinen schwulen Bruder davonkommen und bedrohst mich mit einer Waffe?«, höhnte er.

Die Umstehenden drehten sich abrupt zu ihnen um. Rick Anderson hätte beinahe seine Flinte fallen gelassen.

»Jake Coffee ist tot«, verkündete Terry. »Erschossen wie die anderen.«

Maggie warf Rick einen Blick zu. Sein Gesichtsausdruck sprach Bände. Terry hatte die Wahrheit gesagt. Rick sah erschüttert aus. So hatte sie ihn noch nie leiden sehen. »Was ist passiert?«

Rick schüttelte nur den Kopf.

»Sag's ihr«, befahl Terry ihm, und Rick räusperte sich. Er konnte Maggie nicht in die Augen sehen.

»Ich war unterwegs in Downtown, um für dich dieses Vorstrafenregister rauszusuchen. Jake war allein.« Er sprach es nicht aus, aber die Schuld ragte zwischen ihnen auf wie eine scharfkantige Glasscherbe. »Chip hat gehört, wie Jake Entwarnung durchgab – irgendein Herumtreiber. Dann verlangte er eine Zwanzig-neun – genau wie du es den Shooter-Akten entnommen hast. Chip fuhr daraufhin sofort hierher, um nachzusehen, aber ...«

Jetzt sah Rick nicht mehr zu Boden. Maggie folgte seinem Blick. Die Leiche lag vor dem gegenüberliegenden Gebäude. Die Sonne tauchte Jake Coffee in grausam helles Licht. Arme und Beine waren ausgestreckt. Sein Gesicht war der Straße zugedreht. Auf der Stirn prangte ein perfektes schwarzes Loch. Und er hatte die Hose runtergezogen.

»Nein ...« Mehr brachte sie nicht heraus.

Terry nutzte die Gunst des Augenblicks. Er riss ihr die Waffe aus der Hand. Noch ehe sie reagieren konnte, rammte er ihr die Faust ins Gesicht.

Maggie traf hart auf dem Boden auf. Ihre Lunge rasselte. Kies bohrte sich ihr in die Kopfhaut. Ihr Unterkiefer fühlte sich an, als wäre er seitlich verschoben. Sie schmeckte Blut.

Terry warf Rick den Revolver zu. Dann stellte er sich über Maggie und hob erneut die Faust.

»*Stopp!*«

Kate holte mit dem Schlagstock weit aus, und dann krachte

das Metall auf Terrys Schädel. Er war nur kurz benommen. Dann packte er Kate am Hemd und riss sie hoch, sodass sie den Boden unter den Füßen verlor. Er holte mit der Faust aus – und ließ sie ohne erkennbaren Grund ganz plötzlich wieder los.

Maggie sah, wie Kates Schuhe sanft den Kies berührten.

Nicht ein Stäubchen wirbelte auf.

Terry sank auf ein Knie. Er streckte die Arme nach Kate aus. Für den Bruchteil einer Sekunde schoss Maggie durch den Kopf, dass die ganze Szene irgendwie aussah, als würde der Hauptdarsteller in einem Film seinem Mädchen einen Heiratsantrag machen wollen.

Doch Terry wollte nichts von Kate. Er sah bloß auf seinen Bauch hinab. Ein Blutfleck breitete sich auf seinem weißen Hemd aus.

Über den Lärm der Züge hinweg konnte Maggie die Schüsse nicht hören. Aber sie sah sie. Vor ihren Füßen spritzte Kies hoch. In der Motorhaube des Autos klafften plötzlich Löcher. Drei Männer auf dem Kiesweg erwiderten das Feuer, doch ohne ihr Ziel zu erkennen. Sie schossen blindlings um sich. Rick jagte einfach eine Schrotladung in die Luft. Maggie wollte nur noch weg – sie wollte nirgends sein, wo es Blei regnete.

Sie stürzte auf ihren Revolver zu. Direkt vor ihr zischte eine Kugel in den Boden. Sie warf sich herum und rannte auf das offene Tor zu, bis eine weitere Kugel sie zum Stehen brachte. Panik stieg in ihr auf. Es war ihr nicht gelungen, die Waffe vom Boden zu klauben. Sie fand nirgends Deckung. Kate kauerte mit den Armen über dem Kopf auf der Erde. Männer schrien durcheinander. Das Team aus dem gerade erst gestürmten Gebäude feuerte Schüsse ab. Mit jeder Kugel wurde die Verwirrung größer.

»Kate!«, brüllte Maggie und rannte auf das rechte Gebäude zu.

Sie würde ihr schon folgen. Maggie sprang über Jake Coffees Leiche hinweg und machte auch nicht halt, als sie den Eingang erreichte. Sie rannte einfach weiter auf die erstbeste offen stehende Tür zu, die sie erkennen konnte. Der Raum dahinter war kompakt – vielleicht eine Art Rezeption. Überall lagen umgekippte Aktenschränke, und Papier war auf dem Boden verstreut.

Maggie durchquerte den Raum. Kate war jetzt wieder dicht hinter ihr. Sie lief durch eine weitere offene Tür. Jetzt hatten sie den Hauptteil des Gebäudes erreicht. Die Halle war groß wie ein Hangar, die Decke mindestens sieben Meter hoch, die Rückwand noch mehr als fünfzehn Meter von ihnen entfernt. Die Breite betrug mindestens das Doppelte. Verrostete Metallstreben hingen kreuz und quer in der Luft. In der Mitte stapelten sich Hunderte von Schreibtischen. Kaputte Stühle und metallene Bücherregale säumten die Wände.

Maggie zog Kate hinter einen umgekippten Schreibtisch, und sie kauerten sich mit den Rücken an die Tischplatte. In den ersten zwanzig Sekunden sagten sie gar nichts, zu schwer ging ihr Atem. Maggie hämmerte das Herz in der Brust. Ihr Kopf dröhnte. Der Unterkiefer fühlte sich nach Terrys Schlag noch immer leicht verschoben an.

Dann sah sie nach unten. Kate hielt ihre Hand. Und ihr Funkgerät war immer noch an. Schüsse von draußen hallten aus dem Lautsprecher. Männer forderten hektisch Verstärkung an. Der Hubschrauberpilot schrie, er sei getroffen worden.

Maggie griff hinter Kates Rücken und schaltete den Sender aus.

»Jake Coffee ist tot«, murmelte Kate. »Er ist tot. Terry ist tot. Anthony ist tot. Chic ist tot.«

»Jimmy war's nicht«, flüsterte Maggie. So sicher war sie sich in ihrem ganzen Leben noch nie gewesen. »Er war es nicht.«

Kate nickte. »Ich weiß.«

Maggie drückte ihre Hand. Der Lärm von den Gleisen verebbte allmählich. Selbst die Rotoren des Hubschraubers wurden leiser. Doch vor dem Gebäude wurde noch immer geschossen.

Hier konnten sie nicht bleiben – nicht zuletzt, weil die Männer draußen womöglich ihre Hilfe benötigten. Maggie sah sich um, suchte verzweifelt nach einem Weg, der sie hinausführen würde. Überall waren Fenster. Die Sonne flackerte wie Wasser über dem Holzboden. Die Scheiben waren zerbrochen. Metallene Fensterkreuze zerteilten die Rahmen in Quadrate, die zu eng waren, um hindurchkriechen zu können. Und am Fenster würden sie für den Shooter ein leichtes Ziel abgeben, wenn er vorhatte, sie zu erledigen. Hier in dieser riesigen, offenen Halle war ihre Lage fast noch schlimmer, als sie draußen gewesen war.

»Da rüber!« Kate deutete zum hinteren Teil der Halle.

In der entlegenen rechten Ecke entdeckte Maggie einen weiteren Stapel Tische – und daneben eine Tür. Metall. Kein Fenster. Die Angeln rostig rot. Maggie war in dieses Gebäude nie tiefer als bis zur Eingangshalle gedrungen. Sie hatte keine Ahnung, wohin die Hintertür führte oder ob auf der anderen Seite womöglich jemand auf sie wartete.

Auf einmal schreckte Kate hoch wie eine Katze. Dann duckte sie sich noch tiefer. Bedeckte den Kopf mit der Hand.

»Hast du das gehört?« Sie keuchte. »Ich hab was gehört … aus dem Raum, da vorne …«

Maggie wollte nach ihrem Revolver greifen, ertastete aber nur das leere Holster. Sie musste Kates Waffe benutzen. Kate hatte gestern erst eine neue bekommen – der Griff war vom Öl noch ganz schmierig. Die Waffe war seither nicht abgefeuert worden. War sie überhaupt korrekt ausgerichtet? Stimmten Kimme und Korn überein? Würde die Abschussvorrichtung einrasten?

Doch sie hatte jetzt keine Möglichkeit, es herauszufinden. Maggie straffte die Hand um den Griff. Sie spannte den Hahn. Ihr Herz schlug so heftig, dass sie es bis in die Zungenspitze spürte. Sie musste sich regelrecht dazu zwingen, sich zu bewegen. Sie drehte sich kurz um und spähte über die Tischkante. Sah zur vorderen Tür hinüber.

Alles leer.

Oder vielleicht auch nicht.

Ein Schatten fiel in die Öffnung. Das helle Sonnenlicht von den Bürofenstern umriss eine scharfe Kontur. War es der Schatten eines Aktenschranks? Eines Stuhls? Eines umgekippten Tischs? Maggie starrte die Schattenfläche so lange an, bis das Bild vor ihren Augen zu verschwimmen drohte.

Der Schatten bewegte sich.

Auf der anderen Seite der Tür war jemand. Er stand mit dem Rücken zur Wand. Dann nicht mehr. Der Schatten fiel auf die gegenüberliegende Wand, als er die Schulter gegen den Türstock drückte. Er hielt etwas in der Hand. Etwas Langes, Dünnes, das wie ein Gewehr aussah.

Maggie richtete sich auf, ehe ihre zitternden Beine sie nicht länger tragen würden. Ihr Herz schlug ihr bis zum Hals und in den Schädel hinauf. Ihr Instinkt schrie nach Deckung, aber dem durfte sie jetzt nicht nachgeben.

Behände und mucksmäuschenstill durchquerte sie die Halle. Wenn der Shooter hinter dem Türstock lauerte, war ihre einzige Chance, sich linker Hand zu halten und sich nicht direkt von vorn zu nähern. Wortlos flehte sie Kate an, den Kopf unten zu behalten, so wie sie stumm jeden Gott, der ihr zuhören mochte, anflehte, dass keiner von ihnen ins Gesicht geschossen würde.

Plötzlich nahm Maggie das leise Quietschen ihrer eigenen Schuhsohlen auf einer Bodendiele wahr. Sie blieb abrupt stehen. Wie hatte sie das hören können?

Die Züge fuhren nicht mehr. Der Boden vibrierte nicht länger. Irgendjemand hatte tatsächlich den Verkehr aufgehalten. Die Stille war schier ohrenbetäubend.

Schuss.

Maggie duckte sich, aber das Geräusch war von draußen gekommen. Keine zwei Sekunden später wurde der Schuss erwidert.

Maggie richtete sich wieder auf. Sie sah nach dem Schatten hinter der Tür. Er war verschwunden. Vielleicht hatte er auf jemanden vor dem Gebäude geschossen.

Hinter sich hörte sie Kate aufkeuchen – und fuhr alarmiert herum. Nur ein paar Meter von Kate entfernt stand Chip Bixby. Er hielt eine Waffe in der Hand – einen alten sechsschüssigen Revolver mit langem Lauf, der einem Mann aus zwanzig Schritt Entfernung den Kopf zu zerfetzen vermochte. Seine Waffe war auf den Boden gerichtet. Maggie zielte auf seine Brust.

Chip starrte sie nur böse an, bis sie den Revolver sinken ließ. Er zerrte Kate am Arm hoch und schubste sie zum Hinterausgang. Maggie bedeutete er, ihm zu folgen. Sie tat wie geheißen. Vielleicht kannte Chip ja einen Weg hinaus ins Freie. Vielleicht konnten sie um das Gebäude herumschleichen und den Shooter überrumpeln. Oder sie konnten weiter hinaufsteigen und den Männern auf der Straße von oben Rückendeckung geben. Wieder vernahm Maggie einen Schusswechsel. Rick war immer noch dort draußen. Er hatte seinen Partner verloren. Maggie wollte nicht dafür verantwortlich sein, dass auch er sein Leben lassen musste.

Sie ging rückwärts auf Chip zu. Kate war bereits durch die Hintertür verschwunden. Chip stand schräg vor der Türöffnung und hielt den Revolver auf die einzige weitere Tür im Raum gerichtet. Sein Blick huschte zwischen den kaputten Fenstern und dem Eingang hin und her. Schweiß strömte ihm übers Gesicht. Das Hemd klebte ihm auf der Brust. Er bedeutete ihr, sich zu beeilen.

Maggie wollte nichts lieber, als auf den Ausgang zuzurennen, zwang sich aber, ruhig zu bleiben. Sie hielt den Revolver vor sich ausgestreckt und behielt den Raum im Blick. Sah zur selben Tür hinüber, auf die auch Chip zielte. Sie war nur mehr zwei Meter vom Ausgang entfernt, als der Schatten wiederkehrte.

Doch jetzt war er mehr als bloß ein Schatten. Langsam schob sich die Mündung einer Waffe um die Ecke. Trotz der

Entfernung sah Maggie das Korn über dem Revolverlauf auf-
ragen.

Und eine schwarz behandschuhte Hand, die die Waffe hielt.

Chip packte sie am Kragen, riss sie hinter die Tür, und Maggie krachte mit dem Rücken gegen die Wand. Sie befanden sich
jetzt in einem Treppenhaus, das im hinteren Teil des Gebäudes
in die Höhe führte. Der Notausgang! Die Tür nach draußen
war nicht nur verschlossen, sondern auch mit einer Kette gesichert. Sie stemmte sich dagegen, so fest sie konnte. Die Kette
klirrte, und durch einen Spalt fiel Licht. Doch der Spalt war
nicht breit genug, um sie durchzulassen.

»Maggie!«, flüsterte Kate vom nächsthöheren Treppenabsatz. Sie hatte ihren Schlagstock in der Hand und hielt ihn
schräg nach unten, genau wie Maggie es ihr gezeigt hatte.

»Hier entlang!«

Dann feuerte Chip einen Schuss ab. Der Knall donnerte
durch die Luft, und Chip ging hinter der Tür in Deckung.

»Los!«

Angst übernahm die Führung. Maggie rannte die Treppe hinauf. Sie hörte, wie hinter ihr eine Kugel in die Metalltür ein-
schlug. Der Shooter war ihnen auf den Fersen. Heiße Galle
stieg in ihr auf. Sie kämpfte die Panik nieder, während ihr Hirn
sie anfeuerte: Langsamer, logisch denken! Die Treppe bestand
aus Gussbeton. Das einzige Licht fiel aus den Türöffnungen
auf jedem Absatz. Und jeder neue Absatz sah aus wie eine neue
Gruft, die ihr Gefängnis werden konnte.

»Kate!«, schrie Maggie. Sie rannte blindlings nach oben und
hielt nicht einen Moment inne.

Wieder feuerte Chip einen Schuss ab – es hallte wie Kano-
nendonner. Die Antwort klang nach einem kleineren Kaliber.
Zwei unterschiedliche Geräusche. Zwei verschiedene Waffen.

Auf der nächsten Etage blieb Maggie stehen. Sie strengte
sich an, um über das Rauschen des Bluts in ihren Ohren hinweg überhaupt irgendetwas zu hören. Kate war schon mindes-

tens ein Stockwerk über ihr. Von unten hörte sie schwerere Schritte. Stammten sie von einer Person? Von zweien? Dreien? Alles hallte. Schweres Atmen. Scharrende Sohlen. War das Chip? War es der Shooter? Der mysteriöse Schatten aus der Türöffnung?

Sie kauerte sich hin und richtete die Waffe nach unten. Beinahe hätte ihr Finger gezuckt, als Chip um die Ecke kam. Er winkte hektisch und bedeutete ihr weiterzulaufen, und Maggie zögerte keinen Augenblick. Sie spurtete die Stufen hinauf, während ihr erneut der Schuss aus einem Revolver in den Ohren widerhallte. Neben ihrem Kopf splitterte Beton. Noch ein Knall. Die Luft flimmerte. Und plötzlich fühlten sich die Stufen an, als würden sie unter ihren Schritten zerbröseln.

Maggie lief geduckt zur nächsten Etage hinauf. Auf dem Absatz blieb sie kurz stehen und lehnte sich mit dem Rücken gegen die Wand. Kates Schritte waren langsamer geworden. Die Erschöpfung forderte jetzt ihren Tribut. Bei Maggie war es genau umgekehrt: Ihr Herz hämmerte, die Eingeweide krampften sich zusammen. Sie hatte ihre Atmung nicht mehr unter Kontrolle. Sie würde bald anfangen zu hyperventilieren, wenn sie jetzt nicht ihr Tempo drosselte.

Nur eine Sekunde lang schloss sie die Augen. Konzentrierte sich auf ihre Atmung.

Jake Coffee.

Maggie konnte das Bild des Mannes einfach nicht aus ihren Gedanken verbannen. Das Einschussloch, das in ihre Richtung geklafft hatte. Ricks verzweifelter Gesichtsausdruck, als er ihr hatte berichten müssen, was passiert war.

Irgendjemand würde Jakes Freundin informieren müssen.

Sein kleiner Bruder, seine Mutter und sein Vater – seine ganze Familie würde sich anhören müssen, was man ihm angetan hatte. Auf offener Straße hingerichtet. Mit heruntergelassener Hose.

Maggie riss die Augen auf.

Warum hatte Jake die Hose runtergelassen?

Erneut ging Chips Revolver los, und der andere Revolver erwiderte das Feuer. Sie waren ganz in der Nähe. Viel zu nah.

Maggie rannte zum nächsten Absatz hinauf. Wieder blieb sie stehen und versuchte, die Geräusche zu identifizieren. Von oben kam ein immer langsameres Schlurfen. Warum ging Kate überhaupt immer weiter hinauf? War sie in Panik geraten, oder hatte Chip ihr befohlen, aufs Dach hinaufzuklettern? Sie waren zu dritt gegen einen und hatten zwei Waffen. Warum die Treppe hochrennen, wenn sie auf jeder Etage eine bessere taktische Position einnehmen konnten? Das Einsatzteam draußen hatte unter Chips Führung gestanden, ehe er sich von ihm entfernt hatte. Er unterrichtete Taktik an der Akademie. Er kannte sämtliche Vorgehensweisen besser als sie alle zusammen ...

Maggie klappte regelrecht die Kinnlade hinunter. Chip kannte die Verfahren. Er kannte all ihre Codes.

Im Dschungel von Guadalcanal war er Army Ranger gewesen.

Jemand wie er unternahm nicht einen einzigen Atemzug, ohne seine taktischen Möglichkeiten einzuschätzen.

Und seit Edward Spiveys Freispruch war er nicht mehr der Alte gewesen. Sie alle wussten, dass er damals eine Prostituierte gevögelt hatte, während sein Partner ermordet worden war. Schuld war eine verdammt schwere Last – aber Spiveys Freispruch hatte ihn vollends gebrochen. In den vergangenen Monaten hatte Chip nachts nicht selten unangekündigt vor ihrer Tür gestanden und Jimmy aus dem Bett geklingelt und manchmal sogar Terry dazugerufen, um mit ihnen über die gute alte Zeit mit Duke Abbott zu plaudern.

Jeder Polizist erzählte gern Geschichten. Aber bei Chip klangen sie jedes Mal wie Checklisten. Er hatte die nervige Angewohnheit, Dinge aufzulisten – Schritte, die er und Duke unternommen hatten, um Angreifer zu isolieren. Entscheidungen, die sie bei der Auswahl ihrer Waffen getroffen hatten. Chip redete über Zielpersonen, als wären sie Beutetiere. Der verwirrte Ehemann, der seine Frau als Geisel genommen hatte. Der Bankräuber, der im Fond eines Cadillacs gelauert hatte. Ein Teenager, der – zugedröhnt mit Angel Dust – die eigene Mutter mit einer Axt verfolgt hatte.

Die alle seien komplett verrückt, behauptete Chip stets. Aber das sei schon okay. Er sei schließlich ebenfalls verrückt.

Tollwütig. Wie ein Fuchs.

Sein Revolver feuerte, so wie jedes Mal, wenn Maggie stehen geblieben war. So wie er unten losgegangen war, als Maggie versucht hatte, die Kette an der Hintertür zu sprengen.

Chip war als Erster vor Ort gewesen. Sämtliche Informationen darüber, was mit Jake Coffee passiert war, waren aus seinem Mund gekommen. Er hatte Terry berichtet, der Shooter hätte sich im gegenüberliegenden Gebäude befunden. Die Schüsse wären aus dem dritten Stock gekommen. Und unterdessen hatte Chip sich selbst eine geeignete Stelle gegenüber gesucht.

Anders war sein plötzliches Auftauchen unten in der Halle nicht zu erklären. Maggie und Kate waren durch die Vordertür gekommen. Der Hinterausgang war verriegelt, die Fenstergitter für eine Flucht zu schmal. Der Schatten, den sie in der Tür gesehen hatten, hatte wahrscheinlich von einem Polizisten gestammt, der ihnen zu Hilfe hatte eilen wollen.

Chips Revolver mit dem langen Lauf hatte ihn gestoppt, genau wie ein Gewehrschuss Terry gestoppt hatte. Maggie sah es förmlich vor sich. Chip, der sich aus einem Fenster im ersten Stock lehnte und auf Terry zielte, der draußen auf dem Gelände stand.

Aber warum hatte er Terry erschossen?

Maggie musste nicht lange über diese Frage nachdenken. In all seinen Geschichten war es immer Chip gewesen, der den entscheidenden Schuss abgegeben hatte. Er hätte Terry einen solchen Triumph niemals zugestanden. Sie waren beide vom gleichen Schlag – aber es konnte nun mal nur einer von ihnen das Sagen haben.

Chips Revolver krachte erneut los.

Doch diesmal erschrak Maggie nicht. Stattdessen nahm sie die Waffe in beide Hände und zielte konzentriert nach unten. Chip hatte Jake Coffee auf das Eisenbahngelände gelockt, und jetzt versuchte er, Kate und Maggie aufs Dach hinaufzujagen.

Wieder krachte sein Revolver. Dann ein anderer. Vielleicht war es aber auch gar kein Revolver – vielleicht war es eine Saturday Night Special, Kaliber .25?

Wieder hörte Maggie Kates Schritte. Sie sah auf. Das Licht blendete sie. Kate war inzwischen fast ganz oben. Langsam schlich Maggie zum nächsten Absatz hinauf. Sonnenlicht. Die Luke zum Dach. Der Weg hinab war versperrt. Die einzige Möglichkeit war: aufwärts.

Sie rannte die letzte Etage hinauf. Maggie war nicht so dumm zu glauben, dass Chip *sie* auf diesem Dach erwischen wollte. Sie würde bloß Kollateralschaden sein. Er war hinter Kate her. Wie alle anderen Opfer erfüllte auch Kate sämtliche Kriterien für eine Hinrichtung; alles an ihr entsprach genau seinen Vorstellungen davon, warum sie nicht dazugehören durfte. Sie war eine Frau. Sie war unabhängig. Und sie war Jüdin.

Maggies einzige Chance, sie beide zu retten, bestand darin, sich einen taktischen Vorteil zu verschaffen. Das Treppenhaus war eine Falle. Sie musste Chip abpassen, sobald er durch die Dachluke kam. Die Nachmittagssonne würde ihn blenden. Ihre Waffe würde den Rest erledigen.

Sie sah hinauf. Alles zum Greifen nah. Der blaue Himmel. Der glatte weiße Beton auf dem Dach. Sie stürzte auf die offene Luke am Ende der Treppe zu.

Doch dann legte sich ein Arm um ihren Hals.

Maggie kippte nach hinten. Die heiße Mündung eines langen Revolverlaufs brannte sich in ihre Schläfe.

»Waffe fallen lassen.« Maggie zögerte.

»Los!«, befahl Chip.

Sie warf den Revolver mit aller Kraft zur Luke hinaus.

33

Völlig außer Atem stand Kate auf dem weißen Betondach. Das Sonnenlicht stach ihr wie Nadeln ins Gesicht. Sie musste sich kurz die Hand über die Augen halten, um sich überhaupt orientieren zu können. Hinter ihr klaffte die Luke. Das Eisenbahngelände lag linker Hand.

Und auf dem Boden vor ihr lag Jimmy.

Als er Kate erkannte, riss er vor Angst die Augen weit auf.

Sie stürzte auf ihn zu. Er war an Händen und Füßen gefesselt, Klebeband verschloss seinen Mund und war rings um seinen Kopf gewickelt. Sie wusste überhaupt nicht, wo sie anfangen sollte. Die Schnur um seine Handgelenke schnitt ihm tief ins Fleisch. Die Knoten waren bereits dunkelrot von seinem Blut. Kate war drauf und dran, die Fäden aufzuzupfen – als sie hinter sich ein Geräusch vernahm.

Kate schnellte herum. Ihre Augen wollten noch immer nicht richtig funktionieren. Sie sah eine Waffe durch die Luft segeln – einen Revolver genau wie der, den sie an ihrem Gürtel getragen hatte.

Jimmy ächzte. Seine Schultern bebten. Mit weit aufgerissenen Augen starrte er die Waffe an.

Und Kate starrte Maggie an.

Chip Bixbys Arm lag um ihren Hals. In der Hand hielt er einen riesigen Revolver. Kate hatte noch nie etwas Vergleichbares gesehen. Der Lauf war mindestens dreißig Zentimeter lang. Sein Zeigefinger lag über dem Abzugsbügel, genau wie man es ihr am Schießstand beigebracht hatte.

»Du«, brachte Kate hervor. Jetzt endlich fiel es ihr wie Schuppen von den Augen. Einfach alles, was sie auf den Gedanken gebracht hatte, Terry könnte der Shooter sein, traf genauso gut auf diese widerliche Made zu.

»Danke, dass du den ganzen Weg hinaufgerannt bist, Darling«, sagte Chip. »Ich hätt dich nicht auch noch raufschleifen wollen.«

Kate starrte den Revolver an, der vor ihr auf dem Dach lag. In etwa sieben Metern Entfernung.

»Versuch's nur«, rief er ihr provozierend zu. »Glaubst du wirklich, du könntest die Waffe erreichen, bevor ich diesen Abzug drücke?«

Unwillkürlich legte Kate die Hand an die Brust. Sie musste es aussprechen, ehe sie es wirklich glauben konnte. »Du bist der Shooter.«

»Kluges Mädchen.«

»Kate«, rief Maggie. »Schnapp dir die Waffe!«

Kate machte einen Schritt vorwärts. Sie war es gewöhnt zu tun, was Maggie ihr sagte. Doch als Chips Finger sich über dem Abzug bewegte, blieb sie abrupt stehen.

»Willst du das wirklich riskieren?«

Kate spürte, wie etwas an ihrer Brust zitterte. Es war ihre eigene Hand.

»Einen Schritt zurück!«

Doch Kate rührte sich nicht. Endlich wusste sie, wie Chip dies alles inszeniert hatte. Er hatte ihr zugerufen, sie solle so schnell wie möglich hoch aufs Dach rennen. Jimmy hatte er bereits zuvor hinaufgeschleppt. Und jetzt hielt er Maggie eine Waffe an die Schläfe. Es war kein Zufall, dass sie jetzt gemeinsam hier auf diesem Dach inmitten des Eisenbahngeländes standen. Sie waren alle genau dort, wo Chip sie hatte haben wollen.

»Tu's nicht«, flehte Maggie. Ihr Körper presste sich steif gegen Chips Hüfte. Sie hatte die Finger in seinen Arm gekrallt. »Glaubst du wirklich, du erweist Duke die letzte Ehre, indem du einen Haufen Polizisten umbringst?«

»Das waren keine Polizisten«, zischte Chip. »Das war Ungeziefer. Hippies, Itzigs, Latinos, verdammte Schwuchteln!« Sein Blick war unverwandt auf Kate gerichtet, und sie wusste intuitiv: Sie war die Itzig, von der er sprach.

»Ich versuche doch nur, meinen Job zu machen«, brachte sie hervor.

»Blödsinn, Lady, du hast doch gar keine Ahnung, wie dieser Job funktioniert.«

Sein Abscheu war fast schon greifbar. Kate spürte ihn wie eine Faust, die sich um ihr Herz schloss.

»Ich hab's bei meinem Alten gesehen«, fuhr Chip fort. »Man lässt einen rein, der holt dann andere nach und wieder andere, und bald schmeißen sie den ganzen Laden, und die eigene Welt existiert nicht mehr.« Er bohrte die Mündung noch fester in Maggies Schläfe. »Ich will nichts anderes, als die Dinge wieder in Ordnung zu bringen.«

Kate stellte die einzige Frage, die jetzt noch von Bedeutung war. »Wie wird das hier enden?«

»Interessiert es dich nicht vielmehr, wie alles angefangen hat?« Er bleckte seine kleinen, bräunlichen Zähne zu einem schiefen Grinsen. »Denk mal scharf nach, Baby. Wann hat das alles für dich angefangen?«

Kate musste nicht lange nachdenken. Ihre Rolle in diesem Drama war vom ersten Tag am Schießstand an klar gewesen. Chip Bixby hatte seinen Körper anzüglich an sie gepresst, während er ihr vorgeblich zu demonstrieren suchte, wie man eine Waffe hielt. Er hatte sie angewidert, aber sie hatte keine andere Wahl gehabt. Schließlich hatte sie den Umgang mit der Waffe lernen müssen. Das anfängliche Unbehagen war nie wirklich verschwunden. Es hatte sie bis ins Haus ihrer Eltern verfolgt.

Er hatte sie durch die Stadt hindurch verfolgt. Und in den letzten Tagen war aus dem wochenlangen Unbehagen schließlich eine ausgewachsene Paranoia geworden. Die in der Dunkelheit glühende Zigarette vor ihrem Elternhaus. Der Gestank von Zigarettenrauch in ihrem Zimmer im Wohnheim. Patricks verschwundene Armeemarken.

»Du hast mich verfolgt.«

»Ich hab dich beobachtet.«

Mit schier überwältigender Klarheit wurde Kate der Unterschied bewusst.

Beobachten bedeutete, dass man einem Objekt seine ganze Aufmerksamkeit schenkte. Beobachten hieß, dass man auf kleinste Gesten achtete, sich selbst die geringsten Details einprägte. Kate musste an Chips Hände denken, die sie am Schießstand grob an den Hüften gepackt hatten. Der ranzige Geruch seines Atems. Seine nach Zigaretten stinkende Kleidung. Die geradezu abstoßende Ahnung, dass er sich später an die Härte in seiner Hose erinnern und dabei an Kate denken würde.

War das der Grund, warum er sie beobachtet hatte? Hatte er sich Versatzstücke für seine Fantasien zurechtgelegt?

Nein.

Was hier auf diesem Dach passieren würde, war keine Fantasie. Chip hatte vor, sie sich zu nehmen.

»Es wird nicht funktionieren.« Kate musste sich zusammennehmen, damit ihre Stimme nicht zitterte. »Die Männer unten auf der Straße werden irgendwann heraufkommen. Wie willst du ihnen drei Leichen erklären?«

»Ich sage ihnen die Wahrheit. Ich bin euch hier hinaufgefolgt – aber ich kam einen Moment zu spät. Da hatte Jimmy Maggie bereits getötet und dann dich k. o. geschlagen, ehe ich ihm eine Kugel in den Kopf jagen konnte.« Chip grinste.

»Keine Angst, Süße, ich hab ein nettes, sicheres Plätzchen für dich. Frag Jimmy. Dort kannst du schreien, so laut du willst, und keiner wird dich hören.«

»Lieber sterbe ich, als mich von dir anfassen zu lassen.«

»Mal sehen, wie du in einer Woche darüber denken wirst, *Kaitlin*.« Bei dem Namen verzog er das Gesicht. »Nennt deine Mama dich nicht so?«

Kate bekam kaum mehr Luft.

»Zieh dein weißes Nachthemd an. Schlüpf unter die purpurrote Decke.«

Kate schlug die Hand vor den Mund. Sie trug immer ein weißes Nachthemd, wenn sie bei ihren Eltern übernachtete. Die purpurne Decke lag am Fußende ihres Betts. Direkt gegenüber war ein Fenster. Sie ließ es fast immer einen Spaltbreit offen. Hatte Chip auf der anderen Seite gestanden? Hatte er sie im Schlaf beobachtet?

Dann blieb ihr bei einer speziellen Erinnerung fast das Herz stehen.

War Chip auch in der Nacht da gewesen, als sie beendet hatte, was Philip unvollendet gelassen hatte? Kate hatte die Decke zurückgeschlagen, um die Brise auf ihrer Haut zu spüren. Es war ein Augenblick äußerster Verletzlichkeit gewesen. Äußerster Geöffnetheit.

»O Gott«, flüsterte Kate. »Was hast du gesehen?«

»Glaubst du, ich weiß nicht, wie eine dreckige Jüdin aussieht, wenn sie die Beine breit macht?«

Galle stieg ihr in die Kehle.

»Ich kenne dich, *Kaitlin*. Ich weiß alles über dich. Und was ich nicht wusste, hab ich von *Oma* gehört.«

Für Kate kam dieser Satz einem Schlag in den Magen gleich. *Oma*. Woher kannte er diesen Namen?

Von der Straße drang ein Schrei herauf. In der Ferne jaulten Polizeisirenen.

Chip hörte die Geräusche offensichtlich auch. Er gab Maggie frei. »Auf die Knie!«

Als Maggie sich nicht rührte, drückte er sie nach unten. Die Waffe war nur mehr Zentimeter von ihrem Kopf entfernt.

»Nicht«, flehte Kate. Das durfte einfach nicht passieren. Sie würde nicht mit ansehen können, wie Maggie starb. »Bitte, wir können doch darüber reden …«

»Die Zeit zum Reden ist vorbei.« Chip zog Kates Mikrokabel aus dem Funkgerät. »Du weißt, was du zu tun hast, Lawson.«

Jimmy hämmerte mit der Schulter aufs Dach. Maggie sah zu ihrem Bruder hinüber. Ihr Unterkiefer war ganz starr. Kate hatte sie schon einmal so gesehen. Sie hatte sich ihrem Schicksal ergeben. Sie vermochte nicht mehr zu kämpfen. Sie faltete die Hände.

»Maggie, tu's nicht …« Kate konnte es einfach nicht zulassen. Der Revolver lag jetzt nur mehr vier Meter von ihr entfernt. Sie machte einen kleinen Schritt darauf zu. Dreieinhalb Meter.

»Hände auf den Kopf!«

»Maggie …« Kate machte noch einen Schritt. Drei Meter.

»Beeilung, Lawson.«

Maggie legte die Hände auf den Kopf.

»Tu's nicht«, flehte Kate. Irgendetwas musste sie doch tun können. Kate machte noch einen kleinen Schritt.

Zweieinhalb Meter.

Noch einen Schritt – zwei Meter.

Anderthalb.

Kate wollte nicht aufhören zu zählen. Wenn sie Angst hatte, zählte sie immer. Die Anzahl der Blitze, bevor der Donner kam. Die Anzahl der Herzschläge, bis Patricks Flugzeug am Himmel verschwunden war.

Die Anzahl der Kugeln, die im Treppenhaus abgefeuert worden waren, während sie sich hinauf bis aufs Dach geschleppt hatte.

»Wie viele Kugeln sind in seiner Waffe?«, fragte sie Maggie.

Maggie gab keinen Mucks von sich, aber Kate konnte ihre Gedanken regelrecht lesen. So war es also geschehen. Genau das hatte Chip sowohl Ballard und Johnson als auch Keen und Porter angetan.

»Ich hab sechs Schüsse gehört, die lauter waren als die anderen. Ich hab sie gezählt.«

Langsam drehte sich Maggie zu Kate um. Sie war sprachlos.

»Wie viele?«, wiederholte Kate.

»Sechs.«

Kate machte einen Satz auf den Revolver zu. Ihre Bewegung hatte rein gar nichts Anmutiges. Die Schulter knallte aufs Dach, während sie gleichzeitig nach der Waffe griff.

Zu spät.

Chip drückte ab.

Klickklick.

Doch Kate hatte richtig gezählt. Seine Waffe war leer – und ihr kleiner Revolver war jetzt genau auf seine Brust gerichtet.

»Fallen lassen«, sagte sie unbewegt.

Chip starrte sie einen Augenblick an. Dann ließ er die Waffe aus der Hand gleiten. Kate sah, wie sie aufs Dach fiel.

»Kate!«, schrie Maggie.

Und wieder war Kate zu spät.

Sie hatte den gleichen verdammten Fehler begangen, den sie schon die ganze Woche über gemacht hatte. Sie hatte in die falsche Richtung geblickt. Chip hatte eine Waffe fallen lassen und mit der anderen Hand hinter sich gegriffen und eine zweite Waffe aus dem Gürtel gezogen.

Kate kannte diese Waffe von ihrem allerersten Morgenappell am Montag. Chip hatte sie in die Höhe gehalten, damit alle sie sehen konnten. Die Raven MP-25. Sechs Patronen im Magazin, eine in der Kammer.

»Du hast eine einzige Kugel«, sagte Kate zu ihm. »Sofern du nicht zaubern kannst, kannst du damit nur eine von uns töten.«

»Bist du dir da ganz sicher, Kaitlin?« Chip klang ganz ruhig, als würde er übers Wetter reden. »So sicher, dass du dein Leben darauf verwetten würdest?«

»Ich schieß dir in den Kopf.«

»Ich hab dir gezeigt, wie man mit so einem Ding umgeht, Süße. Du würdest nicht mal einen Bus mit 'nem Maschinengewehr treffen.«

»Bist du dir so sicher, dass du dein Leben darauf verwetten würdest?« Kate musste sich unendlich anstrengen, damit ihre Stimme nicht vollkommen verängstigt klang. Ihre Hände waren schweißnass. Sie hatte nicht einmal den Hahn gespannt. Hatte Maggie das zuvor getan? Hätte sie die Waffe ungesichert aufs Dach geworfen?

»Warum legst du die Waffe nicht weg, bevor du dir selbst was antust?«

»Warum leckst du mich nicht am Arsch?«

Chip schluckte den Köder. Jetzt hatte Kate seine volle Aufmerksamkeit.

»Deinen Arsch wollte ich von Anfang an.«

Sie sah ihm direkt in die Augen, während sie den Daumen seitlich an der Waffe hinaufwandern ließ. »Begrapscht hast du ihn ja schon.«

»Oh ja.«

Sie spürte die Zylindersicherung, den kleinen Metallriegel unterhalb des Hahns. »Und – hat's dir gefallen?«

»Glaubst du, ich wüsste nicht, was du damals vorhattest?« Chip beging jetzt den gleichen Fehler wie Kate. Er achtete nicht länger auf andere Bedrohungen. »Als du deinen straffen Arsch an meinen Schwanz gedrückt und deine jüdischen Tricks mit mir abgezogen hast?«

»Ich kann mich noch gut an diesen Tag erinnern.« Kate spürte die Riffelung oben über dem Hahn. »Du hast damals gesagt, die Person mit den meisten Kugeln gewinnt. Immer.«

»Schätzchen, hier werde ich gewinnen.«

»Nein, wirst du nicht.« Kate drückte den Abzug.

Der Hahn war bereits gespannt gewesen. Der Schlagbolzen schnellte vor. Die Kugel schoss aus dem Lauf.

Chips Schulter wurde nach hinten gerissen. Seine Waffe ging los.

Maggie fiel zu Boden.

Eine herzzerreißende Sekunde lang fürchtete Kate, Maggie wäre getroffen worden, doch die Kugel war ein paar Zentimeter von ihrem Bein entfernt in den Beton eingeschlagen.

Dann hörte Kate erneut ein vertrautes Geräusch.

Klickklick.

Chip hielt Maggie die Waffe an den Kopf – aber Kate hatte einmal mehr recht gehabt. Das Magazin war leer.

Er ließ die Waffe fallen. Riss sein Hemd auf. Blut quoll in einem stetigen Strom aus seiner Schulter. Das Loch war in der Mitte schwarz, genau wie die Löcher, die er seinen Opfern beigebracht hatte. Wie das Loch im Dach, das um ein Haar ein Loch in Maggies Kopf hätte sein können. Blut zeichnete eine Linie über seinen Oberkörper und sammelte sich an seinem Hosenbund. Seine Brustbehaarung war fleckig grau. Über dem Herzen prangte das Tattoo eines roten Fuchses.

Und um seinen Hals hingen Patricks Armeemarken.

Kate richtete sich auf. Sie packte den Revolver mit beiden Händen. Jetzt schwitzte sie nicht mehr. Ihre Haut war kühl. Sie hatte keine Angst und keine Panik mehr. Sie war sich sicher, dass die Waffe in ihren Händen diesen Mann töten würde. »Nimm sie ab.«

»Hol sie dir doch.« Chip hakte den Daumen in die Metallkette und zwinkerte ihr zu. »Du solltest besser aufpassen, Süße. Wenn dein Wachmann eine Marke sieht, lässt er jeden rein.«

»Gib sie mir zurück.« Kates Stimme war jetzt komplett ausdruckslos. Innerlich war sie tot – so tot wie Patrick. Tot, wie Chip Bixby es gleich sein würde. »Nimm sie sofort ab!«

»Du hast wirklich geglaubt, du könntest diesen Job machen?«

»Ich sagte, nimm sie ab!«

»Nicht einmal deine Mama will, dass du eine Marke trägst.«

»Halt den Mund.«

»Zumindest hat Liesbeth mir das gesagt. Sie und deine Oma. Ich hab letzte Woche mit ihnen gesprochen.«

Er log. Es musste einfach so sein.

»Ich hab die Judentattoos auf ihren Armen gesehen. Würd man nie draufkommen, was? Zwei blonde Schlampen. Aber Hitler hat sich davon nicht täuschen lassen.« Er grinste wieder. »Nur schade, dass er seinen Job nicht zu Ende gebracht hat.«

»Halt deine gottverdammte Schnauze!«

»Wirst du denn deinen Job zu Ende bringen?« Sein Grinsen wurde breiter und breiter. »Nette Couch, die dort bei ihnen im Wohnzimmer steht. Wie nennt man die Farbe gleich wieder – türkis?«

Kate erstarrte. Sie hörte auf zu atmen. Ihr Herz hörte auf zu schlagen. Ihr Finger am Abzug war steif wie Eisen. Sie sah vor sich, wie Chip auf der türkisfarbenen Couch saß. Wie er sich mit weit gespreizten Beinen zurücklehnte. Oma und Liesbeth hatten ihm womöglich auch noch Zigaretten und einen Drink angeboten – und warum? Weil sie keine Ahnung gehabt hatten, dass sich ein Monster in ihr Haus geschlichen hatte.

»Mach's«, sagte Maggie. »Erschieß ihn.«

Kate wollte es tun. Mit jeder Faser ihres Körpers sehnte sie sich danach abzudrücken.

Aber sie konnte es nicht – nicht weil ihr der Mut dazu gefehlt hätte. Sondern weil Chip Bixby es so wollte. Unten auf der Straße konnte Kate immer noch die Männer hören, die unter Garantie die Schüsse auf dem Dach vernommen hatten. Wahrscheinlich arbeiteten sie sich jetzt gerade die Treppe hinauf, sicherten auf ihrem Weg nach oben Stockwerk um Stockwerk.

Chip hörte sie offensichtlich auch und wollte lieber sterben, als lebendig gefasst zu werden.

Wieder schob Kate den Finger über den Abzugsbügel. Dann sagte sie an Maggie gewandt: »Leg ihm Handschellen an.« Als

Maggie sich nicht rührte, warf sie ihr ihre Handschellen zu. »Wir nehmen ihn fest. Du und ich. Wir verhaften dieses Arschloch, und wir bringen ihn in den Knast.«

Maggie rührte sich nicht.

»Los!«, befahl Kate. »Du und ich, Lawson. Nicht die Jungs. Wir zwei werden dem großen Chip Bixby Handschellen anlegen und ihn hinten in unseren Streifenwagen werfen und auf direktem Weg in den Knast fahren.«

Maggie musste erst wieder ganz zu sich kommen. Zögerlich griff sie nach den Handschellen. »Ich werde ihn erkennungsdienstlich behandeln.«

»Nichts anderes erwarte ich von dir.«

Maggie ließ die Handschellen aufschnappen, nickte und ging die einzelnen Schritte im Kopf durch. »Ich nehme ihm die Fingerabdrücke ab. Ich fotografiere ihn für die Akten. Und dann werfe ich ihn in die Zelle.«

»Darf ich dabei sein?«

»Du meinst, wenn ich ihn in die Zelle werfe?« Maggie lächelte. »Klar. Wir beide werden ihn im Beisein all der anderen bösen Jungs in die Zelle werfen.«

»Nein.« Chip machte einen Schritt nach hinten. Dann noch einen. »Scheiße, nein!«

»Stehen bleiben!« Kate krümmte den Finger um den Abzug.

Chip ging Schritt für Schritt rückwärts. »Ihr zwei Fotzen nehmt mich nicht fest!«

»Stehen bleiben!«, sagte Kate jetzt bestimmter. Sie ging auf ihn zu, während er immer weiter zurückwich. »Gleich schieße ich.«

Doch Chip blieb nicht stehen. Er ging Meter um Meter rückwärts, bis er mit den Absätzen gegen die Brüstung stieß. Dann stieg er hinauf. Und trat ins Leere. Weniger als eine Sekunde lang hing er fast reglos in der Luft.

Dann war er weg.

Im ersten Moment bewegte sich weder Maggie noch Kate.

Dann rannten sie beide zum Rand des Dachs hinüber. Die Szenerie, die sich unter ihnen darbot, sah auf unheimliche Weise aus wie bei ihrem Eintreffen. Nur war dieses Mal nicht Terry Lawson von einer Horde Polizisten umringt. Es war Chip Bixby, auf den ein Dutzend Waffen gerichtet war.

Sie hätten sich nicht die Mühe machen müssen. Chip war ganz offensichtlich tot. Seine Glieder lagen schlaff am Boden. Sein Schädel war aufgeplatzt. Überall war Blut.

»Dort oben!«, rief einer der Beamten. Rick Anderson. Er hatte seine Schrotflinte geschultert.

Plötzlich spürte Kate, wie ihr schwindlig wurde. Sie sank auf die Knie, damit sie Chip nicht hinterherstürzte. Der Revolver fiel auf den Beton. »O mein Gott …«

Maggie lief zu Jimmy hinüber.

»Mein Gott«, wiederholte Kate wieder und immer wieder. Was war da gerade passiert? Sie hätte ihn erschießen müssen. Sie hätte ihm eine Kugel in den Kopf jagen müssen, ehe er vom Dach hatte springen können.

Dann musste sie lachen. Hatte sie gerade allen Ernstes gedacht, sie hätte Chip Bixby umbringen müssen, ehe er sich selbst umbrachte? Sie konnte die Stimme ihres Vaters regelrecht hören, wie er von einem toten Gaul sprach, bei dem das Peitschenschwingen überflüssig war.

Ihr Vater.

Ihre Oma und ihre Mutter.

Kate zitterte jetzt gänzlich unkontrolliert.

Chip Bixby war in ihrem Haus gewesen. Er hatte in ihrem Wohnzimmer gesessen und mit Liesbeth und Oma gesprochen. Er hatte nach allen Regeln der Kunst einen Plan ausgeheckt, wie er Kate ihrer Familie entreißen wollte. Er hatte ein Versteck für sie hergerichtet. Eine Kammer, in der sie hätte schreien und niemand sie hätte hören können. Kate wäre einfach verschwunden. Ihre Familie hätte niemals erfahren, was mit ihr passiert wäre.

Verschwunden wie Omas Vater und Mutter, ihr Bruder und ihr Sohn.

Eben noch da und im nächsten Augenblick wie vom Erdboden verschluckt.

»Kate!«, schrie Maggie. »Kate, hilf mir!«

Mit den Zähnen versuchte Maggie, das Klebeband um Jimmys Kopf zu zerreißen.

Kate musste sofort aufhören, darüber nachzugrübeln. Sie musste diese Geschichte in einen sicheren Winkel ihrer Seele verbannen, wo sie ihr nie wieder wehtun würde. Chip Bixby war tot. Kate war ihm nicht zum Opfer gefallen. Sie würde nie wieder jemandes Opfer sein. Sie war jetzt eine Polizeibeamtin. Sie hatte eine Waffe, die sie benutzt hatte, um einem Mörder Einhalt zu gebieten. Sie und ihre Partnerin hatten einen Fall gelöst. Kate hatte geholfen, ein Verbrechen aufzuklären, das diese Stadt heimgesucht hatte, noch ehe sie überhaupt darüber nachgedacht hatte, eine Uniform anzuziehen.

Ihre Uniform.

Wie oft hatte Chip ihr dabei zugesehen, wie sie aus ihrer Uniform geschlüpft war?

Kate schüttelte den Kopf, um den schrecklichen Gedanken wieder loszuwerden. Dann stemmte sie sich hoch. Sie wischte sich die Hände an der Hose ab und marschierte zu Maggie und Jimmy hinüber, um ihnen zu helfen.

Maggie hatte es endlich geschafft, das Klebeband aufzureißen. Jimmy stöhnte laut, als es sich von seiner Haut löste. Dann schlang Maggie die Arme um ihren Bruder. Beide weinten. Keiner sagte etwas.

Bis Jimmy schließlich flüsterte: »Es tut mir leid.«

»Schon okay«, murmelte Maggie und streichelte seinen Rücken, küsste ihn auf die Wange. »Alles wird gut. Keine Sorge.«

Kate wandte sich ab. Tränen stiegen ihr in die Augen. Sie wusste nicht mehr, um wen sie weinte. Um sich selbst? Um

Patrick? Maggie und Jimmy? Ihre Eltern? Ihre Oma? Vielleicht war sie auch einfach nur erleichtert. Das war die Lüge, die sie sich von nun an einreden würde. Dass sie keine Angst mehr hatte. Dass sie sich nicht mehr verfolgt oder im Intimsten verletzt fühlen musste.

»Alles gut«, sagte Maggie zu ihrem Bruder. »Du bist jetzt in Sicherheit.«

»Alle wissen Bescheid«, schluchzte Jimmy. Wie seine Schwester vor ein paar Augenblicken klang er jetzt ganz so, als habe er sich dem Schicksal ergeben, das ihn nun erwartete. »Erschieß mich, Maggie. Wirf mich vom Dach, bevor die anderen es tun.«

Auch Maggie liefen jetzt Tränen übers Gesicht. »Ich lasse nicht zu, dass sie dir etwas antun. Da müssen sie erst an mir vorbei.«

»Es ist zu spät.« Er war am Boden zerstört. »Es tut mir so leid. Es tut mir so verdammt leid.«

Aus dem Treppenhaus waren laute Stimmen zu hören.

Kate hörte, wie Schritte über die Betonstufen polterten.

»Bring mich um«, flehte Jimmy sie an. »Gib mir die Knarre, und ich mach es selber.«

»Nein.« Maggie ließ ihn nicht los. »Es ist mir egal. Mir ist das alles völlig egal. Wichtig ist nur, dass du okay bist.«

»Ich bin aber nicht okay.«

»Doch, bist du.« Sie drückte ihn noch fester an sich. »Wir stehen das gemeinsam durch. Das werden wir.«

Jimmy reagierte nicht. Er starrte bloß über Maggies Schulter hinweg zur Tür, als warte er auf ein Urteil, das ihm von dort bevorstand. Rufe hallten das Treppenhaus herauf, während die oberen Etagen gesichert wurden. Alle, die gerade noch auf der Straße gestanden hatten, drängten jetzt nach oben in Richtung Dach. Und wahrscheinlich hatten sie alle gehört, was Terry Lawson zu Maggie über seinen Neffen gesagt hatte.

Du lässt deinen schwulen Bruder davonkommen?

»Chip hat gelogen«, sagte Kate unvermittelt. Beide starrten sie an.

Sie zuckte mit den Schultern. »Er hat es selbst zugegeben.«

»Wovon redest du?«, fragte Maggie, und Kate holte tief Luft.

»Kurz bevor er gesprungen ist, hat Chip zugegeben, dass er in Bezug auf Jimmy gelogen hat.« Auf einmal hatte sie wieder ihren hochnäsigsten Buckhead-Akzent aufgelegt. »Gottchen, ihr wart doch die ganze Zeit dabei! Habt ihr es denn nicht auch gehört?«

VIERTER TAG
DONNERSTAG

34

Maggie saß auf einem Stuhl vor Terrys Krankenzimmer.

Er würde überleben.

Sie konnte sich nur schwer an den Gedanken gewöhnen. Den ganzen gestrigen Tag und die Nacht hindurch hatte sie darauf gebaut, dass er es nicht schaffen würde. Die Ärzte hatten zu ihr gesagt, die ersten vierundzwanzig Stunden seien die kritischsten – aber die waren jetzt vorüber, und Terry lebte immer noch.

Doch niemand wusste, welches Leben ihn von nun an erwartete. Die Kugel hatte sein Rückgrat gestreift, und die Schwellung hatte sich ausgedehnt. Teile der Kugel steckten immer noch in seinem Rücken. Die Fragmente konnten unmöglich entfernt werden, ohne dabei noch mehr Schaden anzurichten. Keiner wagte zu spekulieren, ob er je wieder würde gehen können. Unterhalb der Taille fühlte er nichts mehr. Sicher war nur, dass er eigenständig atmen konnte.

Was allerdings auch bedeutete, dass er reden konnte. Wobei Maggie noch nicht wieder mit ihm gesprochen hatte. Sie war auf dem Stuhl vor seinem Zimmer sitzen geblieben und starrte von dort aus die Tür an. Terrys Besuchszeiten waren stark eingeschränkt worden, um das übliche Kommen und Gehen der Kollegen von vornherein zu unterbinden.

Delia und Lilly weinten zu viel, um lang bei ihm sein zu

dürfen. Der Commissioner hatte kurz vorbeigeschaut, war aber bereits Minuten später wieder gegangen. Cal Vick war ein bisschen länger geblieben, doch irgendwann hatte die Krankenschwester auch ihn hinausgeworfen. Gail war auf einen Plausch vorbeigerollt, doch da sie wegen des Sauerstoffs nicht rauchen durfte, hatte sie sich schnell wieder aus dem Staub gemacht. Von Mack McKay, Red Flemming, Les Leslie oder Jett Elliott keine Spur. Es war Bud Deacon gewesen, der Terry von Chip hatte erzählen müssen. Das Gespräch hatte fast eine Stunde gedauert. Bud hatte Maggie nicht ins Gesicht sehen können, als er das Zimmer verließ.

Jimmy hatte gleich am Morgen mit Terry gesprochen. Mehr wusste Maggie nicht. Sie hatte ihren Bruder nach Details gefragt. Natürlich hatte sie ihn ausgefragt, das hatte sie schließlich schon immer getan. Aber diesmal hatte Jimmy nicht annähernd so reagiert wie sonst. Er hatte sie nicht angeschrien. Er hatte nur den Kopf geschüttelt und gesagt, es sei wieder alles in Ordnung.

Aber war wirklich alles in Ordnung? Maggie war unten gewesen. Sie hatte das Getuschel im Wartezimmer gehört. Sie hatte gesehen, wie einige der Kollegen Jimmy angestarrt hatten. Sie hatten sich sklavisch an Kates Version von Chips Geständnis gehalten – doch Polizisten waren nun mal von Natur aus argwöhnisch. Sie vermutete, dass dies auch der Grund war, warum Red, Mack, Les und Jett bisher fortgeblieben waren. Sie hatten Jimmy verehrt. Was würde es über sie aussagen, wenn sich jetzt herausstellte, dass Jimmy homosexuell war? Und was sagte das über Terry Lawson aus, wenn sein Neffe schwul war?

Maggie hätte eigentlich erleichtert darüber sein müssen, dass diese Männer aus ihrem Leben verschwunden waren. Doch stattdessen war sie wütend auf sie, weil sie ihren Bruder im Stich ließen. Sie waren seine Mentoren gewesen. Sie hatten ihn besser behandelt als ihre eigenen Söhne. Sie könnte ihnen niemals verzeihen, wenn sie ihm jetzt den Rücken kehrten wegen einer Sache, die sie verdammt noch mal nichts anging.

Wobei Jimmy dieser Verrat nichts auszumachen schien. Was auf dem Dach des Bürogebäudes passiert war, hatte manches verändert; trotzdem war Jimmy Lawson niemand, der sein Herz auf der Zunge trug.

Und was alles andere anging – nun ja, auch Maggie war keine, die ihr Herz vor jedem ausschüttete.

Kate hingegen hatte sich komplett verändert. Sie war nicht länger der milchgesichtige Scheißfrischling, der am ersten Arbeitstag die Tür zum Umkleideraum zu weit aufgestoßen hatte. Es war fast, als hätte sie inzwischen flüssigen Stahl in den Adern. Selbst als sie die Hunderte von Seiten auf dem Klemmbrett aus Chip Bixbys Auto gesehen hatte, hatte sie lediglich spitz angemerkt, »Jüdin« sei ihr lieber als »Itzig«.

Doch wer wusste schon, was Kate wirklich gedacht hatte, als sie die Liste der Dinge durchgegangen war, die Chip mit ihr hatte anstellen wollen? Oder was sie aus den Überwachungsberichten machen würde, die jeden wachen Augenblick ihres Lebens nachzeichneten, seitdem sie ihn am Schießstand kennengelernt hatte? Oder aus den Tiraden über die Itzigs und Latinos, die die Welt in einen Abgrund stürzen wollten, während gute Männer wie Chip Bixby darum kämpften, alles wieder in Ordnung zu bringen?

Wer wusste schon irgendetwas, wenn es Kate Murphy anging?

Sie war eine verdammt gute Lügnerin. Oder Vertuscherin – ein Begriff, den sie wahrscheinlich vorgezogen hätte. Aber immerhin nutzte sie ihre Talente für einen guten Zweck. Die schiere Menge an Unsinn, die Kate in den Vorfallbericht schrieb, war einfach nur atemberaubend. Merkwürdigerweise diente keine der Ausschmückungen ihrem eigenen Vorteil.

Officer Lawson zog Bixbys Aufmerksamkeit auf sich, indem
sie sich wie geheißen vor ihn auf den Boden kniete, was mir
wiederum überhaupt erst die Gelegenheit gab, mich dem Re-
volver zu nähern. Hätte sie ihn nicht abgelenkt, hätte ich nicht
entsprechend reagieren können.

Bixby. Maggie wünschte sich beinahe, sie wäre dabei gewesen, als Terry es erfahren hatte. Sie hätte zu gern sein Gesicht gesehen. Nicht nur einer – sondern gleich zwei Männer
aus Terrys nächster Umgebung hatten es geschafft, ihm Sand
in die Schweinsäuglein zu streuen. Und ein Teil von ihr
wollte den Gedanken einfach nicht loswerden, dass dies nur
bewies, was für ein Haufen Scheiße auch Terry selbst war.
Tagaus, tagein hatte er sich über die Itzigs und die Schlampen
und die Liberalen und die Feministen und alle anderen be-
klagt, die seine perfekte kleine Welt zu zerstören suchten.
Was hatte er sich wohl gedacht, was passieren würde, wenn
jemand wie Chip seine Worte als Handlungsaufforderung
auffasste?

»Miss Lawson?« Die Schwester streckte den Kopf aus dem
Zimmer und hielt Maggie die Tür auf. »Er fragt nach Ihnen.«
Maggie wusste nicht, ob sie darüber lachen oder die Taschen
der Schwester nach Gras absuchen sollte.

»Bleiben Sie nicht zu lange.« Die Schwester meinte es offensichtlich ernst. Sich um Terry zu kümmern, kostete sie sichtlich Kraft. »Er braucht viel Ruhe.«

Maggie stützte die Hände auf die Knie und stemmte sich
hoch. Noch taten ihr alle Knochen weh. Ihre Wange glich einem einzigen dunklen Fleck. Ihr Hals hatte sich blau und gelb
verfärbt. Ihr Unterkiefer knackste, seit Terry ihr ins Gesicht
geschlagen hatte.

Im Zimmer brannte kein Licht, aber der Schein der Instru-
mente reichte vollkommen, um sehen zu können. Maggie
fühlte sich in Krankenhäusern nicht einmal unwohl. So viele
Jahre lang hatte sie ihren Vater in Milledgeville besucht, dass

ein Teil von ihr Krankenhäuser inzwischen fast als zweite Heimat betrachtete.

Terry lag in einem Inversionsbett, das sein Rückgrat entlastete, auf dem Bauch. Durch eine Aussparung am Kopfende konnte er den Boden sehen. Lange Riemen fixierten Arme und Beine, ein weiterer spannte sich um seinen Kopf. Sein Krankenhauskittel klaffte hinten auf, und Maggie sah seine Schulterblätter. Dreißig Zentimeter darunter bedeckte ein großer Verband das Eintrittsloch der Kugel. Ein Laken verhüllte den Rest.

Irgendjemand hatte einen blauen Himmel und weiße Schäfchenwolken auf den Boden unter ihm aufgemalt. An einem Schwenkarm an der Bettkante war ein Spiegel befestigt. Er war so geneigt, dass Maggie Terrys Augen und Nase sehen konnte. Sie wusste allerdings nicht, ob auch er selbst im Spiegel erkennen konnte, wer sich bei ihm im Zimmer befand.

»Komm näher.«

Zuerst konnte Maggie ihn nicht einmal verstehen. Sein Kiefer steckte tief in der schmalen Aussparung. Er konnte kaum sprechen.

»Näher.«

Sie stellte sich dicht neben das Bett. Er starrte in den Spiegel. Er konnte sie sehen.

»Wo ist Jimmy?«

»Wieder bei der Arbeit.«

Terrys Nasenlöcher blähten sich. »Er muss kündigen.« Maggie schwieg.

»Er gehört nicht mehr dazu.«

»Du klingst wie Chip Bixby.«

Terrys Gesicht war rot angelaufen. Seine Augen traten ihm regelrecht aus den Höhlen. Maggie brauchte die üblichen Signale nicht, um zu erkennen, dass er rasend vor Wut auf sie war. Sie spürte es. Sie spürte es bei jedem Atemzug. Bei jedem Schlag ihres Herzens. Wie sehr sie es auch leugnete – sie war so eng mit Terry verbunden, wie sie mit den Geräuschen in ihrem Haus verbunden war: das Klatschen des Telefonkabels, das Zuschlagen der Küchenschranktüren, das Knacken von Eierschalen am Morgen.

Maggie setzte sich im Schneidersitz auf den Boden und beugte sich so weit vor, dass Terry sie auch ohne Spiegel sehen konnte. »Ich will dir mal was sagen.«

Er starrte bloß geradeaus.

»Du hast dich getäuscht. Willst du gar nicht wissen, wobei du dich getäuscht hast?«

Terrys Kiefermuskeln vibrierten.

Maggie zitierte seinen Lieblingsspruch: »*Man nimmt sich keine Macht. Irgendjemand muss sie einem schon geben.*« Sie erwartete keine Antwort, nur, dass ihre Worte irgendeine Wirkung zeigten. »Aber du hast dich getäuscht, Terry. Ich hab mir die Macht genommen. Und auch Kate Murphy hat sich die Macht genommen.«

Er sah sie nicht an. Er blickte nicht einmal in den Spiegel.

»Ich hab die ganze Nacht vor deiner Tür gesessen und darüber nachgedacht. Und willst du wissen, zu welchem Schluss ich gekommen bin?« Diesmal wartete Maggie gar nicht erst auf eine Antwort. »Ich glaube, du bist gar nicht wirklich Rassist. Oder Sexist. Oder Judenhasser. Oder Schwulenhasser. Oder irgendwas von diesem ganzen Blödsinn. Ich glaube, du hast einfach nur Angst.«

Terry weigerte sich noch immer, sie anzusehen.

»Du hast eine Heidenangst.« Wieder dachte sie an Chips Worte oben auf dem Dach. »Deine Welt ist aus den Fugen geraten. Und auf einmal gehörst du einfach nicht mehr dazu.«

Terry reagierte nicht, aber Maggie merkte sehr wohl, dass ihre Worte ins Schwarze getroffen hatten.

»Chip hat diese Polizisten nicht getötet, weil er sie verabscheute. Er hat sie getötet, weil er es nicht ertragen konnte, dass sie die alte Ordnung aufbrechen wollten. Und du hast ihn darauf gebracht, als du die Beweise gegen Spivey platziert hast. Das war für ihn der Auslöser, und das weißt du auch. Ich weiß es. Spivey kam frei, und zwei Monate später fing Chip an, genau die Art von Leuten zu ermorden, denen du die Schuld dafür gegeben hast.«

Terry spannte den Unterkiefer so heftig an, dass Maggie die Umrisse der Knochen unter seiner Haut sehen konnte.

»Das Traurige daran ist, dass Spivey nur deinetwegen wieder freikam. Der Fall wäre wasserdicht gewesen, aber du hast es nicht dabei bewenden lassen können. Du wolltest um keinen Preis zulassen, dass irgendein Richter oder eine Jury über die Fakten entschied.« Maggie gab ihm Zeit, damit er darüber nachdenken konnte, was sie soeben gesagt hatte. »Chip war paranoid. Er war allein. Seine Welt ging in die Brüche. Und er konnte nicht damit umgehen – genauso wenig wie du.«

Terry zitterte vor Wut. Seine Haut war inzwischen ganz fleckig. Schweiß tropfte von seinem Gesicht zu Boden.

»Das wollte ich dir nur sagen. Dass du an allem schuld bist. Die Welt dreht sich nicht nur immer weiter – sie lässt dich dabei auch stehen.« Maggie lächelte. »Atlanta ist immer noch eine Cop Town, Terry, eine Stadt der Polizisten. Nur bist du nicht mehr der Polizist, der allen sagt, wo's langgeht.«

Endlich brach er sein Schweigen. »Du blöde Fotze.« Maggie konnte gar nicht mehr aufhören zu lächeln. Sie genoss diesen Augenblick zu sehr. Sie würde den ganzen Tag hier sitzen bleiben und alles, was er ihr je hingerotzt hatte, herauslassen können, und Terry hätte keine Möglichkeit, irgendetwas dagegen zu unternehmen.

»Glaubst du, es wird sich irgendwas ändern?«, brachte er nach einer Weile hervor.

»Ja, ich glaube, dass die Welt sich verändert. Für mich. Für Kate. Für die Schwarzen. Und für dich. Vor allem für dich.«

Jetzt sah Terry sie wieder an. »Du hast doch keine Ahnung.

Weißt du, was du bist? Du bist der Bremsstreifen in meiner Unterhose.«

Maggie sah, wie er die Fäuste ballte, und konnte ihre Körperreaktionen plötzlich nicht mehr kontrollieren. Sobald sein Zorn hochkochte, füllte sich ihre Brust mit Quecksilber, und das Herz raste ihr in der Kehle.

»Mach, dass du hier rauskommst!«

»Du sagst mir nicht mehr, was ich zu tun habe.« Maggie kniete sich hin und brachte ihr Gesicht ganz dicht an seines heran. »Du hast nicht mehr das Kommando. Hast du mich verstanden?«

»Wenn ich erst mal aus diesem Bett raus...«

»Spürst du das?« Sie legte ihm die Hand in den Nacken, und Terry stieß keuchend die Luft aus.

»Was soll das?«

Maggie ließ die Finger an seinem Hals entlangwandern. Seine Haut war kühl und trocken. »Ich weiß, dass du meine Berührung spürst. Nur alles unterhalb der Taille ist weg, nicht wahr?«

»Ma...« Er konnte nicht einmal mehr ihren Namen beenden. Schweiß troff auf den Boden und lief über die angemalten Fliesen.

»Haben sie dir gesagt, dass die Kugel immer noch in deinem Rückgrat steckt?« Sie strich ihm ganz leicht über den Nacken. »Du bist nur einen Zentimeter davon entfernt, für den Rest deines Lebens in einen Beutel pissen und scheißen zu müssen.«

»So redest du ...«

Sie bewegte ihre Hand ein Stück weiter nach unten. Ihre Finger fanden die Stelle zwischen Wirbeln und Halsansatz. Ihre Berührung wurde noch einen Hauch sanfter, aber sie wusste genau, dass Terry sie spürte wie einen Vorschlaghammer. »Sag mir, dass es dir leidtut.«

»W-was?«, stammelte er.

»Sag mir, dass es dir leidtut.« Ihr Mund war direkt an seinem

Ohr. Sie hoffte, er spürte, wie ihr die Spucke aus dem Mund stob. Sie hoffte, dass sein Herz hämmerte und seine Nerven zitterten und er endlich von den gleichen Schmerzen gepeinigt wurde wie jemand, dessen Gesicht in eine Matratze gedrückt würde, während jemand anders von hinten mit einem alles tat, was er wollte.

Maggie drückte ihre Finger zwischen Terrys Schulterblätter. Sie spürte die Wirbel. Das Eintrittsloch war noch fünfzehn Zentimeter weit entfernt. Es wäre kinderleicht, ihre Finger in die Wunde zu stecken und die Kugel um ein paar wenige Millimeter zu verschieben.

»Hör auf«, flehte Terry. »Bitte.«

»Sag mir jetzt sofort, dass es dir leidtut, oder ich ramme dir die Faust so fest auf die Kugel, dass sie dir aus der Nase wieder rauskommt.«

»Es tut mir leid!«, kreischte er. »Es tut mir leid!«

»Bist du dir sicher?«

»Ja.« Jetzt weinte er. »Bitte hör auf. Es tut mir leid. Bitte.« Maggie zog ihre Hand weg. In aller Seelenruhe stand sie vom Boden auf und wischte sich den Hosenhintern ab. Sie wandte sich zur Tür. Drehte am Knauf.

Die Schwester stand draußen auf dem Gang. Offensichtlich hatte sie den Lärm gehört. »Ist alles in Ordnung mit ihm?«

»Es geht ihm prächtig.«

»Ich hole ihm Schmerzmittel …«

Maggie hielt sie am Arm fest. »Er hat mir gesagt, er will keine mehr.«

»Sind Sie sich da sicher? Ich dachte, ich hätte ihn schreien gehört …«

»Genau das tut er auch«, bestätigte Maggie. »Er schreit seine Schmerzen hinaus. Sie sollten ihn mal beim Zahnarzt hören – ist für Außenstehende kaum zu ertragen. Er bringt die Helferinnen dort immer zum Heulen.«

Die Schwester hatte schon lang genug mit Terry zu schaffen,

um Maggie die Geschichte abzukaufen. »Na ja, wenn er das immer so macht …«

»Glauben Sie mir. Ich hab schon vor langer Zeit gelernt, dass man sich mit meinem Onkel besser nicht anlegen sollte.« Maggie lächelte die Frau an. »Er ist ein tougher Kerl.«

ACHTER TAG
MONTAG

EPILOG

Kate steuerte den Parkplatz ein paar Häuser hinter dem Polizeirevier an und zog ihr Tuch vom Kopf. Die Sonnenbrille steckte sie sich in die Handtasche. Sie dachte kurz darüber nach, das Verdeck des Cabrios zu schließen, aber kein Mensch würde ein Auto von einem Polizeiparkplatz stehlen.

Selbst wenn es ein roter Ford Mustang war.

Sie nahm den Gürtel vom Beifahrersitz. Die Metallhaken steckten in ihrer Hosentasche. Sie hakte sie in den Hosengürtel ein und hängte den Gürtel mit der Ausrüstung dran. Dann klemmte sie sich den Funksender auf den Rücken. Sie kontrollierte ihre Taschen: Kaugummi, Lippenstift, Notizbuch, Strafzettelblock. Und den Gürtel: Stablampe in der Schlaufe. Handschellen im Futteral. Schultermikro an der Schulterklappe. Mikrokabel im Sender. Schlüsselkette am Ring. Holster am Gürtel. Sicherungsriemen über der Waffe.

Über ihrer Waffe.

Mit einer ganz ähnlichen hatte Kate auf einen Mann geschossen. Sie hatte auf seine Brust gezielt und die Schulter getroffen. Wie man in ihrer Familie sagen würde: Knapp daneben ist auch vorbei.

Nicht dass ihre Familie je erfahren würde, was auf jenem Dach wirklich passiert war. Selbst wenn sie es ihnen je erzählen wollte, würde Kate nicht die Worte finden, um ihnen zu erklären, wie sie sich tatsächlich dabei gefühlt hatte. Sie hatte Chip Bixby töten wollen. Nicht beim ersten Schuss, den sie abgegeben hatte – da hatte sie einfach nur verzweifelt versucht, ihn aufzuhalten. Ihn nicht nur davon abzuhalten, Maggie zu töten, sondern auch, all die furchtbaren Dinge zu sagen, die er ihr an den Kopf geschleudert hatte.

Kates weißes Nachthemd? Die purpurfarbene Decke?

Oma?

Wirklich töten hatte Kate ihn erst wollen, als sie Patricks Armeemarken um seinen Hals gesehen hatte. Ihre Wut hatte sie förmlich verzehrt. Sie hatte ihn nicht mehr einfach nur ermorden, sie hatte ihr ganzes Magazin in seine Brust entleeren wollen. Und dann hatte sie die Löcher mit brennendem Öl füllen und um seine noch warme Leiche tanzen wollen.

Sie hatte sich innerlich tot gefühlt. Zu allem in der Lage. Die fünfte Kate hatte ihr hässliches Haupt erhoben. Diese Kate brauchte Finsternis um sich herum. Den Finger am Abzug. Sie war bereit abzudrücken. Doch dann hatte eine der anderen Kates wieder übernommen. Sie wusste immer noch nicht recht, welche es gewesen war. Die Tochter? Die Witwe? Die Polizistin? Die Nutte?

Die wahre Kate, hoffte sie. Die einzige Kate, die ihr wichtig war, war diejenige, die auf jenem Dach Verantwortung übernommen hatte. Ihr Finger hatte sich vom Abzug wegbewegt. Ihre Hand hatte Maggie die Handschellen zugeworfen. Die wahre Kate war ein guter Mensch und würde niemals etwas Schlimmes tun.

Warum war es also passiert?

Weil Kate eine Entscheidung getroffen hatte.

Sie war vom Abgrund zurückgetreten. Sie war keine Rächerin. Sie war nicht Chip Bixby. Ihr Job war, Recht und Gesetz zu wahren, und genau das hatte sie getan. Und nicht nur das. Sie hatte Maggie beschützt. Sie hatte Jimmy gerettet. Sie hatte sich selbst gerettet.

Sie hatte sich dabei in die Hose gepisst, aber dank Philip hatte Kate jetzt immer einen Reserveslip in der Tasche.

Sie schloss die Autotür ab, was angesichts des offenen Verdecks lächerlich war, aber sie versuchte nun mal, es sich zur Gewohnheit zu machen. Kate verzog das Gesicht, als sie ihre Mütze aufsetzte. Das Schweißband roch immer noch nach Jimmy Lawsons verschwitztem Kopf, ganz gleich, wie viele Duftkissen sie jeden Abend hineinlegte. Immerhin hatte das Backpulver den Gestank aus seinen Schuhen vertrieben.

Kleine Siege.

Kate ging den Bürgersteig entlang. Die Luft war frisch. Die Sonne schien. Ihr Schlagstock hämmerte ihr gegen das Bein. Das Holster stach ihr ins Fleisch. Sie fragte sich, wann sich dort die ersten Schwielen bilden würden.

»Murphy!«

Jimmy Lawson lief hinter ihr her, und Kate wurde langsamer, damit er sie einholen konnte. »Schönes Wochenende gehabt?«

»Wie immer«, antwortete er.

Kate sah zu ihm hoch. Jimmy hatte noch nie einen besonders witzigen Eindruck auf sie gemacht.

Vielleicht versuchte er ja, an sich zu arbeiten. Er schien sich in der Tat verändert zu haben seit der vergangenen Woche, und das nicht allein aufgrund der Abschürfungen an seinen Handgelenken. Die Wut, die in ihm gelodert hatte, verlosch allmählich. Kate fragte sich insgeheim, wann das angefangen hatte. Kein Mensch wusste, was mit Jimmy in jenen achtzehn Stunden in Chips Gefangenschaft wirklich passiert war. Jimmy behauptete, er könne sich nur mehr daran erinnern, unten in der Küche ein Geräusch gehört zu haben. Danach wisse er nur noch, dass Chip ihn auf dem Dach mit einem Schlag ins Gesicht aufgeweckt hatte.

Den Brief erwähnte er mit keiner Silbe.

Was für Kate völlig okay war. Ganz gleich, was wirklich

passiert war, konnte sie nur hoffen, dass Jimmy sich nicht wieder in die wütende Person zurückverwandelte, die er zuvor gewesen war. Maggie brauchte ihn. Die Truppe brauchte ihn. Sie wusste nicht, wie lang Jimmy diesen Job noch aushalten würde. Trotz seiner – wie Kate fand – fantastischen Leistungen schwirrten Gerüchte durchs Revier. Sie hatte immer gedacht, die Mädchen an ihrer Highschool wären schlimm gewesen. Doch wie Kate am Vorabend zu ihrer Oma gesagt hatte, gab es wohl keine Gruppierung, die heimtückischer von Gerüchten geprägt war als die örtliche Polizei.

Dies war das Einzige, was sie ihrer Oma anvertraut hatte. Kates Foto war in der Zeitung gewesen. Sie hatte es den Journalisten überlassen, darüber Bericht zu erstatten, was passiert war, und dank des Commissioners hatten die Journalisten nicht viel in Erfahrung bringen können. Die Wahrheit über Chip Bixby und seine ekelhaften Aufzeichnungen würden für die nächsten hundert Jahre im Polizeiarchiv verborgen bleiben. Oder bis Kate es irgendwie schaffte, in der Hierarchie aufzusteigen. Sie war sich sicher, dass einem Detective Zugang zum Archiv gewährt würde.

»Darf ich dich mal was fragen?«

»Sehr gerne.«

»Diese Schüsse im Treppenhaus – was hat dich dazu gebracht, sie zu zählen?«

Kate stieß einen langen Seufzer aus. »Tische, die für vier oder mehr Personen reserviert sind. Sechs Gegenstände, die in der Umkleidekabine erlaubt sind. Ein Minimum von zwei Drinks.« Sie zuckte mit den Schultern. »Ich zähle schon mein ganzes Leben lang …«

»Mein Gott«, murmelte er. »Hast du nie darüber nachgedacht, dass einer der Schüsse auch aus Maggies Waffe hätte kommen können?«

»Aber sicher.« Sie lächelte. »Der Gedanke kam mir, kaum

dass ich wieder zu Hause war. Ich hätte fast einen Herzanfall bekommen.«

»Soll das ein Witz sein?«

»Schön wär's.« Kate hatte derart neben sich gestanden, dass sie sich unter die heiße Dusche hatte stellen müssen, bis nur mehr kaltes Wasser gekommen war. »Ich hab keinen Augenblick darüber nachgedacht, dass auch Maggie geschossen haben könnte.«

»Gott steh mir bei! Ich wurde von Hanni und Nanni gerettet.« Es war offenbar als Scherz gemeint. Ohne jede Feindseligkeit. Er nickte zu den Stufen zum Hauptquartier hinüber. *Ladies first.«*

»Gottchen, schönen Dank auch.« Kate ging voraus. Wie immer drängten sich vor dem Eingang Polizisten. Wie immer machten sie ihr keinen Platz.

Kate drehte sich um und wäre dabei fast mit Jimmy zusammengerumpelt. »Also dann, bis heute Abend.«

Jimmy öffnete verwirrt den Mund – und Kate schloss ihn mit einem Kuss.

Es war nicht nur ein Kuss. Kate zog eine Schau der Extraklasse ab. Ihre Hände streichelten seinen Hals. Ihre Fingernägel gruben sich in seine Kopfhaut. Sie stieß ihm buchstäblich die Mütze vom Kopf.

Kate sah noch, wie er die Mütze wieder aufhob, bevor sie sich dem alten Portal zuwandte.

Der Spießrutenlauf durch den Bereitschaftssaal war nicht annähernd so schlimm wie am ersten Tag. In der vergangenen Woche hatte Kate viel gelernt – nicht zuletzt, dass man diesen Raum Bereitschaftssaal nannte.

Kate ignorierte die frische Skizze eines Penis auf der Tür zur Frauenumkleide. Sie schob die Tür einen Spaltbreit auf und schlüpfte hindurch.

Maggie war allein. Sie stand an ihrem Spind. »Du bist früh dran.«

»Gewöhn dich lieber nicht daran.«

»Werd ich nicht.«

Kate lächelte und stellte die Zahlenkombination ihres Schlosses ein. Reflexhaft kontrollierte sie noch mal ihre Taschen. Sie hatte vergessen, Bargeld mitzunehmen.

Doch Patricks Foto steckte an seinem gewohnten Platz in ihrer Brieftasche. Sie berührte sein wunderschönes Gesicht mit den Fingerspitzen. Cal Vick hatte angeboten, ihr Patricks Armeemarken zurückzugeben, doch Kate hatte höflich abgelehnt. Sie würde sich eine neue Wohnung suchen. Sie konnte nicht mehr ins Barbizon zurück, und obgleich ihr Vater ihr versichert hatte, dass sie mehr als willkommen sei, war sie inzwischen zu alt, um wieder in den Keller ihrer Eltern zu ziehen.

Außerdem hatte nur ein Blick auf die Fußabdrücke draußen vor ihrem Schlafzimmerfenster gereicht, um sie davon zu überzeugen, dass sie an einen sichereren Ort umziehen musste. Kate wurde regelrecht übel, wenn sie nur daran dachte, dass Chip Bixby ihr dort aufgelauert hatte.

Und deshalb dachte sie lieber gar nicht erst daran.

Kate klappte ihre Brieftasche zu. »Ich hab gehört, Jake Coffees Beerdigung ist für morgen angesetzt.«

»Gail will, dass ich sie hinbringe. Kommst du auch mit?« Kate musste an die letzte Beerdigung denken, bei der sie gewesen war. Patricks sterbliche Überreste waren vom anderen Ende der Welt nach Atlanta geflogen worden. Dabei hatte es diverse bürokratische Pannen gegeben, und über Atlanta hatte ein heftiger Sturm gewütet. Zehn Tage waren vergangen, ehe man das, was von ihrem Ehemann noch übrig gewesen war, endlich nach Hause geschafft hatte. Beim Begräbnis hatte Kate derart unter Beruhigungsmitteln gestanden, dass sie sich kaum mehr daran erinnern konnte, wie der Sarg in die Erde hinabgelassen wurde.

»Alles in Ordnung mit dir?«

»Absolut«, flunkerte Kate. »Ich warte bei Gail auf dich, damit du nicht den Umweg über Buckhead fahren musst.«

»Buckhead«, grummelte Maggie. »Hör mal, ich sollte dich vorwarnen. Gail denkt darüber nach, sich eine Lizenz zur Privatdetektivin zu besorgen.«

Kate schlug sich die Hand vor den Mund, und Maggie wusste, was gleich kommen würde. »Man sollte nicht alles durch den Kakao ziehen, Kate!«

»*Cyclops Investigations*? Der Zyklop ermittelt?«

»Hör sofort auf!« Maggie steckte den Kopf in den Spind. Ihre Stimme klang gedämpft. »Sie sollte besser ein Auge auf Trouble werfen.«

»Gut pariert ...«

»Guten Morgen, Ladys!« Wanda Clack schob sich durch den Türspalt. Sie sah finster drein. »*Schon wieder* eine Schwanzzeichnung! Das kann doch nicht wahr sein!«

»Ich finde allerdings, die Schattierung macht ihn irgendwie realistischer«, kommentierte Kate.

»Ich verneige mich vor Ihrem Fachwissen, Mrs. Lawson.«

»*Wie bitte?*«, kam es von Maggie.

»Weißt du nicht, dass deine Partnerin inzwischen mit deinem Bruder geht?« Wanda ließ sich auf die Sitzbank plumpsen. »Sie haben vorn auf den Stufen zum Revier geknutscht. Die halbe Truppe hat sie gesehen.«

Maggie starrte Kate an, die nur mit den Schultern zuckte.

»Ich kann nicht glauben, dass schon wieder Montag ist – jede verdammte Woche ...« Wanda streckte sich zur Seite und machte ihren Spind auf. Sie belud den Gürtel mit Schlagstock, Handschellen und Sender. »Hab mich am Samstag mit einem ziemlich heißen Typen getroffen. Sah aus wie Al Pacino – nur ein bisschen kleiner. Er ist mit mir erst zum Essen und zum Tanzen gegangen, und dann fand er heraus, dass ich Polizistin bin, und machte sich durchs Klofenster aus dem Staub. Durchs Klofenster! Hat mich mit der Rechnung sitzen lassen.« Sie lachte heiser. »Schätze, ich hatte Glück, dass er zuvor keine Waffe hinterm Spülkasten deponiert hatte.«

Maggie lächelte breit, wie sie es nur tat, wenn sie wirklich glücklich war. »Du könntest doch mal mit einem Polizisten ausgehen.«

Die Tür schlug auf, und eine verängstigte junge Frau stolperte in die Umkleidekabine. Sie hatte die Arme vor der Brust verschränkt. Ihre Mütze war ihr tief über die Augen gerutscht, und die Uniform hing viel zu weit an ihr herab.

»Mein Gott …« Charlaine Compton schob sich hinter ihr in den Umkleideraum und schlug dann die Tür mit beiden Händen zu. »Was hast du dir dabei gedacht? Es hätte hier drinnen jemand nackt sein können!«

Das neue Mädchen bewegte die Lippen. Sie sah aus, als wollte sie gleich wieder zur Tür hinausrennen. Sie hätte es wahrscheinlich getan, wenn Charlaine ihr nicht den Weg versperrt hätte.

»Guck einer an, was für 'ne Heidenangst die hat«, murmelte Wanda.

»Wie ein Reh im Scheinwerferlicht.« Charlaine spielte die Betroffene. »Das arme Ding wird keine Woche durchhalten.«

Neugierig musterte Kate das neue Mädchen. Sie hatte dunkles Haar und ein angenehmes Äußeres. Ohne die blanke Angst in ihren Augen würde sie glatt als attraktiv durchgehen.

»Hast du auch einen Namen, Süße?«, fragte Wanda.

»B-B-Beth Dawson.«

»Irgendwie erinnert sie mich an diese Tussi aus *LaughIn*«, sagte Wanda. »Wie hieß sie gleich wieder?«

»Lily Tomlin?«, rief Charlaine. »Judy Carne?«

»Ruth Buzzi!« Wanda klatschte in die Hände. »Ich werde dich Buzzi nennen.«

Charlaine warf einen Blick auf die Uhr. »Ich muss schleunigst meine Schwester anrufen und fragen, ob sie meinen Jungen auch wirklich in die Schule gebracht und nicht einfach nur in den Kofferraum geworfen hat.«

»Wir sollten besser gehen, bevor die Schwarzen Mädchen kommen.« Wanda tätschelte Kates Bein, und Kate half ihr auf. Dann legte Wanda Beth Dawson die Hände auf beide Schultern. »Hör gut zu, Buzzi. Ich geb dir einen guten Rat. Halt dich von Jimmy Lawson fern. Der gehört jetzt Murphy dort drüben.« Sie schüttelte die Frau wie einen Sack Wäsche. »Und glaub mir, mit Murphy solltest du dich nicht anlegen. Sie hat auf einen Mann geschossen, nur um ihn weinen zu sehen.«

Wanda machte die Tür einen Spaltbreit auf und schlüpfte hinaus in den Bereitschaftssaal.

»Vick hat gesagt, dass wir beide Partnerinnen sind«, sagte Maggie zu Kate. »Ist das okay für dich?«

»Gott, da bin ich ja gleich ganz aufgeregt!« Kate konnte es nicht lassen. Aber sie war begeistert. Maggie hingegen schüttelte nur den Kopf, als sie sich seitlich durch den Türspalt drückte.

Kate zog den Reißverschluss ihrer Handtasche zu und klopfte sich ein letztes Mal auf die Taschen. Dann knallte sie ihren Spind zu.

Dawson schreckte zusammen. Sie stand in der Ecke, die Hände hatte sie immer noch vor der Brust verschränkt. Die Mütze saß ihr so tief über der Stirn, dass Kate kaum die Farbe ihrer Augen sehen konnte.

»Nimm die Hände vom Busen«, sagte sie.

Dawson bewegte die Hände, und ihre Handtasche fiel zu Boden. Sie bückte sich, um sie aufzuheben, und stieß sich dabei den Kopf am Türknauf an.

Kate zwang sich, nicht zu grinsen. »Hast du ein Schloss?« Die Frau war viel zu eingeschüchtert, um sprechen zu können. »Ein Kombinationsschloss?«

Dawson schüttelte bloß den Kopf und schob die Mütze zurecht, doch der Rand rutschte ihr sofort wieder über die Augen. Sie schob ihn wieder hinauf.

Kate machte ihren Spind wieder auf. »Du kannst heute meinen teilen. Besorg dir bis morgen ein Spindschloss. An der Central gibt's ein Sportgeschäft. Trag deine Uniform, dann bekommst du es umsonst.«

Dawson rührte sich nicht.

Kate schnappte sich die Handtasche der Frau und warf sie in ihren Spind. »Und mach die Tür nie ganz auf, sonst können die Jungs alles sehen. Trag nicht die dünnen Socken, die sie dir gegeben haben. Bei Franklin Simon gibt's welche aus Wolle, zwei für einen Dollar, aber mir persönlich sind die aus Kaschmir von Davison's lieber. Sei's drum – besorg dir ein Paar dicke Socken, damit dir die Schuhe an den Füßen bleiben. Und besorg dir eine Heftmaschine für die Hose. Diese Heftnadeln halten nicht lang, glaub's mir. Sonst siehst du irgendwann aus wie die Vogelscheuche aus *Der Zauberer von Oz*. Und weil wir gerade von Sehen sprechen: Sieh dir deine Umgebung immer gut an. Hoch, runter, links, rechts, vorne, hinten, seitlich. Deine Mütze kannst du abnehmen.«

Dawson nahm ihre Mütze ab.

»Siehst du diesen Vorhang dort?« Dawson drehte sich zu dem Vorhang um.

»Dahinter ziehen sich die Schwarzen Mädchen um. Die Umkleide gehört zehn Minuten vor dem Appell ihnen allein. Das ist die Regel. Sie mögen es nicht, wenn wir hier sind, und sie mögen es nicht, wenn du sie nervst. Verstanden?«

Dawsons Kopf bewegte sich hin und her wie ein Kugellager. Sie versuchte verzweifelt, die ganzen Informationen irgendwo in ihrem Hirn abzuspeichern.

Doch statt sich zu bremsen, wurde Kate immer schneller.

»Du wirst nicht dafür verhaftet, wenn du deine Uniform umändern lässt. An der Fourteenth gibt es einen Schneider, der sich darum kümmert. Er ist Jude und verhältnismäßig günstig. Sonst noch was? Ach ja – die Toiletten sind oben. Da geht's ziemlich zu – nur zwei Kabinen. Sprüh dir die Haare nicht vor dem Spiegel ein, außer du willst ein Messer in den Rücken kriegen. Das meine ich ernst. Wir tragen hier alle Waffen. Ach, übrigens, ich bin Kate.«

Dawson zögerte und nahm dann schüchtern Kates Hand.

»Willkommen im Atlanta Police Department.«

DANKSAGUNG

Sie dürfen nie vergessen: Atlanta entspricht nicht allein der Wahrnehmung eines Einzelnen. Die Wahrnehmung eines jeden ist einzigartig. Dieser Roman ist zwar gespickt mit Details aus dem echten Leben, aber es handelt sich hierbei im Großen und Ganzen immer noch um ein fiktives Werk. (Sprich: Ich hab mir das ganze Zeug ausgedacht.)

Für die Hintergrundinformationen über das Atlanta der Siebzigerjahre möchte ich Janice Blumberg, Dona Robertson, Vickye Prattes und dem liebenswerten und gut aussehenden Dr. Chip Pendleton danken. Mein Dank für alles, was das Niederländische angeht (das ich bis auf einige Schimpfwörter, die ich bei Marjolein aufgeschnappt habe, nicht beherrsche), gilt meiner Übersetzerin ins Niederländische, Ineke Lenting. Danke auch an Iannis Goerlandt und Leen van den Broucke, die all meine Fragen zu Flandern beantworteten (und danke auch an meine flämischen Leser, die ich sehr schätze – meine aufrichtigste Entschuldigung! Ihr seid das freundlichste, fröhlichste Volk, das ich je kennengelernt habe, und die Zeit, die ich mit euch verbringen durfte, liegt mir sehr am Herzen). Melissa Van der Wagt sprach mir ein paar holländische Wörter vor (nein, Melissa, sie klangen *nicht* wie Englisch). Nanda Brouwer ging mit mir ins Joods Historisch Museum in Amsterdam, wo Mirjam Knotter geduldig all meine Fragen beantwortete. Besonders dankbar bin ich Linda Andriesse von der Hollandsche Schouwburg für die Großzügigkeit und die Bereitschaft, mit mir über ihre persönlichen Erfahrungen zu sprechen. Mein Dank gilt auch Barbara Reuten, die diese Treffen überhaupt erst möglich gemacht hat. Ich möchte jeden, der sich für die Geschichte der Niederlande während des Zweiten Weltkriegs interessiert, dazu ermutigen, diese beiden überaus wichtigen Organisationen selbst zu besuchen. Nein, eigentlich möchte ich jeden dazu ermutigen, die Niederlande (und Flandern!) zu besuchen, wann immer sich die Gelegenheit dazu bietet.

Eine Entschuldigung gebührt den Eisenbahnfreunden für die Freiheiten, die ich mir in Bezug auf das Howell Rail Yard Wye genommen habe. Außerdem sollte ich wohl erwähnen, dass *Warren Zevon* zwar 1975 aufgenommen, aber erst im Mai 1976 herausgebracht wurde.

David und Ellen Conford waren meine jüdischen Ansprechpartner bei allen Fragen zum Jiddischen. Falls ein Leser meint, dass ich mich irgendwo geirrt habe: *A glick hot dich getrofn!* Laurent Bouzereau: Danke für dein Rolodex. Susan Rebecca White: Danke für das Colonnade-Motiv. Kitty: Danke für den Beweis, dass erwachsene Frauen aus Buckhead immer noch »Gottchen« sagen. Kat: Danke, Mama, du weißt schon, wofür. Gillian: Daran hab ich gearbeitet, während du an diesem irren Süßkartoffel-Witz gepuzzelt hast. Charlaine und Lee: Ja, so seid ihr eben. Mo Hayder: Tut mir leid, dass in dieser Geschichte nur so wenige Menschen grausam umkommen. Beim nächsten Mal wieder.

An mein Lektoratsteam Jennifer Hershey und Kate Elton (BBF): Danke an euch beide für eure Sorgfalt und Geduld. Einen Roman zu schreiben ist wie auf einem Hochseil zu balancieren, und ich bin froh, euch als mein Sicherheitsnetz zu haben. Danke auch an alle Menschen bei Random House in den Vereinigten Staaten und Großbritannien: Gina Centrello, Libby McGuire, Susan Sandon, Georgina Hawtrey-Woore,

Jenny Geras und Markus Dohle. Victoria Sanders, danke, dass du dich mit meinem ganzen Unsinn herumschlägst. Diane Dickensheid, danke, dass du dir anhörst, wie Victoria sich mit meinem ganzen Unsinn herumschlägt. Angela Cheng Caplan, du bist ein Star. Es wird mehr Unsinn nachkommen.

Mein letzter Dank geht wie immer an die beiden wichtigsten Menschen in meinem Leben: an meinen Daddy, der mir, während ich die Qualen des Schreibens durchleide, Suppe und Maisbrot bringt und mich immer wieder daran erinnert, mir die Haare zu kämmen. Und an DA, meine große Liebe – ich weiß nicht, was ich getan habe, um dich zu verdienen, aber ich bin mir ziemlich sicher, du hast es ebenfalls längst vergessen.